ओशो

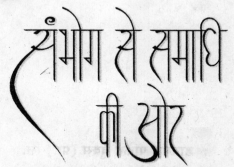

संभोग से समाधि की ओर

जीवन-ऊर्जा रूपांतरण का विज्ञान

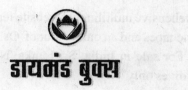

डायमंड बुक्स

प्रकाशक : डायमंड पॉकेट बुक्स (प्रा.) लि.
X-30, ओखला इंडस्ट्रियल एरिया, फेज-II
नई दिल्ली-110020
फोन : 011-41611861, 40712100
फैक्स : 011-41611866
ई-मेल : sales@dpb.in
वेबसाइट : www.dpb.in
संस्करण : 2024
मुद्रक : आदर्श प्रिंटर्स, शाहदरा, दिल्ली- 32

Sambhog Se Samadhi Ki Ore

For more information : www.osho.com

A comprehensive multilingual website featuring Osho's meditations, books and tapes and an online tour of Osho International Meditation Resort "For sale in India, Sri Lanka, Nepal, Bangladesh, Bhutan and Maldives only"

Sambhog Se Samadhi Ki Ore *(Jivan- Urja Ka Rapantaran Vigyan)*

मन मिर्ज़ा तन साहिबां

पंजाब के किसी सूफ़ी शायर की यह पंक्ति प्रतीकात्मक नहीं है। यह जहांगीर-काल की एक गाथा है कि मिंटगुमरी जिला के दानाबाद गांव का एक राजपूत मिर्ज़ा जब अपने ननिहाल की एक सुंदरी साहिबां को देखता है, तो साहिबां को अहसास होता है कि मिर्ज़ा एक मन है, जो साहिबां के तन में बस गया है...

किसी देवता की पत्थर-मूर्ति में जो प्राण-प्रतिष्ठा कर सकता है, वही इस मुहब्बत के आलम को समझ सकता है कि मन और तन के संभोग से कोई समाधि की अवस्था तक कैसे पहुंच जाता है...

मुहब्बत की इस गाथा में समाज के तेवर बदलते हैं, लोहा सान पर चढ़ता है, भाइयों के बदन में नफरत सुलगने लगती है, उनके होंठ जहर उगलने लगते हैं, और वक्त हैरान होकर देखता है, कि दूसरी तरफ मिर्ज़ा और साहिबां के बदन उस पाक मस्जिद से हो गए हैं, जहां पांच नमाजें बस्ता लेकर मुहब्बत की तालीम पाने को आई हैं...

कोई योगी जब अपने अंतर में सोई हुई शक्ति को जगाता है, और जब आग की एक लकीर उसकी पीठ की हड्डी में से गुजरती है, तो उसकी काया में बिखरे हुए शक्ति के कण, उस आग की कशिश से एक दिशा अख्तियार करते हैं, और उससे योगी के मन-मस्तिष्क में जिस महाशक्ति का संचार होता है, ठीक उस कुंडलिनी शक्ति के जागरण का अनुभव संभोग के उस आलम में होता है, जहां प्राण और प्राण का मिलन होता है, और उस महामिलन में उस महाचेतना का दर्शन होता है, जो काया की सीमा में असीम को ढालते हुए, उसे सीमा से मुक्त कर देती है...

पांच तत्व की काया को जिंदगी का यह कर्म-क्षेत्र किसलिए मिला है, मैं समझती हूं इसका रहस्य ओशो ने पाया है, और उस क्षण का दर्शन किया है, जब लहू-मांस की यह काया एक उस मंदिर और एक उस मस्जिद सी हो जाती है, जहां पूजा के धूप की सुगंधि अंतर से उठने लगती है और कोई आयत भीतर से सुनाई देने लगती है...

दागिस्तान हमारी दुनिया का एक छोटा सा पहाड़ी इलाका है, लेकिन लगता है, वहां के लोगों ने दुनिया के दुखांत का बहुत बड़ा मर्म जाना है। वो लोग जब किसी पर

बहुत खफा होते हैं, तो एक ऐसी गाली देते हैं, जिससे भयानक कोई और गाली हो नहीं सकती, कहते हैं...अरे जा! तुझे अपनी महबूब का नाम भूल जाए।

कह सकती हूं...यही गाली है, जो हमारे हर मजहब को लग गई, हमारे हर वाद और एतक़ाद को लग गई, और उन्हें अपनी महबूब का नाम भूल गया...अपनी अनंत शक्ति का नाम भूल गया...

और फिर ऐसे स्याह-दौर आए कि हमारे सब मजहब और हमारे सब वाद और एतक़ाद इंसान को भयमुक्त करने की जगह भयग्रस्त करने लगे।

लगता है...यह मर्म भी ओशो ने जाना, और लोगों को भयमुक्त करने के लिए उस अनंत शक्ति की ओर इशारा किया, जो उन्हीं के भीतर थी, लेकिन जिसका नाम उन्हें भूल गया था...

यह आसन और सिंहासन की बहुत बड़ी साज़िश थी कि वो मिलकर लोगों को भयग्रस्त करने लगे। वो लोगों को सिर्फ फ़ितरी गुलामी नहीं देते, ज़ेहनी गुलामी भी देते हैं, साइकिक गुलामी भी देते हैं। इसी को मैंने कुछ सतरों में इज़हार दिया था...

''मैं कोठढ़ी दर कोठढ़ी
रोज सूरज को जनम देती हूं
और रोज--मेरा सूरज यतीम होता है...

उदास सा सूरज जब रोज आसमान पर उदय होता है, तो संस्कारों का एक तकाज़ा होता है, कि लोग दूर से उसे देखते हैं, एक अजनबी की तरह उसे नमस्कार करते हैं, और फिर जल्दी से रास्ता काटकर चल देते हैं, और वो यतीम सा सूरज यूं ही अस्त हो जाता है...

लोग जो भयग्रस्त कर दिए गए थे, वो भूल गए थे कि सूरज की किरण तो अपने घर-आंगन में ले जानी होती है, अपने मन-मस्तिष्क में ले जानी होती है, जहां हमारे अंतर की मिट्टी में पड़ा हुआ एक बीज, फूल बनकर खिलने के लिए तरस रहा है।

प्रेम और भक्ति ये दो लफ्ज ऐसे हैं, जो हमारे चारों ओर सुनाई देते हैं, लेकिन इस तरह घबराए हुए से, जैसे वो लोगों के बागों से तोड़े हुए चोरी के फूल हों।

लेकिन फूल तो भीतर से खिलने होते हैं, हमारे मन की मिट्टी में से, जहां मिट्टी को अपनी प्रसव-पीड़ा को पाकर सार्थक होना होता है...

मैं समझती हूं कि ओशो हमारे युग की एक बहुत बड़ी प्राप्ति हैं, जिन्होंने सूरज की किरण को लोगों के अंतर की ओर मोड़ दिया, और सहज मन से उस संभोग की बात कह पाए...जो एक बीज और एक किरण का संभोग है, और जिससे खिले हुए

फूल की सुगंधि इंसान को समाधि की ओर ले जाती है, मुक्ति की ओर ले जाती है, मोक्ष की ओर ले ज़ाती है...

मन की मिट्टी का ज़रखेज़ होना ही उसका मोक्ष है, और उस मिट्टी में पड़े हुए बीज का फूल बनकर खिलना ही उसका मोक्ष है...

मानना होगा कि ओशो ही यह पहचान दे सकते थे, जिन्हें चिंतन पर भी अधिकार है, और वाणी पर भी अधिकार है...

सिर्फ एक बात और कहना चाहती हूं अपने अंतर अनुभव से--उस व्यथा की बात, जो अंकुर बनने से पहले एक बीज की व्यथा होती है...

मेरा सूरज बादलों के महल में सोया हुआ है
जहां कोई सीढ़ी नहीं, कोई खिड़की नहीं
और वहां पहुंचने के लिए--
सदियों के हाथों ने जो डंडी बनाई है
वो मेरे पैरों के लिए बहुत संकरी है...

मैं मानती हूं कि हर चिंतनशील साधक के लिए, हर बना हुआ रास्ता संकरा होता है। अपना रास्ता तो उसे अपने पैरों से बनाना होता है। लेकिन ओशो इस रहस्य को सहज मन से कह पाए, इसके लिए हमारा युग उन्हें धन्यवाद देता है।

अमृता प्रीतम

अमृता प्रीतम एक भावप्रवण कवयित्री एवं लेखिका हैं जिनसे न केवल भारत का अपितु संपूर्ण विश्व का साहित्य धन्य हुआ है। आपको साहित्य अकादमी तथा ज्ञानपीठ पुरस्कार प्राप्त हुए हैं।
आप राज्यसभा की मनोनीत सदस्या भी रही हैं।
1960 से आप पंजाबी पत्रिका नागमणि का संपादन कर रही हैं।
ओशो पर आपकी लिखी पुस्तकों में 'मन मिर्ज़ा तन साहिबां' विशेष उल्लेखनीय है। आपके काव्यमय लेख ओशो टाइम्स इंटरनेशनल में अक्सर प्रकाशित होते रहते हैं।

अनुक्रम

1

संभोग : परमात्मा की सृजन-ऊर्जा

मेरे प्रिय आत्मन्!

प्रेम क्या है?

जीना और जानना तो आसान है, लेकिन कहना बहुत कठिन है। जैसे कोई मछली से पूछे कि सागर क्या है? तो मछली कह सकती है, यह है सागर, यह रहा चारों तरफ, वही है। लेकिन कोई पूछे कि कहो क्या है, बताओ मत, तो बहुत कठिन हो जाएगा मछली को। आदमी के जीवन में भी जो श्रेष्ठ है, सुंदर है और सत्य है, उसे जीया जा सकता है, जाना जा सकता है, हुआ जा सकता है, लेकिन कहना बहुत मुश्किल है।

और दुर्घटना और दुर्भाग्य यह है कि जिसमें जीया जाना चाहिए, जिसमें हुआ जाना चाहिए, उसके संबंध में मनुष्य-जाति पांच-छह हजार वर्ष से केवल बातें कर रही है। प्रेम की बात चल रही है, प्रेम के गीत गाए जा रहे हैं, प्रेम के भजन गाए जा रहे हैं, और प्रेम का मनुष्य के जीवन में कोई स्थान नहीं है।

अगर आदमी के भीतर खोजने जाएं तो प्रेम से ज्यादा असत्य शब्द दूसरा नहीं मिलेगा। और जिन लोगों ने प्रेम को असत्य सिद्ध कर दिया है और जिन्होंने प्रेम की समस्त धाराओं को अवरुद्ध कर दिया है और बड़ा दुर्भाग्य यह है कि लोग समझते हैं वे ही प्रेम के जन्मदाता भी हैं।

धर्म प्रेम की बातें करता है, लेकिन आज तक जिस प्रकार का धर्म मनुष्य-जाति के ऊपर दुर्भाग्य की भांति छाया हुआ है, उस धर्म ने ही मनुष्य के जीवन से प्रेम के सारे द्वार बंद कर दिए हैं। और न इस संबंध में पूरब और पश्चिम में कोई फर्क है, न हिंदुस्तान में और न अमेरिका में कोई फर्क है।

मनुष्य के जीवन में प्रेम की धारा प्रकट ही नहीं हो पाई। और नहीं हो पाई तो हम दोष देते हैं कि मनुष्य ही बुरा है, इसलिए नहीं प्रकट हो पाई। हम दोष देते हैं कि यह मन ही जहर है, इसलिए प्रकट नहीं हो पाई। मन जहर नहीं है। और जो लोग मन को जहर कहते रहे हैं, उन्होंने ही प्रेम को जहरीला कर दिया, प्रेम को प्रकट नहीं होने दिया है।

मन जहर हो कैसे सकता है? इस जगत में कुछ भी जहर नहीं है। परमात्मा के इस सारे उपक्रम में कुछ भी विष नहीं है, सब अमृत है। लेकिन आदमी ने सारे अमृत को जहर कर लिया है। और इस जहर करने में शिक्षक, साधु-संत और तथाकथित धार्मिक लोगों का सबसे ज्यादा हाथ है।

इस बात को थोड़ा समझ लेना जरूरी है। क्योंकि अगर यह बात दिखाई न पड़े तो मनुष्य के जीवन में कभी भी प्रेम भविष्य में भी नहीं हो सकेगा। क्योंकि जिन कारणों से प्रेम नहीं पैदा हो सका है, उन्हीं कारणों को हम प्रेम प्रकट करने के आधार और कारण बना रहे हैं!

हालतें ऐसी हैं कि गलत सिद्धांतों को अगर हजारों वर्ष तक दोहराया जाए तो फिर हम यह भूल ही जाते हैं कि सिद्धांत गलत हैं; और दिखाई पड़ने लगता है कि आदमी गलत है, क्योंकि उन सिद्धांतों को पूरा नहीं कर पा रहा है।

मैंने सुना है, एक सम्राट के महल के नीचे से एक पंखा बेचने वाला गुजरता था और जोर से चिल्ला रहा था कि अनूठे और अद्भुत पंखे मैंने निर्मित किए हैं। ऐसे पंखे कभी भी नहीं बनाए गए। ये पंखे कभी देखे भी नहीं गए हैं। सम्राट ने खिड़की से झांक कर देखा कि कौन है जो अनूठे पंखे ले आया है! सम्राट के पास सब तरह के पंखे थे--दुनिया के कोने-कोने में जो मिल सकते थे। और नीचे देखा, गलियारे में खड़ा हुआ एक आदमी साधारण दो-दो पैसे के पंखे होंगे और चिल्ला रहा है कि अनूठे, अद्वितीय।

उस आदमी को ऊपर बुलाया और पूछा कि इन पंखों में क्या खूबी है? दाम क्या हैं इन पंखों के? उस पंखे वाले ने कहा कि महाराज, दाम ज्यादा नहीं हैं। पंखे को देखते हुए दाम बहुत कम हैं, सिर्फ सौ रुपये का पंखा है। सम्राट ने कहा, सौ रुपये!

यह दो पैसे का पंखा, जो बाजार में जगह-जगह मिलता है, और सौ रुपये दाम! क्या है इसकी खूबी?

उस आदमी ने कहा, खूबी! यह पंखा सौ वर्ष चलता है। सौ वर्ष के लिए गारंटी है। सौ वर्ष से कम में खराब नहीं होता है।

सम्राट ने कहा, इसको देख कर तो ऐसा लगता है कि यह सप्ताह भी चल जाए पूरा तो मुश्किल है। धोखा देने की कोशिश कर रहे हो? सरासर बेईमानी, और वह भी सम्राट के सामने!

उस आदमी ने कहा, आप मुझे भलीभांति जानते हैं, इसी गलियारे में रोज पंखे बेचता हूं। सौ रुपये दाम हैं इसके और अगर सौ वर्ष न चले तो जिम्मेवार मैं हूं। रोज तो नीचे मौजूद होता हूं। और फिर आप सम्राट हैं, आपको धोखा देकर जाऊंगा कहां?

वह पंखा खरीद लिया गया। सम्राट को विश्वास तो न था, लेकिन आश्चर्य भी था कि यह आदमी सरासर झूठ बोल रहा है, किस बल पर बोल रहा है! पंखा सौ रुपये में खरीद लिया गया और उससे कहा कि सातवें दिन तुम उपस्थित हो जाना।

दो-चार दिन में ही पंखे की डंडी बाहर निकल गई। सातवें दिन तो वह बिलकुल मुर्दा हो गया। लेकिन सम्राट ने सोचा कि शायद पंखे वाला आएगा नहीं।

लेकिन ठीक समय पर सातवें दिन वह पंखे वाला हाजिर हो गया और उसने कहा, कहो महाराज! उन्होंने कहा, कहना नहीं है, यह पंखा पड़ा हुआ है टूटा हुआ। यह सात दिन में ही यह गति हो गई, तुम कहते सौ वर्ष चलेगा। पागल हो या धोखेबाज? क्या हो?

उस आदमी ने कहा कि मालूम होता है आपको पंखा झलना नहीं आता है। पंखा तो सौ वर्ष चलता ही। पंखा तो गारंटीड है। आप पंखा झलते कैसे थे?

सम्राट ने कहा, और भी सुनो, अब मुझे यह भी सीखना पड़ेगा कि पंखा कैसे किया जाता है!

उस आदमी ने कहा, कृपा करके बताइए कि इस पंखे की गति सात दिन में ऐसी कैसे बना दी आपने? किस भांति पंखा किया?

सम्राट ने पंखा उठा कर करके दिखाया कि इस भांति मैंने पंखा किया है।

उस आदमी ने कहा, समझ गया भूल। इस तरह पंखा नहीं किया जाता।

सम्राट ने कहा, और क्या रास्ता है पंखा झलने का?

उस आदमी ने कहा, पंखा पकड़िए सामने और सिर को हिलाइए। पंखा सौ वर्ष

चलेगा। आप समाप्त हो जाएंगे, लेकिन पंखा बचेगा। पंखा गलत नहीं है, आपके झलने का ढंग गलत है।

यह आदमी पैदा हुआ है--पांच-छह हजार या दस हजार वर्ष की संस्कृति का यह आदमी फल है। लेकिन संस्कृति गलत नहीं है, यह आदमी गलत है। आदमी मरता जा रहा है रोज और संस्कृति की दुहाई चलती चली जाती है--कि महान संस्कृति, महान धर्म, महान सब कुछ! और उसका यह फल है आदमी, उसी संस्कृति से गुजरा है और यह परिणाम है उसका। लेकिन नहीं, आदमी गलत है और आदमी को बदलना चाहिए अपने को।

और कोई कहने की हिम्मत नहीं उठाता कि कहीं ऐसा तो नहीं है कि दस हजार वर्षों में जो संस्कृति और धर्म आदमी को प्रेम से नहीं भर पाए वह संस्कृति और धर्म गलत हों! और अगर दस हजार वर्षों में आदमी प्रेम से नहीं भर पाया तो आगे कोई संभावना है इसी धर्म और इसी संस्कृति के आधार पर कि आदमी कभी प्रेम से भर जाए?

दस हजार वर्षों में जो नहीं हो पाया, वह आगे भी दस हजार वर्षों में होने वाला नहीं है। क्योंकि आदमी यही है, कल भी यही होगा आदमी। आदमी हमेशा से यही है और हमेशा यही होगा। और संस्कृति और धर्म, जिनके हम नारे दिए चले जाते हैं, और संतों और महात्माओं की जिनकी दुहाइयां दिए चले जाते हैं...सोचने के लिए हम तैयार नहीं कि कहीं हमारे बुनियादी चिंतन की दिशा ही तो गलत नहीं है?

मैं कहना चाहता हूं कि वह गलत है। और गलत का सबूत है यह आदमी। और क्या सबूत होता है?

एक बीज को हम बोएं और फल जहरीले और कड़वे हों तो क्या सिद्ध होता है? सिद्ध होता है कि वह बीज जहरीला और कड़वा रहा होगा। हालांकि बीज में पता लगाना मुश्किल है कि उससे जो फल पैदा होंगे, वे कड़वे पैदा होंगे। बीज में कुछ खोजबीन नहीं की जा सकती। बीज को तोड़ो-फोड़ो, कोई पता नहीं चल सकता कि इससे जो फल पैदा होंगे, वे कड़वे होंगे। बीज को बोओ, सौ वर्ष लग जाएंगे--वृक्ष होगा, बड़ा होगा, आकाश में फैलेगा, तब फल आएंगे--और तब पता चलेगा कि वे कड़वे हैं।

दस हजार वर्ष में संस्कृति और धर्म के जो बीज बोए गए हैं, यह आदमी उसका फल है और यह कड़वा है और घृणा से भरा हुआ है। लेकिन उसी की दुहाई दिए चले जाते हैं हम और सोचते हैं कि उससे प्रेम हो जाएगा। मैं आपसे कहना चाहता हूं,

उससे प्रेम नहीं हो सकता है। क्योंकि प्रेम के पैदा होने की जो बुनियादी संभावना है, धर्मों ने उसकी ही हत्या कर दी है और उसमें ही जहर घोल दिया है।

मनुष्य से भी ज्यादा प्रेम पशु और पक्षियों में और पौधों में दिखाई पड़ता है; जिनके पास न कोई संस्कृति है, न कोई धर्म है। संस्कृत और सुसंस्कृत और सभ्य मनुष्यों की बजाय असभ्य और जंगल के आदमी में ज्यादा प्रेम दिखाई पड़ता है; जिसके पास न कोई विकसित धर्म है, न कोई सभ्यता है, न कोई संस्कृति है। जितना आदमी सभ्य, सुसंस्कृत और तथाकथित धर्मों के प्रभाव में मंदिरों और चर्चों में प्रार्थना करने लगता है, उतना ही प्रेम से शून्य क्यों होता चला जाता है?

जरूर कुछ कारण हैं। और दो कारणों पर मैं विचार करना चाहता हूं। अगर वे खयाल में आ जाएं तो प्रेम के अवरुद्ध स्रोत टूट सकते हैं और प्रेम की गंगा बह सकती है। वह हर आदमी के भीतर है, उसे कहीं से लाना नहीं है।

प्रेम कोई ऐसी बात नहीं है कि कहीं खोजने जाना है उसे। वह है। वह प्राणों की प्यास है हर एक के भीतर, वह प्राणों की सुगंध है प्रत्येक के भीतर। लेकिन चारों तरफ से परकोटा है उसके और वह प्रकट नहीं हो पाती। सब तरफ पत्थर की दीवार है और वे झरने नहीं फूट पाते। तो प्रेम की खोज और प्रेम की साधना कोई पाजिटिव, कोई विधायक खोज और साधना नहीं है कि हम जाएं और कहीं प्रेम सीख लें।

एक मूर्तिकार एक पत्थर को तोड़ रहा था। कोई देखने गया था कि मूर्ति कैसे बनाई जाती है। उसने देखा कि मूर्ति तो बिलकुल नहीं बनाई जा रही है; सिर्फ छैनी और हथौड़े से पत्थर तोड़ा जा रहा है। तो उस आदमी ने पूछा कि यह आप क्या कर रहे हैं? मूर्ति नहीं बनाएंगे! मैं तो मूर्ति का बनना देखने आया हूं। आप तो सिर्फ पत्थर तोड़ रहे हैं।

उस मूर्तिकार ने कहा कि मूर्ति तो पत्थर के भीतर छिपी है, उसे बनाने की जरूरत नहीं है; सिर्फ उसके ऊपर जो व्यर्थ पत्थर जुड़ा है उसे अलग कर देने की जरूरत है और मूर्ति प्रकट हो जाएगी। मूर्ति बनाई नहीं जाती, मूर्ति सिर्फ आविष्कृत होती है, डिस्कवर होती है, अनावृत होती है, उघाड़ी जाती है।

मनुष्य के भीतर प्रेम छिपा है, सिर्फ उघाड़ने की बात है। उसे पैदा करने का सवाल नहीं है, अनावृत करने की बात है। कुछ है जो हमने ऊपर से ओढ़ा हुआ है, जो उसे प्रकट नहीं होने देता।

एक चिकित्सक से जाकर आप पूछें कि स्वास्थ्य क्या है? और दुनिया का कोई चिकित्सक नहीं बता सकता कि स्वास्थ्य क्या है। बड़े आश्चर्य की बात है! स्वास्थ्य

पर ही तो सारा चिकित्सा-शास्त्र खड़ा है, सारी मेडिकल साइंस खड़ी है और कोई नहीं बता सकता कि स्वास्थ्य क्या है। लेकिन चिकित्सक से पूछें कि स्वास्थ्य क्या है? तो वह कहेगा, बीमारियों के बाबत हम बता सकते हैं कि बीमारियां क्या हैं, उनके लक्षण हमें पता हैं, एक-एक बीमारी की अलग-अलग परिभाषा हमें पता है। स्वास्थ्य? स्वास्थ्य का हमें कोई भी पता नहीं है। इतना हम कह सकते हैं कि जब कोई बीमारी नहीं होती, तो जो होता है, वह स्वास्थ्य है।

स्वास्थ्य तो मनुष्य के भीतर छिपा है, इसलिए मनुष्य की परिभाषा के बाहर है। बीमारी बाहर से आती है, इसलिए बाहर से परिभाषा की जा सकती है। स्वास्थ्य भीतर से आता है, उसकी कोई परिभाषा नहीं की जा सकती। इतना ही हम कह सकते हैं कि बीमारियों का अभाव स्वास्थ्य है। लेकिन यह स्वास्थ्य की कहां परिभाषा हुई? स्वास्थ्य के संबंध में तो हमने कुछ भी न कहा। कहा कि बीमारियां नहीं हैं, तो बीमारियों के संबंध में कहा। सच यह है कि स्वास्थ्य पैदा नहीं करना होता, या तो छिप जाता है बीमारियों में या बीमारियां हट जाती हैं तो प्रकट हो जाता है। स्वास्थ्य हममें है।

स्वास्थ्य हमारा स्वभाव है।

प्रेम हममें है। प्रेम हमारा स्वभाव है।

इसलिए यह बात गलत है कि मनुष्य को समझाया जाए कि तुम प्रेम पैदा करो। सोचना यह है कि प्रेम पैदा क्यों नहीं हो पा रहा है? बाधा क्या है? अड़चन क्या है? कहां रुकावट डाल दी गई है? अगर कोई भी रुकावट न हो तो प्रेम प्रकट होगा ही, उसे सिखाने की और समझाने की कोई भी जरूरत नहीं है।

अगर मनुष्य के ऊपर गलत संस्कृति और गलत संस्कार की धाराएं और बाधाएं न हों, तो हर आदमी प्रेम को उपलब्ध होगा ही। यह अनिवार्यता है। प्रेम से कोई बच ही नहीं सकता। प्रेम स्वभाव है।

गंगा बहती है हिमालय से। बहेगी गंगा, उसके प्राण हैं, उसके पास जल है। वह बहेगी और सागर को खोज ही लेगी। न किसी पुलिसवाले से पूछेगी, न किसी पुरोहित से पूछेगी कि सागर कहां है? देखा किसी गंगा को चौरस्ते पर खड़े होकर पूछते कि सागर कहां है? उसके प्राणों में है छिपी सागर की खोज और ऊर्जा है, तो पहाड़ तोड़ेगी, मैदान तोड़ेगी और पहुंच जाएगी सागर तक। सागर कितना ही दूर हो, कितना ही छिपा हो, खोज ही लेगी। और कोई रास्ता नहीं है, कोई गाइड-बुक नहीं है कि जिससे पता लगा ले कि कहां से जाना है, लेकिन पहुंच जाती है।

लेकिन बांध, बांध दिए जाएं, चारों तरफ परकोटे उठा दिए जाएं। प्रकृति की बाधाओं को तोड़ कर तो गंगा सागर तक पहुंच जाती है, लेकिन अगर आदमी की इंजीनियरिंग की बाधाएं खड़ी कर दी जाएं, तो हो सकता है गंगा सागर तक न पहुंच पाए। यह भेद समझ लेना जरूरी है।

प्रकृति की कोई भी बाधा असल में बाधा नहीं है, इसलिए गंगा सागर तक पहुंच जाती है, हिमालय को काट कर पहुंच जाती है। लेकिन अगर आदमी ईजाद करे, इंतजाम करे, तो गंगा को सागर तक नहीं भी पहुंचने दे सकता है।

प्रकृति का तो एक सहयोग है, प्रकृति तो एक हार्मनी है। वहां जो बाधा भी दिखाई पड़ती है, वह भी शायद शक्ति को जगाने के लिए चुनौती है। वहां जो विरोध भी दिखाई पड़ता है, वह भी शायद भीतर प्राणों में जो छिपा है, उसे प्रकट करने के लिए बुलावा है। वहां शायद कोई बाधा नहीं है। वहां हम बीज को दबाते हैं जमीन में; दिखाई पड़ता है कि जमीन की एक पर्त बीज के ऊपर पड़ी है, बाधा दे रही है। लेकिन वह बाधा नहीं दे रही। अगर वह पर्त न होगी, तो बीज अंकुरित भी नहीं हो पाएगा। ऐसे दिखाई पड़ता है कि एक पर्त जमीन की बीज को नीचे दबा रही है। लेकिन वह पर्त दबा इसलिए रही है, ताकि बीज दबे, गले और टूट जाए और अंकुर बन जाए। ऊपर से दिखाई पड़ता है कि वह जमीन बाधा दे रही है, लेकिन वह जमीन मित्र है और सहयोग कर रही है बीज को प्रकट करने में।

प्रकृति तो एक हार्मनी है, एक संगीतपूर्ण लयबद्धता है।

लेकिन आदमी ने जो-जो निसर्ग के ऊपर इंजीनियरिंग की है, जो-जो उसने अपनी यांत्रिक धारणाओं को ठोंकने की और बिठाने की कोशिश की है, उससे गंगाएं रुक गई हैं, जगह-जगह अवरुद्ध हो गई हैं। और फिर आदमी को दोष दिया जाता है। किसी बीज को दोष देने की जरूरत नहीं है। अगर वह पौधा न बन पाए, तो हम कहेंगे कि जमीन नहीं मिली होगी ठीक, पानी नहीं मिला होगा ठीक, सूरज की रोशनी नहीं मिली होगी ठीक।

लेकिन आदमी के जीवन में खिल न पाए फूल प्रेम का, तो हम कहते हैं--तुम पेवार। और कोई नहीं कहता कि भूमि न मिली होगी ठीक, पानी न मिला होगा ठीक, सूरज की रोशनी न मिली होगी ठीक; इसलिए यह आदमी का पौधा अवरुद्ध रह गया, विकसित नहीं हो पाया, फूल तक नहीं पहुंच पाया।

मैं आपसे कहना चाहता हूं कि बुनियादी बाधाएं आदमी ने खड़ी की हैं। प्रेम की गंगा तो बह सकती है और परमात्मा के सागर तक पहुंच सकती है। आदमी बना

इसलिए है कि वह बहे और प्रेम बहे और परमात्मा तक पहुंच जाए। लेकिन हमने कौन सी बाधाएं खड़ी कर दी हैं?

पहली बात, आज तक मनुष्य की सारी संस्कृतियों ने सेक्स का, काम का, वासना का विरोध किया है। इस विरोध ने, मनुष्य के भीतर प्रेम के जन्म की संभावना तोड़ दी, नष्ट कर दी--इस निषेध ने! क्योंकि सच्चाई यह है कि प्रेम की सारी यात्रा का प्राथमिक बिंदु काम है, सेक्स है।

प्रेम की यात्रा का जन्म, गंगोत्री--जहां से गंगा पैदा होगी प्रेम की--वह सेक्स है, वह काम है।

और उसके सब दुश्मन हैं--सारी संस्कृतियां, और सारे धर्म, और सारे गुरु, और सारे महात्मा--तो गंगोत्री पर ही चोट कर दी, वहीं रोक दिया। पाप है काम, अधम है काम, जहर है काम। और हमने सोचा भी नहीं कि काम की ऊर्जा ही, सेक्स एनर्जी ही अंततः प्रेम में परिवर्तित होती और रूपांतरित होती है।

प्रेम का जो विकास है, वह काम की शक्ति का ही ट्रांसफार्मेशन है, वह उसी का रूपांतरण है।

एक कोयला पड़ा हो और आपको खयाल भी नहीं आएगा कि कोयला ही रूपांतरित होकर हीरा बन जाता है। हीरे और कोयले में बुनियादी रूप से कोई भी फर्क नहीं है। हीरे में भी वे ही तत्व हैं जो कोयले में हैं। और कोयला हजारों वर्ष की प्रक्रिया से गुजर कर हीरा बन जाता है। लेकिन कोयले की कोई कीमत नहीं है, उसे कोई घर में रखता भी है तो ऐसी जगह जहां दिखाई न पड़े। और हीरे को लोग छातियों पर लटका कर घूमते हैं, कि वह दिखाई पड़े। और हीरा और कोयला एक ही हैं! लेकिन कोई दिखाई नहीं पड़ता कि इन दोनों के बीच अंतर्संबंध है, एक यात्रा है। कोयले की शक्ति ही हीरा बनती है। और अगर आप कोयले के दुश्मन हो गए--जो कि हो जाना बिलकुल आसान है, क्योंकि कोयले में कुछ भी नहीं दिखाई पड़ता-- तो हीरे के पैदा होने की संभावना भी समाप्त हो गई, क्योंकि कोयला ही हीरा बन सकता था।

सेक्स की शक्ति ही, काम की शक्ति ही प्रेम बनती है।

लेकिन उसके विरोध में हैं, सारे दुश्मन हैं उसके। अच्छे आदमी उसके दुश्मन हैं। और उसके विरोध ने प्रेम के अंकुर भी नहीं फूटने दिए। और जमीन से, प्रथम से, पहली सीढ़ी से नष्ट कर दिया भवन को। फिर वह हीरा नहीं बन पाता कोयला, क्योंकि उसके बनने के लिए जो स्वीकृति चाहिए, जो उसका विकास चाहिए, जो

उसको रूपांतरित करने की प्रक्रिया चाहिए, उसका सवाल ही नहीं उठता। जिसके हम दुश्मन हो गए, जिसके हम शत्रु हो गए, जिससे हमारी द्वंद्व की स्थिति बन गई और जिससे हम निरंतर लड़ने लगे--अपनी ही शक्ति से आदमी को लड़ा दिया गया है, सेक्स की शक्ति से आदमी को लड़ा दिया गया है। और शिक्षाएं दी जाती हैं कि द्वंद्व छोड़ना चाहिए, कांफ्लिक्ट छोड़नी चाहिए, लड़ना नहीं चाहिए। और सारी शिक्षाएं बुनियाद में सिखा रही हैं कि लड़ो।

मन जहर है; तो मन से लड़ो। जहर से तो लड़ना पड़ेगा। सेक्स पाप है; तो उससे लड़ो। और ऊपर से कहा जा रहा है कि द्वंद्व छोड़ो। जिन शिक्षाओं के आधार पर मनुष्य द्वंद्व से भर रहा है, वे ही शिक्षाएं दूसरी तरफ कह रही हैं कि द्वंद्व छोड़ो। एक तरफ आदमी को पागल बनाओ और दूसरी तरफ पागलखाने खोलो कि उनका इलाज करना है! एक तरफ कीटाणु फैलाओ बीमारियों के और फिर अस्पताल खोलो कि बीमारियों का इलाज यहां किया जाता है! एक बात समझ लेनी जरूरी है इस संबंध में।

मनुष्य कभी भी काम से मुक्त नहीं हो सकेगा। काम उसके जीवन का प्राथमिक बिंदु है, उसी से जन्म होता है। परमात्मा ने काम की शक्ति को ही, सेक्स को ही सृष्टि का मूल बिंदु स्वीकार किया है। और परमात्मा जिसे पाप नहीं समझ रहा है, महात्मा उसे पाप बता रहे हैं! अगर परमात्मा उसे पाप समझता है, तो परमात्मा से बड़ा पापी इस पृथ्वी पर, इस जगत में, इस विश्व में कोई भी नहीं है।

फूल खिला हुआ दिखाई पड़ रहा है। कभी सोचा है कि फूल का खिल जाना भी सेक्सुअल एक्ट है! फूल का खिल जाना भी काम की एक घटना है, वासना की एक घटना है! फूल में है क्या--उसके खिल जाने में? उसके खिल जाने में कुछ भी नहीं है, वे बिंदु हैं पराग के, वीर्य के कण हैं, जिन्हें तितलियां उड़ा कर दूसरे फूलों पर ले जाएंगी और नया जन्म देंगी।

एक मोर नाच रहा है--और कवि गीत गा रहे हैं और संत भी देख कर प्रसन्न होंगे। लेकिन उन्हें खयाल नहीं कि नृत्य एक सेक्सुअल एक्ट है। मोर पुकार रहा है अपनी प्रेयसी को या अपने प्रेमी को। वह नृत्य किसी को रिझाने के लिए है। पपीहा गीत गा रहा है; कोयल बोल रही है; एक आदमी जवान हो गया है; एक युवती सुंदर होकर विकसित हो गई है। ये सब की सब सेक्सुअल एनर्जी की अभिव्यक्तियां हैं। वह सब का सब काम का ही रूपांतरण है। यह सब का सब काम की ही अभिव्यक्ति, काम की ही अभिव्यंजना है।

सारा जीवन, सारी अभिव्यक्ति, सारी फ्लावरिंग काम की है।

और उस काम के खिलाफ संस्कृति और धर्म आदमी के मन में जहर डाल रहे हैं। उससे लड़ाने की कोशिश कर रहे हैं। मौलिक शक्ति से मनुष्य को उलझा दिया है लड़ने के लिए। इसलिए मनुष्य दीन-हीन, प्रेम से रिक्त और थोथा और ना-कुछ हो गया है।

काम से लड़ना नहीं है, काम के साथ मैत्री स्थापित करनी है और काम की धारा को और ऊंचाइयों तक ले जाना है।

किसी ऋषि ने किसी नव वर और वधू को आशीर्वाद देते हुए कहा था कि तेरे दस पुत्र पैदा हों और अंततः तेरा पति तेरा ग्यारहवां पुत्र हो जाए।

वासना रूपांतरित हो, तो पत्नी मां बन सकती है। वासना रूपांतरित हो, तो काम प्रेम बन सकता है।

लेकिन काम ही प्रेम बनता है, काम की ऊर्जा ही प्रेम की ऊर्जा में विकसित होती है, फलित होती है।

लेकिन हमने मनुष्य को भर दिया है काम के विरोध में। इसका परिणाम यह हुआ कि प्रेम तो पैदा नहीं हो सका--क्योंकि वह तो आगे का विकास था, काम की स्वीकृति से आता--प्रेम तो विकसित नहीं हुआ और काम के विरोध में खड़े होने के कारण मनुष्य का चित्त ज्यादा से ज्यादा कामुक और सेक्सुअल होता चला गया। हमारे सारे गीत, हमारी सारी कविताएं, हमरि चित्र, हमारी पेंटिंग्स, हमारे मंदिर, हमारी मूर्तियां सब घूम-फिर कर सेक्स के आस-पास केंद्रित हो गईं। हमारा मन ही सेक्स के आस-पास केंद्रित हो गया। इस जगत में कोई भी पशु मनुष्य की भांति सेक्सुअल नहीं है। मनुष्य चौबीस घंटे सेक्सुअल हो गया। उठते-बैठते, सोते-जागते सेक्स ही सब कुछ हो गया। उसके प्राण में एक घाव हो गया--विरोध के कारण, दुश्मनी के कारण, शत्रुता के कारण। जो जीवन का मूल था, उससे मुक्त तो हुआ नहीं जा सकता था, लेकिन उससे लड़ने की चेष्टा में सारा जीवन रुग्ण जरूर हो सकता था, वह रुग्ण हो गया है।

और यह जो मनुष्य-जाति इतनी ज्यादा कामुक दिखाई पड़ रही है, इसके पीछे तथाकथित धर्मों और संस्कृति का बुनियादी हाथ है। इसके पीछे बुरे लोगों का नहीं, सज्जनों और संतों का हाथ है। और जब तक मनुष्य-जाति सज्जनों और संतों के इस अनाचार से मुक्त नहीं होती, तब तक प्रेम के विकास की कोई संभावना नहीं है।

मुझे एक घटना याद आती है। एक फकीर अपने घर से निकला था, किसी मित्र

के पास मिलने जा रहा था। निकला है कि घोड़े पर उसका चढ़ा हुआ एक बचपन का दोस्त घर आकर सामने खड़ा हो गया है। उसने कहा कि दोस्त, तुम घर पर रुको, वर्षों से प्रतीक्षा करता था कि तुम आओगे तो बैठेंगे और बात करेंगे, और दुर्भाग्य कि मुझे किसी मित्र से मिलने जाना है। मैं वचन दे चुका हूं तो मैं वहां जाऊंगा। घंटे भर में जल्दी से जल्दी लौट आऊंगा, तब तक तुम विश्राम करो।

उसके मित्र ने कहा कि मुझे तो चैन नहीं है, अच्छा होगा कि मैं तुम्हारे साथ ही चला चलूं। लेकिन उसने कहा कि मेरे कपड़े सब गंदे हो गए हैं धूल से रास्ते की। अगर तुम्हारे पास कुछ अच्छा कपड़ा हो तो मुझे दे दो, तो मैं डाल लूं और साथ हो जाऊं।

निश्चित था उस फकीर के पास। किसी सम्राट ने उसे एक बहुमूल्य कोट, एक पगड़ी और धोती भेंट की थी। उसने सम्हाल कर रखी थी, कभी जरूरत पड़ेगी तो पहनूंगा। वह जरूरत नहीं आई थी। निकाल कर ले आया खुशी में।

मित्र ने जब पहन लिए, तब उसे थोड़ी ईर्ष्या पैदा हुई। मित्र ने पहन कर...तो मित्र सम्राट मालूम होने लगा। बहुमूल्य कोट था, पगड़ी थी, धोती थी, शानदार जूते थे। और उसके सामने वह फकीर बिलकुल ही नौकर-चाकर, दीन-हीन दिखाई पड़ने लगा। उसने सोचा कि यह तो बड़ा मुश्किल हुआ, यह तो बड़ा गलत हुआ। जिनके घर मैं ले जाऊंगा, ध्यान इस पर जाएगा, मुझ पर किसी का भी ध्यान जाएगा नहीं। अपने ही कपड़े और आज अपने ही कपड़ों के कारण मैं दीन-हीन हो जाऊंगा। लेकिन बार-बार मन को समझाया कि मैं फकीर हूं, आत्मा-परमात्मा की बात करने वाला। क्या रखा है कोट में, पगड़ी में, छोड़ो! पहने रहने दो, कितना फर्क पड़ता है! लेकिन जितना समझाने की कोशिश की कि कोट-पगड़ी में क्या रखा है, कोट-पगड़ी, कोट-पगड़ी ही उसके मन में घूमने लगी।

मित्र दूसरी बात करने लगा। लेकिन वह भीतर तो...ऊपर तो कुछ और दूसरी बातें कर रहा है, लेकिन वहां उसका मन नहीं है। भीतर उसे बस कोट और पगड़ी! रास्ते पर जो भी आदमी देखता है, उसको कोई भी नहीं देखता, मित्र की तरफ सबकी आंखें जाती हैं। वह बड़ी मुश्किल में पड़ गया कि यह तो आज भूल कर ली--अपने हाथ से भूल कर ली।

जिनके घर जाना था, वहां पहुंचा। जाकर परिचय दिया कि मेरे मित्र हैं जमाल, बचपन के दोस्त हैं, बहुत प्यारे आदमी हैं। और फिर अचानक अनजाने मुंह से निकल गया कि रह गए कपड़े, सो कपड़े मेरे हैं। क्योंकि मित्र भी, जिनके घर गए

संभोग से समाधि की ओर

थे, वे भी उसके कपड़ों को देख रहे थे! और भीतर उसके चल रहा था: कोट-पगड़ी। मेरी कोट-पगड़ी, और उन्हीं की वजह से मैं परेशान हो रहा हूं। निकल गया मुंह से कि रह गए कपड़े, कपड़े मेरे हैं!

मित्र भी हैरान हुआ, घर के लोग भी हैरान हुए कि यह क्या पागलपन की बात है। खयाल उसको भी आया बोल जाने के बाद, तब पछताया कि यह तो भूल हो गई। पछताया तो और दबाया अपने मन को। बाहर निकल कर क्षमा मांगने लगा कि क्षमा कर दो, बड़ी गलती हो गई। मित्र ने कहा, मैं तो हैरान हुआ कि तुमसे निकल कैसे गया? उसने कहा कि कुछ नहीं, सिर्फ जबान की चूक हो गई। हालांकि जबान की चूक कभी भी नहीं होती है। भीतर कुछ चलता होता है, तो कभी-कभी बेमौके जबान से निकल जाता है। चूक कभी नहीं होती है। माफ कर दो, भूल हो गई। कैसे यह खयाल आ गया, कुछ समझ में नहीं आता। हालांकि पूरी तरह समझ में आ रहा था कि खयाल कैसे आया है!

दूसरे मित्र के घर गए। अब वह तय करता रहा रास्ते में कि अब चाहे कुछ भी हो जाए, यह नहीं कहना है कि कपड़े मेरे हैं, पक्का कर लेना है अपने मन को। घर के द्वार पर उसने जाकर बिलकुल दृढ़ संकल्प कर लिया कि यह बात नहीं उठानी है कि कपड़े मेरे हैं। लेकिन उस पागल को पता नहीं कि जितना वह दृढ़ संकल्प कर रहा है इस बात का, वह दृढ़ संकल्प बता रहा है इस बात को कि उतने ही जोर से उसके भीतर यह भावना घर कर रही है कि ये कपड़े मेरे हैं।

आखिर दृढ़ संकल्प किया क्यों जाता है?

एक आदमी कहता है कि मैं ब्रह्मचर्य का दृढ़ व्रत लेता हूं! उसका मतलब है कि उसके भीतर कामुकता दृढ़ता से धक्के मार रही है। नहीं तो और कारण क्या है? एक आदमी कहता है कि मैं कसम खाता हूं कि आज से कम खाना खाऊंगा! उसका मतलब यह है कि कसम खानी पड़ रही है, ज्यादा खाने का मन है उसका। और तब अनिवार्यरूपेण द्वंद्व पैदा होता है। जिससे हम लड़ना चाहते हैं, वही हमारी कमजोरी है। और तब द्वंद्व पैदा हो जाना स्वाभाविक है।

वह लड़ता हुआ दरवाजे के भीतर गया, सम्हल-सम्हल कर बोला कि मेरे मित्र हैं। लेकिन जब वह बोल रहा है, तब उसको कोई नहीं देख रहा है, उसके मित्र को ही उस घर के लोग देख रहे हैं। तब फिर उसे खयाल आया--कि मेरा कोट, मेरी पगड़ी। उसने कहा कि दृढ़ता से कसम खाई है, इसकी बात नहीं उठानी है। मेरा क्या है कपड़ा-लत्ता! कपड़े-लत्ते किसी के होते हैं! यह तो सब संसार है, यह तो सब

माया है! लेकिन यह सब समझा रहा है। लेकिन असलियत तो बाहर से भीतर, भीतर से बाहर हो रही है। समझाया कि मेरे मित्र हैं, बचपन के दोस्त हैं, बहुत प्यारे आदमी हैं; रह गए कपड़े, कपड़े उन्हीं के हैं, मेरे नहीं हैं। पर घर के लोगों को खयाल आया कि कपड़े उन्हीं के हैं, मेरे नहीं हैं--आज तक ऐसा परिचय कभी देखा नहीं गया था।

बाहर निकल कर क्षमा मांगने लगा कि बड़ी भूल हुई जा रही है, मैं क्या करूं, क्या न करूं, यह क्या हो गया है मुझे। आज तक मेरी जिंदगी में कपड़ों ने इस तरह से मुझे नहीं पकड़ा था। किसी को नहीं पकड़ा है, लेकिन अगर तरकीब उपयोग में करें तो कपड़े पकड़ ले सकते हैं। मित्र ने कहा, मैं जाता नहीं तुम्हारे साथ। पर वह हाथ जोड़ने लगा कि नहीं, ऐसा मत करो। जीवन भर के लिए दुख रह जाएगा कि मैंने क्या दुर्व्यवहार किया। अब मैं कसम खाकर कहता हूं कि कपड़ों की बात ही नहीं उठानी है, मैं बिलकुल भगवान की कसम खाता हूं कि कपड़ों की बात नहीं उठानी है।

और कसम खाने वालों से हमेशा सावधान रहना ज़रूरी है; क्योंकि जो भी कसम खाता है, उसके भीतर उस कसम से भी मजबूत कोई बैठा है, जिसके खिलाफ वह कसम खा रहा है। और वह जो भीतर बैठा है वह ज्यादा भीतर है, कसम ऊपर है और बाहर है। कसम चेतन मन से खाई गई है। और जो भीतर बैठा है, वह अचेतन की परतों तक समाया हुआ है। अगर मन के दस हिस्से कर दें, तो कसम एक हिस्से ने खाई है, नौ हिस्सा उलटा भीतर खड़ा हुआ है। ब्रह्मचर्य की कसमें एक हिस्सा खा रहा है मन का और नौ हिस्सा परमात्मा की दुहाई दे रहा है, वह जो परमात्मा ने बनाया है वह उसके लिए ही कहे चला जा रहा है।

गए तीसरे मित्र के घर। अब उसने बिलकुल ही अपनी सांसों तक पर संयम कर रखा है।

संयमी आदमी बड़े खतरनाक होते हैं; क्योंकि उनके भीतर ज्वालामुखी उबल रहा है, और ऊपर से वे संयम साधे हुए हैं।

और इस बात को स्मरण रखना कि जिस चीज को साधना पड़ता है--साधने में इतना श्रम लग जातां है कि साधना पूरे वक्त हो नहीं सकती। फिर शिथिल होना पड़ेगा, विश्राम करना पड़ेगा। अगर मैं जोर से मुट्ठी बांध लूं, तो कितनी देर बांधे रख सकता हूं? चौबीस घंटे? जितनी जोर से बांधूंगा, उतनी ही जल्दी थक जाऊंगा और मुट्ठी खुल जाएगी। जिस चीज में भी श्रम करना पड़ता है, जितना ज्यादा श्रम करना पड़ता है, उतनी जल्दी थकान आ जाती है, शक्ति खतम हो जाती है और उलटा होना

शुरू हो जाता है। मुट्ठी बांधी जितनी जोर से, उतनी ही जल्दी मुट्ठी खुल जाएगी। मुट्ठी खुली रखी जा सकती है चौबीस घंटे, लेकिन बांध कर नहीं रखी जा सकती है। जिस काम में श्रम पड़ता है, उस काम को आप जीवन नहीं बना सकते, कभी सहज नहीं हो सकता वह काम। श्रम पड़ेगा, फिर विश्राम का वक्त आएगा ही।

इसलिए जितना सधा हुआ संत होता है उतना ही खतरनाक आदमी होता है; क्योंकि उसका विश्राम का वक्त आएगा, चौबीस घंटे में घंटे भर को उसे शिथिल होना पड़ेगा। उसी बीच दुनिया भर के पाप उसके भीतर खड़े हो जाएंगे। नरक सामने आ जाएगा।

तो उसने बिलकुल ही अपने को सांस-सांस रोक लिया और कहा कि अब कसम खाता हूं कि इन कपड़ों की बात ही नहीं उठानी है।

लेकिन आप सोच लें उसकी हालत! अगर आप थोड़े-बहुत भी धार्मिक आदमी होंगे, तो आपको अपने अनुभव से भी पता चल सकता है कि उसकी क्या हालत हुई होगी। अगर आपने कसम खाई हो, व्रत लिए हों, संकल्प साधे हों, तो आपको भलीभांति पता होगा कि भीतर क्या हालत हो जाती है।

भीतर गया। उसके माथे से पसीना चू रहा है। इतना श्रम पड़ रहा है। मित्र डरा हुआ है उसके पसीने को देख कर कि वह उसकी सब नसें खिंची हुई हैं। वह बोल रहा है एक-एक शब्द--कि मेरे मित्र हैं, बड़े पुराने दोस्त हैं, बहुत अच्छे आदमी हैं। और एक क्षण को वह रुका। जैसे भीतर से कोई जोर का धक्का आया हो और सब बह गया, बाढ़ आ गई और सब बह गया हो। और उसने कहा कि रह गई कपड़ों की बात, तो मैंने कसम खा ली है कि कपड़ों की बात ही नहीं करनी है।

यह जो इस आदमी के साथ हुआ, वह पूरी मनुष्य-जाति के साथ सेक्स के संबंध में हो गया है। सेक्स को आब्सेशन बना दिया, सेक्स को रोग बना दिया, घाव बना दिया और सब विषाक्त कर दिया।

सब विषाक्त कर दिया। छोटे-छोटे बच्चों को समझाया जा रहा है कि सेक्स पाप है। लड़कियों को समझाया जा रहा है, लड़कों को समझाया जा रहा है कि सेक्स पाप है। फिर यह लड़की जवान होगी, यह लड़का जवान होगा; इनकी शादियां होंगी और सेक्स की दुनिया शुरू होगी। और इन दोनों के भीतर यह भाव है कि यह पाप है। और फिर कहा जाएगा स्त्री को कि पति को परमात्मा मान। जो पाप में ले जा रहा है उसको परमात्मा कैसे माना जा सकता है? यह कैसे संभव है कि जो पाप में घसीट रहा है वह परमात्मा हो? और उस लड़के को कहा जाएगा, उस युवक को कहा

जाएगा कि तेरी पत्नी है, तेरी साथिनी है, तेरी संगी है। लेकिन जो नरक में ले जा रही है! शास्त्रों में लिखा है कि स्त्री नरक का द्वार है। यह नरक का द्वार संगी और साथिनी? यह मेरा आधा अंग--यह नरक की तरफ जाता हुआ आधा अंग मेरा यह--इसके साथ कौन सा सामंजस्य बन सकता है?

सारी दुनिया का दांपत्य जीवन नष्ट किया है इस शिक्षा ने। और जब दंपति का जीवन नष्ट हो जाए तो प्रेम की कोई संभावना नहीं रही। क्योंकि जब पति और पत्नी प्रेम न कर सकें एक-दूसरे को, जो कि अत्यंत सहज और नैसर्गिक प्रेम है, तो फिर कौन और किसको प्रेम कर सकेगा? इस प्रेम को बढ़ाया जा सकता है कि पत्नी और पति का प्रेम इतना विकसित हो, इतना उदात्त हो, इतना ऊंचा बने कि धीरे-धीरे बांध तोड़ दे और दूसरों तक फैल जाए। यह हो सकता है। लेकिन इसको समाप्त ही कर दिया जाए, तोड़ ही दिया जाए, विषाक्त कर दिया जाए, तो फैलेगा क्या? बढ़ेगा क्या?

रामानुज एक गांव में ठहरे थे और एक आदमी ने आकर कहा कि मुझे परमात्मा को पाना है। तो उन्होंने कहा कि तूने कभी किसी को प्रेम किया है? उस आदमी ने कहा, इस झंझट में मैं कभी पड़ा ही नहीं। प्रेम वगैरह की झंझट में नहीं पड़ा। मुझे तो परमात्मा को खोजना है।

रामानुज ने कहा, तूने कभी झंझट ही नहीं की प्रेम की?

उसने कहा, मैं बिलकुल सच कहता हूं आपसे।

और बेचारा ठीक ही कह रहा था। क्योंकि धर्म की दुनिया में प्रेम एक डिसक्वालिफिकेशन है, एक अयोग्यता है।

तो उसने सोचा कि अगर मैं कहूं किसी को प्रेम किया है, तो वे कहेंगे, अभी प्रेम-व्रेम छोड़, यह राग-वाग छोड़, पहले इन सबको छोड़ कर आ, तब इधर आना। तो उस बेचारे ने किया भी हो तो वह कहता गया कि मैंने नहीं किया है, नहीं किया है। ऐसा कौन आदमी होगा जिसने थोड़ा-बहुत प्रेम नहीं किया हो?

रामानुज ने तीसरी बार पूछा कि तू कुछ तो बता, थोड़ा-बहुत भी कभी भी किसी को? उसने कहा, माफ करिए, आप क्यों बार-बार वही बात पूछे चले जा रहे हैं? मैंने प्रेम की तरफ आंख उठा कर नहीं देखा। मुझे तो परमात्मा को खोजना है।

तो रामानुज ने कहा, मुझे क्षमा कर, तू कहीं और खोज। क्योंकि मेरा अनुभव यह है कि अगर तूने किसी को प्रेम किया हो तो उस प्रेम को फिर इतना बड़ा जरूर किया जा सकता है कि वह परमात्मा तक पहुंच जाए। लेकिन अगर तूने प्रेम ही नहीं

किया है तो तेरे पास कुछ है ही नहीं जिसको बड़ा किया जा सके। बीज ही नहीं है तेरे पास जो वृक्ष बन सके। तो तू जा, कहीं और पूछ।

और जब पति और पत्नी में प्रेम न हो, जिस पत्नी ने अपने पति को प्रेम न किया हो और जिस पति ने अपनी पत्नी को प्रेम न किया हो, वे बेटों को, बच्चों को प्रेम कर सकते हैं, तो आप गलती में हैं। पत्नी उसी मात्रा में बेटे को प्रेम करेगी जिस मात्रा में उसने अपने पति को प्रेम किया है। क्योंकि यह बेटा पति का ही फल है; उसका ही प्रतिफलन है, उसका ही रिफ्लेक्शन है। यह इस बेटे के प्रति जो प्रेम होने वाला है, वह उतना ही होगा, जितना उसने पति को चाहा और प्रेम किया हो। यह पति की ही मूर्ति है जो फिर नई होकर वापस लौट आई है। अगर पति के प्रति प्रेम नहीं है, तो बेटे के प्रति प्रेम सच्चा कभी भी नहीं हो सकता। और अगर बेटे को प्रेम नहीं किया गया- -पालना, पोसना और बड़ा कर देना प्रेम नहीं है--तो बेटा मां को कैसे प्रेम कर सकता है? बाप को कैसे प्रेम कर सकता है?

वह जो यूनिट है जीवन का, परिवार, वह विषाक्त हो गया है--सेक्स को दूषित कहने से, कंडेम करने से, निंदित करने से। और परिवार ही फैल कर पूरा जगत है, पूरा विश्व है।

और फिर हम कहते हैं कि प्रेम! प्रेम बिलकुल दिखाई नहीं पड़ता! प्रेम कैसे दिखाई पड़ेगा? हालांकि हर आदमी कहता है कि मैं प्रेम करता हूं। मां कहती है, पत्नी कहती है, बाप कहता है, भाई कहता है, बहन कहती है, मित्र कहते हैं कि हम प्रेम करते हैं। सारी दुनिया में हर आदमी कहता है कि हम प्रेम करते हैं। और दुनिया में इकट्ठा देखो तो प्रेम कहीं दिखाई ही नहीं पड़ता! इतने लोग अगर प्रेम करते हैं तो दुनिया में तो प्रेम की वर्षा हो जानी चाहिए थी; प्रेम के फूल ही फूल खिल जाने चाहिए थे; प्रेम के दीये ही दीये जल जाते, घर-घर प्रेम का दीया होता, तो दुनिया में इकट्ठी इतनी रोशनी होती प्रेम की।

लेकिन वहां तो घृणा की रोशनी दिखाई पड़ती है, क्रोध की रोशनी दिखाई पड़ती है, युद्धों की रोशनी दिखाई पड़ती है। प्रेम का तो कोई पता नहीं चलता। झूठी है यह बात! और यह झूठ जब तक हम मानते चले जाएंगे तब तक सत्य की दिशा में खोज भी नहीं हो सकती। कोई किसी को प्रेम नहीं कर रहा है।

और जब तक काम के निसर्ग को परिपूर्ण आत्मा से स्वीकृति नहीं मिलती है, तब तक कोई किसी को प्रेम कर भी नहीं सकता है। मैं आपसे कहना चाहता हूं कि काम दिव्य है, डिवाइन है।

सेक्स की शक्ति परमात्मा की शक्ति है, ईश्वर की शक्ति है।

और इसीलिए तो उससे ऊर्जा पैदा होती है और नया जीवन विकसित होता है। वही तो सबसे रहस्यपूर्ण शक्ति है, वही तो सबसे ज्यादा मिस्टीरियस फोर्स है। उससे दुश्मनी छोड़ दें। अगर आप चाहते हैं कि कभी आपके जीवन में प्रेम की वर्षा हो जाए, उससे दुश्मनी छोड़ दें। उसे आनंद से स्वीकार करें। उसकी पवित्रता को स्वीकार करें, उसकी धन्यता को स्वीकार करें। और खोजें उसमें और गहरे, और गहरे--तो आप हैरान हो जाएंगे! जितनी पवित्रता से काम की स्वीकृति होगी, उतना ही काम पवित्र होता चला जाता है; और जितनी अपवित्रता और पाप की दृष्टि से काम से विरोध होगा, काम उतना ही पापपूर्ण और कुरूप होता चला जाता है।

जब कोई अपनी पत्नी के पास ऐसे जाए जैसे कोई मंदिर के पास जाता है, जब कोई पत्नी अपने पति के पास ऐसे जाए जैसे सच में कोई परमात्मा के पास जाता है। क्योंकि जब दो प्रेमी काम से निकट आते हैं, जब वे संभोग से गुजरते हैं, तब सच में ही वे परमात्मा के मंदिर के निकट से गुजर रहे हैं। वहीं परमात्मा काम कर रहा है, उनकी उस निकटता में। वहीं परमात्मा की सृजन शक्ति काम कर रही है।

और मेरी अपनी दृष्टि यह है कि मनुष्य को समाधि का, ध्यान का जो पहला अनुभव मिला हो कभी भी मनुष्य के इतिहास में, तो वह संभोग के क्षण में मिला है और कभी नहीं। संभोग के क्षण में ही पहली बार यह स्मरण आया है आदमी को कि इतने आनंद की वर्षा हो सकती है।

और जिन्होंने सोचा, जिन्होंने मेडिटेट किया, जिन लोगों ने काम के संबंध पर और मैथुन पर चिंतन किया और ध्यान किया, उन्हें यह दिखाई पड़ा कि काम के क्षण में, मैथुन के क्षण में, संभोग के क्षण में मन विचारों से शून्य हो जाता है। एक क्षण को मन के सारे विचार रुक जाते हैं। और वह विचारों का रुक जाना और वह मन का ठहर जाना ही आनंद की वर्षा का कारण होता है।

तब उन्हें सीक्रेट मिल गया, राज मिल गया कि अगर मन को विचारों से मुक्त किया जा सके किसी और विधि से भी, तो भी इतना ही आनंद मिल सकता है। और तब समाधि और योग की सारी व्यवस्थाएं विकसित हुईं, जिनमें ध्यान और सामायिक और मेडिटेशन और प्रेयर, इनकी सारी व्यवस्थाएं विकसित हुईं। इन सबके मूल में संभोग का अनुभव है। और फिर मनुष्य को अनुभव हुआ कि बिना संभोग में जाए भी चित्त शून्य हो सकता है। और जो रस की अनुभूति संभोग में हुई थी, वह बिना संभोग के भी बरस सकती है। फिर संभोग क्षणिक हो सकता है,

क्योंकि शक्ति और ऊर्जा का वह निकास और बहाव है। लेकिन ध्यान सतत हो सकता है।

तो मैं आपसे कहना चाहता हूं कि एक युगल संभोग के क्षण में जिस आनंद को अनुभव करता है, एक योगी चौबीस घंटे उस आनंद को अनुभव करने लगता है। लेकिन इन दोनों आनंदों में बुनियादी विरोध नहीं है। और इसलिए जिन्होंने कहा कि विषयानंद और ब्रह्मानंद भाई-भाई हैं, उन्होंने जरूर सत्य कहा है। वे सहोदर हैं, एक ही उदर से पैदा हुए हैं, एक ही अनुभव से विकसित हुए हैं। उन्होंने निश्चित ही सत्य कहा है।

तो पहला सूत्र आपसे कहना चाहता हूं : अगर चाहते हैं कि पता चले कि प्रेम-तत्व क्या है, तो पहला सूत्र है--काम की पवित्रता, दिव्यता, उसकी ईश्वरीय अनुभूति की स्वीकृति, उसको परम हृदय से, पूर्ण हृदय से अंगीकार। और आप हैरान हो जाएंगे, जितने परिपूर्ण हृदय से काम की स्वीकृति होगी, उतने ही आप काम से मुक्त होते चले जाएंगे। जितना अस्वीकार होता है, उतने ही हम बंधते हैं। जैसा वह फकीर कपड़ों से बंध गया।

जितना स्वीकार होता है, उतने हम मुक्त होते हैं।

अगर परिपूर्ण स्वीकार है, टोटल एक्सेप्टबिलिटी है जीवन का जो निसर्ग है उसकी, तो आप पाएंगे कि वह परिपूर्ण स्वीकृति को मैं आस्तिकता कहता हूं, वही आस्तिकता व्यक्ति को मुक्त करती है।

नास्तिक मैं उनको कहता हूं जो जीवन के निसर्ग का अस्वीकार करते हैं, निषेध करते हैं--यह बुरा है, यह पाप है, यह विष है, यह छोड़ो, यह छोड़ो, यह छोड़ो। जो छोड़ने की बातें कर रहे हैं, वे ही नास्तिक हैं।

जीवन जैसा है, उसे स्वीकार करो और जीओ उसकी परिपूर्णता में। वही परिपूर्णता रोज-रोज सीढ़ियां-सीढ़ियां ऊपर उठाती जाती है। वही स्वीकृति मनुष्य को ऊपर ले जाती है। और एक दिन उसके दर्शन होते हैं, जिसका काम में पता भी नहीं चलता था। काम अगर कोयला था तो एक दिन हीरा भी प्रकट होता है प्रेम का। तो पहला सूत्र यह है।

दूसरा सूत्र आपसे कहना चाहता हूं। और वह दूसरा सूत्र भी संस्कृति ने और आज तक की सभ्यता ने और धर्मों ने हमारे भीतर मजबूत किया है। दूसरा सूत्र भी स्मरणीय है। क्योंकि पहला सूत्र तो काम की ऊर्जा को प्रेम बना देगा और दूसरा सूत्र द्वार की तरह रोके हुए है उस ऊर्जा को बहने से, वह बह नहीं पाएगी। वह दूसरा सूत्र

है मनुष्य का यह भाव कि मैं हूं; ईगो, उसका अहंकार, कि मैं हूं। बुरे लोग तो कहते ही हैं कि मैं हूं। अच्छे लोग और जोर से कहते हैं कि मैं हूं--और मुझे स्वर्ग जाना है, और मोक्ष जाना है, और मुझे यह करना है, और मुझे वह करना है। लेकिन मैं--वह मैं खड़ा हुआ है वहां भीतर।

और जिस आदमी का मैं जितना मजबूत है, उतना ही उस आदमी की सामर्थ्य दूसरे से संयुक्त हो जाने की कम हो जाती है। क्योंकि मैं एक दीवाल है, एक घोषणा है कि मैं हूं। मैं की घोषणा कह देती है : तुम तुम हो, मैं मैं हूं। दोनों के बीच फासला है। फिर मैं कितना ही प्रेम करूं और आपको अपनी छाती से लगा लूं, लेकिन फिर भी हम दो हैं। छातियां कितनी ही निकट आ जाएं, फिर भी बीच में फासला है--मैं मैं हूं, तुम तुम हो। इसीलिए निकटतम अनुभव भी निकट नहीं ला पाते। शरीर पास बैठ जाते हैं, आदमी दूर-दूर बने रह जाते हैं। जब तक भीतर मैं बैठा हुआ है, तब तक दूसरे का भाव नष्ट नहीं होता।

सार्त्र ने कहीं एक अदभुत वचन कहा है। कहा है कि दि अदर इज़ हेल। वह जो दूसरा है, वही नरक है। लेकिन सार्त्र ने यह नहीं कहा कि व्हाय दि अदर इज़ अदर? वह दूसरा दूसरा क्यों है? वह दूसरा दूसरा इसलिए है कि मैं मैं हूं। और जब तक मैं मैं हूं, तब तक दुनिया में हर चीज दूसरी है, अन्य है, भिन्न है। और जब तक भिन्नता है, तब तक प्रेम का अनुभव नहीं हो सकता।

प्रेम है एकात्म का अनुभव।

प्रेम है इस बात का अनुभव कि गिर गई दीवाल और दो ऊर्जाएं मिल गईं और संयुक्त हो गईं।

प्रेम है इस बात का अनुभव कि एक व्यक्ति और दूसरे व्यक्ति की सारी दीवालें गिर गईं और प्राण संयुक्त हुए, मिले और एक हो गए।

जब यही अनुभव एक व्यक्ति और समस्त के बीच फलित होता है, तो उस अनुभव को मैं कहता हूं--परमात्मा। और जब दो व्यक्तियों के बीच फलित होता है, तो उसे मैं कहता हूं--प्रेम।

अगर मेरे और किसी दूसरे व्यक्ति के बीच यह अनुभव फलित हो जाए कि हमारी दीवालें गिर जाएं, हम किसी भीतर के तल पर एक हो जाएं, एक संगीत, एक धारा, एक प्राण, तो यह अनुभव है प्रेम।

और अगर ऐसा ही अनुभव मेरे और समस्त के बीच घटित हो जाए कि मैं विलीन हो जाऊं और सब और मैं एक हो जाऊं, तो यह अनुभव है परमात्मा।

इसलिए मैं कहता हूं: प्रेम है सीढ़ी और परमात्मा है उस यात्रा की अंतिम मंजिल। यह कैसे संभव है कि दूसरा मिट जाए? जब तक मैं न मिटूं तब तक दूसरा कैसे मिट सकता है? वह दूसरा पैदा किया है मेरे मैं की प्रतिध्वनि ने। जितने जोर से मैं चिल्लाता हूं कि मैं, उतने ही जोर से वह दूसरा पैदा हो जाता है। वह दूसरी प्रतिध्वनि है, उस तरफ इको हो रही है मेरे मैं की। और यह अहंकार, यह ईगो द्वार पर दीवाल बन कर खड़ी है।

और मैं है क्या? कभी सोचा आपने कि यह मैं है क्या? आपका हाथ है मैं? आपका पैर है? आपका मस्तिष्क है? आपका हृदय है? क्या है आपका मैं?

अगर आप एक क्षण भी शांत होकर भीतर खोजने जाएंगे कि कहां है मैं, कौन सी चीज है मैं? तो आप एकदम हैरान रह जाएंगे--भीतर कोई मैं खोजे से मिलने को नहीं है। जितना गहरा खोजेंगे, उतना ही पाएंगे--भीतर एक सन्नाटा और शून्य है, वहां कोई आई नहीं, वहां कोई मैं नहीं, वहां कोई ईगो नहीं।

एक भिक्षु नागसेन को एक सम्राट मिलिंद ने निमंत्रण दिया था कि तुम आओ दरबार में। तो जो राजदूत गया था निमंत्रण देने, उसने नागसेन को कहा कि भिक्षु नागसेन, आपको बुलाया है सम्राट मिलिंद ने। मैं निमंत्रण देने आया हूं। तो वह नागसेन कहने लगा, मैं चलूंगा जरूर; लेकिन एक बात विनय कर दूं, पहले ही कह दूं कि भिक्षु नागसेन जैसा कोई है नहीं। यह केवल एक नाम है, कामचलाऊ नाम है। आप कहते हैं तो मैं चलूंगा जरूर, लेकिन ऐसा कोई आदमी कहीं है नहीं।

राजदूत ने जाकर सम्राट को कह दिया कि बड़ा अजीब आदमी है वह। वह कहने लगा कि मैं चलूंगा जरूर, लेकिन ध्यान रहे कि भिक्षु नागसेन जैसा कहीं कोई है नहीं, यह केवल एक कामचलाऊ नाम है। सम्राट ने कहा, अजीब सी बात है, जब वह कहता है, मैं चलूंगा। आएगा वह!

वह आया भी रथ पर बैठ कर। सम्राट ने द्वार पर स्वागत किया और कहा, भिक्षु नागसेन, हम स्वागत करते हैं आपका।

वह हंसने लगा। उसने कहा कि स्वागत स्वीकार करता हूं, लेकिन स्मरण रहे, भिक्षु नागसेन जैसा कोई है नहीं।

सम्राट कहने लगा, बड़ी पहेली की बातें करते हैं आप। अगर आप नहीं हैं तो कौन है? कौन आया है यहां? कौन स्वीकार कर रहा है स्वागत? कौन दे रहा है उत्तर?

नागसेन मुड़ा और उसने कहा कि देखते हैं, सम्राट मिलिंद, यह रथ खड़ा है

जिस पर मैं आया। सम्राट ने कहा, हां, यह रथ है। तो भिक्षु नागसेन पूछने लगा, घोड़ों को निकाल कर अलग कर लिया जाए। घोड़े अलग कर लिए गए। और उसने पूछा सम्राट से, ये घोड़े रथ हैं?

सम्राट ने कहा, घोड़े कैसे रथ हो सकते हैं? घोड़े अलग कर दिए गए। सामने के डंडे जिनसे घोड़े बंधे थे, खिंचवा लिए गए।

और उसने पूछा कि ये रथ हैं?

सिर्फ दो डंडे कैसे रथ हो सकते हैं? डंडे अलग कर दिए गए। चाक निकलवा लिए और कहा, ये रथ हैं?

सम्राट ने कहा, ये चाक हैं, ये रथ नहीं हैं।

और एक-एक अंग रथ का निकलता चला गया। और एक-एक अंग पर सम्राट को कहना पड़ा कि नहीं, ये रथ नहीं हैं। फिर आखिर पीछे शून्य बच गया, वहां कुछ भी न बचा।

भिक्षु नागसेन पूछने लगा, रथ कहां है अब? रथ कहां है अब? और जितनी चीजें मैंने निकालीं, तुमने कहा, ये भी रथ नहीं! ये भी रथ नहीं! ये भी रथ नहीं! अब रथ कहां है?

तो सम्राट चौंक कर खड़ा रह गया--रथ पीछे बचा भी नहीं था और जो चीजें निकल गई थीं उनमें कोई रथ था भी नहीं।

तो वह भिक्षु कहने लगा, समझे आप? रथ एक जोड़ था। रथ कुछ चीजों का संग्रह मात्र था। रथ का अपना होना नहीं है कोई, ईगो नहीं है कोई। रथ एक जोड़ है।

आप खोजें--कहां है आपका मैं? और आप पाएंगे कि अनंत शक्तियों के एक जोड़ हैं; मैं कहीं भी नहीं है। और एक-एक अंग आप सोचते चले जाएं तो एक-एक अंग समाप्त होता चला जाता है, फिर पीछे शून्य रह जाता है। उसी शून्य से प्रेम का जन्म होता है, क्योंकि वह शून्य आप नहीं हैं, वह शून्य परमात्मा है।

एक गांव में एक आदमी ने मछलियों की एक दुकान खोली थी। बड़ी दुकान थी, उस गांव में पहली दुकान थी। तो उसने एक बहुत खूबसूरत तख्ती बनवाई और उस पर लिखाया--फ्रेश फिश सोल्ड हियर--यहां ताजी मछलियां बेची जाती हैं।

पहले ही दिन दुकान खुली और एक आदमी आया और कहने लगा, फ्रेश फिश सोल्ड हियर? ताजी मछलियां? कहीं बासी मछलियां भी बेची जाती हैं? ताजी लिखने की क्या जरूरत?

दुकानदार ने सोचा कि बात तो ठीक है। इससे और व्यर्थ बासे का भी खयाल पैदा होता है। उसने फ्रेश अलग कर दिया, ताजा अलग कर दिया। तख्ती रह गई-- फिश सोल्ड हियर--मछलियां यहां बेची जाती हैं।

दूसरे दिन एक बूढ़ी औरत आई और उसने कहा कि मछलियां यहां बेची जाती हैं--सोल्ड हियर? कहीं और कहीं भी बेचते हो?

उस आदमी ने कहा कि यह हियर बिलकुल फिजूल है। उसने तख्ती पर एक शब्द और अलग कर दिया, रह गया--फिश सोल्ड।

तीसरे दिन एक आदमी आया और वह कहने लगा, फिश सोल्ड? मछलियां बेची जाती हैं? मुफ्त भी देते हो क्या?

उस आदमी ने कहा, यह सोल्ड भी बेकार है। उस सोल्ड को भी अलग कर दिया। अब रह गई वहां तख्ती--फिश।

एक बूढ़ा आया और कहने लगा, फिश? अंधे को भी मील भर दूर से बास मिल जाती है। यह तख्ती काहे के लिए लटकाई हुई है यहां?

फिश भी चली गई। खाली तख्ती रह गई वहां।

और एक आदमी आया और उसने कहा, यह तख्ती किसलिए लगाई है? इससे दुकान पर आड़ पड़ती है।

वह तख्ती भी चली गई, वहां कुछ भी नहीं रह गया। इलीमिनेशन होता गया। एक-एक चीज हटती चली गई। पीछे जो शेष रह गया--शून्य।

उस शून्य से प्रेम का जन्म होता है, क्योंकि उस शून्य में दूसरे के शून्य से मिलने की क्षमता है। सिर्फ शून्य ही शून्य से मिल सकता है, और कोई नहीं। दो शून्य मिल सकते हैं, दो व्यक्ति नहीं। दो इंडिविजुअल नहीं मिल सकते; दो वैक्यूम, दो एंप्टीनेस मिल सकते हैं, क्योंकि बाधा अब कोई भी नहीं है। शून्य की कोई दीवाल नहीं होती, और हर चीज की दीवाल होती है।

तो दूसरी बात स्मरणीय है : व्यक्ति जब मिटता है, नहीं रह जाता; पाता है कि हूं ही नहीं; जो है वह मैं नहीं हूं, जो है वह सब है; तब द्वार गिरता है, दीवाल टूटती है। और तब वह गंगा बहती है जो भीतर छिपी है और तैयार है। वह शून्य की प्रतीक्षा कर रही है कि कोई शून्य हो जाए तो उससे बह उठूं।

हम एक कुआं खोदते हैं। पानी भीतर है; पानी कहीं से लाना नहीं होता। लेकिन बीच में मिट्टी-पत्थर पड़े हैं, उनको निकाल कर बाहर कर देते हैं। करते क्या हैं हम? करते हैं हम--एक शून्य बनाते हैं, एक खाली जगह बनाते हैं, एक एंप्टीनेस बनाते

हैं। कुआं खोदने का मतलब है खाली जगह बनाना। ताकि खाली जगह में, जो भीतर छिपा हुआ पानी है, वह प्रकट होने के लिए जगह पा जाए, स्पेस पा जाए। वह भीतर है, उसको जगह चाहिए प्रकट होने को। जगह नहीं मिल रही है; भरा हुआ है कुआं मिट्टी-पत्थर से। मिट्टी-पत्थर हमने अलग कर दिए, वह पानी उबल कर बाहर आ गया।

आदमी के भीतर प्रेम भरा हुआ है। स्पेस चाहिए, जगह चाहिए, जहां वह प्रकट हो जाए।

और हम भरे हुए हैं अपने मैं से। हर आदमी चिल्लाए चला जा रहा है--मैं। और स्मरण रखें, जब तक आपकी आत्मा चिल्लाती है मैं, तब तक आप मिट्टी-पत्थर से भरे हुए कुएं हैं। आपके कुएं में प्रेम के झरने नहीं फूटेंगे, नहीं फूट सकते हैं।

मैंने सुना है, एक बहुत पुराना वृक्ष था। आकाश में सम्राट की तरह उसके हाथ फैले हुए थे। उस पर फूल आते थे तो दूर-दूर से पक्षी सुगंध लेने आते। उस पर फल लगते थे तो तितलियां उड़तीं। उसकी छाया, उसके फैले हाथ, हवाओं में उसका वह खड़ा रूप आकाश में बड़ा सुंदर था। एक छोटा बच्चा उसकी छाया में रोज खेलने आता था। और उस बड़े वृक्ष को उस छोटे बच्चे से प्रेम हो गया।

बड़ों को छोटों से प्रेम हो सकता है, अगर बड़ों को पता न हो कि हम बड़े हैं। वृक्ष को कोई पता नहीं था कि मैं बड़ा हूं--यह पता सिर्फ आदमी को होता है-- इसलिए उसका प्रेम हो गया।

अहंकार हमेशा अपने से बड़ों को प्रेम करने की कोशिश करता है। अहंकार हमेशा अपने से बड़ों से संबंध जोड़ता है। प्रेम के लिए कोई बड़ा-छोटा नहीं। जो आ जाए, उसी से संबंध जुड़ जाता है।

वह एक छोटा सा बच्चा खेलता आता था उस वृक्ष के पास; उस वृक्ष का उससे प्रेम हो गया। लेकिन वृक्ष की शाखाएं ऊपर थीं, बच्चा छोटा था, तो वृक्ष अपनी शाखाएं उसके लिए नीचे झुकाता, ताकि वह फल तोड़ सके, फूल तोड़ सके।

प्रेम हमेशा झुकने को राजी है, अहंकार कभी भी झुकने को राजी नहीं है।

अहंकार के पास जाएंगे तो अहंकार के हाथ और ऊपर उठ जाएंगे, ताकि आप उन्हें छू न सकें। क्योंकि जिसे छू लिया जाए वह छोटा आदमी है; जिसे न छुआ जा सके, दूर सिंहासन पर दिल्ली में हो, वह आदमी बड़ा आदमी है।

वह वृक्ष की शाखाएं नीचे झुक आतीं जब वह बच्चा खेलता हुआ आता! और जब बच्चा उसके फूल तोड़ लेता, तो वह वृक्ष बहुत खुश होता। उसके प्राण आनंद

संभोग से समाधि की ओर

से भर जाते।

प्रेम जब भी कुछ दे पाता है, तब खुश हो जाता है।

अहंकार जब भी कुछ ले पाता है, तभी खुश होता है।

फिर वह बच्चा बड़ा होने लगा। वह कभी उसकी छाया में सोता, कभी उसके फल खाता, कभी उसके फूलों का ताज बना कर पहनता और जंगल का सम्राट हो जाता।

प्रेम के फूल जिसके पास भी बरसते हैं, वही सम्राट हो जाता है। और जहां भी अहंकार घिरता है, वहीं सब अंधकार हो जाता है, आदमी दीन और दरिद्र हो जाता है।

वह लड़का फूलों का ताज पहनता और नाचता, और वृक्ष बहुत खुश होता, उसके प्राण आनंद से भर जाते। हवाएं सनसनातीं और वह गीत गाता।

फिर लड़का और बड़ा हुआ। वह वृक्ष के ऊपर भी चढ़ने लगा, उसकी शाखाओं से झूलने भी लगा। वह उसकी शाखाओं पर विश्राम भी करता, और वृक्ष बहुत आनंदित होता। प्रेम आनंदित होता है, जब प्रेम किसी के लिए छाया बन जाता है।

अहंकार आनंदित होता है, जब किसी की छाया छीन लेता है।

लेकिन लड़का बड़ा होता चला गया, दिन बढ़ते चले गए। जब लड़का बड़ा हो गया तो उसे और दूसरे काम भी दुनिया में आ गए, महत्वाकांक्षाएं आ गईं। उसे परीक्षाएं पास करनी थीं, उसे मित्रों को जीतना था। वह फिर कभी-कभी आता, कभी नहीं भी आता, लेकिन वृक्ष उसकी प्रतीक्षा करता कि वह आए, वह आए। उसके सारे प्राण पुकारते कि आओ, आओ !

प्रेम निरंतर प्रतीक्षा करता है कि आओ, आओ !

प्रेम एक प्रतीक्षा है, एक अवेटिंग है।

लेकिन वह कभी आता, कभी नहीं आता, तो वृक्ष उदास हो जाता।

प्रेम की एक ही उदासी है--जब वह बांट नहीं पाता, तो उदास हो जाता है। जब वह दे नहीं पाता, तो उदास हो जाता है।

और प्रेम की एक ही धन्यता है कि जब वह बांट देता है, लुटा देता है, तो वह आनंदित हो जाता है।

फिर लड़का और बड़ा होता चला गया और वृक्ष के पास आने के दिन कम होते चले गए।

जो आदमी जितना बड़ा होता चला जाता है महत्वाकांक्षा के जगत में, प्रेम के निकट आने की सुविधा उतनी ही कम होती चली जाती है। उस लड़के की एंबीशन, महत्वाकांक्षा बढ़ रही थी। कहां वृक्ष! कहां जाना!

फिर एक दिन वहां से निकलता था तो वृक्ष ने उसे कहा, सुनो! हवाओं में उसकी आवाज गूंजी कि सुनो, तुम आते नहीं, मैं प्रतीक्षा करता हूं! मैं तुम्हारे लिए प्रतीक्षा करता हूं, राह देखता हूं, बाट जोहता हूं!

उस लड़के ने कहा, क्या है तुम्हारे पास जो मैं आऊं? मुझे रुपये चाहिए!

हमेशा अहंकार पूछता है कि क्या है तुम्हारे पास जो मैं आऊं? अहंकार मांगता है कि कुछ हो तो मैं आऊं। न कुछ हो तो आने की कोई जरूरत नहीं।

अहंकार एक प्रयोजन है, एक परपज़ है। प्रयोजन पूरा होता हो तो मैं आऊं! अगर कोई प्रयोजन न हो तो आने की जरूरत क्या है!

और प्रेम निष्प्रयोजन है। प्रेम का कोई प्रयोजन नहीं। प्रेम अपने में ही अपना प्रयोजन है, वह बिलकुल परपज़लेस है।

वृक्ष तो चौंक गया। उसने कहा कि तुम तभी आओगे जब मैं कुछ तुम्हें दे सकूं? मैं तुम्हें सब दे सकता हूं। क्योंकि प्रेम कुछ भी रोकना नहीं चाहता। जो रोक ले वह प्रेम नहीं है। अहंकार रोकता है। प्रेम तो बेशर्त दे देता है। लेकिन रुपये मेरे पास नहीं हैं। ये रुपये तो सिर्फ आदमी की ईजाद है, वृक्षों ने यह बीमारी नहीं पाली है।

उस वृक्ष ने कहा, इसीलिए तो हम इतने आनंदित होते हैं, इतने फूल खिलते हैं, इतने फल लगते हैं, इतनी बड़ी छाया होती है; हम इतना नाचते हैं आकाश में, हम इतने गीत गाते हैं; पक्षी हम पर आते हैं और संगीत का कलरव करते हैं; क्योंकि हमारे पास रुपये नहीं हैं। जिस दिन हमारे पास भी रुपये हो जाएंगे, हम भी आदमी जैसे दीन-हीन मंदिरों में बैठ कर सुनेंगे कि शांति कैसे पाई जाए, प्रेम कैसे पाया जाए। नहीं-नहीं, हमारे पास रुपये नहीं हैं।

तो उसने कहा, फिर मैं क्या आऊं तुम्हारे पास! जहां रुपये हैं, मुझे वहां जाना पड़ेगा। मुझे रुपयों की जरूरत है।

अहंकार रुपया मांगता है, क्योंकि रुपया शक्ति है। अहंकार शक्ति मांगता है।

उस वृक्ष ने बहुत सोचा, फिर उसे खयाल आया--तो तुम एक काम करो, मेरे सारे फलों को तोड़ कर ले जाओ और बेच दो तो शायद रुपये मिल जाएं।

और उस लड़के को भी खयाल आया। वह चढ़ा और उसने सारे फल तोड़ डाले। कच्चे भी गिरा डाले। शाखाएं भी टूटीं, पत्ते भी टूटे। लेकिन वृक्ष बहुत खुश

हुआ, बहुत आनंदित हुआ।

टूट कर भी प्रेम आनंदित होता है।

अहंकार पाकर भी आनंदित नहीं होता, पाकर भी दुखी होता है।

और उस लड़के ने तो धन्यवाद भी नहीं दिया पीछे लौट कर।

लेकिन उस वृक्ष को पता भी नहीं चला। उसे तो धन्यवाद मिल गया इसी में कि उसने उसके प्रेम को स्वीकार किया और उसके फलों को ले गया और बाजार में बेचा।

लेकिन फिर वह बहुत दिनों तक नहीं आया। उसके पास रुपये थे और रुपयों से रुपये पैदा करने की वह कोशिश में लग गया था। वह भूल गया। वर्ष बीत गए।

और वृक्ष उदास है और उसके प्राणों में रस बह रहा है कि वह आए उसका प्रेमी और उसके रस को ले जाए। जैसे किसी मां के स्तन में दूध भरा हो और उसका बेटा खो गया हो, और उसके सारे प्राण तड़प रहे हों कि उसका बेटा कहां है जिसे वह खोजे, जो उसे हलका कर दे, निर्भार कर दे। ऐसे उस वृक्ष के प्राण पीड़ित होने लगे कि वह आए, आए, आए! उसकी सारी आवाज यही गूंजने लगी कि आओ!

बहुत दिनों के बाद वह आया। अब वह लड़का तो प्रौढ़ हो गया था। वृक्ष ने उससे कहा कि आओ मेरे पास! मेरे आलिंगन में आओ!

उसने कहा, छोड़ो यह बकवास। ये बचपन की बातें हैं।

अहंकार प्रेम को पागलपन समझता है, बचपन की बातें समझता है।

उस वृक्ष ने कहा, आओ, मेरी डालियों से झूलो! नाचो!

उसने कहा, छोड़ो ये फिजूल की बातें। मुझे एक मकान बनाना है। मकान दे सकते हो तुम?

वृक्ष ने कहा, मकान? हम तो बिना मकान के ही रहते हैं। मकान में तो सिर्फ आदमी रहता है। दुनिया में और कोई मकान में नहीं रहता, सिर्फ आदमी रहता है। सो देखते हो आदमी की हालत--मकान में रहने वाले आदमी की हालत? उसके मकान जितने बड़े होते जाते हैं, आदमी उतना छोटा होता चला जाता है। हम तो बिना मकान के रहते हैं। लेकिन एक बात हो सकती है कि तुम मेरी शाखाओं को काट कर ले जाओ तो शायद तुम मकान बना लो।

और वह प्रौढ़ कुल्हाड़ी लेकर आ गया और उसने उस वृक्ष की शाखाएं काट डालीं! वृक्ष एक ठूंठ रह गया, नंगा। लेकिन वृक्ष बहुत आनंदित था।

प्रेम सदा आनंदित है, चाहे उसके अंग भी कट जाएं। लेकिन कोई ले जाए,

कोई ले जाए, कोई बांट ले, कोई सम्मिलित हो जाए, साझीदार हो जाए।

और उस लड़के ने तो पीछे लौट कर भी नहीं देखा! उसने मकान बना लिया। और वक्त गुजरता गया। वह ठूंठ राह देखता, वह चिल्लाना चाहता, लेकिन अब उसके पास पत्ते भी नहीं थे, शाखाएं भी नहीं थीं। हवाएं आतीं और वह बोल भी न पाता, बुला भी न पाता। लेकिन उसके प्राणों में तो एक ही गूंज थी--कि आओ! आओ!

और बहुत दिन बीत गए। तब वह बूढ़ा आदमी हो गया था वह बच्चा। वह निकल रहा था पास से। वृक्ष के पास आकर खड़ा हो गया। तो वृक्ष ने पूछा--क्या कर सकता हूं और मैं तुम्हारे लिए? तुम बहुत दिनों बाद आए!

उसने कहा, तुम क्या कर सकोगे? मुझे दूर देश जाना है धन कमाने के लिए। मुझे एक नाव की जरूरत है!

तो उसने कहा, तुम मुझे और काट लो तो मेरी इस पींड़ से नाव बन जाएगी। और मैं बहुत धन्य होऊंगा कि मैं तुम्हारी नाव बन सकूं और तुम्हें दूर देश ले जा सकूं। लेकिन तुम जल्दी लौट आना और सकुशल लौट आना। मैं तुम्हारी प्रतीक्षा करूंगा। और उसने आरे से उस वृक्ष को काट डाला। तब वह एक छोटा सा ठूंठ रह गया। और वह दूर यात्रा पर निकल गया। और वह ठूंठ भी प्रतीक्षा करता रहा कि वह आए, आए। लेकिन अब उसके पास कुछ भी नहीं है देने को। शायद वह नहीं आएगा, क्योंकि अहंकार वहीं आता है जहां कुछ पाने को है, अहंकार वहां नहीं जाता जहां कुछ पाने को नहीं है।

मैं उस ठूंठ के पास एक रात मेहमान हुआ था, तो वह ठूंठ मुझसे बोला कि वह मेरा मित्र अब तक नहीं आया! और मुझे बड़ी पीड़ा होती है कि कहीं नाव डूब न गई हो, कहीं वह भटक न गया हो, कहीं किसी दूर किनारे पर विदेश में कहीं भूल न गया हो, कहीं वह डूब न गया हो, कहीं वह समाप्त न हो गया हो! एक खबर भर कोई मुझे ला दे--अब मैं मरने के करीब हूं--एक खबर भर आ जाए कि वह सकुशल है, फिर कोई बात नहीं! फिर सब ठीक है! अब तो मेरे पास देने को कुछ भी नहीं है, इसलिए बुलाऊं भी तो शायद वह नहीं आएगा, क्योंकि वह लेने की ही भाषा समझता है।

अहंकार लेने की भाषा समझता है।

प्रेम देने की भाषा है।

इससे ज्यादा और कुछ मैं नहीं कहूंगा।

जीवन एक ऐसा वृक्ष बन जाए और उस वृक्ष की शाखाएं अनंत तक फैल जाएं, सब उसकी छाया में हों और सब तक उसकी बांहें फैल जाएं, तो पता चल सकता है कि प्रेम क्या है।

प्रेम का कोई शास्त्र नहीं है, न कोई परिभाषा है, न प्रेम का कोई सिद्धांत है।

तो मैं बहुत हैरानी में था कि क्या कहूंगा आपसे कि प्रेम क्या है। वह तो बताना मुश्किल है। आकर बैठ सकता हूं--अगर मेरी आंखों में दिखाई पड़ जाए तो दिखाई पड़ सकता है, अगर मेरे हाथों में दिखाई पड़ जाए तो दिखाई पड़ सकता है। मैं कह सकता हूं--यह है प्रेम।

लेकिन प्रेम क्या है, अगर मेरी आंख में न दिखाई पड़े, मेरे हाथ में न दिखाई पड़े, तो शब्दों से बिलकुल भी दिखाई नहीं पड़ सकता है कि प्रेम क्या है!

मेरी बातों को इतने प्रेम और शांति से सुना, उससे बहुत-बहुत अनुगृहीत हूं। और अंत में सबके भीतर बैठे परमात्मा को प्रणाम करता हूं, मेरे प्रणाम स्वीकार करें।

2

संभोग : अहं-शून्यता की झलक

मेरे प्रिय आत्मन् !

एक सुबह, अभी सूरज भी निकला नहीं था और एक मांझी नदी के किनारे पहुंच गया था। उसका पैर किसी चीज से टकरा गया। झुक कर उसने देखा, पत्थरों से भरा हुआ एक झोला पड़ा था। उसने अपना जाल किनारे पर रख दिया, वह सुबह सूरज के उगने की प्रतीक्षा करने लगा। सूरज उग आए, वह अपना जाल फेंके और मछलियां पकड़े। वह जो झोला उसे पड़ा हुआ मिल गया था, जिसमें पत्थर थे, वह एक-एक पत्थर निकाल कर शांत नदी में फेंकने लगा। सुबह के सन्नाटे में उन पत्थरों के गिरने की छपाक की आवाज सुनता, फिर दूसरा पत्थर फेंकता।

धीरे-धीरे सुबह का सूरज निकला, रोशनी हुई। तब तक उसने झोले के सारे पत्थर फेंक दिए थे, सिर्फ एक पत्थर उसके हाथ में रह गया था। सूरज की रोशनी में देखते से ही जैसे उसके हृदय की धड़कन बंद हो गई, सांस रुक गई। उसने जिन्हें पत्थर समझ कर फेंक दिया था, वे हीरे-जवाहरात थे ! लेकिन अब तो अंतिम हाथ में बचा था टुकड़ा और वह पूरे झोले को फेंक चुका था। वह रोने लगा, चिल्लाने लगा। इतनी संपदा उसे मिल गई थी कि अनंत जन्मों के लिए काफी थी, लेकिन अंधेरे में, अनजान, अपरिचित, उसने उस सारी संपदा को पत्थर समझ कर फेंक दिया था।

लेकिन फिर भी वह मछुआ सौभाग्यशाली था, क्योंकि अंतिम पत्थर फेंकने के पहले सूरज निकल आया था और उसे दिखाई पड़ गया था कि उसके हाथ में हीरा है। साधारणतः सभी लोग इतने सौभाग्यशाली नहीं होते हैं। जिंदगी बीत जाती है, सूरज नहीं निकलता, सुबह नहीं होती, रोशनी नहीं आती और सारे जीवन के हीरे हम पत्थर समझ कर फेंक चुके होते हैं।

जीवन एक बड़ी संपदा है, लेकिन आदमी सिवाय उसे फेंकने और गंवाने के कुछ भी नहीं करता है!

जीवन क्या है, यह भी पता नहीं चल पाता और हम उसे फेंक देते हैं! जीवन में क्या छिपा था--कौन से राज, कौन सा रहस्य, कौन सा स्वर्ग, कौन सा आनंद, कौन सी मुक्ति--उस सबका कोई भी अनुभव नहीं हो पाता और जीवन हमारे हाथ से रिक्त हो जाता है!

इन आने वाले तीन दिनों में जीवन की संपदा पर ये थोड़ी सी बातें मुझे कहनी हैं। लेकिन जो लोग जीवन की संपदा को पत्थर मान कर बैठ गए हैं, वे कभी आंख खोल कर देख पाएंगे कि जिन्हें उन्होंने पत्थर समझा है वे हीरे-माणिक हैं, यह बहुत कठिन है। और जिन लोगों ने जीवन को पत्थर मान कर फेंकने में ही समय गंवा दिया है, अगर आज उनसे कोई कहने जाए कि जिन्हें तुम पत्थर समझ कर फेंक रहे थे वहां हीरे-मोती भी थे, तो वे नाराज होंगे, क्रोध से भर जाएंगे। इसलिए नहीं कि जो बात कही गई वह गलत है, बल्कि इसलिए कि यह बात इस बात का स्मरण दिलाती है कि उन्होंने बहुत सी संपदा फेंक दी है।

लेकिन चाहे हमने कितनी ही संपदा फेंक दी हो, अगर एक क्षण भी जीवन का शेष है तो फिर भी हम कुछ बचा सकते हैं और कुछ जान सकते हैं और कुछ पा सकते हैं। जीवन की खोज में कभी भी इतनी देर नहीं होती कि कोई आदमी निराश होने का कारण पाए।

लेकिन हमने यह मान ही लिया है--अंधेरे में, अज्ञान में--कि जीवन में कुछ भी नहीं है सिवाय पत्थरों के! जो लोग ऐसा मान कर बैठ गए हैं, उन्होंने खोज के पहले ही हार स्वीकार कर ली है।

मैं इस हार के संबंध में, इस निराशा के संबंध में, इस मान ली गई पराजय के संबंध में सबसे पहली चेतावनी यह देना चाहता हूं कि जीवन मिट्टी और पत्थर नहीं है। जीवन में बहुत कुछ है। जीवन के मिट्टी-पत्थर के बीच भी बहुत कुछ छिपा है। अगर खोजने वाली आंखें हों, तो जीवन से वह सीढ़ी भी निकलती है जो परमात्मा

तक पहुंचती है। इस शरीर में भी--जो देखने पर हड्डी, मांस और चमड़ी से ज्यादा नहीं है--वह छिपा है जिसका हड्डी, मांस और चमड़ी से कोई भी संबंध नहीं है। इस साधारण सी देह में भी--जो आज जन्मती है, कल मर जाती है और मिट्टी हो जाती है--उसका वास है जो अमृत है, जो कभी जन्मता नहीं और कभी समाप्त भी नहीं होता है।

रूप के भीतर अरूप छिपा है; और दृश्य के भीतर अदृश्य का वास है; और मृत्यु के कुहासे में अमृत की ज्योति छिपी हुई है। मृत्यु के धुएं में अमृत की लौ भी छिपी हुई है, वह फ्लेम, वह ज्योति भी छिपी हुई है, जिसकी कोई मृत्यु नहीं है।

लेकिन हम धुएं को देख कर ही वापस लौट आते हैं और ज्योति को नहीं खोज पाते हैं। या जो लोग थोड़ी हिम्मत करते हैं, वे धुएं में ही खो जाते हैं और ज्योति तक नहीं पहुंच पाते हैं।

यह यात्रा कैसे हो सकती है कि हम धुएं के भीतर छिपी हुई ज्योति को जान सकें, शरीर के भीतर छिपी हुई आत्मा को पहचान सकें, प्रकृति के भीतर छिपे हुए परमात्मा के दर्शन कर सकें? यह कैसे हो सकता है? उस संबंध में ही तीन चरणों में मुझे बात करनी है।

पहली बात, हमने जीवन के संबंध में ऐसे दृष्टिकोण बना लिए हैं, हमने जीवन के संबंध में ऐसी धारणाएं बना ली हैं, हमने जीवन के संबंध में ऐसा फलसफा खड़ा कर रखा है कि उस दृष्टिकोण और धारणा के क़ारण ही जीवन के सत्य को देखने से हम वंचित रह जाते हैं। हमने मान ही लिया है कि जीवन क्या है--बिना खोजे, बिना पहचाने, बिना जिज्ञासा किए। हमने जीवन के संबंध में कोई निश्चित बात ही समझ रखी है।

हजारों वर्षों से हमें एक ही बात मंत्र की तरह पढ़ाई जा रही है कि जीवन असार है, जीवन व्यर्थ है, जीवन दुख है। सम्मोहन की तरह हमारे प्राणों पर यह मंत्र दोहराया गया है कि जीवन व्यर्थ है, जीवन असार है, जीवन दुख है, जीवन छोड़ देने योग्य है। यह बात, सुन-सुन कर धीरे-धीरे हमारे प्राणों में पत्थर की तरह मजबूत होकर बैठ गई है। इस बात के कारण जीवन असार दिखाई पड़ने लगा है, जीवन दुख दिखाई पड़ने लगा है। इस बात के कारण जीवन ने सारा आनंद, सारा प्रेम, सारा सौंदर्य खो दिया है। मनुष्य एक कुरूपता बन गया है। मनुष्य एक दुख का अड्डा बन गया है।

और जब हमने यह मान ही लिया है कि जीवन व्यर्थ है, असार है, तो उसे

सार्थक बनाने की सारी चेष्टा भी बंद हो गई हो तो आश्चर्य नहीं है। अगर हमने यह मान ही लिया है कि जीवन एक कुरूपता है, तो उसके भीतर सौंदर्य की खोज कैसे हो सकती है? और अगर हमने यह मान ही लिया है कि जीवन सिर्फ छोड़ देने योग्य तो जिसे छोड़ ही देना है, उसे सजाना, उसे खोजना, उसे निखारना, इसकी कोई भी जरूरत नहीं है।

हम जीवन के साथ वैसा व्यवहार कर रहे हैं, जैसा कोई आदमी स्टेशन पर विश्रामालय के साथ व्यवहार करता है, वेटिंग रूम के साथ व्यवहार करता है। वह जानता है कि क्षण भर हम इस वेटिंग रूम में ठहरे हुए हैं, क्षण भर बाद छोड़ देना है, इस वेटिंग रूम से प्रयोजन क्या है? अर्थ क्या है? वह वहां मूंगफली के छिलके भी डालता है, पान भी थूक देता है, गंदा भी करता है और फिर भी सोचता है, मुझे क्या प्रयोजन है? क्षण भर बाद मुझे चले जाना है।

जीवन के संबंध में भी हम इसी तरह का व्यवहार कर रहे हैं। जहां से हमें क्षण भर बाद चले जाना है, वहां सुंदर और सत्य की खोज और निर्माण करने की जरूरत क्या है?

लेकिन मैं आपसे कहना चाहता हूं, जिंदगी जरूर हमें छोड़ कर चले जाना है, लेकिन जो असली जिंदगी है, उसे हमें कभी भी छोड़ने का कोई उपाय नहीं है। हम यह घर छोड़ देंगे, यह स्थान छोड़ देंगे; लेकिन जो जिंदगी का सत्य है, वह सदा हमारे साथ होगा, वह हम स्वयं हैं। स्थान बदल जाएंगे, मकान बदल जाएंगे, लेकिन जिंदगी? जिंदगी हमारे साथ होगी। उसके बदलने का कोई उपाय नहीं।

और सवाल यह नहीं है कि जहां हम ठहरे थे उसे हमने सुंदर किया था, जहां हम रुके थे वहां हमने प्रीतिकर हवा पैदा की थी, जहां हम दो क्षण को ठहरे थे वहां हमने आनंद का गीत गाया था। सवाल यह नहीं है कि वहां आनंद का गीत हमने गाया था। सवाल यह है कि जिसने आनंद का गीत गाया था, उसने भीतर आनंद की और बड़ी संभावनाओं के द्वार खोल लिए; जिसने उस मकान को सुंदर बनाया था, उसने और बड़े सौंदर्य को पाने की क्षमता उपलब्ध कर ली है; जिसने दो क्षण उस वेटिंग रूम में भी प्रेम के बिताए थे, उसने और बड़े प्रेम को पाने की पात्रता अर्जित कर ली है।

हम जो करते हैं, उसी से हम निर्मित होते हैं। हमारा कृत्य अंततः हमें निर्मित करता है, हमें बनाता है। हम जो करते हैं, वही धीरे-धीरे हमारे प्राण और हमारी आत्मा का निर्माता हो जाता है। जीवन के साथ हम क्या कर रहे हैं, इस पर निर्भर करेगा कि हम कैसे निर्मित हो रहे हैं। जीवन के साथ हमारा क्या व्यवहार है, इस पर

निर्भर होगा कि हमारी आत्मा किन दिशाओं में यात्रा करेगी, किन मार्गों पर जाएगी, किन नये जगतों की खोज करेगी।

जीवन के साथ हमारा व्यवहार हमें निर्मित करता है--यह अगर स्मरण हो तो शायद जीवन को असार, व्यर्थ मानने की दृष्टि हमें भ्रांत मालूम पड़े, तो शायद हमें जीवन को दुखपूर्ण मानने की बात गलत मालूम पड़े, तो शायद हमें जीवन से विरोधी रुख अधार्मिक मालूम पड़े।

लेकिन अब तक धर्म के नाम पर जीवन का विरोध ही सिखाया गया है। सच तो यह है कि अब तक का सारा धर्म मृत्युवादी है, जीवनवादी नहीं। उसकी दृष्टि में, मृत्यु के बाद जो है वही महत्वपूर्ण है, मृत्यु के पहले जो है वह महत्वपूर्ण नहीं है! अब तक के धर्म की दृष्टि में मृत्यु की पूजा है, जीवन का सम्मान नहीं! जीवन के फूलों का आदर नहीं, मृत्यु के कुम्हला गए, जा चुके, मिट गए फूलों की कब्रों की प्रशंसा और श्रद्धा है!

अब तक का सारा धर्म चिंतन करता है कि मृत्यु के बाद क्या है--स्वर्ग, मोक्ष! मृत्यु के पहले क्या है, उससे आज तक के धर्म को जैसे कोई संबंध नहीं रहा।

और मैं आपसे कहना चाहता हूं: मृत्यु के पहले जो है, अगर हम उसे ही सम्हालने में असमर्थ हैं, तो मृत्यु के बाद जो है उसे हम सम्हालने में कभी भी समर्थ नहीं हो सकते। मृत्यु के पहले जो है, अगर वही व्यर्थ छूट जाता है, तो मृत्यु के बाद कभी भी सार्थकता की कोई गुंजाइश, कोई पात्रता हम अपने में पैदा नहीं कर सकेंगे। मृत्यु की तैयारी भी, इस जीवन में जो आज पास है, मौजूद है, उसके द्वारा करनी है। मृत्यु के बाद भी अगर कोई लोक है, तो उस लोक में हमें उसी का दर्शन होगा, जो हमने जीवन में अनुभव किया है और निर्मित किया है। लेकिन जीवन को भुला देने की, जीवन को विस्मरण कर देने की बात ही अब तक कही गई है।

मैं आपसे कहना चाहता हूं: जीवन के अतिरिक्त न कोई परमात्मा है, न हो सकता है।

मैं आपसे यह भी कहना चाहता हूं: जीवन को साध लेना ही धर्म की साधना है और जीवन में ही परम सत्य को अनुभव कर लेना मोक्ष को उपलब्ध कर लेने की पहली सीढ़ी है।

जो जीवन को ही चूक जाता है, वह और सब भी चूक जाएगा, यह निश्चित है।

लेकिन अब तक का रुख उलटा रहा है। वह रुख कहता है, जीवन को छोड़ो। वह रुख कहता है, जीवन को त्यागो। वह यह नहीं कहता कि जीवन में खोजो। वह

यह नहीं कहता कि जीवन को जीने की कला सीखो। वह यह भी नहीं कहता कि जीवन को जीने के ढंग पर निर्भर करता है कि जीवन कैसा मालूम पड़ेगा। अगर जीवन अंधकारपूर्ण मालूम पड़ता है, तो वह जीने का गलत ढंग है। यही जीवन आनंद की वर्षा भी बन सकता है, अगर जीने का सही ढंग उपलब्ध हो जाए।

धर्म को मैं जीने की कला कहता हूं। वह आर्ट ऑफ लिविंग है।

धर्म जीवन का त्याग नहीं, जीवन की गहराइयों में उतरने की सीढ़ियां है।

धर्म जीवन की तरफ पीठ कर लेना नहीं, जीवन की तरफ पूरी तरह आंख खोलना है।

धर्म जीवन से भागना नहीं, जीवन को पूरा आलिंगन में लेने का नाम है।

धर्म है जीवन का पूरा साक्षात्कार।

यही शायद कारण है कि आज तक के धर्म में सिर्फ बूढ़े लोग ही उत्सुक रहे हैं। मंदिरों में जाएं, चर्चों में, गिरजाघरों में, गुरुद्वारों में--और वहां वृद्ध लोग दिखाई पड़ेंगे। वहां युवा दिखाई नहीं पड़ते, वहां छोटे बच्चे दिखाई नहीं पड़ते। क्या कारण है?

एक ही कारण है। अब तक का हमारा धर्म सिर्फ बूढ़े का धर्म है। उन लोगों का धर्म है, जिनकी मौत करीब आ गई, और अब जो मौत से भयभीत हो गए हैं और मौत के बाद के चिंतन के संबंध में आतुर हैं और जानना चाहते हैं कि मौत के बाद क्या है।

जो धर्म मौत पर आधारित है, वह धर्म पूरे जीवन को कैसे प्रभावित कर सकेगा? जो धर्म मौत का चिंतन करता है, वह पृथ्वी को धार्मिक कैसे बना सकेगा?

वह नहीं बना सका। पांच हजार वर्षों की धार्मिक शिक्षा के बाद भी पृथ्वी रोज अधार्मिक से अधार्मिक होती चली गई है। मंदिर हैं, मस्जिद हैं, चर्च हैं, पुजारी हैं, पुरोहित हैं, संन्यासी हैं, लेकिन पृथ्वी धार्मिक नहीं हो सकी है और नहीं हो सकेगी, क्योंकि धर्म का आधार ही गलत है। धर्म का आधार जीवन नहीं है, धर्म का आधार मृत्यु है। धर्म का आधार खिलते हुए फूल नहीं हैं, कब्रें हैं। जिस धर्म का आधार मृत्यु है, वह धर्म अगर जीवन के प्राणों को स्पंदित न कर पाता हो तो आश्चर्य क्या है? जिम्मेवारी किसकी है?

मैं इन तीन दिनों में जीवन के धर्म के संबंध में ही बात करना चाहता हूं और इसलिए पहला सूत्र समझ लेना जरूरी है। और इस सूत्र के संबंध में आज तक छिपाने की, दबाने की, भूल जाने की सारी चेष्टा की गई है; लेकिन जानने और

खोजने की नहीं! और उस भूलने और विस्मृत कर देने की चेष्टा के दुष्परिणाम सारे जगत में व्याप्त हो गए हैं।

मनुष्य के सामान्य जीवन में केंद्रीय तत्व क्या है--परमात्मा? आत्मा? सत्य?

नहीं! मनुष्य के प्राणों में, सामान्य मनुष्य के प्राणों में, जिसने कोई खोज नहीं की, जिसने कोई यात्रा नहीं की, जिसने कोई साधना नहीं की, उसके प्राणों की गहराई में क्या है--प्रार्थना? पूजा? नहीं, बिलकुल नहीं! अगर हम सामान्य मनुष्य की जीवन-ऊर्जा में खोज करें, उसकी जीवन-शक्ति को हम खोजने जाएं, तो न तो वहां परमात्मा दिखाई पड़ेगा, न पूजा, न प्रार्थना, न ध्यान। वहां कुछ और ही दिखाई पड़ेगा। और जो दिखाई पड़ेगा, उसे भुलाने की चेष्टा की गई है, उसे जानने और समझने की नहीं!

वहां क्या दिखाई पड़ेगा अगर हम आदमी के प्राणों को चीरें और फाड़ें और वहां खोजें? आदमी को छोड़ दें, अगर आदमी से इतर जगत की भी हम खोज-बीन करें, तो वहां प्राणों की गहराइयों में क्या मिलेगा? अगर हम एक पौधे की जांच-बीन करें, तो क्या मिलेगा? एक पौधा क्या कर रहा है?

एक पौधा पूरी चेष्टा कर रहा है नये बीज उत्पन्न करने की। एक पौधे के सारे प्राण, सारा रस, नये बीज इकट्ठे करने, जन्मने की चेष्टा कर रहा है।
एक पक्षी क्या कर रहा है? एक पशु क्या कर रहा है?

अगर हम सारी प्रकृति में खोजने जाएं तो हम पाएंगे ः सारी प्रकृति में एक ही, एक ही क्रिया जोर से प्राणों को घेर कर चल रही है और वह क्रिया है सतत सृजन की क्रिया। वह क्रिया है क्रिएशन की क्रिया। वह क्रिया है जीवन को पुनरुज्जीवित, नये-नये रूपों में जीवन देने की क्रिया। फूल बीज को सम्हाल रहे हैं, फल बीज को सम्हाल रहे हैं। बीज क्या करेगा? बीज फिर पौधा बनेगा, फिर फूल बनेगा, फिर फल बनेगा।

अगर हम सारे जीवन को देखें, तो जीवन जन्मने की एक अनंत क्रिया का नाम है। जीवन एक ऊर्जा है, जो स्वयं को पैदा करने के लिए सतत संलग्न है और सतत चेष्टाशील है।

आदमी के भीतर भी वही है। आदमी के भीतर उस सतत सृजन की चेष्टा का नाम हमने सेक्स दे रखा है, काम दे रखा है। इस नाम के कारण उस ऊर्जा को एक गाली मिल गई, एक अपमान। इस नाम के कारण एक निंदा का भाव पैदा हो गया है। मनुष्य के भीतर भी जीवन को जन्म देने की सतत चेष्टा चल रही है। हम उसे

सेक्स कहते हैं, हम उसे काम की शक्ति कहते हैं।

लेकिन काम की शक्ति क्या है?

समुद्र की लहरें आकर टकरा रही हैं समुद्र के तट से हजारों-लाखों वर्षों से। लहरें चली आती हैं, टकराती हैं, लौट जाती हैं। जीवन भी हजारों वर्षों से अनंत-अनंत लहरों में टकरा रहा है। जरूर जीवन कहीं उठना चाहता है। ये समुद्र की लहरें, जीवन की ये लहरें कहीं ऊपर पहुंचना चाहती हैं; लेकिन किनारों से टकराती हैं और नष्ट हो जाती हैं। फिर नई लहरें आती हैं, टकराती हैं और नष्ट हो जाती हैं। यह जीवन का सागर इतने अरबों वर्षों से टकरा रहा है, संघर्ष ले रहा है, रोज उठता है, गिर जाता है। क्या होगा प्रयोजन इसके पीछे? जरूर इसके पीछे कोई वृहत्तर ऊंचाइयां छूने का आयोजन चल रहा है। जरूर इसके पीछे कुछ और गहराइयां जानने का प्रयोजन चल रहा है। जरूर जीवन की सतत प्रक्रिया के पीछे कुछ और महानतर जीवन पैदा करने का प्रयास चल रहा है।

मनुष्य को जमीन पर आए बहुत दिन नहीं हुए, कुछ लाख वर्ष हुए। उसके पहले मनुष्य नहीं था, लेकिन पशु थे। पशुओं को आए हुए भी बहुत ज्यादा समय नहीं हुआ। एक जमाना था कि पशु भी नहीं थे, लेकिन पौधे थे। पौधों को आए भी बहुत समय नहीं हुआ। एक समय था कि पौधे भी नहीं थे, पत्थर थे, पहाड़ थे, नदियां थीं, सागर था। पत्थर, पहाड़, नदियों की वह जो दुनिया थी, वह किस बात के लिए पीड़ित थी?

वह पौधों को पैदा करना चाहती थी। पौधे धीरे-धीरे पैदा हुए। जीवन ने एक नया रूप लिया। पृथ्वी हरियाली से भर गई। फूल खिले।

लेकिन पौधे भी अपने में तृप्त नहीं थे। वे सतत जीवन को जन्म देते रहे। उनकी भी कोई चेष्टा चल रही थी। वे पशुओं को, पक्षियों को जन्म देना चाहते थे। पशु-पक्षी पैदा हुए।

हजारों-लाखों वर्षों तक पशु-पक्षियों से भरा हुआ था यह जगत। लेकिन मनुष्य का कोई पता न था। पशुओं और पक्षियों के प्राणों के भीतर निरंतर मनुष्य भी निवास कर रहा था, पैदा होने की चेष्टा कर रहा था। फिर मनुष्य पैदा हुआ।

अब मनुष्य किसलिए है?

मनुष्य निरंतर नये जीवन को पैदा करने के लिए आतुर है। हम उसे सेक्स कहते हैं, हम उसे काम की वासना कहते हैं, लेकिन उस वासना का मूल अर्थ क्या है? मूल अर्थ इतना है : मनुष्य अपने पर समाप्त नहीं होना चाहता, आगे भी जीवन को

पैदा करना चाहता है। लेकिन क्यों ? क्या मनुष्य के प्राणों में, मनुष्य से ऊपर किसी सुपरमैन को, किसी महामानव को पैदा करने की कोई चेष्टा चल रही है ?

निश्चित ही चल रही है। निश्चित ही मनुष्य के प्राण इस चेष्टा में संलग्न हैं कि मनुष्य से श्रेष्ठतर जीवन जन्म पा सके, मनुष्य से श्रेष्ठतर प्राणी आविर्भूत हो सके। नीत्शे से लेकर अरविंद तक, पतंजलि से लेकर बर्ट्रेंड रसेल तक, सारे मनुष्यों के प्राणों में एक कल्पना एक सपने की तरह बैठी रही है कि मनुष्य से बड़ा प्राणी कैसे पैदा हो सके ! लेकिन मनुष्य से बड़ा प्राणी पैदा कैसे होगा ?

हमने तो हजारों वर्ष से इस पैदा होने की कामना को ही निंदित कर रखा है। हमने तो सेक्स को सिवाय गाली के आज तक दूसरा कोई सम्मान नहीं दिया। हम तो बात करने में भयभीत होते हैं। हमने तो सेक्स को इस भांति छिपा कर रख दिया है जैसे वह है ही नहीं, जैसे उसका जीवन में कोई स्थान नहीं है। जब कि सच्चाई यह है कि उससे ज्यादा महत्वपूर्ण मनुष्य के जीवन में और कुछ भी नहीं है। लेकिन उसको छिपाया है, उसको दबाया है।

दबाने और छिपाने से मनुष्य सेक्स से मुक्त नहीं हो गया, बल्कि मनुष्य और भी बुरी तरह से सेक्स से ग्रसित हो गया। दमन उलटे परिणाम लाया है।

शायद आपमें से किसी ने एक फ्रेंच वैज्ञानिक कुए के एक नियम के संबंध में सुना होगा। वह नियम है : लॉ ऑफ रिवर्स इफेक्ट। कुए ने एक नियम ईजाद किया है, विपरीत परिणाम का नियम। हम जो करना चाहते हैं, हम इस ढंग से कर सकते हैं कि जो हम परिणाम चाहते थे, उससे उलटा परिणाम हो जाए।

एक आदमी साइकिल चलाना सीखता है। बड़ा रास्ता है, चौड़ा रास्ता है, एक छोटा सा पत्थर रास्ते के किनारे पड़ा हुआ है। वह साइकिल चलाने वाला घबराता है कि मैं कहीं उस पत्थर से न टकरा जाऊं। अब इतना चौड़ा रास्ता है कि अगर आंख बंद करके भी वह चलाए, तो पत्थर से टकराना आसान बात नहीं है। इसके सौ में एक ही मौके हैं कि वह पत्थर से टकराए। इतने चौड़े रास्ते पर कहीं से भी निकल सकता है। लेकिन वह देख कर घबराता है--कहीं मैं पत्थर से टकरा न जाऊं ! और जैसे ही वह घबराता है--मैं पत्थर से न टकरा जाऊं--सारा रास्ता विलीन हो गया, सिर्फ पत्थर ही दिखाई पड़ने लगता है उसको। अब उसकी साइकिल का चाक पत्थर की तरफ मुड़ने लगता है। वह हाथ-पैर से घबराता है। उसकी सारी चेतना उस पत्थर को ही देखने लगती है। और एक सम्मोहित, हिप्नोटाइज्ड आदमी की तरह वह पत्थर की तरफ खिंचा जाता है और जाकर पत्थर से टकरा जाता है। नया साइकिल

संभोग से समाधि की ओर

सीखने वाला उसी से टकरा जाता है जिससे बचना चाहता है! लैंप पोस्ट से टकरा जाता है, पत्थर से टकरा जाता है। इतना बड़ा रास्ता था कि अगर कोई निशानेबाज ही चलाने की कोशिश करता, तो उस पत्थर से टकरा सकता था। लेकिन यह सिक्खड़ आदमी कैसे उस पत्थर से टकरा गया?

कुए कहता है, हमारी चेतना का एक नियम है--लॉ ऑफ रिवर्स इफेक्ट। हम जिस चीज से बचना चाहते हैं, चेतना उसी पर केंद्रित हो जाती है और परिणाम में हम उसी से टकरा जाते हैं। पांच हजार वर्षों से आदमी सेक्स से बचना चाह रहा है और परिणाम इतना हुआ है कि गली-कूचे, हर जगह, जहां भी आदमी जाता है, वहीं सेक्स से टकरा जाता है। वह लॉ ऑफ रिवर्स इफेक्ट मनुष्य की आत्मा को पकड़े हुए है।

क्या कभी आपने यह सोचा कि आप चित्त को जहां से बचाना चाहते हैं, चित्त वहीं आकर्षित हो जाता है, वहीं निमंत्रित हो जाता है! जिन लोगों ने मनुष्य को सेक्स के विरोध में समझाया, उन लोगों ने ही मनुष्य को कामुक बनाने का जिम्मा भी अपने ऊपर ले लिया है।

मनुष्य की अति कामुकता गलत शिक्षाओं का परिणाम है।

और आज भी हम भयभीत होते हैं कि सेक्स की बात न की जाए! क्यों भयभीत होते हैं? भयभीत इसलिए होते हैं कि हमें डर है कि सेक्स के संबंध में बात करने से लोग और कामुक हो जाएंगे।

मैं आपको कहना चाहता हूं, यह बिलकुल ही गलत भ्रम है। यह शत प्रतिशत गलत है। पृथ्वी उसी दिन सेक्स से मुक्त होगी, जब हम सेक्स के संबंध में सामान्य, स्वस्थ बातचीत करने में समर्थ हो जाएंगे। जब हम सेक्स को पूरी तरह से समझ सकेंगे, तो ही हम सेक्स का अतिक्रमण कर सकेंगे।

जगत में ब्रह्मचर्य का जन्म हो सकता है, मनुष्य सेक्स के ऊपर उठ सकता है, लेकिन सेक्स को समझ कर, सेक्स को पूरी तरह पहचान कर। उस ऊर्जा के पूरे अर्थ, मार्ग, व्यवस्था को जान कर उससे मुक्त हो सकता है।

आंखें बंद कर लेने से कोई कभी मुक्त नहीं हो सकता। आंखें बंद कर लेने वाले सोचते हों कि आंख बंद कर लेने से शत्रु समाप्त हो गया है, तो वे पागल हैं। मरुस्थल में शुतुरमुर्ग भी ऐसा ही सोचता है। दुश्मन हमले करते हैं तो शुतुरमुर्ग रेत में सिर छिपा कर खड़ा हो जाता है और सोचता है कि जब दुश्मन मुझे दिखाई नहीं पड़ रहा तो दुश्मन नहीं है। लेकिन यह तर्क--शुतुरमुर्ग को हम क्षमा भी कर सकते हैं,

आदमी को क्षमा नहीं किया जा सकता।

सेक्स के संबंध में आदमी ने शुतुरमुर्ग का व्यवहार किया है आज तक। वह सोचता है, आंख बंद कर लो सेक्स के प्रति तो सेक्स मिट गया। अगर आंख बंद कर लेने से चीजें मिटती होतीं, तो बहुत आसान थी जिंदगी, बहुत आसान होती दुनिया। आंखें बंद करने से कुछ मिटता नहीं, बल्कि जिस चीज के संबंध में हम आंखें बंद करते हैं, हम प्रमाण देते हैं कि हम उससे भयभीत हो गए हैं, हम डर गए हैं। वह हमसे ज्यादा मजबूत है, उससे हम जीत नहीं सकते हैं, इसलिए हम आंख बंद करते हैं। आंख बंद करना कमजोरी का लक्षण है।

और सेक्स के बाबत सारी मनुष्य-जाति आंख बंद करके बैठ गई है। न केवल आंख बंद करके बैठ गई है, बल्कि उसने सब तरह की लड़ाई भी सेक्स से ली है। और उसके परिणाम, उसके दुष्परिणाम सारे जगत में ज्ञात हैं।

अगर सौ आदमी पागल होते हैं, तो उसमें से अट्ठानबे आदमी सेक्स को दबाने की वजह से पागल होते हैं। अगर हजारों स्त्रियां हिस्टीरिया से परेशान हैं, तो उसमें सौ में से निन्यानबे स्त्रियों के हिस्टीरिया के, मिरगी के, बेहोशी के पीछे सेक्स की मौजूदगी है, सेक्स का दमन मौजूद है।

अगर आदमी इतना बेचैन, अशांत, इतना दुखी और पीड़ित है, तो इस पीड़ित होने के पीछे उसने जीवन की एक बड़ी शक्ति को बिना समझे उसकी तरफ पीठ खड़ी कर ली है, उसका कारण है। और परिणाम उलटे आते हैं।

अगर हम मनुष्य का साहित्य उठा कर देखें, अगर किसी देवलोक से कभी कोई देवता आए या चंद्रलोक से या मंगल ग्रह से कभी कोई यात्री आए और हमारी किताबें पढ़े, हमारा साहित्य देखे, हमारी कविताएं पढ़े, हमारे चित्र देखे, तो बहुत हैरान हो जाएगा। वह हैरान हो जाएगा यह जान कर कि आदमी का सारा साहित्य सेक्स ही सेक्स पर क्यों केंद्रित है? आदमी की सारी कविताएं सेक्सुअल क्यों हैं? आदमी की सारी कहानियां, सारे उपन्यास सेक्स पर क्यों खड़े हैं? आदमी की हर किताब के ऊपर नंगी औरत की तस्वीर क्यों है? आदमी की हर फिल्म नंगे आदमी की फिल्म क्यों है? वह आदमी बहुत हैरान होगा; अगर कोई मंगल से आकर हमें इस हालत में देखेगा तो बहुत हैरान होगा। वह सोचेगा, आदमी सेक्स के सिवाय क्या कुछ भी नहीं सोचता? और आदमी से अगर पूछेगा, बातचीत करेगा, तो बहुत हैरान हो जाएगा।

आदमी बातचीत करेगा आत्मा की, परमात्मा की, स्वर्ग की, मोक्ष की। सेक्स

की कभी कोई बात नहीं करेगा! और उसका सारा व्यक्तित्व चारों तरफ से सेक्स से भरा हुआ है! वह मंगल ग्रह का वासी तो बहुत हैरान होगा। वह कहेगा, बातचीत कभी नहीं की जाती जिस चीज की, उसको चारों तरफ से तृप्त करने की हजार-हजार पागल कोशिशें क्यों की जा रही हैं?

आदमी को हमने परवर्ट किया है, विकृत किया है और अच्छे नामों के आधार पर विकृत किया है। ब्रह्मचर्य की बात हम करते हैं। लेकिन कभी इस बात की चेष्टा नहीं करते कि पहले मनुष्य की काम की ऊर्जा को समझा जाए, फिर उसे रूपांतरित करने के प्रयोग भी किए जा सकते हैं। बिना उस ऊर्जा को समझे दमन की, संयम की सारी शिक्षा, मनुष्य को पागल, विक्षिप्त और रुग्ण करेगी। इस संबंध में हमें कोई भी ध्यान नहीं है! यह मनुष्य इतना रुग्ण, इतना दीन-हीन कभी भी न था; इतना विषाक्त भी न था, इतना पायज़नस भी न था, इतना दुखी भी न था।

मैं एक अस्पताल के पास से निकलता था। मैंने एक तख्ते पर अस्पताल की एक सूचना लिखी हुई पढ़ी। लिखा था उस तख्ती पर--एक आदमी को बिच्छू ने काटा, उसका इलाज किया गया, वह एक दिन में ठीक होकर घर वापस चला गया है। एक दूसरे आदमी को सांप ने काटा था, उसका तीन दिन में इलाज किया गया, वह स्वस्थ होकर घर वापस लौट गया है। उस पर तीसरी सूचना थी कि एक और आदमी को पागल कुत्ते ने काट लिया था। उसका दस दिन से इलाज हो रहा है। वह काफी ठीक हो गया है और शीघ्र ही उसके पूरी तरह ठीक हो जाने की उम्मीद है। और उस पर एक चौथी सूचना भी थी कि एक आदमी को एक आदमी ने काट लिया था। उसे कई सप्ताह हो गए, वह बेहोश है, और उसके ठीक होने की भी कोई उम्मीद नहीं है!

मैं बहुत हैरान हुआ। आदमी का काटा हुआ इतना जहरीला हो सकता है?

लेकिन अगर हम आदमी की तरफ देखेंगे तो दिखाई पड़ेगा--आदमी के भीतर बहुत जहर इकट्ठा हो गया है। और उस जहर के इकट्ठे हो जाने का पहला सूत्र यह है कि हमने आदमी के निसर्ग को, उसकी प्रकृति को स्वीकार नहीं किया। उसकी प्रकृति को दबाने और जबरदस्ती तोड़ने की चेष्टा की है। मनुष्य के भीतर जो शक्ति है, उस शक्ति को रूपांतरित करने की, ऊंचा ले जाने की, आकाशगामी बनाने का हमने कोई प्रयास नहीं किया। उस शक्ति के ऊपर हम जबरदस्ती कब्जा करके बैठ गए हैं। वह शक्ति नीचे से ज्वालामुखी की तरह उबल रही है और धक्के दे रही है। वह आदमी को किसी भी क्षण उलटा देने की चेष्टा कर रही है। और इसीलिए जरा

सा मौका मिल जाता है, तो आपको पता है सबसे पहली बात क्या होती है?

अगर एक हवाई जहाज गिर पड़े तो आपको सबसे पहले, उस हवाई जहाज में अगर पायलट हो और आप उसके पास जाएं, उसकी लाश के पास, तो आपको पहला प्रश्न क्या उठेगा मन में? क्या आपको खयाल आएगा--यह हिंदू है या मुसलमान? नहीं। क्या आपको खयाल आएगा कि यह भारतीय है कि चीनी? नहीं। आपको पहला खयाल आएगा--यह आदमी है या औरत? पहला प्रश्न आपके मन में उठेगा--यह स्त्री है या पुरुष? क्या आपको खयाल है इस बात का कि यह प्रश्न क्यों सबसे पहले खयाल में आता है? भीतर दबा हुआ सेक्स है। उस सेक्स के दमन की वजह से बाहर स्त्रियां और पुरुष अतिशय उभर कर दिखाई पड़ते हैं।

क्या आपने कभी सोचा? आप किसी आदमी का नाम भूल सकते हैं, जाति भूल सकते हैं, चेहरा भूल सकते हैं। अगर मैं आप से मिलूं या मुझे आप मिलें तो मैं सब भूल सकता हूं--कि आपका नाम क्या था, आपका चेहरा क्या था, आपकी जाति क्या थी, उम्र क्या थी, आप किस पद पर थे--सब भूल सकता हूं, लेकिन कभी आपको खयाल आया कि आप यह भी भूल सके हैं कि जिससे आप मिले थे, वह आदमी था या औरत? कभी आप भूल सके इस बात को कि जिससे आप मिले थे, वह पुरुष है या स्त्री? कभी पीछे यह संदेह उठा मन में कि वह स्त्री है या पुरुष? नहीं, यह बात आप कभी भी नहीं भूल सके होंगे। क्यों लेकिन? जब सारी बातें भूल जाती हैं तो यह क्यों नहीं भूलता?

हमारे भीतर मन में कहीं सेक्स बहुत अतिशय होकर बैठा है। वह चौबीस घंटे उबल रहा है। इसलिए सब बात भूल जाती है, लेकिन यह बात नहीं भूलती। हम सतत सचेष्ट हैं।

यह पृथ्वी तब तक स्वस्थ नहीं हो सकेगी, जब तक आदमी और स्त्रियों के बीच यह दीवार और यह फासला खड़ा हुआ है। यह पृथ्वी तब तक कभी भी शांत नहीं हो सकेगी, जब तक भीतर उबलती हुई आग है और उसके ऊपर हम जबरदस्ती बैठे हुए हैं। उस आग को रोज दबाना पड़ता है। उस आग को प्रतिक्षण दबाए रखना पड़ता है। वह आग हमको भी जला डालती है, सारा जीवन राख कर देती है। लेकिन फिर भी हम विचार करने को राजी नहीं होते--यह आग क्या थी?

और मैं आपसे कहता हूं, अगर हम इस आग को समझ लें तो यह आग दुश्मन नहीं है, दोस्त है। अगर हम इस आग को समझ लें तो यह हमें जलाएगी नहीं, हमारे

संभोग से समाधि की ओर

घर को गरम भी कर सकती है सर्दियों में, और हमारी रोटियां भी पका सकती है, और हमारी जिंदगी के लिए सहयोगी और मित्र भी हो सकती है।

लाखों साल तक आकाश में बिजली चमकती थी। कभी किसी के ऊपर गिरती थी और जान ले लेती थी। कभी किसी ने सोचा भी न था कि एक दिन घर में पंखा चलाएगी यह बिजली। कभी यह रोशनी करेगी अंधेरे में, यह किसी ने सोचा नहीं था। आज? आज वही बिजली हमारी साथी हो गई है। क्यों?

बिजली की तरफ हम आंख मूंद कर खड़े हो जाते तो हम कभी बिजली के राज को न समझ पाते और न कभी उसका उपयोग कर पाते। वह हमारी दुश्मन ही बनी रहती। लेकिन नहीं, आदमी ने बिजली के प्रति दोस्ताना भाव बरता। उसने बिजली को समझने की कोशिश की, उसने प्रयास किए जानने के। और धीरे-धीरे बिजली उसकी साथी हो गई। आज बिना बिजली के क्षण भर जमीन पर रहना मुश्किल मालूम होगा।

मनुष्य के भीतर बिजली से भी बड़ी ताकत है सेक्स की।

मनुष्य के भीतर अणु की शक्ति से भी बड़ी शक्ति है सेक्स की। कभी आपने सोचा लेकिन, यह शक्ति क्या है और कैसे हम इसे रूपांतरित करें? एक छोटे से अणु में इतनी शक्ति है कि हिरोशिमा का पूरा का पूरा एक लाख का नगर भस्म हो सकता है। लेकिन क्या आपने कभी सोचा कि मनुष्य के काम की ऊर्जा का एक अणु एक नये व्यक्ति को जन्म देता है? उस व्यक्ति में गांधी पैदा हो सकता है, उस व्यक्ति में महावीर पैदा हो सकता है, उस व्यक्ति में बुद्ध पैदा हो सकते हैं, क्राइस्ट पैदा हो सकता है। उससे आइंस्टीन पैदा हो सकता है और न्यूटन पैदा हो सकता है। एक छोटा सा अणु एक मनुष्य की काम-ऊर्जा का, एक गांधी को छिपाए हुए है। गांधी जैसा विराट व्यक्तित्व जन्म पा सकता है।

लेकिन हम सेक्स को समझने को राजी नहीं! लेकिन हम सेक्स की ऊर्जा के संबंध में बात करने की हिम्मत जुटाने को राजी नहीं! कौन सा भय हमें पकड़े हुए है कि जिससे सारे जीवन का जन्म होता है उस शक्ति को हम समझना नहीं चाहते? कौन सा डर है? कौन सी घबराहट है?

मैंने पिछली बंबई की सभा में इस संबंध में कुछ बात की थी, तो बड़ी घबराहट फैल गई। मुझे बहुत से पत्र पहुंचे कि आप इस तरह की बातें मत कहें! इस तरह की बात ही मत करें! मैं बहुत हैरान हुआ कि इस तरह की बात क्यों न की जाए? अगर शक्ति है हमारे भीतर तो उसे जाना क्यों न जाए? उसे क्यों न पहचाना जाए? और

बिना जाने-पहचाने, बिना उसके नियम समझे, हम उस शक्ति को और ऊपर कैसे ले जा सकते हैं! पहचान से हम उसको जीत भी सकते हैं, बदल भी सकते हैं। लेकिन बिना पहचाने तो हम उसके हाथ में ही मरेंगे और सड़ेंगे, और कभी उससे मुक्त नहीं हो सकते।

जो लोग सेक्स के संबंध में बात करने की मनाही करते हैं, वे ही लोग पृथ्वी को सेक्स के में डाले हुए हैं, यह मैं आपसे कहना चाहता हूं। जो लोग घबराते हैं और जो समझते हैं धर्म का सेक्स से कोई संबंध नहीं, वे खुद तो पागल हैं ही, वे सारी पृथ्वी को भी पागल बनाने में सहयोगी हो रहे हैं।

धर्म का संबंध मनुष्य की ऊर्जा के ट्रांसफार्मेशन से है। धर्म का संबंध मनुष्य की शक्ति को रूपांतरित करने से है।

धर्म चाहता है कि मनुष्य के व्यक्तित्व में जो छिपा है, वह श्रेष्ठतम रूप से अभिव्यक्त हो जाए। धर्म चाहता है कि मनुष्य का जीवन निम्न से उच्च की एक यात्रा बने, पदार्थ से परमात्मा तक पहुंच जाए।

लेकिन यह चाह तभी पूरी हो सकती है...हम जहां जाना चाहते हैं उस स्थान को समझना उतना उपयोगी नहीं, जितना उस स्थान को समझना उपयोगी है जहां हम खड़े हैं; क्योंकि वहीं से यात्रा शुरू करनी पड़ती है।

सेक्स है फैक्ट, सेक्स जो है वह तथ्य है मनुष्य के जीवन का। और परमात्मा? परमात्मा अभी दूर है। सेक्स हमारे जीवन का तथ्य है। इस तथ्य को समझ कर हम परमात्मा के सत्य तक यात्रा कर भी सकते हैं। लेकिन इसे बिना समझे एक इंच आगे नहीं जा सकते, कोल्हू के बैल की तरह इसी के आस-पास घूमते रहेंगे, इसी के आस-पास घूमते रहेंगे।

मैंने जो पिछली सभा में कुछ बातें कहीं तो मुझे ऐसा लगा कि जैसे हम जीवन की वास्तविकता को समझने की भी तैयारी नहीं दिखाते! तो फिर हम और क्या कर सकते हैं? और आगे क्या हो सकता है? फिर ईश्वर, परमात्मा की सारी बातें सांत्वना की, कोरी सांत्वना की बातें हैं और झूठी हैं। क्योंकि जीवन के परम सत्य, चाहे कितने ही नग्न हों, उन्हें जानना ही पड़ेगा, समझना ही पड़ेगा।

तो पहली बात तो यह जान लेनी जरूरी है कि मनुष्य का जन्म सेक्स से होता है। मनुष्य का सारा व्यक्तित्व सेक्स के अणुओं से बना हुआ है। मनुष्य का सारा प्राण सेक्स की ऊर्जा से भरा हुआ है। जीवन की ऊर्जा अर्थात काम की ऊर्जा। यह जो काम की ऊर्जा है, यह जो सेक्स इनर्जी है, यह क्या है? यह क्यों हमारे जीवन को

इतने जोर से आंदोलित करती है? क्यों हमारे जीवन को इतना प्रभावित करती है? क्यों हम घूम-घूम कर सेक्स के आस-पास, इर्द-गिर्द ही चक्कर लगाते हैं और समाप्त हो जाते हैं? कौन सा आकर्षण है इसका?

हजारों साल से ऋषि-मुनि इनकार कर रहे हैं, लेकिन आदमी प्रभावित नहीं हुआ मालूम पड़ता है। हजारों साल से वे कह रहे हैं कि मुख मोड़ लो इससे! दूर हट जाओ इससे! सेक्स की कल्पना और कामना छोड़ दो! चित्त से निकाल डालो ये सारे सपने!

लेकिन आदमी के चित्त से ये सपने निकले नहीं हैं। निकल भी नहीं सकते हैं इस भांति। बल्कि मैं तो इतना हैरान हुआ हूं--इतना हैरान हुआ हूं मैं--वेश्याओं से भी मिला हूं, लेकिन वेश्याओं ने मुझसे सेक्स की बात नहीं की! उन्होंने आत्मा-परमात्मा के संबंध में पूछताछ की। और मैं साधु-संन्यासियों से भी मिलता हूं। वे जब भी अकेले में मिलते हैं, तो सिवाय सेक्स के और किसी बात के संबंध में पूछताछ नहीं करते। मैं बहुत हैरान हुआ! मैं हैरान हुआ हूं इस बात को जान कर कि साधु-संन्यासियों को, जो निरंतर इसके विरोध में बोल रहे हैं, वे खुद भी चित्त के तल पर वहीं ग्रसित हैं, वहीं परेशान हैं! तो जनता में आत्मा-परमात्मा की बात करते हैं, लेकिन भीतर उनके भी समस्या वही है।

होगी भी। स्वाभाविक है, क्योंकि हमने उस समस्या को समझने की ही चेष्टा नहीं की है। हमने उस ऊर्जा के नियम भी नहीं जानने चाहे। और हमने कभी यह भी नहीं पूछा कि मनुष्य का इतना आकर्षण क्यों है? कौन सिखाता है सेक्स आपको?

सारी दुनिया तो सिखाने के विरोध में सारे उपाय करती है। मां-बाप चेष्टा करते हैं कि बच्चे को पता न चल जाए। शिक्षक चेष्टा करते हैं। धर्म-शास्त्र चेष्टा करते हैं। कहीं कोई स्कूल नहीं, कहीं कोई यूनिवर्सिटी नहीं। लेकिन आदमी अचानक एक दिन पाता है कि सारे प्राण काम की आतुरता से भर गए हैं! यह कैसे हो जाता है? बिना सिखाए यह कैसे हो जाता है? सत्य की शिक्षा दी जाती है, प्रेम की शिक्षा दी जाती है, उसका तो कोई पता नहीं चलता। इस सेक्स का इतना प्रबल आकर्षण, इतना नैसर्गिक केंद्र क्या है? जरूर इसमें कोई रहस्य है और इसे समझना जरूरी है। तो शायद हम इससे मुक्त भी हो सकते हैं।

पहली बात तो यह कि मनुष्य के प्राणों में सेक्स का जो आकर्षण है, वह वस्तुतः सेक्स का आकर्षण नहीं है। मनुष्य के प्राणों में जो कामवासना है, वह वस्तुतः काम की वासना नहीं है। इसलिए हर आदमी काम के कृत्य के बाद पछताता है, दुखी होता

है, पीड़ित होता है। सोचता है कि इससे मुक्त हो जाऊं, यह क्या है?

लेकिन शायद आकर्षण कोई दूसरा है। और वह आकर्षण बहुत रिलीजस, बहुत धार्मिक अर्थ रखता है। वह आकर्षण यह है कि मनुष्य के सामान्य जीवन में सिवाय सेक्स की अनुभूति के वह कभी भी अपने गहरे से गहरे प्राणों में नहीं उतर पाता है। और किसी क्षण में कभी गहरे नहीं उतरता है। दुकान करता है, धंधा करता है, यश कमाता है, पैसे कमाता है, लेकिन एक अनुभव काम का, संभोग का, उसे गहरे से गहरे ले जाता है। और उसकी गहराई में दो घटनाएं घटती हैं। एक--संभोग के अनुभव में अहंकार विसर्जित हो जाता है, ईगोलेसनेस पैदा हो जाती है। एक क्षण के लिए अहंकार नहीं रह जाता, एक क्षण को यह याद भी नहीं रह जाता कि मैं हूं।

क्या आपको पता है, धर्म के श्रेष्ठतम अनुभव में मैं बिलकुल मिट जाता है, अहंकार बिलकुल शून्य हो जाता है! सेक्स के अनुभव में क्षण भर को अहंकार मिटता है। लगता है कि हूं या नहीं। एक क्षण को विलीन हो जाता है मेरापन का भाव।

दूसरी घटना घटती है : एक क्षण के लिए समय मिट जाता है, टाइमलेसनेस पैदा हो जाती है। जीसस ने कहा है समाधि के संबंध में : देयर शैल बी टाइम नो लांगर। समाधि का जो अनुभव है, वहां समय नहीं रह जाता। वह कालातीत है। समय बिलकुल विलीन हो जाता है। न कोई अतीत है, न कोई भविष्य--शुद्ध वर्तमान रह जाता है।

सेक्स के अनुभव में यह दूसरी घटना घटती है--न कोई अतीत रह जाता है, न कोई भविष्य। समय मिट जाता है, एक क्षण के लिए समय विलीन हो जाता है।

ये धार्मिक अनुभूति के लिए सर्वाधिक महत्वपूर्ण तत्व हैं--ईगोलेसनेस, टाइमलेसनेस।

ये दो तत्व हैं, जिनकी वजह से आदमी सेक्स की तरफ आतुर होता है और पागल होता है। वह आतुरता स्त्री के शरीर के लिए नहीं है पुरुष की, न पुरुष के शरीर के लिए स्त्री की है। वह आतुरता शरीर के लिए बिलकुल भी नहीं है। वह आतुरता किसी और ही बात के लिए है। वह आतुरता है--अहंकार-शून्यता का अनुभव, समय-शून्यता का अनुभव।

लेकिन समय-शून्य और अहंकार-शून्य होने के लिए आतुरता क्यों है? क्योंकि जैसे ही अहंकार मिटता है, आत्मा की झलक उपलब्ध होती है। जैसे ही समय मिटता है, परमात्मा की झलक उपलब्ध होती है।

एक क्षण को होती है यह घटना, लेकिन उस एक क्षण के लिए आदमी कितनी ही ऊर्जा, कितनी ही शक्ति खोने को तैयार है ! शक्ति खोने के कारण पछताता है बाद में कि शक्ति क्षीण हुई, शक्ति का अपव्यय हुआ। और उसे पता है कि शक्ति जितनी क्षीण होती है, मौत उतनी करीब आती है।

कुछ पशुओं में तो एक ही संभोग के बाद नर की मृत्यु हो जाती है। कुछ कीड़े तो एक ही संभोग कर पाते हैं और संभोग करते ही करते समाप्त हो जाते हैं। अफ्रीका में एक मकड़ा होता है। वह एक ही संभोग कर पाता है और संभोग की हालत में ही मर जाता है। इतनी ऊर्जा क्षीण हो जाती है।

मनुष्य को यह अनुभव में आ गया बहुत पहले कि सेक्स का अनुभव शक्ति को क्षीण करता है, जीवन-ऊर्जा कम होती है और धीरे-धीरे मौत करीब आती है। पछताता है आदमी। लेकिन इतना पछताने के बाद फिर पाता है कि कुछ घड़ियों के बाद फिर वही आतुरता है। निश्चित ही इस आतुरता में कुछ और अर्थ है जो समझ लेना जरूरी है।

सेक्स की आतुरता में कोई रिलीजस अनुभव है; कोई आत्मिक अनुभव है। उस अनुभव को अगर हम देख पाएं तो हम सेक्स के ऊपर उठ सकते हैं। अगर उस अनुभव को हम न देख पाएं तो हम सेक्स में ही जीएंगे और मर जाएंगे। उस अनुभव को अगर हम देख पाएं...अंधेरी रात है और अंधेरी रात में बिजली चमकती है। बिजली की चमक अगर हमें दिखाई पड़ जाए और बिजली को अगर हम समझ लें, तो अंधेरी रात को हम मिटा भी सकते हैं। लेकिन अगर हम यह समझ लें कि अंधेरी रात के कारण बिजली चमकती है, तो फिर हम अंधेरी रात को और घना करने की कोशिश करेंगे, ताकि बिजली चमके।

सेक्स की घटना में बिजली चमकती है एक। वह सेक्स से अतीत है, ट्रांसेंड करती है, पार से आती है। उस पार के अनुभव को अगर हम पकड़ लें, तो हम सेक्स के ऊपर उठ सकते हैं, अन्यथा नहीं। लेकिन जो लोग सेक्स के विरोध में खड़े हो जाते हैं, वे अनुभव को समझ भी नहीं पाते कि वह अनुभव क्या है। वे कभी यह ठीक विषण भी नहीं कर पाते कि हमारी आतुरता किस चीज के लिए है।

मैं आपसे कहना चाहता हूं कि संभोग का इतना आकर्षण क्षणिक समाधि के लिए है। और संभोग से आप उस दिन मुक्त होंगे, जिस दिन आपको समाधि बिना संभोग के मिलना शुरू हो जाएगी। उसी दिन संभोग से आप मुक्त हो जाएंगे, सेक्स से मुक्त हो जाएंगे।

क्योंकि एक आदमी हजार रुपये खोकर थोड़ा सा अनुभव पाता हो; और कल हम उसे बता दें कि रुपये खोने की कोई जरूरत नहीं, इस अनुभव की तो खदानें भरी पड़ी हैं, तुम चलो इस रास्ते से और उस अनुभव को पा लो। तो फिर वह हजार रुपये खोकर उस अनुभव को खरीदने बाजार में नहीं जाएगा।

सेक्स जिस अनुभूति को लाता है, अगर वह अनुभूति किन्हीं और मार्गों से उपलब्ध हो सके, तो आदमी का चित्त सेक्स की तरफ बढ़ना अपने आप बंद हो जाता है। उसका चित्त एक नई दिशा लेना शुरू कर देता है। इसलिए मैं कहता हूं, जगत में समाधि का पहला अनुभव मनुष्य को सेक्स के अनुभव से ही उपलब्ध हुआ है।

लेकिन वह बहुत महंगा अनुभव है, वह अति महंगा अनुभव है। और दूसरे कारण हैं कि वह अनुभव कभी एक क्षण से ज्यादा गहरा नहीं हो सकता। एक क्षण को झलक मिलेगी और हम वापस अपनी जगह पर लौट आते हैं। एक क्षण को किसी लोक में उठ जाते हैं, किसी गहराई पर, किसी पीक एक्सपीरिएंस पर, किसी शिखर पर पहुंचना होता है। और हम पहुंच भी नहीं पाते और वापस गिर जाते हैं। जैसे समुद्र की एक लहर आकाश में उठती है--उठ भी नहीं पाती पहुंच भी नहीं पाती, हवाओं में, सिर उठा भी नहीं पाती और गिरना शुरू हो जाता है।

ठीक हमारा सेक्स का अनुभव : बार-बार शक्ति को इकट्ठा करके हम उठने की चेष्टा करते हैं--किसी गहरे जगत में, किसी ऊंचे जगत में--एक क्षण को हम उठ भी नहीं पाते और सब लहर बिखर जाती है, हम वापस अपनी जगह खड़े हो जाते हैं। और उतनी शक्ति और ऊर्जा को गंवा देते हैं।

लेकिन अगर सागर की लहर बर्फ का पत्थर बन जाए, जम जाए और बर्फ हो जाए, तो फिर उसे नीचे गिरने की कोई जरूरत नहीं है। आदमी का चित्त जब तक सेक्स की तरलता में बहता है, तब तक वापस उठता है, गिरता है; उठता है, गिरता है; सारा जीवन यही करता है।

और जिस अनुभव के लिए इतना तीव्र आकर्षण है--ईगोलेसनेस के लिए, अहंकार शून्य हो जाए और मैं आत्मा को जान लूं; समय मिट जाए और मैं उसको जान लूं जो इटरनल है, जो टाइमलेस है; उसको जान लूं जो समय के बाहर है, अनंत और अनादि है--उसे जानने की चेष्टा में सारा जगत सेक्स के केंद्र पर घूमता रहता है।

लेकिन अगर हम इस घटना के विरोध में खड़े हो जाएं सिर्फ, तो क्या होगा? तो

क्या हम उस अनुभव को पा लेंगे जो सेक्स से एक झलक की तरह दिखाई पड़ता था? नहीं, अगर हम सेक्स के विरोध में खड़े हो जाते हैं तो सेक्स ही हमारी चेतना का केंद्र बन जाता है, हम सेक्स से मुक्त नहीं होते, उससे बंध जाते हैं। वह लॉ ऑफ रिवर्स इफेक्ट काम शुरू कर देता है। फिर हम उससे बंध गए। फिर हम भागने की कोशिश करते हैं। और जितनी हम कोशिश करते हैं, उतने ही बंधते चले जाते हैं।

एक आदमी बीमार था और बीमारी कुछ उसे ऐसी थी कि दिन-रात उसे भूख लगती थी। सच तो यह है, उसे बीमारी कुछ भी न थी। भोजन के संबंध में उसने कुछ विरोध की किताबें पढ़ ली थीं। उसने पढ़ लिया था कि भोजन पाप है, उपवास पुण्य है। कुछ भी खाना हिंसा करना है। जितना वह यह सोचने लगा कि भोजन करना पाप है, उतना ही भूख को दबाने लगा; जितना भूख को दबाने लगा, उतनी भूख असर्ट करने लगी, जोर से प्रकट होने लगी। तो वह दो-चार दिन उपवास करता था और एक दिन पागल की तरह कुछ भी खा जाता था। जब कुछ भी खा लेता था तो बहुत दुखी होता था, क्योंकि फिर खाने की तकलीफ झेलनी पड़ती थी। फिर पश्चात्ताप में दो-चार दिन उपवास करता था और फिर कुछ भी खा लेता था। आखिर उसने तय किया कि यह घर रहते हुए नहीं हो सकेगा ठीक, मुझे जंगल चले जाना चाहिए।

वह पहाड़ पर गया। एक हिल स्टेशन पर जाकर एक कमरे में रहा। घर के लोग भी परेशान हो गए थे। उसकी पत्नी ने यह सोच कर कि शायद वह पहाड़ पर अब जाकर भोजन की बीमारी से मुक्त हो जाएगा, उसने खुशी में बहुत से फूल उसे पहाड़ पर भिजवाए--कि मैं बहुत खुश हूं कि तुम शायद पहाड़ से अब स्वस्थ होकर वापस लौटोगे; मैं शुभकामना के रूप में ये फूल तुम्हें भेज रही हूं।

उस आदमी का वापस तार आया। उसने तार में लिखा--मेनी थैंक्स फॉर दि फ्लावर्स, दे आर सो डिलीशियस। उसने तार किया कि बहुत धन्यवाद फूलों के लिए, बड़े स्वादिष्ट हैं। वह फूलों को खा गया, वहां पहाड़ पर जो फूल उसको भेजे गए थे! अब कोई आदमी फूलों को खाएगा, इसका हम खयाल नहीं कर सकते। लेकिन जो आदमी भोजन से लड़ाई शुरू कर देगा, वह फूलों को खा सकता है।

आदमी सेक्स से लड़ाई शुरू किया, और उसने क्या-क्या सेक्स के नाम पर खाया, इसका आपने कभी हिसाब लगाया? आदमी को छोड़ कर, सभ्य आदमी को छोड़ कर, होमोसेक्सुअलिटी कहीं है? जंगल में आदिवासी रहते हैं, उन्होंने कभी कल्पना भी नहीं की है कि होमोसेक्सुअलिटी जैसी चीज भी हो सकती है--कि पुरुष और पुरुष के साथ संभोग कर सकते हैं, यह भी हो सकता है! यह कल्पना के

बाहर है। मैं आदिवासियों के पास रहा हूं और उनसे मैंने कहा कि सभ्य लोग इस तरह भी करते हैं। वे कहने लगे, हमारे विश्वास के बाहर है। यह कैसे हो सकता है?

लेकिन अमेरिका में उन्होंने आंकड़े निकाले हैं--पैंतीस प्रतिशत लोग होमोसेक्सुअल हैं! और बेल्जियम और स्वीडन और हालैंड में होमोसेक्सुअल्स के क्लब हैं, सोसाइटीज हैं, अखबार निकलते हैं। और वे सरकार से यह दावा करते हैं कि होमोसेक्सुअलिटी के ऊपर से कानून उठा दिया जाना चाहिए, क्योंकि चालीस प्रतिशत लोग जिसको मानते हैं, तो इतनी बड़ी माइनारिटी के ऊपर हमला है यह आपका। हम तो मानते हैं कि होमोसेक्सुअलिटी ठीक है, इसलिए हमको हक होना चाहिए। कोई कल्पना नहीं कर सकता कि यह होमोसेक्सुअलिटी कैसे पैदा हो गई? सेक्स के बाबत लड़ाई का यह परिणाम है।

जितना सभ्य समाज है, उतनी वेश्याएं हैं! कभी आपने यह सोचा कि ये वेश्याएं कैसे पैदा हो गईं? किसी आदिवासी गांव में जाकर वेश्या खोज सकते हैं आप? आज भी बस्तर के गांव में वेश्या खोजनी मुश्किल है। और कोई कल्पना में भी मानने को राजी नहीं होता कि ऐसी स्त्रियां हो सकती हैं जो कि अपनी इज्जत बेचती हों, अपना संभोग बेचती हों। लेकिन सभ्य आदमी जितना सभ्य होता चला गया, उतनी वेश्याएं बढ़ती चली गईं। क्यों?

यह फूलों को खाने की कोशिश शुरू हुई है। और आदमी की जिंदगी में कितने विकृत रूप से सेक्स ने जगह बनाई है, इसका अगर हम हिसाब लगाने चलेंगे तो हम हैरान रह जाएंगे कि यह आदमी को क्या हुआ है? इसका जिम्मा किस पर है, किन लोगों पर है?

इसका जिम्मा उन लोगों पर है, जिन्होंने आदमी को सेक्स को समझना नहीं, लड़ना सिखाया है। जिन्होंने सप्रेशन सिखाया है, जिन्होंने दमन सिखाया है। दमन के कारण सेक्स की शक्ति जगह-जगह से फूट कर गलत रास्तों से बहनी शुरू हो गई है। सारा समाज पीड़ित और रुग्ण हो गया है। इस रुग्ण समाज को अगर बदलना है, तो हमें यह स्वीकार कर लेना होगा कि काम की ऊर्जा है, काम का आकर्षण है।

क्यों है काम का आकर्षण?

काम के आकर्षण का जो बुनियादी आधार है, उस आधार को अगर हम पकड़ लें, तो मनुष्य को हम काम के जगत से ऊपर उठा सकते हैं। और मनुष्य निश्चित काम के जगत के ऊपर उठ जाए, तो ही राम का जगत शुरू होता है।

खजुराहो के मंदिर के सामने मैं खड़ा था और दस-पांच मित्रों को लेकर वहां

गया था। खजुराहो के मंदिर के चारों तरफ की दीवाल पर तो मैथुन-चित्र हैं, कामवासनाओं की मूर्तियां हैं। मेरे मित्र कहने लगे कि मंदिर के चारों तरफ यह क्या है?

मैंने उनसे कहा, जिन्होंने यह मंदिर बनाया था, वे बड़े समझदार लोग थे। उनकी मान्यता यह थी कि जीवन की बाहर की परिधि पर काम है। और जो लोग अभी काम से उलझे हैं, उनको मंदिर में भीतर प्रवेश का कोई हक नहीं है।

फिर मैं अपने मित्रों को कहा, भीतर चलें! फिर उन्हें भीतर लेकर गया। वहां तो कोई काम-प्रतिमा न थी, वहां भगवान की मूर्ति थी। वे कहने लगे, भीतर कोई प्रतिमा नहीं है! मैंने उनसे कहा कि जीवन की बाहर की परिधि पर कामवासना है। जीवन की बाहर की परिधि, दीवाल पर कामवासना है। जीवन के भीतर भगवान का मंदिर है। लेकिन जो अभी कामवासना से उलझे हैं, वे भगवान के मंदिर में प्रवेश के अधिकारी नहीं हो सकते, उन्हें अभी बाहर की दीवाल का ही चक्कर लगाना पड़ेगा।

जिन लोगों ने यह मंदिर बनाया था, वे बड़े समझदार लोग थे। यह मंदिर एक मेडिटेशन सेंटर था। यह मंदिर एक ध्यान का केंद्र था। जो लोग आते थे, उनसे वे कहते थे, बाहर पहले मैथुन के ऊपर ध्यान करो, पहले सेक्स को समझो! और जब सेक्स को पूरी तरह समझ जाओ और तुम पाओ कि मन उससे मुक्त हो गया है, तब तुम भीतर आ जाना। फिर भीतर भगवान से मिलना हो सकता है।

लेकिन धर्म के नाम पर हमने सेक्स को समझने की स्थिति पैदा नहीं की, सेक्स की शत्रुता पैदा कर दी! सेक्स को समझो मत, आंख बंद कर लो, और घुस जाओ भगवान के मंदिर में आंख बंद करके। आंख बंद करके कभी कोई भगवान के मंदिर में जा सका है? और आंख बंद करके अगर आप भगवान के मंदिर में पहुंच भी गए, तो बंद आंख में आपको भगवान दिखाई नहीं पड़ेंगे, जिससे आप भाग कर आए हैं वही दिखाई पड़ता रहेगा, आप उसी से बंधे रह जाएंगे।

शायद कुछ लोग मेरी बातें सुन कर समझते हैं कि मैं सेक्स का पक्षपाती हूं। मेरी बातें सुन कर शायद लोग समझते हैं कि मैं सेक्स का प्रचार करना चाहता हूं। अगर कोई ऐसा समझता हो तो उसने मुझे कभी सुना ही नहीं है, ऐसा उससे कह देना।

इस समय पृथ्वी पर मुझसे ज्यादा सेक्स का दुश्मन आदमी खोजना मुश्किल है। और उसका कारण यह है कि मैं जो बात कह रहा हूं, अगर वह समझी जा सकी, तो मनुष्य-जाति को सेक्स के ऊपर उठाया जा सकता है, अन्यथा नहीं।

और जिन थोथे लोगों को हमने समझा है कि वे सेक्स के दुश्मन थे, वे सेक्स के

दुश्मन नहीं थे। उन्होंने सेक्स में आकर्षण पैदा कर दिया, सेक्स से मुक्ति पैदा नहीं की। सेक्स में आकर्षण पैदा हो गया विरोध के कारण।

मुझसे एक आदमी ने कहा है कि जिस चीज का विरोध न हो, उसको करने में कोई रस ही नहीं रह जाता। चोरी के फल खाने जितने मधुर और मीठे होते हैं, उतने बाजार से खरीदे गए फल कभी नहीं होते। इसीलिए अपनी पत्नी उतनी मधुर कभी नहीं मालूम पड़ती, जितनी पड़ोसी की पत्नी मालूम पड़ती है। वे चोरी के फल हैं, वे वर्जित फल हैं। और सेक्स को हमने एक ऐसी स्थिति दे दी, एक ऐसा चोरी का जामा पहना दिया, एक ऐसे झूठ के लिबास में छिपा दिया, ऐसी दीवालों में खड़ा कर दिया, कि उसने हमें तीव्र रूप से आकर्षित कर लिया है।

बर्ट्रेंड रसेल ने लिखा है कि जब मैं छोटा बच्चा था, विक्टोरियन जमाना था, स्त्रियों के पैर भी दिखाई नहीं पड़ते थे। वे कपड़े पहनती थीं, जो जमीन पर घिसटता था और पैर नहीं दिखाई पड़ता था। अगर कभी किसी स्त्री का अंगूठा दिख जाता था, तो आदमी आतुर होकर अंगूठा देखने लगता था और कामवासना जग जाती थी! और रसेल कहता है कि अब स्त्रियां करीब-करीब आधी नंगी घूम रही हैं और उनका पैर पूरा दिखाई पड़ता है, लेकिन कोई असर नहीं होता! तो रसेल ने लिखा है कि इससे यह सिद्ध होता है कि हम जिन चीजों को जितना ज्यादा छिपाते हैं, उन चीजों में उतना ही कुत्सित आकर्षण पैदा होता है।

अगर दुनिया को सेक्स से मुक्त करना है, तो बच्चों को ज्यादा देर तक घर में नग्न रहने की सुविधा होनी चाहिए। जब तक बच्चे घर में नग्न खेल सकें--लड़के और लड़कियां--उन्हें नग्न खेलने देना चाहिए। ताकि वे एक-दूसरे के शरीर से भली-भांति परिचित हो जाएं और कल रास्तों पर उनको किसी स्त्री को धक्का देने की कोई जरूरत न रह जाए। ताकि वे एक-दूसरे के शरीर से इतने परिचित हो जाएं कि किसी किताब पर नंगी औरत की तस्वीर छापने की कोई जरूरत न रह जाए। वे शरीर से इतने परिचित हों कि शरीर का कुत्सित आकर्षण विलीन हो सके।

लेकिन बड़ी उलटी दुनिया है। जिन लोगों ने शरीर को ढांक कर, छिपा कर खड़ा किया है, उन्हीं लोगों ने शरीर को इतना आकर्षित बना दिया है, यह हमारे खयाल में नहीं आता! जिन लोगों ने शरीर को जितना ढांक कर छिपा दिया है, शरीर को उतना ही हमारे मन में चिंतन का विषय बना दिया है, यह हमारे खयाल में नहीं आता।

बच्चे नग्न होने चाहिए, देर तक नग्न खेलने चाहिए, लड़के और लड़कियां एक-दूसरे को नग्नता में देखना चाहिए, ताकि उनके पीछे कोई भी पागलपन न रह

जाए और उनके इस पागलपन का जीवन भर रोग उनके भीतर न चलता रहे। लेकिन वह रोग चल रहा है। और उस रोग को हम बढ़ाते चले जाते हैं। और उस रोग के फिर हम नये-नये रास्ते खोजते हैं।

गंदी किताबें छपती हैं, जो लोग गीता के कवर में भीतर रख कर पढ़ते हैं। बाइबिल में दबा लेते हैं, और पढ़ते हैं। ये गंदी किताबें...तो हम कहते हैं, ये गंदी किताबें बंद होनी चाहिए! लेकिन हम यह कभी नहीं पूछते कि गंदी किताबें पढ़ने वाला आदमी पैदा क्यों हो गया है? हम कहते हैं, नंगी तस्वीरें दीवारों पर नहीं लगनी चाहिए! लेकिन हम कभी नहीं पूछते कि नंगी तस्वीरें कौन आदमी देखने को आता है?

वही आदमी आता है जो स्त्रियों के शरीर को देखने से वंचित रह गया है। एक कुतूहल जाग गया है--क्या है स्त्री का शरीर?

और मैं आपसे कहता हूं, वस्त्रों ने स्त्री के शरीर को जितना सुंदर बना दिया है, उतना सुंदर स्त्री का शरीर है नहीं। वस्त्रों में ढांक कर शरीर छिपा नहीं है और उघड़ कर प्रकट हुआ है। यह सारी की सारी चिंतना हमारी विपरीत फल ले आई है। इसलिए आज एक बात आपसे कहना चाहता हूं पहले दिन की चर्चा में, वह यह-- सेक्स क्या है? उसका आकर्षण क्या है? उसकी विकृति क्यों पैदा हुई है? अगर हम ये तीन बातें ठीक से समझ लें, तो मनुष्य का मन इनके ऊपर उठ सकता है। उठना चाहिए। उठने की जरूरत है।

लेकिन उठने की चेष्टा गलत परिणाम लाई है; क्योंकि हमने लड़ाई खड़ी की है, हमने मैत्री खड़ी नहीं की। दुश्मनी खड़ी की है, सप्रेशन खड़ा किया है, दमन किया है; समझ पैदा नहीं की।

अंडरस्टैंडिंग चाहिए, सप्रेशन नहीं।

समझ चाहिए। जितनी गहरी समझ होगी, मनुष्य उतना ही ऊपर उठता है। जितनी कम समझ होगी, उतना ही मनुष्य दबाने की कोशिश करता है। और दबाने के कभी भी कोई सफल परिणाम, सुफल परिणाम, स्वस्थ परिणाम उपलब्ध नहीं होते। मनुष्य के जीवन की सबसे बड़ी ऊर्जा है काम। लेकिन काम पर रुक नहीं जाना है; काम को राम तक ले जाना है।

सेक्स को समझना है, ताकि ब्रह्मचर्य फलित हो सके। सेक्स को जानना है, ताकि हम सेक्स से मुक्त हो सकें और ऊपर उठ सकें। लेकिन शायद ही, आदमी जीवन भर अनुभव से गुजरता है, शायद ही उसने समझने की कोशिश की हो कि

संभोग के भीतर समाधि का क्षण भर का अनुभव है। वही अनुभव खींच रहा है। वही अनुभव आकर्षित कर रहा है। वही अनुभव पुकार दे रहा है कि आओ। ध्यानपूर्वक उस अनुभव को जान लेना है कि कौन सा अनुभव मुझे आकर्षित कर रहा है? कौन मुझे खींच रहा है?

और मैं आपसे कहता हूं, उस अनुभव को पाने के सुगम रास्ते हैं। ध्यान, योग, सामायिक, प्रार्थना, सब उस अनुभव को पाने के मार्ग हैं। लेकिन वही अनुभव हमें आकर्षित कर रहा है, यह सोच लेना, जान लेना जरूरी है।

एक मित्र ने मुझे लिखा कि आपने ऐसी बातें कहीं, कि मां के साथ बेटी बैठी थी, वह सुन रही है! बाप के साथ बेटी बैठी है, वह सुन रही है! ऐसी बातें सबके सामने नहीं करनी चाहिए। मैंने उनसे कहा, आप बिलकुल पागल हैं। अगर मां समझदार होगी, तो इसके पहले कि बेटी सेक्स की दुनिया में उतर जाए, उसे सेक्स के संबंध में अपने सारे अनुभव समझा देगी। ताकि वह अनजान, अधकच्ची, अपरिपक्व सेक्स के गलत रास्तों पर न चली जाए। अगर बाप योग्य है और समझदार है, तो अपने बेटे को और अपनी बेटी को अपने सारे अनुभव बता देगा। ताकि बेटे और बेटियां गलत रास्तों पर न चले जाएं, जीवन उनके विकृत न हो जाएं।

लेकिन मजा यह है कि न बाप का कोई गहरा अनुभव है, न मां का कोई गहरा अनुभव है। वे खुद भी सेक्स के तल से ऊपर नहीं उठ सके। इसलिए घबराते हैं कि कहीं सेक्स की बात सुन कर बच्चे भी इसी तल में न उलझ जाएं।

लेकिन मैं उनसे पूछता हूं, आप किसकी बात सुन कर उलझे थे? आप अपने आप उलझ जाएंगे। यह हो भी सकता है कि अगर उन्हें समझ दी जाए, विचार दिया जाए, बोध दिया जाए, तो शायद वे अपनी ऊर्जा को व्यर्थ करने से बच सकें, ऊर्जा को बचा सकें, रूपांतरित कर सकें।

रास्ते के किनारे पर कोयले का ढेर लगा होता है। वैज्ञानिक कहते हैं कि कोयला ही हजारों साल में हीरा बन जाता है। कोयले और हीरे में कोई रासायनिक फर्क नहीं है, कोई केमिकल भेद नहीं है। कोयले के भी परमाणु वही हैं जो हीरे के हैं; कोयले का भी रासायनिक-भौतिक संगठन वही है जो हीरे का है। हीरा कोयले का ही रूपांतरित, बदला हुआ रूप है। हीरा कोयला ही है।

मैं आपसे कहना चाहता हूं कि सेक्स कोयले की तरह है, ब्रह्मचर्य हीरे की तरह है। लेकिन वह कोयले का ही बदला हुआ रूप है। वह कोयले का दुश्मन नहीं है हीरा। वह कोयले की ही बदलाहट है। वह कोयले का ही रूपांतरण है। वह कोयले

संभोग से समाधि की ओर

को ही समझ कर नई दिशाओं में ले गई यात्रा है।

सेक्स का विरोध नहीं है ब्रह्मचर्य, सेक्स का ही रूपांतरण है, ट्रांसफार्मेशन है। और जो सेक्स का दुश्मन है, वह कभी ब्रह्मचर्य को उपलब्ध नहीं हो सकता है। ब्रह्मचर्य की दिशा में जाना हो--और जाना जरूरी है, क्योंकि ब्रह्मचर्य का मतलब क्या है ?

ब्रह्मचर्य का इतना मतलब है : वह अनुभव उपलब्ध हो जाए, जो ब्रह्म की चर्या जैसा है। जैसा भगवान का जीवन हो, वैसा जीवन उपलब्ध हो जाए।

ब्रह्मचर्य यानी ब्रह्म की चर्या, ब्रह्म जैसा जीवन। परमात्मा जैसा अनुभव उपलब्ध हो जाए।

वह हो सकता है अपनी शक्तियों को समझ कर रूपांतरित करने से।

आने वाले दो दिनों में, कैसे रूपांतरित किया जा सकता है सेक्स, कैसे रूपांतरित हो जाने के बाद काम राम के अनुभव में बदल जाता है, वह मैं आपसे बात करूंगा। और तीन दिन तक चाहूंगा कि बहुत गौर से सुन लेंगे, ताकि मेरे संबंध में कोई गलतफहमी पीछे आपको पैदा न हो जाए। और जो भी प्रश्न हों--ईमानदारी से और सच्चे--उन्हें लिख कर दे देंगे, ताकि आने वाले पिछले दो दिनों में मैं उनकी आप से सीधी-सीधी बात कर सकूं। किसी प्रश्न को छिपाने की जरूरत नहीं है। जो जिंदगी में सत्य है, उसे छिपाने का कोई कारण नहीं है। किसी सत्य से मुकरने की जरूरत नहीं है। जो सत्य है, वह सत्य है--चाहे हम आंख बंद करें, चाहें आंख खुली रखें।

और एक बात मैं जानता हूं, धार्मिक आदमी मैं उसको कहता हूं जो जीवन सारे सत्यों को सीधा साक्षात्कार करने की हिम्मत रखता है। जो इतने कमजोर, काहिल और नपुंसक हैं कि जीवन के तथ्यों का सामना भी नहीं कर सकते, उनके धार्मिक होने की कोई उम्मीद कभी नहीं हो सकती है।

ये आने वाले चार दिनों के लिए निमंत्रण देता हूं। क्योंकि ऐसे विषय पर यह बात है कि शायद ऋषि-मुनियों से आशा नहीं रही है कि ऐसे विषयों पर वे बात करेंगे। शायद आपको सुनने की आदत भी नहीं होगी। शायद आपका मन डरेगा। लेकिन फिर भी मैं चाहूंगा कि इन पांच दिनों में आप ठीक से सुनने की कोशिश करेंगे। यह हो सकता है कि काम की समझ आपको राम के मंदिर के भीतर प्रवेश दिला दे। आकांक्षा मेरी यही है। परमात्मा करे वह आकांक्षा पूरी हो।

मेरी बातों को इतने प्रेम और शांति से सुना, उसके लिए अनुगृहीत हूं। और अंत में सबके भीतर बैठे हुए परमात्मा को प्रणाम करता हूं, मेरे प्रणाम स्वीकार करें।

3

संभोग : समय-शून्यता की झलक

मेरे प्रिय आत्मन्‌!

एक छोटी-सी कहानी से मैं अपनी बात शुरू करना चाहूंगा। बहुत वर्ष बीते, बहुत सदियां, किसी देश में एक बड़ा चित्रकार था। वह जब अपनी युवा अवस्था में था, उसने सोचा कि मैं एक ऐसा चित्र बनाऊं, जिसमें भगवान का आनंद झलकता हो। मैं ऐसी दो आंखें चित्रित करूं, जिनमें अनंत शांति झलकती हो। मैं ऐसे एक व्यक्ति को खोजूं, एक ऐसे मनुष्य को, जिसका चित्र, जीवन के जो पार है, जगत से जो दूर है, उसकी खबर लाता हो।

और वह अपने देश के गांव-गांव घूमा, जंगल-जंगल उसने छाना, उस आदमी को, जिसकी प्रतिछवि वह बना सके। और आखिर एक पहाड़ पर गाय चराने वाले एक चरवाहे को उसने खोज लिया। उसकी आंखों में कोई झलक थी। उसके चेहरे की रूप-रेखा में कोई दूर की खबर थी। उसे देख कर ही लगता था कि मनुष्य के भीतर परमात्मा भी है। उसने उसके चित्र को बनाया। उस चित्र की लाखों प्रतियां गांव-गांव, दूर-दूर के देशों में बिकीं। लोगों ने उस चित्र को घर में टांग कर अपने को धन्य समझा।

फिर बीस वर्ष बाद, वह चित्रकार बूढ़ा हो गया था। और उस चित्रकार को एक खयाल और आया। जीवन भर के अनुभव से उसे पता चला था कि आदमी भगवान

ही अगर अकेला होता तो ठीक था, आदमी में शैतान भी दिखाई पड़ता है। उसने सोचा कि मैं एक चित्र और बनाऊं, जिसमें आदमी के भीतर शैतान की छवि हो, तब मेरे दोनों चित्र पूरे मनुष्य के चित्र बन सकेंगे।

वह फिर गया बुढ़ापे में--जुआघरों में, शराबखानों में, पागलघरों में--उसने खोजबीन की उस आदमी की, जो आदमी न हो, शैतान हो; जिसकी आंखों में नरक की लपटें जलती हों; जिसके चेहरे की आकृति उस सबका स्मरण दिलाती हो, जो अशुभ है, कुरूप है, असुंदर है। वह पाप की प्रतिमा की खोज में निकला। एक प्रतिमा उसने परमात्मा की बनाई थी, वह एक प्रतिमा पाप की भी बनाना चाहता था।

और बहुत खोजने के बाद एक कारागृह में उसे एक कैदी मिल गया, जिसने सात हत्याएं की थीं और जो थोड़े ही दिनों बाद मृत्यु की प्रतीक्षा कर रहा था, फांसी पर लटकाया जाने को था। उस आदमी की आंखों में नरक के दर्शन होते थे, घृणा जैसे साक्षात थी। उस आदमी की चेहरे की रूप-रेखा ऐसी थी कि वैसा कुरूप मनुष्य खोजना मुश्किल था। उसने उसके चित्र को बनाया। जिस दिन उसका चित्र बन कर पूरा हुआ, वह अपने पहले चित्र को भी लेकर कारागृह में आया और दोनों चित्रों को पास-पास रख कर देखने लगा कि कौन सी कलाकृति श्रेष्ठ बनी है? तय करना मुश्किल था। चित्रकार खुद भी मुग्ध हो गया था। दोनों ही चित्र अदभुत थे। कौन सा श्रेष्ठ था, कला की दृष्टि से, यह तय करना मुश्किल था।

और तभी उस चित्रकार को पीछे किसी के रोने की आवाज सुनाई पड़ी। लौट कर देखा, तो वह कैदी जंजीरों में बंधा रो रहा है जिसकी उसने तस्वीर बनाई थी! वह चित्रकार हैरान हुआ। उसने कहा कि मेरे दोस्त, तुम क्यों रोते हो? चित्रों को देख कर तुम्हें क्या तकलीफ हुई?

उस आदमी ने कहा, मैंने इतने दिन तक छिपाने की कोशिश की, लेकिन आज मैं हार गया हूं। शायद तुम्हें पता नहीं कि पहली तस्वीर भी तुमने मेरी ही बनाई थी। ये दोनों तस्वीरें मेरी हैं। बीस साल पहले पहाड़ पर जो आदमी तुम्हें मिला था, वह मैं ही हूं। और इसलिए रोता हूं कि मैंने बीस साल में कौन सी यात्रा कर ली--स्वर्ग से नरक की! परमात्मा से पाप की!

पता नहीं यह कहानी कहां तक सच है। सच हो या न हो, लेकिन हर आदमी के जीवन में दो तस्वीरें हैं। हर आदमी के भीतर शैतान है और हर आदमी के भीतर परमात्मा भी। और हर आदमी के भीतर नरक की भी संभावना है और स्वर्ग की भी। हर आदमी के भीतर सौंदर्य के फूल भी खिल सकते हैं और कुरूपता के गंदे डबरे भी

बन सकते हैं। प्रत्येक आदमी इन दो यात्राओं के बीच निरंतर डोल रहा है। ये दो छोर हैं, जिनमें से आदमी किसी को भी छू सकता है। और अधिक लोग नरक के छोर को छू लेते हैं और बहुत कम सौभाग्यशाली हैं जो अपने भीतर परमात्मा को उघाड़ पाते हों।

क्या हम अपने भीतर परमात्मा को उघाड़ पाने में सफल हो सकते हैं? क्या हम वह प्रतिमा बनेंगे जहां परमात्मा की झलक मिले?

यह कैसे हो सकता है--इस प्रश्न के साथ ही आज की दूसरी चर्चा मैं शुरू करना चाहता हूं। यह कैसे हो सकता है कि आदमी परमात्मा की प्रतिमा बने? यह कैसे हो सकता है कि आदमी का जीवन एक स्वर्ग बने--एक सुवास, एक सुगंध, एक सौंदर्य? यह कैसे हो सकता है कि मनुष्य उसे जान ले जिसकी कोई मृत्यु नहीं? यह कैसे हो सकता है कि मनुष्य परमात्मा के मंदिर में प्रविष्ट हो जाए?

होता तो उलटा है। बचपन में हम कहीं स्वर्ग में होते हैं और बूढ़े होते-होते नरक तक पहुंच जाते हैं! होता उलटा है। होता यह है कि बचपन के बाद जैसे रोज हमारा पतन होता है। बचपन में तो किसी इनोसेंस, किसी निर्दोष संसार का हम अनुभव करते हैं; और फिर धीरे-धीरे एक कपट से भरा हुआ, पाखंड से भरा हुआ मार्ग हम तय करते हैं। और बूढ़े होते-होते न केवल हम शरीर से बूढ़े हो जाते हैं, बल्कि हम आत्मा से भी बूढ़े हो जाते हैं। न केवल शरीर दीन-हीन, जीर्ण-जर्जर हो जाता है, बल्कि आत्मा भी पतित, जीर्ण-जर्जर हो जाती है। और इसे ही हम जीवन मान लेते हैं और समाप्त हो जाते हैं!

धर्म इस संबंध में संदेह उठाना चाहता है। धर्म एक बड़ा संदेह है इस संबंध में--कि यह आदमी की जीवन की यात्रा गलत है कि स्वर्ग से हम नरक तक पहुंच जाएं। होना तो उलटा चाहिए। जीवन की यात्रा उपलब्धि की यात्रा होनी चाहिए--कि हम दुख से आनंद तक पहुंचें, हम अंधकार से प्रकाश तक पहुंचें, हम मृत्यु से अमृत तक पहुंच जाएं। प्राणों के प्राण की अभिलाषा और प्यास भी वही है। प्राणों में एक ही आकांक्षा है कि मृत्यु से अमृत तक कैसे पहुंचें? प्राणों में एक ही प्यास है कि हम अंधकार से आलोक को कैसे उपलब्ध हों? प्राणों की एक ही मांग है कि हम असत्य से सत्य तक कैसे जा सकते हैं?

निश्चित ही सत्य की यात्रा के लिए, निश्चित ही स्वयं के भीतर परमात्मा की खोज के लिए, व्यक्ति को ऊर्जा का एक संग्रह चाहिए, कंजरवेशन चाहिए, व्यक्ति को शक्ति का एक संवर्धन चाहिए, उसके भीतर शक्ति इकट्ठी हो कि वह शक्ति का

एक स्रोत बन जाए, तभी व्यक्तित्व को स्वर्ग तक ले जाया जा सकता है।

स्वर्ग निर्बलों के लिए नहीं है। जीवन के सत्य उनके लिए नहीं हैं जो दीन-हीन हो जाते हैं शक्ति को खोकर। जो जीवन की सारी शक्ति को खो देते हैं और भीतर दीन हो जाते हैं, वे यात्रा नहीं कर सकते। उस यात्रा पर चढ़ने के लिए, उन पहाड़ों पर चढ़ने के लिए शक्ति चाहिए।

और शक्ति का संवर्धन धर्म का सूत्र है--शक्ति का संवर्धन, कंजरवेशन ऑफ एनर्जी। कैसे शक्ति इकट्ठी हो कि हम शक्ति के उबलते हुए भंडार हो जाएं?

लेकिन हम तो दीन-हीन जन हैं। सारी शक्ति खोकर हम धीरे-धीरे निर्बल होते चले जाते हैं। सब खो जाता है भीतर, रिक्तता रह जाती है एक खाली। भीतर एक खालीपन के अतिरिक्त और कुछ भी नहीं छूटता।

हम शक्ति को कैसे खो देते हैं?

मनुष्य का शक्ति को खोने का सबसे बड़ा द्वार सेक्स है। काम मनुष्य की शक्ति के खोने का सबसे बड़ा द्वार है, जहां से वह शक्ति को खोता है।

और जैसा मैंने कल आपसे कहा, कोई कारण है जिसकी वजह से वह शक्ति को खोता है। शक्ति को कोई भी खोना नहीं चाहता है। कौन शक्ति को खोना चाहता है? लेकिन कुछ झलक है उपलब्धि की, उस झलक के लिए आदमी शक्ति को खोने को राजी हो जाता है। काम के क्षणों में कुछ अनुभव है, उस अनुभव के लिए आदमी सब कुछ खोने को तैयार हो जाता है। अगर वह अनुभव किसी और मार्ग से उपलब्ध हो सके तो मनुष्य सेक्स के माध्यम से शक्ति को खोने को कभी भी तैयार नहीं हो सकता।

क्या और कोई द्वार है उस अनुभव को पाने का? क्या और कोई मार्ग है उस अनुभूति को उपलब्ध करने का--जहां हम अपने प्राणों की गहरी से गहरी गहराई में उतर जाते हैं, जहां हम जीवन का ऊंचा से ऊंचा शिखर छूते हैं, जहां हम जीवन की शांति और आनंद की एक झलक पाते हैं? क्या कोई और मार्ग है? क्या कोई और मार्ग है अपने भीतर पहुंच जाने का? क्या स्वयं की शांति और आनंद के स्रोत तक पहुंच जाने की और कोई सीढ़ी है? अगर वह सीढ़ी हमें दिखाई पड़ जाए तो जीवन में एक क्रांति घटित हो जाती है, आदमी काम के प्रति विमुख और राम के प्रति सन्मुख हो जाता है। एक क्रांति घटित हो जाती है, एक नया द्वार खुल जाता है।

मनुष्य की जाति को अगर हम नया द्वार न दे सकें तो मनुष्य एक रिपिटीटिव सर्किल में, एक पुनरुक्ति वाले चक्कर में घूमता है और नष्ट होता है। लेकिन आज

तक सेक्स के संबंध में जो भी धारणाएं रही हैं, वे मनुष्य को सेक्स के अतिरिक्त नया द्वार खोलने में समर्थ नहीं बना पाईं। बल्कि एक उलटा उपद्रव हुआ। प्रकृति एक ही द्वार देती है मनुष्य को, वह सेक्स का द्वार है। अब तक की शिक्षाओं ने वह द्वार भी बंद कर दिया और नया द्वार खोला नहीं! शक्ति भीतर घूमने लगी और चक्कर काटने लगी। और अगर नया द्वार शक्ति के लिए न मिले, तो घूमती हुई शक्ति मनुष्य को विक्षिप्त कर देती है, पागल कर देती है। और विक्षिप्त मनुष्य फिर न केवल उस द्वार से, जो सेक्स का सहज द्वार था, निकलने की चेष्टा करता है, वह दीवालों और खिड़कियों को तोड़ कर भी उसकी शक्ति बाहर बहने लगती है। वह अप्राकृतिक मार्गों से भी सेक्स की शक्ति बाहर बहने लगती है।

यह दुर्घटना घटी है। यह मनुष्य-जाति के बड़े से बड़े दुर्भाग्यों में से एक है। नया द्वार नहीं खोला गया और पुराना द्वार बंद कर दिया गया। इसलिए मैं सेक्स के विरोध में, दुश्मनी के लिए, दमन के लिए अब तक जो भी शिक्षाएं दी गई हैं, उन सबके स्पष्ट विरोध में खड़ा हुआ हूं। उन सारी शिक्षाओं से मनुष्य की सेक्सुअलिटी बढ़ी है, कम नहीं हुई, बल्कि विकृत हुई है। क्या करें लेकिन ? कोई और द्वार खोला जा सकता है ?

मैंने आपसे कल कहा, संभोग के क्षण की जो प्रतीति है, वह प्रतीति दो बातों की है : टाइमलेसनेस और ईगोलेसनेस की। समय शून्य हो जाता है और अहंकार विलीन हो जाता है। समय शून्य होने से और अहंकार विलीन होने से हमें उसकी एक झलक मिलती है जो हमारा वास्तविक जीवन है। लेकिन क्षण भर की झलक और हम वापस अपनी जगह खड़े हो जाते हैं। और एक बड़ी ऊर्जा, एक बड़ी वैद्युतिक शक्ति का प्रवाह, इसमें हम खो देते हैं। फिर उस झलक की याद, स्मृति मन को पीड़ा देती रहती है। हम वापस उस अनुभव को पाना चाहते हैं, वापस उस अनुभव को पाना चाहते हैं। और वह झलक इतनी छोटी है, एक क्षण में खो जाती है! ठीक से उसकी स्मृति भी नहीं रह जाती कि क्या थी झलक, हमने क्या जाना था ? बस एक धुन, एक अर्ज, एक पागल प्रतीक्षा रह जाती है फिर उस अनुभव को पाने की। और जीवन भर आदमी इसी चेष्टा में संलग्न रहता है, लेकिन उस झलक को एक क्षण से ज्यादा नहीं पा सकता है। वही झलक ध्यान के माध्यम से भी उपलब्ध होती है।

मनुष्य की चेतना तक पहुंचने के दो मार्ग हैं--काम और ध्यान, सेक्स और मेडिटेशन।

सेक्स प्राकृतिक मार्ग है, जो प्रकृति ने दिया हुआ है। जानवरों को भी दिया हुआ

है, पक्षियों को भी दिया हुआ है, पौधों को भी दिया हुआ है, मनुष्यों को भी दिया हुआ है। और जब तक मनुष्य केवल प्रकृति के दिए हुए द्वार का उपयोग करता है, तब तक वह पशुओं से ऊपर नहीं है। नहीं हो सकता। वह सारा द्वार तो पशुओं के लिए भी उपलब्ध है।

मनुष्यता का प्रारंभ उस दिन से होता है, जिस दिन से मनुष्य सेक्स के अतिरिक्त एक नया द्वार खोलने में समर्थ हो जाता है। उसके पहले हम मनुष्य नहीं हैं, नाम मात्र को मनुष्य हैं। उसके पहले हमारे जीवन का केंद्र पशु का केंद्र है, प्रकृति का केंद्र है। तब तक हम उसके ऊपर नहीं उठ पाए, उसे ट्रांसेंड नहीं कर पाए, उसका अतिक्रमण नहीं कर पाए; तब तक हम पशुओं की भांति ही जीते हैं।

हमने कपड़े मनुष्यों के पहन रखे हैं, हम भाषा मनुष्यों की बोलते हैं, हमने सारा रूप मनुष्यों का पैदा कर रखा है; लेकिन भीतर गहरे से गहरे मन के तल पर हम पशुओं से ज्यादा नहीं होते। नहीं हो सकते हैं। और इसीलिए जरा सा मौका मिल जाए और हमारी मनुष्यता को जरा सी छूट मिल जाए, तो हम तत्काल पशु हो जाते हैं।

हिंदुस्तान-पाकिस्तान का बंटवारा हुआ। और हमें दिखाई पड़ गया कि आदमी के कपड़ों के भीतर जानवर बैठा हुआ है। हमें दिखाई पड़ गया कि वे लोग जो कल मस्जिद में प्रार्थना करते थे और मंदिर में गीता पढ़ते थे, वे क्या कर रहे हैं? वे हत्याएं कर रहे हैं, वे बलात्कार कर रहे हैं, वे सब कुछ कर रहे हैं! वे ही लोग जो मंदिरों और मस्जिदों में दिखाई पड़ते थे, वे ही लोग बलात्कार करते हुए दिखाई पड़ने लगे! क्या हो गया इनको?

अभी दंगा-फसाद हो जाए, अभी यहां दंगा हो जाए, और यहीं आदमी को दंगे में मौका मिल जाएगा अपनी आदमियत से छुट्टी ले लेने का और फौरन वह जो भीतर छिपा हुआ पशु है, प्रकट हो जाएगा! वह हमेशा तैयार है, वह प्रतीक्षा कर रहा है कि मुझे मौका मिल जाए। भीड़-भाड़ में उसे मौका मिल जाता है, तो वह जल्दी से छोड़ देता है अपना खयाल--वह जो बांध-बूंध कर उसने रखा हुआ है। भीड़ में मौका मिल जाता है उसे भूल जाने का कि मैं भूल जाऊं अपने को!

इसलिए आज तक अकेले आदमियों ने उतने पाप नहीं किए हैं, जितने भीड़ में आदमियों ने पाप किए हैं। अकेला आदमी थोड़ा डरता है कि कोई देख लेगा! अकेला आदमी थोड़ा सोचता है कि मैं यह क्या कर रहा हूं! अकेले आदमी को अपने कपड़ों की थोड़ी फिक्र होती है कि लोग क्या कहेंगे--जानवर हो! लेकिन जब

बड़ी भीड़ होती है तो अकेला आदमी कहता है--अब कौन देखता है! अब कौन पहचानता है! वह भीड़ के साथ एक हो जाता है। उसकी आइडेंटिटी मिट जाती है। अब वह फलां नाम का आदमी नहीं है, अब एक बड़ी भीड़ है। और बड़ी भीड़ जो करती है वह भी करता है--हत्या करता है, आग लगाता है, बलात्कार करता है। भीड़ में उसे मौका मिल जाता है कि वह अपने पशु को फिर से छुट्टी दे दे, जो उसके भीतर छिपा है।

और इसीलिए आदमी दस-पांच वर्षों में युद्ध की प्रतीक्षा करने लगता है, दंगों की प्रतीक्षा करने लगता है। अगर हिंदू-मुस्लिम का बहाना मिल जाए तो हिंदू-मुस्लिम सही, अगर हिंदू-मुस्लिम का न मिले तो गुजराती-मराठी भी काम कर सकता है। अगर गुजराती-मराठी न हो, तो हिंदी बोलने वाला और गैर-हिंदी बोलने वाला भी काम कर सकता है।

कोई भी बहाना चाहिए आदमी को, उसके भीतर के पशु को छुट्टी चाहिए। वह घबरा जाता है पशु भीतर बंद रहते-रहते। वह कहता है, मुझे प्रकट होने दो। और आदमी के भीतर का पशु तब तक नहीं मिटता है, जब तक पशुता का जो सहज मार्ग है, उसके ऊपर मनुष्य की चेतना न उठे। पशुता का सहज मार्ग--हमारी ऊर्जा, हमारी शक्ति का एक ही द्वार है बहने का--वह है सेक्स। और वह द्वार बंद कर दें तो कठिनाई खड़ी हो जाती है। उस द्वार को बंद करने के पहले नये द्वार का उदघाटन होना जरूरी है, जीवन-चेतना नई दिशा में प्रवाहित हो सके।

लेकिन यह हो सकता है; यह आज तक किया नहीं गया। नहीं किया गया, क्योंकि दमन सरल मालूम पड़ा, रूपांतरण कठिन। दबा देना किसी बात को आसान है। बदलना, बदलने की विधि और साधना की जरूरत है। इसलिए हमने सरल मार्ग का उपयोग किया कि दबा दो अपने भीतर। लेकिन हम यह भूल गए कि दबाने से कोई चीज नष्ट नहीं होती है, दबाने से और बलशाली हो जाती है। और हम यह भी भूल गए कि दबाने से हमारा आकर्षण और गहरा होता है। जिसे हम दबाते हैं, वह हमारी चेतना की और गहरी पर्तों में प्रविष्ट हो जाता है। हम उसे दिन में दबा लेते हैं, वह सपनों में हमारी आंखों में झूलने लगता है। हम उसे रोजमर्रा दबा लेते हैं, वह हमारे भीतर प्रतीक्षा करता है कि कब मौका मिल जाए, कब मैं फूट पड़ूं, निकल पड़ूं। जिसे हम दबाते हैं उससे हम मुक्त नहीं होते, हम और गहरे अर्थों में, और गहराइयों में, और अचेतन में, और अनकांशस तक उसकी जड़ें पहुंच जाती हैं और वह हमें जकड़ लेता है।

संभोग से समाधि की ओर

आदमी सेक्स को दबाने के कारण ही बंध गया और जकड़ गया। और यही वजह है, पशुओं की तो सेक्स की कोई अवधि होती है, कोई पीरियड होता है वर्ष में; आदमी की कोई अवधि न रही, कोई पीरियड न रहा। आदमी चौबीस घंटे, दुर्बल और बारह महीने सेक्सुअल है! सारे जानवरों में कोई जानवर ऐसा नहीं है कि जो बारह महीने और चौबीस घंटे कामुकता से भरा हुआ हो। उसका वक्त है, उसकी ऋतु है; वह आती है और चली जाती है। और फिर उसका स्मरण भी खो जाता है।

आदमी को क्या हो गया? आदमी ने दबाया जिस चीज को वह फैल कर उसके चौबीस घंटे और बारह महीने के जीवन पर फैल गई है।

कभी आपने इस पर विचार किया कि कोई पशु हर स्थिति में, हर समय कामुक नहीं होता। लेकिन आदमी हर स्थिति में, हर समय कामुक है। जैसे कामुकता उबल रही है, जैसे कामुकता ही सब कुछ है। यह कैसे हो गया? यह दुर्घटना कैसे संभव हुई है? पृथ्वी पर सिर्फ मनुष्य के साथ हुई है और किसी जानवर के साथ नहीं-- क्यों?

एक ही कारण है, सिर्फ मनुष्य ने दबाने की कोशिश की है। और जिसे दबाया, वह जहर की तरह सब तरफ फैल गया। और दबाने के लिए हमें क्या करना पड़ा? दबाने के लिए हमें निंदा करनी पड़ी, दबाने के लिए हमें गाली देनी पड़ी, दबाने के लिए हमें अपमानजनक भावनाएं पैदा करनी पड़ीं। हमें कहना पड़ा कि सेक्स पाप है। हमें कहना पड़ा कि सेक्स नरक है। हमें कहना पड़ा कि जो सेक्स में है, वह गर्हित है, निंदित है। हमें ये सारी गालियां खोजनी पड़ीं, तभी हम दबाने में सफल हो सके। और हमें खयाल भी नहीं कि इन निंदाओं और गालियों के कारण हमारा सारा जीवन जहर से भर गया।

नीत्शे ने एक वचन कहा है, जो बहुत अर्थपूर्ण है। उसने कहा है कि धर्मों ने जहर खिला कर सेक्स को मार डालने की कोशिश की थी। सेक्स मरा तो नहीं, सिर्फ जहरीला होकर जिंदा है। मर भी जाता तो ठीक था। वह मरा नहीं। लेकिन और गड़बड़ हो गई बात। वह जहरीला भी हो गया और जिंदा है। यह जो सेक्सुअलिटी है, यह जहरीला सेक्स है।

सेक्स तो पशुओं में भी है, काम तो पशुओं में भी है, क्योंकि काम जीवन की ऊर्जा है; लेकिन सेक्सुअलिटी, कामुकता सिर्फ मनुष्य में है। कामुकता पशुओं में नहीं है। पशुओं की आंखों में देखें, वहां कामुकता दिखाई नहीं पड़ेगी। आदमी की आंखों में झांकें, वहां एक कामुकता का रस झलकता हुआ दिखाई पड़ेगा। इसलिए

पशु आज भी एक तरह से सुंदर है। लेकिन दमन करने वाले पागलों की कोई सीमा नहीं है कि वे कहां तक बढ़ जाएंगे।

मैंने कल आपको कहा था कि अगर हमें दुनिया को सेक्स से मुक्त करना है, तो बच्चे और बच्चियों को एक-दूसरे के निकट लाना होगा। इसके पहले कि उनमें सेक्स जागे--चौदह साल के पहले--वे एक-दूसरे के शरीर से इतने स्पष्ट रूप से परिचित हो लें कि वह आकांक्षा विलीन हो जाए।

लेकिन अमेरिका में अभी-अभी एक नया आंदोलन चला है। और वह नया आंदोलन वहां के बहुत धार्मिक लोग चला रहे हैं। शायद आपको पता भी न हो, वह नया आंदोलन बड़ा अदभुत है। वह आंदोलन यह है कि सड़कों पर गाय, भैंस, घोड़े, कुत्ते, बिल्ली को भी बिना कपड़ों के नहीं निकाला जाए, उनको कपड़े पहना कर निकाला जाए! उनको भी कपड़े पहनाने चाहिए; क्योंकि नंगे पशुओं को देख कर बच्चे बिगड़ सकते हैं! बड़े मजे की बात है। नंगे पशुओं को देख कर बच्चे बिगड़ सकते हैं। अमेरिका के कुछ नीतिशास्त्री इसके बाबत आंदोलन और संगठन और संस्थाएं बना रहे हैं कि पशुओं को भी सड़कों पर नग्न नहीं लाया जा सके! आदमी को बचाने की इतनी कोशिशें चल रही हैं। और कोशिश बचाने की जो करने वाले लोग हैं, वे ही आदमी को नष्ट कर रहे हैं।

कभी आपने खयाल किया कि पशु अपनी नग्नता में भी अदभुत है और सुंदर है। उसकी नग्नता में भी वह निर्दोष है, सरल और सीधा है। कभी आपको, पशु नग्न है, यह भी खयाल शायद ही आया हो। जब तक कि आपके भीतर बहुत नंगापन न छिपा हो, तब तक आपको पशु नंगा नहीं दिखाई पड़ सकता है। लेकिन वे जो भयभीत लोग हैं, वे जो डरे हुए लोग हैं, वे भय और डर के कारण सब कुछ कर रहे हैं आज तक। और उनके सब करने से आदमी रोज नीचे से नीचे उतरता जा रहा है। जरूरत तो यह है कि आदमी भी किसी दिन इतना सरल हो कि नग्न खड़ा हो सके-- निर्दोष और आनंद से भरा हुआ।

जरूरत तो यह है! जैसे महावीर जैसा व्यक्ति नग्न खड़ा हो गया। लोग कहते हैं कि उन्होंने कपड़े छोड़े, कपड़ों का त्याग किया। मैं कहता हूं, न कपड़े छोड़े, न कपड़ों का त्याग किया; चित्त इतना निर्दोष हो गया होगा, इतना इनोसेंट, जैसे छोटे बच्चों का, तो वे नग्न खड़े हो गए होंगे। क्योंकि ढांकने को जब कुछ भी नहीं रह जाता तो आदमी नग्न हो सकता है।

जब तक ढांकने को कुछ है हमारे भीतर, तब तक आदमी अपने को छिपाएगा।

जब ढांकने को कुछ भी नहीं है, तो नग्न हो सकता है।

चाहिए तो एक ऐसी पृथ्वी कि आदमी भी इतना सरल होगा कि नग्न होने में भी उसे कोई पश्चात्ताप, कोई पीड़ा न होगी। नग्न होने में भी उसे कोई अपराध न होगा। आज तो हम कपड़े पहन कर भी अपराधी मालूम होते हैं! हम कपड़े पहन कर भी नंगे हैं! और ऐसे लोग भी रहे हैं, जो नग्न होकर भी नग्न नहीं थे।

नंगापन मन की एक वृत्ति है। सरलता, निर्दोष चित्त--फिर नग्नता भी सार्थक हो जाती है, अर्थपूर्ण हो जाती है; वह भी एक सौंदर्य ले लेती है।

लेकिन अब तक आदमी को जहर पिलाया गया है। और जहर का परिणाम यह हुआ कि हमारा सारा जीवन एक कोने से लेकर दूसरे कोने तक विषाक्त हो गया है।

स्त्रियों को हम कहते हैं, पति को परमात्मा समझना! और उन स्त्रियों को बचपन से सिखाया गया है कि सेक्स पाप है, नरक है। वे कल विवाहित होंगी। वे उस पति को कैसे परमात्मा मान सकेंगी जो उन्हें सेक्स में और नरक में ले जा रहा है? एक तरफ हम सिखाते हैं पति परमात्मा है और पत्नी का अनुभव कहता है कि यही पहला पापी है जो मुझे नरक में घसीट रहा है।

एक बहन ने मुझे आकर कहा--पिछली मीटिंग में जब मैं यहां बोला, भारतीय विद्याभवन में, तो एक बहन मेरे पास उसी दिन आई और उसने कहा--कि मैं बहुत गुस्से में हूं, मैं बहुत क्रोध में हूं। सेक्स तो बड़ी घृणित चीज है। सेक्स तो पाप है। और आपने सेक्स की इतनी बात क्यों की? मैं तो घृणा करती हूं सेक्स को।

अब यह पत्नी है, इसका पति है, इसके बच्चे हैं, बच्चियां हैं; और यह पत्नी सेक्स को घृणा करती है! यह पति को कैसे प्रेम कर सकती है जो इसे सेक्स में ले जा रहा है? यह उन बच्चों को कैसे प्रेम कर सकती है जो सेक्स से पैदा हो रहे हैं? इसका प्रेम ज़हरीला रहेगा। इसके प्रेम में जहर छिपा रहेगा। पति और इसके बीच एक बुनियादी दीवाल खड़ी रहेगी। बच्चों और इसके बीच एक बुनियादी दीवाल खड़ी रहेगी। क्योंकि वह सेक्स की दीवाल और सेक्स की कंडेमनेशन की वृत्ति बीच में खड़ी है। ये बच्चे पाप से आए हैं। यह पति और मेरे बीच पाप का संबंध है। और जिनके साथ पाप का संबंध है, उनके प्रति हम मैत्रीपूर्ण हो सकते हैं? पाप के प्रति हम मैत्रीपूर्ण हो सकते हैं?

सारी दुनिया का गृहस्थ जीवन नष्ट किया है सेक्स को गाली देने वाले, निंदा करने वाले लोगों ने। और वे इसे नष्ट करके जो दुष्परिणाम लाए हैं, वह यह नहीं है कि सेक्स से लोग मुक्त हो गए हों। जो पति अपनी पत्नी और अपने बीच एक दीवाल

पाता है पाप की, वह पत्नी से कभी भी तृप्ति अनुभव नहीं कर पाता। तो आस-पास की स्त्रियों को खोजता है, वेश्याओं को खोजता है। खोजेगा। अगर पत्नी से उसे तृप्ति मिल गई होती तो शायद इस जगत की सारी स्त्रियां उसके लिए मां और बहन हो जातीं। लेकिन पत्नी से भी तृप्ति न मिलने के कारण सारी स्त्रियां उसे पोटेंशियल औरतों की तरह, पोटेंशियल पत्नियों की तरह मालूम पड़ती हैं, जिनको पत्नी में बदला जा सकता है।

यह स्वाभाविक है, यह होने वाला था। यह होने वाला था, क्योंकि जहां तृप्ति मिल सकती थी, वहां जहर है, वहां पाप है, और तृप्ति नहीं मिलती है। और वह चारों तरफ भटकता है और खोजता है। और क्या-क्या ईजादें करता है खोज कर आदमी! अगर उन सारी ईजादों को हम सोचने बैठें तो घबरा जाएंगे कि आदमी ने क्या-क्या ईजादें की हैं! लेकिन एक बुनियादी बात पर खयाल नहीं किया कि वह जो प्रेम का कुआं था, वह जो काम का कुआं था, वह जहरीला बना दिया गया है।

और जब पति और पत्नी के बीच जहर का भाव हो, घबराहट का भाव हो, पाप का भाव हो, तो फिर यह पाप की भावना रूपांतरण नहीं करने देगी। अन्यथा मेरी समझ यह है कि एक पति और पत्नी अगर एक-दूसरे के प्रति समझपूर्वक प्रेम से भरे हुए, आनंद से भरे हुए और सेक्स के प्रति बिना निंदा के सेक्स को समझने की चेष्टा करेंगे, तो आज नहीं कल उनके बीच का संबंध रूपांतरित हो जाने वाला है। यह हो सकता है कि कल वही पत्नी मां जैसी दिखाई पड़ने लगे।

गांधीजी उन्नीस सौ तीस के करीब श्रीलंका गए थे। उनके साथ कस्तूरबा साथ थीं। संयोजकों ने समझा कि शायद गांधीजी की मां साथ आई हुई हैं, क्योंकि गांधीजी कस्तूरबा को खुद भी बा ही कहते थे। लोगों ने समझा कि शायद उनकी मां होंगी। संयोजकों ने परिचय देते हुए कहा कि गांधीजी आए हैं और बड़े सौभाग्य की बात है कि उनकी मां भी साथ आई हुई हैं। वह उनके बगल में बैठी हुई हैं।
गांधीजी के सेक्रेटरी तो घबरा गए कि यह तो भूल हमारी है, हमें बताना था कि साथ में कौन है। लेकिन अब तो बड़ी देर हो चुकी थी। गांधी तो मंच पर जाकर बैठ भी गए थे और बोलना शुरू कर दिया था। सेक्रेटरी घबड़ाए हुए हैं कि गांधी पीछे क्या कहेंगे! उन्हें कल्पना भी नहीं हो सकती थी कि गांधी नाराज नहीं होंगे, क्योंकि ऐसे पुरुष बहुत कम हैं जो पत्नी को मां बनाने में समर्थ हो जाते हैं।

लेकिन गांधीजी ने कहा कि सौभाग्य की बात है कि जिन मित्र ने मेरा परिचय दिया है, उन्होंने भूल से एक सच्ची बात कह दी है। कस्तूरबा कुछ वर्षों से मेरी मां हो

गई है। कभी वह मेरी पत्नी थी। लेकिन अब वह मेरी मां है।

इस बात की संभावना है कि अगर पति और पत्नी काम को, संभोग को समझने की चेष्टा करें, तो एक-दूसरे के मित्र बन सकते हैं और एक-दूसरे के काम के रूपांतरण में सहयोगी और साथी हो सकते हैं।

और जिस दिन कोई पति और पत्नी अपने आपस के संभोग के संबंध को रूपांतरित करने में सफल हो जाते हैं, उस दिन उनके जीवन में पहली दफे एक-दूसरे के प्रति अनुग्रह और ग्रेटिटयूड का भाव पैदा होता है, उसके पहले नहीं। उसके पहले वे एक-दूसरे के प्रति क्रोध से भरे रहते हैं, उसके पहले वे एक-दूसरे के बुनियादी शत्रु बने रहते हैं, उसके पहले उनके बीच एक संघर्ष है, मैत्री नहीं।

मैत्री उस दिन शुरू होती है जिस दिन वे एक-दूसरे के साथी बनते हैं और उनके काम की ऊर्जा को रूपांतरण करने में माध्यम बन जाते हैं। उस दिन एक अनुग्रह, एक ग्रेटिटयूड, एक कृतज्ञता का भाव ज्ञापन होता है। उस दिन पुरुष आदर से भरता है स्त्री के प्रति, क्योंकि स्त्री ने उसे कामवासना से मुक्त होने में सहायता पहुंचाई। उस दिन स्त्री अनुगृहीत होती है पुरुष के प्रति कि उसने उसे साथ दिया और उसकी वासना से मुक्ति दिलवाई। उस दिन वे सच्ची मैत्री में बंधते हैं, जो काम की नहीं, प्रेम की मैत्री है। उस दिन उनका जीवन ठीक उस दिशा में जाता है, जहां पत्नी के लिए पति परमात्मा हो जाता है और पति के लिए पत्नी परमात्मा हो जाती है--उस दिन!

लेकिन वह कुआं तो विषाक्त कर दिया गया है। इसलिए मैंने कल कहा कि मुझसे बड़ा शत्रु सेक्स का खोजना कठिन है। लेकिन मेरी शत्रुता का यह मतलब नहीं है कि मैं सेक्स को गाली दूं और निंदा करूं। मेरी शत्रुता का मतलब यह है कि मैं सेक्स को रूपांतरित करने के संबंध में दिशा-सूचन करूं। मैं आपको कहूं कि वह कैसे रूपांतरित हो सकता है। मैं कोयले का दुश्मन हूं, क्योंकि मैं कोयले को हीरा बनाना चाहता हूं। मैं सेक्स को रूपांतरित करना चाहता हूं। वह कैसे रूपांतरित होगा? उसकी क्यां विधि होगी?

मैंने आपसे कहा, एक द्वार खोलना जरूरी है--नया द्वार। बच्चे जैसे ही पैदा होते हैं, वैसे ही उनके जीवन में सेक्स का आगमन नहीं हो जाता है। अभी देर है। अभी शरीर शक्ति इकट्ठी करेगा। अभी शरीर के अणु मजबूत होंगे। अभी उस दिन की प्रतीक्षा है जब शरीर पूरा तैयार हो जाएगा, ऊर्जा इकट्ठी होगी। और द्वार जो बंद रहा है चौदह वर्षों तक, वह खुल जाएगा ऊर्जा के धक्के से, और सेक्स की दुनिया शुरू होगी। एक बार द्वार खुल जाने के बाद नया द्वार खोलना कठिन हो जाता है।

क्योंकि समस्त ऊर्जाओं का नियम यह है, समस्त शक्तियों का, वे एक दफा अपना मार्ग खोज लें बहने के लिए तो वे उसी मार्ग से बहना पसंद करती हैं।

गंगा बह रही है सागर की तरफ, उसने एक बार रास्ता खोज लिया। अब वह उसी रास्ते से बही चली जाती है, बही चली जाती है। रोज-रोज नया पानी आता है, उसी रास्ते से बहता हुआ चला जाता है। गंगा रोज नये रास्ते नहीं खोजती है।

जीवन की ऊर्जा भी एक रास्ता खोज लेती है, फिर वह उसी से बहती चली जाती है।

अगर जमीन को कामुकता से मुक्त करना है, तो सेक्स का रास्ता खुलने के पहले नया रास्ता--ध्यान का रास्ता--तोड़ देना जरूरी है। एक-एक छोटे बच्चे को ध्यान की अनिवार्य शिक्षा और दीक्षा मिलनी चाहिए।

पर हम तो उसे सेक्स के विरोध की दीक्षा देते हैं, जो कि अत्यंत मूर्खतापूर्ण है। सेक्स के विरोध की दीक्षा नहीं देनी है। शिक्षा देनी है ध्यान की, पाजिटिव, कि वह ध्यान को कैसे उपलब्ध हो। और बच्चे ध्यान को जल्दी उपलब्ध हो सकते हैं। क्योंकि अभी उनकी ऊर्जा का कोई भी द्वार खुला नहीं है। अभी द्वार बंद है, अभी ऊर्जा संरक्षित है, अभी कहीं भी नये द्वार पर धक्के दिए जा सकते हैं और नया द्वार खोला जा सकता है। फिर यही बूढ़े हो जाएंगे और इन्हें ध्यान में पहुंचना अत्यंत कठिन हो जाएगा।

ऐसे ही, जैसे एक नया पौधा पैदा होता है, उसकी शाखाएं कहीं भी झुक जाती हैं, कहीं भी झुकाई जा सकती हैं। फिर वही बूढ़ा वृक्ष हो जाता है। फिर हम उसकी शाखाओं को झुकाने की कोशिश करते हैं। फिर शाखाएं टूट जाती हैं, झुकती नहीं।

बूढ़े लोग ध्यान की चेष्टा करते हैं दुनिया में, जो बिलकुल ही गलत है। ध्यान की सारी चेष्टा छोटे बच्चों पर की जानी चाहिए। लेकिन मरने के करीब पहुंच कर आदमी ध्यान में उत्सुक होता है! वह पूछता है--ध्यान क्या? योग क्या? हम कैसे शांत हो जाएं? जब जीवन की सारी ऊर्जा खो गई, जब जीवन के सब रास्ते सख्त और मजबूत हो गए, जब झुकना और बदलना मुश्किल हो गया, तब वह पूछता है, अब मैं कैसे बदल जाऊं? एक पैर आदमी कब्र में डाल लेता है और दूसरा पैर बाहर रख कर पूछता है, ध्यान का कोई रास्ता है?

अजीब सी बात है। बिलकुल पागलपन की बात है। यह पृथ्वी कभी भी शांत और ध्यानस्थ नहीं हो सकेगी, जब तक ध्यान का संबंध पहले दिन के पैदा हुए बच्चे से हम न जोड़ेंगे। अंतिम दिन के वृद्ध से नहीं जोड़ा जा सकता। व्यर्थ ही हमें बहुत

संभोग से समाधि की ओर

श्रम उठाना पड़ता है बाद के दिनों में शांत होने के लिए, जो कि पहले एकदम हो सकता था।

छोटे बच्चों को ध्यान की दीक्षा, काम के रूपांतरण का पहला चरण है--शांत होने की दीक्षा, निर्विचार होने की दीक्षा, मौन होने की दीक्षा।

बच्चे ऐसे भी मौन हैं, बच्चे ऐसे भी शांत हैं। अगर उन्हें थोड़ी सी दिशा दी जाए और उन्हें मौन और शांत होने के लिए घड़ी भर की शिक्षा दी जाए, तो जब वे चौदह वर्ष के होने के करीब आएंगे, जब काम जगेगा, तब तक उनका एक द्वार खुल चुका होगा। शक्ति इकट्ठी होगी और जो द्वार खुला है उसी द्वार से बहनी शुरू हो जाएगी। उन्हें शांति का, आनंद का, कालहीनता का, निरहंकार भाव का अनुभव सेक्स के बहुत अनुभव के पहले उपलब्ध हो जाएगा। वही अनुभव उनकी ऊर्जा को गलत मार्गों से रोकेगा और ठीक मार्गों पर ले आएगा।

लेकिन हम छोटे-छोटे बच्चों को ध्यान तो नहीं सिखाते, काम का विरोध सिखाते हैं! पाप है, गंदगी है, कुरूपता है, बुराई है, नरक है--यह सब हम बताते हैं! और इस सबके बताने से कुछ भी फर्क नहीं पड़ता, कुछ भी फर्क नहीं पड़ता। बल्कि हमारे बताने से वे और भी आकर्षित होते हैं और तलाश करते हैं कि क्या है यह गंदगी, क्या है यह नरक, जिसके लिए बड़े इतने भयभीत और बेचैन हैं?

और फिर थोड़े ही दिनों में उन्हें यह भी पता चल जाता है कि बड़े जिस बात से हमें रोकने की कोशिश कर रहे हैं, खुद दिन-रात उसी में लीन हैं। और जिस दिन उन्हें यह पता चल जाता है, मां-बाप के प्रति सारी श्रद्धा समाप्त हो जाती है।

मां-बाप के प्रति श्रद्धा समाप्त करने में शिक्षा का हाथ नहीं है। मां-बाप के प्रति श्रद्धा समाप्त करने में मां-बाप का अपना हाथ है।

आप जिन बातों के लिए बच्चों को गंदा कहते हैं, बच्चे बहुत जल्दी पता लगा लेते हैं कि उन सारी गंदगियों में आप भलीभांति लवलीन हैं। आपकी दिन की जिंदगी दूसरी है और रात की दूसरी। आप कहते कुछ हैं, करते कुछ हैं।

छोटे बच्चे बहुत एक्यूट आब्जर्वर होते हैं। वे बहुत गौर से निरीक्षण करते रहते हैं कि क्या हो रहा है घर में! वे देखते हैं कि मां जिस बात को गंदा कहती है, बाप जिस बात को गंदा कहता है, वही गंदी बात दिन-रात घर में चल रही है। इसका उन्हें बहुत जल्दी बोध हो जाता है। उनका सारा श्रद्धा का भाव विलीन हो जाता है--कि धोखेबाज हैं ये मां-बाप! पाखंडी हैं! हिपोक्रेट हैं! ये बातें कुछ और कहते हैं, करते कुछ और हैं।

और जिन बच्चों का मां-बाप पर से विश्वास उठ गया, वे बच्चे परमात्मा पर कभी विश्वास नहीं कर सकेंगे, इसको याद रखना। क्योंकि बच्चों के लिए परमात्मा का पहला दर्शन मां-बाप में होता है। अगर वही खंडित हो गया, तो ये बच्चे भविष्य में नास्तिक हो जाने वाले हैं। बच्चों को पहले परमात्मा की प्रतीति अपने मां-बाप की पवित्रता से होती है। पहली दफा बच्चे मां-बाप को ही जानते हैं निकटतम और उनसे ही उन्हें पहली दफा श्रद्धा और रिवरेंस का भाव पैदा होता है। अगर वही खंडित हो गया, तो इन बच्चों को मरते दम तक वापस परमात्मा के रास्ते पर लाना मुश्किल हो जाएगा। क्योंकि पहला परमात्मा ही धोखा दे गया। जो मां थी, जो बाप था, वही धोखेबाज सिद्ध हुआ।

आज सारी दुनिया में जो लड़के यह कह रहे हैं कि कोई परमात्मा नहीं है, कोई आत्मा नहीं है, कोई मोक्ष नहीं है, धर्म सब बकवास है--उसका कारण यह नहीं है कि लड़कों ने पता लगा लिया है कि आत्मा नहीं है, परमात्मा नहीं है। उसका कारण यह है कि लड़कों ने मां-बाप का पता लगा लिया है कि वे धोखेबाज हैं। और यह सारा धोखा सेक्स के आस-पास केंद्रित है। यह सारा धोखा सेक्स के केंद्र पर खड़ा हुआ है।

बच्चों को यह सिखाने की जरूरत नहीं कि सेक्स पाप है, बल्कि ईमानदारी से यह सिखाने की जरूरत है कि सेक्स जिंदगी का एक हिस्सा है और तुम सेक्स से ही पैदा हुए हो और हमारी जिंदगी में वह है। ताकि बच्चे सरलता से मां-बाप को समझ सकें और जब जीवन को वे जानें तो वे आदर से भर सकें कि मां-बाप सच्चे और ईमानदार थे। उनको जीवन में आस्तिक बनाने में इससे बड़ा संबल और कुछ भी नहीं होगा कि वे अपने मां-बाप को सच्चा और ईमानदार अनुभव कर सकें।

लेकिन आज सब बच्चे जानते हैं कि मां-बाप बेईमान और धोखेबाज हैं। यह बच्चे और मां-बाप के बीच एक कलह का कारण बनता है। सेक्स का दमन पति और पत्नी को तोड़ दिया है। मां-बाप और बच्चों को तोड़ दिया है।

नहीं, सेक्स का विरोध नहीं, निंदा नहीं, बल्कि सेक्स की शिक्षा दी जानी चाहिए।

जैसे ही बच्चे पूछने को तैयार हो जाएं, जो भी जरूरी मालूम पड़े, जो उनके समझ के योग्य मालूम पड़े, वह सब उन्हें बता दिया जाना चाहिए। ताकि वे सेक्स के संबंध में अति उत्सुक न हों; ताकि उनका आकर्षण न पैदा हो; ताकि वे दीवाने होकर गलत रास्तों से जानकारी पाने की कोशिश न करें।

आज बच्चे सब जानकारी पा लेते हैं यहां-वहां से। गलत मार्गों से, गलत लोगों से उन्हें जानकारी मिलती है, जो जीवन भर उन्हें पीड़ा देती है। और मां-बाप और उनके बीच एक मौन की दीवार होती है, जैसे मां-बाप को कुछ भी पता नहीं और बच्चों को भी कुछ पता नहीं! उन्हें सेक्स की सम्यक शिक्षा मिलनी चाहिए--राइट एजुकेशन।

और दूसरी बात, उन्हें ध्यान की दीक्षा मिलनी चाहिए--कैसे मौन हों, कैसे शांत हों, कैसे निर्विचार हों। और बच्चे तत्क्षण निर्विचार हो सकते हैं, मौन हो सकते हैं, शांत हो सकते हैं। चौबीस घंटे में एक घंटे अगर बच्चों को घर में मौन में ले जाने की व्यवस्था हो--निश्चित ही, वे मौन में तभी जा सकेंगे, जब आप भी उनके साथ मौन बैठ सकें। हर घर में एक घंटा मौन का अनिवार्य होना चाहिए। एक दिन खाना न मिले घर में तो चल सकता है, लेकिन एक घंटा मौन के बिना घर नहीं चल सकता है।

वह घर झूठा है, उस घर को परिवार कहना गलत है, जिस परिवार में एक घंटे के मौन की दीक्षा नहीं है। वह एक घंटे का मौन चौदह वर्षों में उस दरवाजे को तोड़ देगा--रोज धक्के मारेगा--उस दरवाजे को तोड़ देगा, जिसका नाम ध्यान है। जिस ध्यान से मनुष्य को समयहीन, टाइमलेसनेस, ईगोलेसनेस, अहंकार-शून्य अनुभव होता है, जहां से आत्मा की झलक मिलती है। वह झलक सेक्स के अनुभव के पहले मिल जानी जरूरी है। अगर वह झलक मिल जाए तो सेक्स के प्रति अतिशय दौड़ समाप्त हो जाएगी। ऊर्जा इस नये मार्ग से बहने लगेगी। यह मैं पहला चरण कहता हूं।

ब्रह्मचर्य की साधना में, सेक्स के ऊपर उठने की साधना में, सेक्स की ऊर्जा के ट्रांसफार्मेशन के लिए पहला चरण है ध्यान। और दूसरा चरण है प्रेम।

बच्चे को बचपन से ही प्रेम की दीक्षा दी जानी चाहिए।

हम अब तक यही सोचते रहे हैं कि प्रेम की शिक्षा मनुष्य को सेक्स में ले जाएगी। यह बात अत्यंत भ्रांत है। सेक्स की शिक्षा तो मनुष्य को प्रेम में ले जा सकती है, लेकिन प्रेम की शिक्षा कभी किसी मनुष्य को सेक्स में नहीं ले जाती। बल्कि सच्चाई उलटी है।

जितना प्रेम विकसित होता है, उतनी ही सेक्स की ऊर्जा प्रेम में रूपांतरित होकर बंटनी शुरू हो जाती है।

जो लोग जितने कम प्रेम से भरे होते हैं, उतने ही ज्यादा कामुक होंगे, उतने ही

तो दूसरी दिशा है--कि व्यक्तित्व का अधिकतम विकास प्रेम के मार्गों पर होना चाहिए। हम प्रेम करें, हम प्रेम दें, हम प्रेम में जीएं। सेक्सुअल होंगे।

जिनके जीवन में जितना कम प्रेम है, उनके जीवन में उतनी ही ज्यादा घृणा होगी।

जिनके जीवन में जितना कम प्रेम है, उनके जीवन में उतना ही विद्वेष होगा।

जिनके जीवन में जितना कम प्रेम है, उनके जीवन में उतनी ही ईर्ष्या होगी।

जिनके जीवन में जितना कम प्रेम है, उतनी ही उनके जीवन में प्रतिस्पर्धा होगी।

जिनके जीवन में जितना कम प्रेम है, उनके जीवन में उतनी ही चिंता और दुख होगा।

दुख, चिंता, ईर्ष्या, घृणा, द्वेष, इन सबसे जो आदमी जितना ज्यादा घिरा है, उसकी शक्तियां सारी की सारी भीतर इकट्ठी हो जाती हैं। उनके निकास का कोई मार्ग नहीं रह जाता। उनके निकास का एक ही मार्ग रह जाता है--वह सेक्स है।

प्रेम शक्तियों का निकास बनता है। प्रेम बहाव है। क्रिएशन, सृजनात्मक है प्रेम, इसलिए वह बहता है और एक तृप्ति लाता है। वह तृप्ति सेक्स की तृप्ति से बहुत ज्यादा कीमती और गहरी है। जिसे वह तृप्ति मिल गई--वह फिर कंकड़-पत्थर नहीं बीनता, जिसे हीरे-जवाहरात मिलने शुरू हो जाते हैं।

लेकिन घृणा से भरे आदमी को वह तृप्ति कभी नहीं मिलती है। घृणा में वह तोड़ देता है चीजों को। लेकिन तोड़ने से कभी किसी आदमी को कोई तृप्ति नहीं मिलती। तृप्ति मिलती है निर्माण करने से।

द्वेष से भरा आदमी संघर्ष करता है। लेकिन संघर्ष से कोई तृप्ति नहीं मिलती। तृप्ति मिलती है दान से, देने से; छीन लेने से नहीं। संघर्ष करने वाला छीन लेता है। छीनने से वह तृप्ति कभी नहीं मिलती, जो किसी को दे देने से और दान से उपलब्ध होती है।

महत्वाकांक्षी आदमी एक पद से दूसरे पद की यात्रा करता रहता है, लेकिन कभी भी शांत नहीं हो पाता। शांत वे होते हैं, जो पदों की यात्रा नहीं, बल्कि प्रेम की यात्रा करते हैं। जो प्रेम के एक तीर्थ से दूसरे तीर्थ की यात्रा करते हैं।

जितना आदमी प्रेमपूर्ण होता है, उतनी तृप्ति, एक कंटेंटमेंट, एक गहरा संतोष, एक आनंद का भाव, एक उपलब्धि का भाव उसके प्राणों के रग-रग में बहने लगता है। उसके सारे शरीर से एक रस झलकने लगता है, जो तृप्ति का रस है, जो आनंद का रस है। वैसा तृप्त आदमी सेक्स की दिशाओं में नहीं जाता। जाने के लिए, रोकने

के लिए चेष्टा नहीं करनी पड़ती; वह जाता ही नहीं। क्योंकि यही तृप्ति क्षण भर को सेक्स से मिलती थी, प्रेम से यह तृप्ति चौबीस घंटे को मिल जाती है।

तो दूसरी दिशा है--कि व्यक्तित्व का अधिकतम विकास प्रेम के मार्गों पर होना चाहिए। हम प्रेम करें, हम प्रेम दें, हम प्रेम में जीएं।

और जरूरी नहीं है कि हम प्रेम मनुष्य को ही देंगे तभी प्रेम की दीक्षा होगी। प्रेम की दीक्षा तो पूरे व्यक्तित्व के प्रेमपूर्ण होने की दीक्षा है, वह तो टु बी लविंग होने की दीक्षा है।

एक पत्थर को भी हम उठाएं तो ऐसे उठा सकते हैं जैसे मित्र को उठा रहे हैं, और एक आदमी का हाथ भी हम ऐसे पकड़ सकते हैं जैसे शत्रु का हाथ पकड़े हुए हैं। एक आदमी वस्तुओं के साथ भी प्रेमपूर्ण व्यवहार कर सकता है, एक आदमी आदमियों के साथ भी ऐसा व्यवहार करता है जैसा वस्तुओं के साथ भी नहीं करना चाहिए। घृणा से भरा हुआ आदमी वस्तुएं समझता है मनुष्यों को। प्रेम से भरा हुआ आदमी वस्तुओं को भी व्यक्तित्व देता है।

एक फकीर से मिलने एक जर्मन यात्री गया हुआ था। वह किसी क्रोध में होगा। उसने दरवाजे पर जोर से जूते खोल दिए, जूतों को पटका, धक्का दिया दरवाजे को जोर से।

क्रोध में आदमी जूते भी खोलता है तो ऐसे जैसे जूते दुश्मन हों। दरवाजा भी खोलता है तो ऐसे जैसे दरवाजे से कोई झगड़ा हो!

दरवाजे को धक्का देकर वह भीतर गया। उस फकीर से जाकर नमस्कार किया। उस फकीर ने कहा कि नहीं, अभी मैं नमस्कार का उत्तर न दे सकूंगा। पहले तुम दरवाजे से और जूतों से क्षमा मांग आओ।

उस आदमी ने कहा, आप पागल हो गए हैं? दरवाजों और जूतों से क्षमा! क्या उनका भी कोई व्यक्तित्व है?

उस फकीर ने कहा, तुमने क्रोध करते समय कभी भी न सोचा कि इनका कोई व्यक्तित्व है। तुमने जूते ऐसे पटके जैसे उनमें जान हो, जैसे उनका कोई कसूर हो; तुमने दरवाजा ऐसे खोला जैसे कि तुम दुश्मन हो। नहीं, जब तुमने क्रोध करते वक्त उनका व्यक्तित्व मान लिया, तो पहले जाओ क्षमा मांग कर आ जाओ, तब मैं तुमसे आगे बात करूंगा, अन्यथा मैं बात करने को नहीं हूं।

अब वह आदमी दूर जर्मनी से उस फकीर को मिलने गया था, इतनी सी बात पर मुलाकात न हो सकेगी। मजबूरी थी। उसे जाकर दरवाजे पर हाथ जोड़ कर क्षमा

मांगनी पड़ी कि मित्र, क्षमा कर दो! जूतों को कहना पड़ा, माफ करिए, भूल हो गई हमने जो आपको इस भांति गुस्से में खोला!

उस जर्मन यात्री ने लिखा है कि लेकिन जब मैं क्षमा मांग रहा था तो पहले तो मुझे हंसी आई कि मैं क्या पागलपन कर रहा हूं! लेकिन जब मैं क्षमा मांग चुका तो मैं हैरान हुआ, मुझे एक इतनी शांति मालूम हुई जिसकी मुझे कल्पना नहीं हो सकती थी कि दरवाजे और जूतों से क्षमा मांग कर शांति मिल सकती है!

मैं जाकर उस फकीर के पास बैठा, वह हंसने लगा। और उसने कहा, अब ठीक, अब कुछ बात हो सकती है। तुमने थोड़ा प्रेम जाहिर किया, अब तुम संबंधित हो सकते हो, समझ भी सकते हो; क्योंकि अब तुम प्रफुल्लित हो, अब तुम आनंद से भर गए हो।

सवाल मनुष्यों के साथ ही प्रेमपूर्ण होने का नहीं, प्रेमपूर्ण होने का है। यह सवाल नहीं है कि मां को प्रेम दो! ये गलत बातें हैं। जब कोई मां अपने बच्चे को कहती है कि मैं तेरी मां हूं इसलिए प्रेम कर, तब वह गलत शिक्षा दे रही है। क्योंकि जिस प्रेम में 'इसलिए' लगा हुआ है, 'देयरफोर', वह प्रेम झूठा है। जो कहता है, इसलिए प्रेम करो कि मैं बाप हूं, वह गलत शिक्षा दे रहा है। वह कारण बता रहा है प्रेम का।

प्रेम अकारण होता है, प्रेम कारण सहित नहीं होता।

मां कहती है, मैं तेरी मां हूं, मैंने तुझे इतने दिन पाला-पोसा, बड़ा किया, इसलिए प्रेम कर! वह वजह बता रही है, प्रेम खत्म हो गया। अगर वह प्रेम भी होगा तो बच्चा झूठा प्रेम दिखाने की कोशिश करेगा--क्योंकि यह मां है, इसलिए प्रेम दिखाना पड़ रहा है।

नहीं, प्रेम की शिक्षा का मतलब है: प्रेम का कारण नहीं, प्रेमपूर्ण होने की सुविधा और व्यवस्था कि बच्चा प्रेमपूर्ण हो सके।

जो मां कहती है, मुझसे प्रेम कर, क्योंकि मैं मां हूं, वह प्रेम नहीं सिखा रही। उसे यह कहना चाहिए कि यह तेरा व्यक्तित्व, यह तेरे भविष्य, यह तेरे आनंद की बात है कि जो भी तेरे मार्ग पर पड़ जाए, तू उससे प्रेमपूर्ण हो--पत्थर पड़ जाए, फूल पड़ जाए, आदमी पड़ जाए, जानवर पड़ जाए। यह सवाल जानवर को प्रेम देने का नहीं, फूल को प्रेम देने का नहीं, मां को प्रेम देने का नहीं, तेरे प्रेमपूर्ण होने का है! क्योंकि तेरा भविष्य इस पर निर्भर करेगा कि तू कितना प्रेमपूर्ण है, तेरा व्यक्तित्व कितना प्रेम से भरा हुआ है, उतना तेरे जीवन में आनंद की संभावना बढ़ेगी।

प्रेमपूर्ण होने की शिक्षा चाहिए मनुष्य को, तो वह कामुकता से मुक्त हो सकता है।

लेकिन हम तो प्रेम की कोई शिक्षा नहीं देते। हम तो प्रेम का कोई भाव पैदा नहीं करते। हम तो प्रेम के नाम पर भी जो बातें करते हैं, वह झूठ ही सिखाते हैं उनको।

क्या आपको पता है कि एक आदमी एक के प्रति प्रेमपूर्ण है और दूसरे के प्रति घृणापूर्ण हो सकता है? यह असंभव है।

प्रेमपूर्ण आदमी प्रेमपूर्ण होता है, आदमियों से कोई संबंध नहीं है उस बात का। अकेले में बैठता है तो भी प्रेमपूर्ण होता है। कोई नहीं होता तो भी प्रेमपूर्ण होता है। प्रेमपूर्ण होना उसके स्वभाव की बात है। वह आपसे संबंधित होने का सवाल नहीं।

क्रोधी आदमी अकेले में भी क्रोधपूर्ण होता है। घृणा से भरा आदमी अकेले में भी घृणा से भरा होता है। वह अकेले भी बैठा है तो आप उसको देख कर कह सकते हैं कि यह आदमी क्रोधी है। हालांकि वह किसी पर क्रोध नहीं कर रहा है। लेकिन उसका सारा व्यक्तित्व क्रोधी है।

प्रेमपूर्ण आदमी अगर अकेले में भी बैठा है तो आप कहेंगे, यह आदमी कितने प्रेम से भरा हुआ बैठा है।

फूल एकांत में खिलते हैं जंगल के तो वहां भी सुगंध बिखेरते रहते हैं, चाहे कोई सूंघने वाला हो या न हो। रास्ते से कोई निकले या न निकले, फूल सुगंधित होता रहता है। फूल का सुगंधित होना स्वभाव है। इस भूल में आप मत पड़ना कि आपके लिए सुगंधित हो रहा है।

प्रेमपूर्ण होना व्यक्तित्व बनाना चाहिए। वह हमारा व्यक्तित्व हो, इससे कोई संबंध नहीं कि वह किसके प्रति।

लेकिन जितने प्रेम करने वाले लोग हैं, वे सोचते हैं कि मेरे प्रति प्रेमपूर्ण हो जाए, और किसी के प्रति नहीं। और उनको पता नहीं कि जो सबके प्रति प्रेमपूर्ण नहीं, वह किसी के प्रति प्रेमपूर्ण नहीं हो सकता!

पत्नी कहती है पति से, मुझे प्रेम करना बस! फिर आ गया स्टाप, फिर इधर-उधर कहीं देखना मत, फिर और कहीं तुम्हारे प्रेम की जरा सी धारा न बहे, बस प्रेम यानी इस तरफ। और उस पत्नी को पता नहीं कि यह प्रेम झूठा वह अपने हाथ से किए ले रही है। जो पति प्रेमपूर्ण नहीं है हर स्थिति में, हरेक के प्रति, वह पत्नी के प्रति भी प्रेमपूर्ण कैसे हो सकता है?

प्रेमपूर्ण चौबीस घंटे के जीवन का स्वभाव है। वह ऐसी कोई बात नहीं कि हम

किसी के प्रति प्रेमपूर्ण हो जाएं और किसी के प्रति प्रेमहीन हो जाएं। लेकिन आज तक मनुष्यता इसको समझने में समर्थ नहीं हो पाई!

बाप कहता है कि मेरे प्रति प्रेमपूर्ण! लेकिन घर में जो चपरासी है उसके प्रति? वह तो नौकर है! लेकिन उसे पता नहीं कि जो बेटा एक बूढ़े नौकर के प्रति प्रेमपूर्ण नहीं हो पाया है--वह बूढ़ा नौकर भी किसी का बाप है--

वह आज नहीं कल जब उसका बाप भी बूढ़ा हो जाएगा, उसके प्रति भी प्रेमपूर्ण नहीं रह जाएगा। तब यह बाप पछताएगा कि मेरा लड़का मेरे प्रति प्रेमपूर्ण नहीं है। लेकिन इस बाप को पता ही नहीं कि लड़का प्रेमपूर्ण हो सकता था उसके प्रति भी, अगर जो भी आस-पास थे, सबके प्रति प्रेमपूर्ण होने की शिक्षा दी गई होती तो वह इसके प्रति भी प्रेमपूर्ण होता।

प्रेम स्वभाव की बात है, संबंध की बात नहीं है।

प्रेम रिलेशनशिप नहीं है, प्रेम है स्टेट ऑफ माइंड। वह मनुष्य के व्यक्तित्व का भीतरी अंग है।

तो हमें प्रेमपूर्ण होने की दूसरी दीक्षा दी जानी चाहिए--एक-एक चीज के प्रति। अगर बच्चा एक किताब को भी गलत ढंग से रखे तो गलती बात है, उसे उसी क्षण टोकना चाहिए कि यह तुम्हारे व्यक्तित्व के लिए शोभादायक नहीं कि तुम इस भांति किताब को रखो। कोई देखेगा, कोई सुनेगा, कोई पाएगा कि तुम किताब के साथ दुर्व्यवहार किए हो! तुम एक कुत्ते के साथ गलत ढंग से पेश आए हो! यह तुम्हारे व्यक्तित्व की गलती है।

एक फकीर के बाबत मुझे खयाल आता है। एक छोटा सा फकीर का झोपड़ा था। रात थी, जोर से वर्षा होती थी। रात के बारह बजे होंगे, फकीर और उसकी पत्नी दोनों सोते थे, किसी आदमी ने दरवाजे पर दस्तक दी। छोटा था झोपड़ा, कोई शायद शरण चाहता है। उसकी पत्नी से उसने कहा कि द्वार खोल दे, कोई द्वार पर खड़ा है, कोई यात्री, कोई अपरिचित मित्र।

सुनते हैं उसकी बात? उसने कहा, कोई अपरिचित मित्र! हमारे तो जो परिचित हैं, वे भी मित्र नहीं होते। उसने कहा, कोई अपरिचित मित्र! यह प्रेम का भाव है।

कोई अपरिचित मित्र द्वार पर खड़ा है, द्वार खोल! उसकी पत्नी ने कहा, लेकिन जगह तो बहुत कम है, हम दो के लायक ही मुश्किल से है। कोई तीसरा आदमी भीतर आएगा तो हम क्या करेंगे?

उस फकीर ने कहा, पागल, यह किसी अमीर का महल नहीं है कि छोटा पड़

जाए, यह गरीब की झोपड़ी है। अमीर का महल छोटा पड़ जाता है हमेशा, एक मेहमान आ जाए तो महल छोटा पड़ जाता है। यह गरीब की झोपड़ी है।

उसकी पत्नी ने कहा, इसमें झोपड़ी...अमीर और गरीब क्या सवाल? जगह छोटी है।

उस फकीर ने कहा, जहां दिल में जगह बड़ी हो वहां झोपड़ा महल की तरह मालूम होता है और जहां दिल में छोटी जगह हो वहां झोपड़ा तो क्या महल भी छोटा और झोपड़ा हो जाता है। द्वार खोल दे! द्वार पर खड़े हुए आदमी को वापस कैसे लौटाया जा सकता है? अभी हम दोनों लेटे थे, अब तीन लेट नहीं सकेंगे, तीनों बैठेंगे, बैठने के लिए काफी जगह है।

मजबूरी थी, पत्नी को दरवाजा खोल देना पड़ा। एक मित्र आ गया, पानी से भीगा हुआ। उसके कपड़े बदले। फिर वे तीनों बैठ कर गपशप करने लगे। दरवाजा फिर बंद है।

फिर किन्हीं दो आदमियों ने दरवाजे पर दस्तक दी। अब उस फकीर ने उस मित्र को कहा--वह दरवाजे के पास था--कि दरवाजा खोल दो, मालूम होता है कोई आया। उस आदमी ने कहा, कैसे खोल दूं दरवाजा, जगह कहां है यहां?

वह आदमी अभी दो घड़ी पहले आया था खुद और भूल गया यह बात कि जिस प्रेम ने मुझे जगह दी थी, वह मुझे जगह नहीं दी थी, प्रेम था उसके भीतर इसलिए जगह दी थी। अब फिर कोई दूसरा आ गया, फिर जगह बनानी पड़ेगी।

लेकिन उस आदमी ने कहा, नहीं, दरवाजा खोलने की जरूरत नहीं; मुश्किल से हम तीन बैठे हुए हैं!

वह फकीर हंसने लगा। उसने कहा, बड़े पागल हो! मैंने तुम्हारे लिए जगह नहीं की थी, प्रेम था इसलिए जगह की थी। प्रेम अब भी है, वह तुम पर चुक नहीं गया और समाप्त नहीं हो गया। दरवाजा खोलो! अभी हम दूर-दूर बैठे हैं, फिर हम पास-पास बैठ जाएंगे। पास-पास बैठने के लिए काफी जगह है। और रात ठंडी है, पास-पास बैठने में आनंद ही और होगा।

दरवाजा खोलना पड़ा। दो आदमी भीतर आ गए। फिर वे पास-पास बैठ कर गपशप करने लगे। और थोड़ी ही देर बीती है और रात आगे बढ़ गई है और वर्षा हो रही है, और एक गधे ने आकर सिर लगाया दरवाजे से। पानी में भीग गया है। वह रात शरण चाहता है।

उस फकीर ने कहा कि मित्रो--वे दो मित्र दरवाजे पर बैठे हुए थे जो पीछे आए

थे--दरवाजा खोल दो! कोई अपरिचित मित्र फिर आ गया।

उन लोगों ने कहा, यह मित्र वगैरह नहीं है, यह गधा है। इसके लिए द्वार खोलने की कोई जरूरत नहीं।

उस फकीर ने कहा, तुम्हें शायद पता नहीं, अमीर के दरवाजे पर आदमी के साथ भी गधे जैसा व्यवहार किया जाता है। यह गरीब की झोपड़ी है, हम गधे के साथ भी आदमी जैसा व्यवहार करने की आदत से भरे हैं। दरवाजा खोल दो!
पर वे दोनों कहने लगे, जगह?

उस फकीर ने कहा, जगह बहुत है; अभी हम बैठे हैं, अब हम खड़े हो जाएंगे। खड़े होने के लिए काफी जगह है। और फिर तुम घबराओ मत, अगर जरूरत पड़ेगी तो मैं हमेशा बाहर होने के लिए तैयार हूं। प्रेम इतना कर सकता है।

एक लविंग एटिटयूड, एक प्रेमपूर्ण हृदय बनाने की जरूरत है। जब प्रेमपूर्ण हृदय बनता है, तो व्यक्तित्व में एक तृप्ति का भाव, एक रसपूर्ण तृप्ति...

क्या आपको कभी खयाल है, जब भी आप किसी के प्रति जरा से प्रेमपूर्ण हुए हैं, पीछे एक तृप्ति की लहर छूट गई है? क्या आपको कभी भी खयाल है कि जीवन में तृप्ति के क्षण वे ही रहे हैं, जो बेशर्त प्रेम के क्षण रहे होंगे, जब कोई शर्त न रही होगी प्रेम की। और जब आपने रास्ते चलते एक अजनबी आदमी को देख कर मुस्कुरा दिया होगा--उसके पीछे छूट गई तृप्ति का कोई अनुभव है? उसके पीछे साथ आ गया एक शांति का भाव! एक प्राणों में एक आनंद की लहर का कोई पता है--जब राह चलते किसी आदमी को उठा लिया हो, किसी गिरते को सम्हाल लिया हो, किसी बीमार को एक फूल दे दिया हो? इसलिए नहीं कि वह आपकी मां है, इसलिए नहीं कि वह आपका पिता है। नहीं, वह आपका कोई भी नहीं है। लेकिन एक फूल किसी बीमार को दे देना आनंदपूर्ण है।

व्यक्तित्व में प्रेम की संभावना बढ़ती जानी चाहिए। वह इतनी बढ़ जानी चाहिए--पौधों के प्रति, पक्षियों के प्रति, पशुओं के प्रति, आदमियों के प्रति, अपरिचितों के प्रति, अनजान लोगों के प्रति, विदेशियों के प्रति, जो बहुत दूर हैं उनके प्रति, चांद-तारों के प्रति--प्रेम हमारा बढ़ता चला जाए।

जितना प्रेम हमारा बढ़ता है, उतनी ही सेक्स की जीवन में संभावना कम होती चली जाती है।

प्रेम और ध्यान, दोनों मिल कर उस दरवाजे को खोल देते हैं जो परमात्मा का दरवाजा है।

प्रेम ध्यान = परमात्मा। प्रेम और ध्यान का जोड़ हो जाए और परमात्मा उपलब्ध हो जाता है।

और उस उपलब्धि से जीवन में ब्रह्मचर्य फलित होता है। फिर सारी ऊर्जा एक नये ही मार्ग पर ऊपर चढ़ने लगती है। फिर बह-बह कर निकल नहीं जाती। फिर जीवन से बाहर निकल-निकल कर व्यर्थ नहीं हो जाती। फिर जीवन के भीतरी मार्गों पर गति करने लगती है। उसका एक ऊर्ध्वगमन, एक ऊपर की तरफ यात्रा शुरू होती है।

अभी हमारी यात्रा नीचे की तरफ है। सेक्स, ऊर्जा का अधोगमन है, नीचे की तरफ बह जाना है। ब्रह्मचर्य, ऊर्जा का ऊर्ध्वगमन है, ऊपर की तरफ उठ जाना है। प्रेम और ध्यान, ब्रह्मचर्य के सूत्र हैं।

तीसरी बात कल आपसे करने को हूं कि ब्रह्मचर्य उपलब्ध होगा तो क्या फल होगा? क्या होगी उपलब्धि? क्या मिल जाएगा?

ये दो बातें मैंने आज आपसे कहीं--प्रेम और ध्यान। मैंने यह कहा कि छोटे बच्चों से इनकी शिक्षा शुरू हो जानी चाहिए। इससे आप यह मत सोच लेना कि अब तो हम बच्चे नहीं रहे, इसलिए करने को कुछ बाकी नहीं है। यह आप मत सोच कर चले जाना, अन्यथा मेरी मेहनत फिजूल गई। आप किसी भी उम्र के हों, यह काम शुरू किया जा सकता है। यह काम कभी भी शुरू किया जा सकता है। हालांकि जितनी उम्र बढ़ती चली जाती है, उतना मुश्किल होता चला जाता है। बच्चों के साथ हो सके, सौभाग्य! लेकिन कभी भी हो सके, सौभाग्य! इतनी देर कभी भी नहीं हुई है कि हम कुछ भी न कर सकें। हम आज शुरू कर सकते हैं।

और जो लोग सीखने के लिए तैयार हैं, वे बुढ़ापे में भी बच्चों जैसे ही होते हैं, वे बुढ़ापे में भी शुरू कर सकते हैं। अगर उनकी सीखने की क्षमता है, अगर लघनग का एटिटयूड है, अगर वे इस ज्ञान से नहीं भर गए हैं कि हमने सब जान लिया और सब पा लिया, तो वे सीख सकते हैं और वे छोटे बच्चों की भांति नई यात्रा शुरू कर सकते हैं।

बुद्ध के पास एक भिक्षु कुछ वर्षों से दीक्षित था। एक दिन बुद्ध ने उससे पूछा कि भिक्षु, तुम्हारी उम्र क्या है? उस भिक्षु ने कहा, मेरी उम्र? पांच वर्ष! बुद्ध कहने लगे, पांच वर्ष? तुम तो कोई सत्तर वर्ष के मालूम पड़ते हो! कैसा झूठ बोलते हो!

उस भिक्षु ने कहा, लेकिन पांच वर्ष पहले ही मेरे जीवन में ध्यान की किरण फूटी। पांच वर्ष पहले ही मेरे जीवन में प्रेम की वर्षा हुई। उसके पहले मैं जीता था,

वह सपने में जीना था, वह नींद में जीना था। उसकी गिनती अब मैं नहीं करता हूं। कैसे करूं?

जिंदगी तो इधर पांच वर्षों से शुरू हुई, इसलिए मैं कहता हूं, मेरी उम्र पांच वर्ष है।

बुद्ध ने अपने भिक्षुओं से कहा, भिक्षुओ, इस बात को खयाल में रख लेना। अपनी उम्र आज से तुम भी इसी तरह जोड़ना। यही उम्र को नापने का ढंग समझना।

अगर प्रेम और ध्यान का जन्म नहीं हुआ है तो उम्र फिजूल चली गई। अभी आपका ठीक जन्म भी नहीं हुआ है। और कभी भी इतनी देर नहीं हुई, जब कि हम प्रयास करें, श्रम करें और हम अपने नये जन्म को उपलब्ध न हो जाएं।

इसलिए मेरी बात से यह नतीजा मत निकाल लेना आप कि आप तो अब बचपन के पार हो चुके, इसलिए यह बात आने वाले बच्चों के लिए है। कोई आदमी किसी भी क्षण इतनी दूर नहीं निकल गया है कि वापस न लौट आए। कोई आदमी कितने ही गलत रास्तों पर चला हो, ऐसी जगह नहीं पहुंच गया है कि ठीक रास्ता उसे दिखाई न पड़ सके। कोई आदमी कितने ही हजारों वर्षों से अंधकार में रह रहा हो, इसका मतलब यह नहीं है कि वह दीया जलाएगा तो अंधकार कहेगा कि मैं हजार वर्ष पुराना हूं, इसलिए नहीं टूटता! दीया जलाने से एक दिन का अंधकार भी टूटता है, हजार साल का अंधकार भी उसी तरह टूट जाता है। दीया जलाने की चेष्टा बचपन में आसानी से हो सकती है, बाद में थोड़ी कठिनाई है।

लेकिन कठिनाई का अर्थ असंभावना नहीं है। कठिनाई का अर्थ है : थोड़ा ज्यादा श्रम। कठिनाई का अर्थ है : थोड़ा ज्यादा संकल्प। कठिनाई का अर्थ है : थोड़ा ज्यादा लगनपूर्वक, ज्यादा सातत्य से तोड़ना पड़ेगा, व्यक्तित्व की जो बंधी धाराएं हैं उनको, और नये मार्ग खोलने पड़ेंगे।

लेकिन जब नये मार्ग की जरा सी भी किरण फूटनी शुरू होती है, तो सारा श्रम ऐसा लगता है कि हमने कुछ भी नहीं किया और बहुत कुछ पा लिया है। जब एक किरण भी आती है उस आनंद की, उस सत्य की, उस प्रकाश की, तो लगता है कि हमने तो बिना कुछ किए पा लिया है। क्योंकि हमने जो किया था, उसका तो कोई भी मूल्य नहीं था। जो हाथ में आ गया है, वह तो अमूल्य है। इसलिए यह भाव मन में आप न लेंगे। ऐसी मेरी प्रार्थना है।

मेरी बातों को इतनी शांति और प्रेम से सुना, उसके लिए बहुत-बहुत अनुगृहीत हूं। और अंत में सबके भीतर बैठे परमात्मा को प्रणाम करता हूं, मेरे प्रणाम स्वीकार करें।

4

समाधि : अहं-शून्यता, समय-शून्यता का अनुभव

मेरे प्रिय आत्मन्!

एक छोटा सा गांव था। उस गांव के स्कूल में शिक्षक राम की कथा पढ़ाता था। करीब-करीब सारे बच्चे सोए हुए थे।

राम की कथा सुनते समय बच्चे सो जाएं, यह आश्चर्य नहीं। क्योंकि राम की कथा सुनते समय बूढ़े भी सोते हैं। इतनी बार सुनी जा चुकी है जो बात, उसे जाग कर सुनने का कोई अर्थ भी नहीं रह जाता।

बच्चे सोए थे। और शिक्षक भी पढ़ा रहा था, लेकिन कोई भी उसे देखता तो कह सकता था वह भी सोया हुआ पढ़ाता है। उसे राम की कथा कंठस्थ थी। किताब सामने खुली थी, लेकिन किताब पढ़ने की उसे जरूरत न थी। उसे सब याद था, वह यंत्र की भांति कहे जाता था। शायद ही उसे पता हो कि वह क्या कह रहा है।

तोतों को पता नहीं होता कि वे क्या कह रहे हैं। जिन्होंने शब्दों को कंठस्थ कर लिया है, उन्हें भी पता नहीं होता कि वे क्या कह रहे हैं।

और तभी अचानक एक सनसनी दौड़ गई कक्षा में। अचानक ही स्कूल का निरीक्षक आ गया था। वह कमरे के भीतर गया। बच्चे सजग होकर बैठ गए। शिक्षक भी सजग होकर पढ़ाने लगा। उस निरीक्षक ने कहा कि मैं कुछ प्रश्न पूछना चाहूंगा। और चूंकि राम की कथा पढ़ाई जाती है, इसलिए राम से संबंधित ही कोई

प्रश्न पूछूं। उसने बच्चों से एक सीधी सी बात पूछी। उसने पूछा कि शिव का धनुष किसने तोड़ा था? उसने सोचा कि बच्चों को तोड़-फोड़ की बात बहुत याद रह जाती है, उन्हें जरूर याद होगा कि किसने शिव का धनुष तोड़ा था।

लेकिन इसके पहले कि कोई बोले, एक बच्चे ने हाथ हिलाया और खड़े होकर कहा कि क्षमा करिए, मुझे पता नहीं कि किसने तोड़ा था। एक बात निश्चित है कि मैं पंद्रह दिन से छुट्टी पर था, मैंने नहीं तोड़ा है। और इसके पहले कि मेरे पर कोई इलजाम लग जाए, मैं पहले ही साफ कर देना चाहता हूं कि धनुष का मुझे कोई पता ही नहीं है। क्योंकि जब भी इस स्कूल में कोई चीज टूटती है तो सबसे पहले मेरे ऊपर दोषारोपण आता है, इसलिए मैं निवेदन किए देता हूं।

निरीक्षक तो हैरान रह गया। उसने सोचा भी न था कि कोई यह उत्तर देगा।

उसने शिक्षक की तरफ देखा। शिक्षक अपना बेंत निकाल रहा था और उसने कहा कि जरूर इसी बदमाश ने तोड़ा होगा। इसकी हमेशा की आदत है। और अगर तूने नहीं तोड़ा था तो तूने खड़े होकर क्यों कहा कि मैंने नहीं तोड़ा है?

और उसने इंस्पेक्टर से कहा, आप इसकी बातों में मत आएं, यह लड़का शरारती है। और स्कूल में सौ चीजें टूटें तो निन्यानबे यही तोड़ता है।

तब तो वह निरीक्षक और हैरान हो गया। फिर उसने कुछ भी वहां कहना उचित न समझा। वह सीधा प्रधान अध्यापक के पास गया। जाकर उसने कहा कि यह-यह घटना घटी है। राम की कथा पढ़ाई जाती थी जिस कक्षा में, उसमें मैंने पूछा कि शिव का धनुष किसने तोड़ा था? तो एक बच्चे ने कहा कि मैंने नहीं तोड़ा, मैं पंद्रह दिन से छुट्टी पर था। यहां तक भी गनीमत थी। लेकिन शिक्षक ने यह कहा कि जरूर इसी ने तोड़ा होगा, जब भी कोई चीज टूटती है तो यही जिम्मेवार होता है। इसके संबंध में क्या किया जाए?

उस प्रधान अध्यापक ने कहा, इस संबंध में एक ही बात की जा सकती है कि अब बात को आगे न बढ़ाया जाए। क्योंकि लड़कों से कुछ भी कहना खतरा मोल लेना है, किसी भी क्षण हड़ताल हो सकती है, अनशन हो सकता है। अब जिसने भी तोड़ा हो, तोड़ा होगा। आप कृपा करें और बात बंद करें। कोई दो महीने से शांति चल रही है स्कूल में, उसको भंग करने की कोशिश मत करें। न मालूम कितना फर्नीचर तोड़ डाला है लड़कों ने, हम चुपचाप देखते रहते हैं। स्कूल की दीवालें टूट रही हैं, हम चुपचाप देखते रहते हैं। क्योंकि कुछ भी बोलना खतरनाक है, हड़ताल हो सकती है, अनशन हो सकता है। इसलिए चुपचाप देखने के सिवाय कोई मार्ग नहीं।

वह इंस्पेक्टर तो अवाक! वह तो आंखें फाड़े रह गया! अब कुछ क़हने का उपाय न था। वह वहां से सीधा, स्कूल की जो शिक्षा समिति थी, उसके अध्यक्ष के पास गया। और उसने जाकर कहा कि यह हालत है स्कूल की! राम की कथा पढ़ाई जाती है, वहां बच्चा कहता है कि मैंने शिव का धनुष नहीं तोड़ा, शिक्षक कहता है इसी ने तोड़ा होगा, प्रधान अध्यापक कहता है कि जिसने भी तोड़ा हो, बात को रफा-दफा कर दें, शांत कर दें। इसे आगे बढ़ाना ठीक नहीं, हड़ताल हो सकती है। आप क्या कहते हैं?

उस अध्यक्ष ने कहा कि ठीक ही कहता है प्रधान अध्यापक। किसी ने भी तोड़ा हो, हम ठीक करवा देंगे समिति की तरफ से। आप फर्नीचर वाले के यहां भिजवा दें और ठीक करवा लें। इसकी चिंता करने की जरूरत नहीं कि किसने तोड़ा। सुधरवाने का उपाय होगा, आपको सुधरवाने की जरूरत है और क्या करना है!

वह स्कूल का इंस्पेक्टर मुझसे यह सारी बात कहता था। वह मुझसे पूछने लगा कि क्या स्थिति है यह?

मैंने उससे कहा, इसमें कुछ बड़ी स्थिति नहीं है। मनुष्य की एक सामान्य क़मजोरी है, वही इस कहानी में प्रकट होती है। और वह कमजोरी क्या है? वह कमजोरी यह है कि जिस संबंध में हम कुछ भी नहीं जानते हैं, उस संबंध में भी हम ऐसी घोषणा करना चाहते हैं कि हम जानते हैं। वे कोई भी कुछ नहीं जानते थे कि शिव का धनुष क्या है? क्या उचित न होता कि वे कह देते कि हमें पता नहीं है कि शिव का धनुष क्या है। लेकिन अपना अज्ञान कोई भी स्वीकार नहीं करना चाहता है।

और मनुष्य-जाति के इतिहास में इससे बड़ी कोई दुर्घटना नहीं घटी है कि हम अपना अज्ञान स्वीकार करने को राजी नहीं होते। जीवन के किसी भी प्रश्न के संबंध में कोई भी आदमी इतनी हिम्मत और साहस नहीं दिखा पाता कि मुझे पता नहीं है। यह कमजोरी बहुत घातक सिद्ध होती है। सारा जीवन व्यर्थ हो जाता है।

और चूंकि हम यह मान कर बैठ जाते हैं कि हम जानते हैं, इसलिए जो उत्तर हम देते हैं वे इतने ही मूढ़तापूर्ण होते हैं, जितने उस स्कूल में दिए गए थे--बच्चे से लेकर अध्यक्ष तक। जिसका हमें पता नहीं है, उसका उत्तर देने की कोशिश सिवाय मूढ़ता के और कहीं भी नहीं ले जाएगी। फिर यह तो हो भी सकता है कि शिव का धनुष किसने तोड़ा या नहीं तोड़ा, इससे जीवन का कोई गहरा संबंध नहीं है। लेकिन जिन प्रश्नों के जीवन से बहुत गहरे संबंध हैं, जिनके आधार पर सारा जीवन सुंदर बनेगा

या कुरूप हो जाएगा, स्वस्थ बनेगा या विक्षिप्त हो जाएगा; जिनके आधार पर जीवन की सारी गति और दिशा निर्भर है, उन प्रश्नों के संबंध में भी हम यह भाव दिखलाने की कोशिश करते हैं कि हम जानते हैं। और फिर जो हम जीवन में उत्तर देते हैं वे बता देते हैं कि हम कितना जानते हैं।

एक-एक आदमी की जिंदगी बता रही है कि हम जिंदगी के संबंध में कुछ भी नहीं जानते हैं। अन्यथा इतनी असफलता, इतनी निराशा, इतना दुख, इतनी चिंता!

यही बात मैं सेक्स के संबंध में भी आपसे कहना चाहता हूं हम कुछ भी नहीं जानते हैं।

आप बहुत हैरान होंगे। आप कहेंगे, हम यह मान सकते हैं कि ईश्वर के संबंध में कुछ नहीं जानते, आत्मा के संबंध में कुछ नहीं जानते; लेकिन हम यह कैसे मान सकते हैं कि हम काम के, यौन के और सेक्स के संबंध में कुछ नहीं जानते? सबूत है--हमारे बच्चे पैदा हुए हैं, पत्नी है--हम सेक्स के संबंध में नहीं जानते हैं!

लेकिन मैं आपसे निवेदन करना चाहता हूं--यह बहुत कठिन पड़ेगा, लेकिन इसे समझ लेना जरूरी है--आप सेक्स के अनुभव से गुजरे होंगे, लेकिन सेक्स के संबंध में आप उतना ही जानते हैं जितना छोटा सा बच्चा जानता है, उससे ज्यादा कुछ भी नहीं जानते। अनुभव से गुजर जाना जान लेने के लिए पर्याप्त नहीं है।

एक आदमी कार चलाता है, वह कार चलाना जानता है और हो सकता है हजारों मील कार चला कर वह आ गया हो। लेकिन इससे यह कोई मतलब नहीं होता कि वह कार के भीतर के यंत्र और मशीन और उसकी व्यवस्था, उसके काम करने के ढंग के संबंध में कुछ भी जानता हो। वह कह सकता है कि मैं हजार मील चल कर आया हूं कार से--मैं नहीं जानता हूं कार के संबंध में? लेकिन कार चलाना एक ऊपरी बात है और कार की पूरी आंतरिक व्यवस्था को जानना बिलकुल दूसरी बात है।

एक आदमी बटन दबाता है और बिजली जल जाती है। वह आदमी यह कह सकता है कि मैं बिजली के संबंध में सब जानता हूं। क्योंकि मैं बटन दबाता हूं और बिजली जल जाती है, बटन दबाता हूं बिजली बुझ जाती है। मैंने हजार दफा बिजली जलाई और बुझाई, इसलिए मैं बिजली के संबंध में सब जानता हूं। हम कहेंगे वह पागल है। बटन दबाना और बिजली जला लेना और बुझा लेना बच्चे भी कर सकते हैं, इसके लिए बिजली के ज्ञान की कोई भी जरूरत नहीं है।

बच्चे कोई भी पैदा कर सकता है। सेक्स को जानने से इसका कोई संबंध नहीं।

शादी कोई भी कर सकता है। पशु भी बच्चे पैदा कर रहे हैं। लेकिन वे सेक्स के संबंध में कुछ जानते हैं, इस भ्रम में पड़ने का कोई कारण नहीं। सच तो यह है कि सेक्स का कोई विज्ञान ही विकसित नहीं हो सका, सेक्स का कोई शास्त्र ठीक से विकसित नहीं हो सका, क्योंकि हर आदमी यह मानता है कि हम जानते हैं! शास्त्र की जरूरत क्या है? विज्ञान की जरूरत क्या है?

और मैं आपसे कहता हूं कि इससे बड़े दुर्भाग्य की और कोई बात नहीं है। क्योंकि जिस दिन सेक्स का पूरा शास्त्र और पूरा विचार और पूरा विज्ञान विकसित होगा, उस दिन हम बिलकुल नये तरह के आदमी को पैदा करने में समर्थ हो सकते हैं। फिर यह कुरूप और यह अपंग मनुष्यता पैदा करने की जरूरत नहीं है। ये रुग्ण और रोते हुए और उदास आदमी पैदा करने की जरूरत नहीं है। ये पाप और अपराध से भरी हुई संतति को जन्म देने की जरूरत नहीं है।

लेकिन हमें कुछ भी पता नहीं है! हम सिर्फ बटन दबाना और बुझाना जानते हैं और उसी से हमने समझ लिया है कि हम बिजली के जानकार हो गए हैं। सेक्स के संबंध में पूरी जिंदगी बीत जाने के बाद भी आदमी इतना ही जानता है--बटन दबाना और बुझाना। इससे ज्यादा कुछ भी नहीं! लेकिन चूंकि यह भ्रम है कि हम सब जानते हैं, इसलिए इस संबंध में कोई शोध, कोई खोज, कोई विचार, कोई चिंतन का कोई उपाय नहीं है। और इसी भ्रम के कारण कि हम सब जानते हैं, हम किसी से न कभी कोई बात करते हैं, न विचार करते हैं, न सोचते हैं! क्योंकि जब सभी को सब पता है तो जरूरत क्या है?

और मैं आपसे कहना चाहता हूं कि जीवन में और जगत में सेक्स से बड़ा न कोई रहस्य है और न कोई गुप्त और गहरी बात है।

अभी हमने अणु को खोज निकाला है। जिस दिन हम सेक्स के अणु को भी पूरी तरह जान सकेंगे, उस दिन मनुष्य-जाति ज्ञान के एक बिलकुल नये जगत में प्रविष्ट हो जाएगी। अभी हमने पदार्थ की थोड़ी-बहुत खोज-बीन की है और दुनिया कहां से कहां पहुंच गई। जिस दिन हम चेतना के जन्म की प्रक्रिया और कीमिया को समझ लेंगे, उस दिन हम मनुष्य को कहां से कहां पहुंचा देंगे, इसको आज कहना कठिन है। लेकिन एक बात निश्चित कही जा सकती है कि काम की शक्ति और काम की प्रक्रिया जीवन और जगत में सर्वाधिक रहस्यपूर्ण, सर्वाधिक गहरी, सबसे ज्यादा मूल्यवान बात है। और उसके संबंध में हम बिलकुल चुप हैं। जो सर्वाधिक मूल्यवान है, उसके संबंध में कोई बात भी नहीं की जाती है। आदमी जीवन भर

संभोग से गुजरता है और अंत तक भी नहीं जान पाता कि क्या था संभोग।

तो जब मैंने पहले दिन आपसे कहा कि शून्य का, अहंकार-शून्यता का, विचार-शून्यता का अनुभव होगा, तो अनेक मित्रों को यह बात अनहोनी, आश्चर्यजनक लगी है। एक मित्र ने लौटते हुए मुझे कहा, यह तो हमें खयाल में भी न था, लेकिन ऐसा हुआ है। एक बहन ने आज मुझे आकर कहा, लेकिन मुझे तो इसका कोई अनुभव नहीं है। आप कहते हैं तो इतना मुझे खयाल आता है कि मन थोड़ा शांत और मौन होता है, लेकिन मुझे अहंकार-शून्यता का या किसी और गहरे अनुभव का कोई भी पता नहीं।

हो सकता है अनेकों को इस संबंध में विचार मन में उठा हो। उस संबंध में थोड़ी सी बातें और गहराई में स्पष्ट कर लेनी जरूरी हैं।

पहली बात, मनुष्य जन्म के साथ ही संभोग के पूरे विज्ञान को जानता हुआ पैदा नहीं होता है। शायद पृथ्वी पर बहुत थोड़े से लोग, अनेक जीवन के अनुभव के बाद, संभोग की पूरी की पूरी कला और पूरी की पूरी विधि और पूरा शास्त्र जानने में समर्थ हो पाते हैं। और ये ही वे लोग हैं जो ब्रह्मचर्य को उपलब्ध हो जाते हैं। क्योंकि जो व्यक्ति संभोग की पूरी बात को जानने में समर्थ हो जाता है, उसके लिए संभोग व्यर्थ हो जाता है, वह उसके पार निकल जाता है, अतिक्रमण कर जाता है। लेकिन इस संबंध में कुछ बहुत स्पष्ट बातें नहीं कही गई हैं।

एक बात, पहली बात स्पष्ट कर लेनी जरूरी है वह यह कि यह भ्रम छोड़ देना चाहिए कि हम पैदा हो गए हैं इसलिए हमें पता है--क्या है काम, क्या है संभोग। नहीं, पता नहीं है। और नहीं पता होने के कारण जीवन पूरे समय काम और सेक्स में उलझा रहता है और व्यतीत होता है।

मैंने आपसे कहा, पशुओं का बंधा हुआ समय है, उनकी ऋतु है, उनका मौसम है। आदमी का कोई बंधा हुआ समय नहीं है। क्यों? पशु शायद मनुष्य से ज्यादा संभोग की गहराई में उतरने में समर्थ है और मनुष्य उतना भी समर्थ नहीं रह गया है!

जिन लोगों ने जीवन के इन तलों पर बहुत खोज की है और गहराइयों में गए हैं और जिन लोगों ने जीवन के बहुत से अनुभव संगृहीत किए हैं, उनको यह जानना, यह सूत्र उपलब्ध हुआ है कि अगर संभोग एक मिनट तक रुकेगा तो आदमी दूसरे दिन फिर संभोग के लिए लालायित हो जाएगा। अगर तीन मिनट तक रुक सके तो एक सप्ताह तक उसे सेक्स की वह याद भी नहीं आएगी। और अगर सात मिनट तक रुक सके तो तीन महीने तक के लिए सेक्स से इस तरह मुक्त हो जाएगा कि

उसकी कल्पना में भी विचार प्रविष्ट नहीं होगा। और अगर तीन घंटे तक रुक सके तो जीवन भर के लिए मुक्त हो जाएगा, जीवन में उसको कल्पना भी नहीं उठेगी।

लेकिन सामान्यतः क्षण भर का अनुभव है मनुष्य का। तीन घंटे की कल्पना करनी भी मुश्किल है। लेकिन मैं आपसे कहता हूं कि तीन घंटे अगर संभोग की स्थिति में, उस समाधि की दशा में व्यक्ति रुक जाए तो एक संभोग पूरे जीवन के लिए सेक्स से मुक्त करने के लिए पर्याप्त है। इतनी तृप्ति पीछे छोड़ जाता है, इतना अनुभव, इतना बोध छोड़ जाता है कि जीवन भर के लिए पर्याप्त हो जाता है। एक संभोग के बाद व्यक्ति ब्रह्मचर्य को उपलब्ध हो सकता है।

लेकिन हम तो जीवन भर संभोग के बाद भी उपलब्ध नहीं होते। क्या है? बूढ़ा हो जाता है आदमी, मरने के करीब पहुंच जाता है और संभोग की कामना से मुक्त नहीं हो पाता! संभोग की कला और संभोग के शास्त्र को उसने समझा नहीं है। और न कभी किसी ने समझाया है, न विचार किया है, न सोचा है, न बात की है, कोई संवाद भी नहीं हुआ जीवन में--कि अनुभवी लोग उस पर संवाद करते और विचार करते। हम बिलकुल पशुओं से भी बदतर हालत पर उस स्थिति में हैं।
आप कहेंगे कि एक क्षण से तीन घंटे तक संभोग की दशा ठहर सकती है, लेकिन कैसे?

कुछ थोड़े से सूत्र आपको कहता हूं, उन्हें थोड़ा खयाल में रखेंगे तो ब्रह्मचर्य की तरफ जाने में बड़ी यात्रा सरल हो जाएगी। संभोग करते क्षणों में श्वास जितनी तेज होगी, संभोग का काल उतना ही छोटा होगा। श्वास जितनी शांत और शिथिल होगी, संभोग का काल उतना ही लंबा हो जाएगा। अगर श्वास को बिलकुल शिथिल रहने का थोड़ा सा अभ्यास किया जाए, तो संभोग के क्षणों को कितना ही लंबा किया जा सकता है। और संभोग के क्षण जितने लंबे होंगे, उतने ही संभोग के भीतर से समाधि का जो सूत्र मैंने आपसे कहा है--निरहंकार भाव, ईगोलेसनेस और टाइमलेसनेस का अनुभव शुरू हो जाएगा। श्वास अत्यंत शिथिल होनी चाहिए। श्वास के शिथिल होते ही संभोग की गहराई, अर्थ और नये उद्घाटन शुरू हो जाएंगे।

और दूसरी बात, संभोग के क्षण में ध्यान दोनों आंखों के बीच, जहां योग आज्ञाचक्र को बताता है, वहां अगर ध्यान हो तो संभोग की सीमा और समय तीन घंटों तक बढ़ाया जा सकता है। और एक संभोग व्यक्ति को सदा के लिए ब्रह्मचर्य में प्रतिष्ठित कर देगा--न केवल इस जन्म के लिए, बल्कि अगले जन्म के लिए भी।

किन्हीं एक बहन ने पत्र लिखा है और मुझे पूछा है कि विनोबा तो बाल-ब्रह्मचारी हैं, क्या उनको समाधि का अनुभव नहीं हुआ होगा? मेरे बाबत पूछा है कि मैंने तो विवाह नहीं किया, मैं तो बाल-ब्रह्मचारी हूं, मुझे समाधि का अनुभव नहीं हुआ होगा?

उन बहन को, अगर वे यहां मौजूद हों तो मैं कहना चाहता हूं, विनोबा को या मुझे या किसी को भी बिना अनुभव के ब्रह्मचर्य उपलब्ध नहीं होता--वह अनुभव चाहे इस जन्म का हो, चाहे पिछले जन्म का हो। जो इस जन्म में ब्रह्मचर्य को उपलब्ध होता है, वह पिछले जन्मों के गहरे संभोग के अनुभव के आधार पर, और किसी आधार पर नहीं। कोई और रास्ता नहीं है।

लेकिन अगर पिछले जन्म में किसी को गहरे संभोग की अनुभूति हुई हो तो इस जन्म के साथ ही वह सेक्स से मुक्त पैदा होगा। उसकी कल्पना के मार्ग पर सेक्स कभी भी खड़ा नहीं होगा। और उसे हैरानी होगी दूसरे लोगों को देख कर कि यह क्या बात है! लोग क्यों पागल हैं? क्यों दीवाने हैं? उसे कठिनाई होगी यह जांच करने में भी कि कौन स्त्री है, कौन पुरुष है? इसका भी हिसाब रखने में और फासला करने में कठिनाई होगी।

लेकिन कोई अगर सोचता हो कि बिना गहरे अनुभव के कोई बाल-ब्रह्मचारी हो सकता है, तो बाल-ब्रह्मचारी नहीं होगा, सिर्फ पागल हो जाएगा। जो लोग जबरदस्ती ब्रह्मचर्य थोपने की कोशिश करते हैं, वे सिर्फ विक्षिप्त होते हैं, और कहीं भी नहीं पहुंचते।

ब्रह्मचर्य थोपा नहीं जाता। वह अनुभव की निष्पत्ति है। वह किसी गहरे अनुभव का फल है। और वह अनुभव संभोग का ही अनुभव है। अगर वह अनुभव एक बार भी हो जाए तो अनंत जीवन की यात्रा के लिए सेक्स से मुक्ति हो जाती है।

तो दो बातें मैंने कहीं उस गहराई के लिए--श्वास शिथिल हो, इतनी शिथिल हो कि जैसे चलती ही नहीं; और ध्यान, सारा अटेंशन आज्ञाचक्र के पास हो, दोनों आंखों के बीच के बिंदु पर हो। जितना ध्यान मस्तिष्क के पास होगा, उतने ही संभोग की गहराई अपने आप बढ़ जाएगी। और जितनी श्वास शिथिल होगी, उतनी लंबाई बढ़ जाएगी। और आपको पहली दफा अनुभव होगा कि संभोग का आकर्षण नहीं है मनुष्य के मन में, मनुष्य के मन में समाधि का आकर्षण है। और एक बार उसकी झलक मिल जाए, एक बार बिजली चमक जाए और हमें दिखाई पड़ जाए अंधेरे में कि रास्ता क्या है, फिर हम रास्ते पर आगे निकल सकते हैं।

एक आदमी एक गंदे घर में बैठा है। दीवालें अंधेरी हैं और धुएं से पुती हुई हैं। घर बदबू से भरा हुआ है। लेकिन खिड़की खोल सकता है। उस गंदे घर की खिड़की में खड़े होकर भी वह देख सकता है--दूर आकाश को, तारों को, सूरज को, उड़ते हुए पक्षियों को। और तब उस घर के बाहर निकलने में कठिनाई न रह जाएगी।

जिसे एक बार दिखाई पड़ गया कि बाहर निर्मल आकाश है, सूरज है, चांद है, तारे हैं, उड़ते हुए पक्षी हैं, हवाओं में झूमते हुए वृक्ष और फूलों की सुगंध है, मुक्ति है बाहर, वह फिर अंधेरी और धुएं से भरी हुई और सीलन और बदबू से भरी हुई कोठरियों में बैठने को राजी नहीं होगा, वह बाहर निकल जाएगा। जिस दिन आदमी को संभोग के भीतर समाधि की पहली, थोड़ी सी भी अनुभूति होती है, उसी दिन सेक्स का गंदा मकान, सेक्स की दीवालें, अंधेरे से भरी हुई व्यर्थ हो जाती हैं और आदमी बाहर निकल आता है।

लेकिन यह जानना जरूरी है कि साधारणतः हम उस मकान के भीतर पैदा होते हैं, जिसकी दीवालें बंद हैं, जो अंधेरे से पुती हैं, जहां बदबू है, जहां दुर्गंध है। और इस मकान के भीतर ही पहली दफा मकान के बाहर का अनुभव करना जरूरी है, तभी हम बाहर जा सकते हैं और इस मकान को छोड़ सकते हैं। जिस आदमी ने खिड़की नहीं खोली उस मकान की और उसी मकान के कोने में आंख बंद करके बैठ गया है कि मैं इस गंदे मकान को नहीं देखूंगा, वह चाहे देखे और चाहे न देखे, वह गंदे मकान के भीतर ही है और भीतर ही रहेगा।

जिनको आप ब्रह्मचारी कहते हैं--तथाकथित जबरदस्ती थोपे हुए ब्रह्मचारी-- वे सेक्स के मकान के भीतर उतने ही हैं, जितना कि कोई भी साधारण आदमी है। वे आंख बंद किए बैठे हैं, आप आंख खोले हुए बैठे हैं, इतना ही फर्क है। जो आप आंख खोल कर कर रहे हैं, वे आंख बंद करके भीतर कर रहे हैं। जो आप शरीर से कर रहे हैं, वे मन से कर रहे हैं। और कोई भी फर्क नहीं है।

इसलिए मैं कहता हूं कि संभोग के प्रति दुर्भाव छोड़ दें। समझने की चेष्टा, प्रयोग करने की चेष्टा करें, और संभोग को एक पवित्रता की स्थिति दें।

मैंने दो सूत्र कहे। तीसरी एक भाव-दशा चाहिए संभोग के पास जाते समय, वैसी भाव-दशा जैसे कोई मंदिर के पास जाता है। क्योंकि संभोग के क्षण में हम परमात्मा के निकटतम होते हैं। इसीलिए तो संभोग में परमात्मा सृजन का काम करता है और नये जीवन को जन्म देता है। हम क्रिएटर के निकटतम होते हैं।

संभोग की अनुभूति में हम स्रष्टा के निकटतम होते हैं। इसीलिए तो हम मार्ग

बन जाते हैं और एक नया जीवन हमसे उतरता है और गतिमान हो जाता है। हम जन्मदाता बन जाते हैं।

क्यों?

स्त्रष्टा के निकटतम है वह स्थिति। अगर हम पवित्रता से, प्रार्थना से सेक्स के पास जाएं, तो हम परमात्मा की झलक को अनुभव कर सकते हैं। लेकिन हम तो सेक्स के पास एक घृणा, एक दुर्भाव, एक कंडेमनेशन के साथ जाते हैं। इसलिए दीवाल खड़ी हो जाती है और परमात्मा का वहां कोई अनुभव नहीं हो पाता।

सेक्स के पास ऐसे जाएं जैसे मंदिर के पास। पत्नी को ऐसा समझें जैसे कि वह प्रभु है। पति को ऐसा समझें जैसे कि वह परमात्मा है। और गंदगी में, क्रोध में, कठोरता में, द्वेष में, ईर्ष्या में, जलन में, चिंता के क्षणों में कभी भी सेक्स के पास न जाएं। होता उलटा है। जितना आदमी चिंतित होता है, जितना परेशान होता है, जितना क्रोध से भरा होता है, जितना घबराया होता है, जितना एंग्विश में होता है, उतना ही ज्यादा वह सेक्स के पास जाता है।

आनंदित आदमी सेक्स के पास नहीं जाता। दुखी आदमी सेक्स की तरफ जाता है। क्योंकि दुख को भुलाने के लिए इसको एक मौका दिखाई पड़ता है।

लेकिन स्मरण रखें कि जब आप दुख में जाएंगे, चिंता में जाएंगे, उदास, हारे हुए, क्रोध में, लड़े हुए जाएंगे, तब आप कभी भी सेक्स की उस गहरी अनुभूति को उपलब्ध नहीं कर पाएंगे, जिसकी कि प्राणों में प्यास है। वह समाधि की झलक वहां नहीं मिलेगी। लेकिन यही उलटा होता है।

मेरी प्रार्थना है: जब आनंद में हों, जब प्रेम में हों, जब प्रफुल्लित हों और जब प्राण प्रेयरफुल हों, जब ऐसा मालूम पड़े कि आज हृदय शांति से और आनंद से, कृतज्ञता से भरा हुआ है, तभी क्षण है--तभी क्षण है संभोग के निकट जाने का। और वैसा व्यक्ति संभोग में समाधि को उपलब्ध होता है। और एक बार भी समाधि की एक किरण मिल जाए तो संभोग से सदा के लिए मुक्त हो जाता है और समाधि में गतिमान हो जाता है।

स्त्री और पुरुष का मिलन एक बहुत गहरा अर्थ रखता है। स्त्री और पुरुष के मिलन में पहली बार अहंकार टूटता है और हम किसी से मिलते हैं।

मां के पेट से बच्चा निकलता है और दिन-रात उसके प्राणों में एक ही बात लगी रहती है, जैसे कि हमने किसी वृक्ष को उखाड़ लिया जमीन से, तो उस पूरे वृक्ष के प्राण तड़फते हैं कि जमीन से कैसे वापस जुड़ जाए। क्योंकि जमीन से जुड़ा हुआ

होकर ही उसे प्राण मिलता था, रस मिलता था, जीवन मिलता था, वाइटेलिटी मिलती थी। जमीन से उखड़ गया, तो उसकी सारी जड़ें चिल्लाएंगी कि मुझे जमीन में वापस भेज दो! उसका सारा प्राण चिल्लाएगा कि मुझे जमीन में वापस भेज दो! वह उखड़ गया, टूट गया, अपरूटेड हो गया।

आदमी जैसे ही मां के पेट से बाहर निकलता है, अपरूटेड हो जाता है। वह सारे जीवन और जगत् से एक अर्थ में टूट गया, अलग हो गया। अब उसकी सारी पुकार और सारे प्राणों की आकांक्षा जगत और जीवन और अस्तित्व से, एक्झिस्टेंस से वापस जुड़ जाने की है। उसी पुकार का नाम प्रेम की प्यास है।

प्रेम का और अर्थ क्या है? हर आदमी चाह रहा है कि मैं प्रेम पाऊं और प्रेम करूं! प्रेम का मतलब क्या है?

प्रेम का मतलब है कि मैं टूट गया हूं, आइसोलेट हो गया हूं, अलग हो गया हूं, मैं वापस जुड़ जाऊं जीवन से। लेकिन इस जुड़ने का गहरे से गहरा अनुभव मनुष्य को सेक्स के अनुभव में होता है, स्त्री और पुरुष को होता है। वह पहला अनुभव है जुड़ जाने का। और जो व्यक्ति इस जुड़ जाने के अनुभव को प्रेम की प्यास, जुड़ने की आकांक्षा के अर्थ में समझेगा, वह आदमी एक दूसरे अनुभव को भी शीघ्र उपलब्ध हो सकता है।

योगी भी जुड़ता है, साधु भी जुड़ता है, संत भी जुड़ता है, समाधिस्थ व्यक्ति भी जुड़ता है, संभोगी व्यक्ति भी जुड़ता है।

संभोग करने में दो व्यक्ति जुड़ते हैं। एक व्यक्ति दूसरे व्यक्ति से जुड़ता है और एक हो जाता है।

समाधि में एक व्यक्ति समष्टि से जुड़ता है और एक हो जाता है।

संभोग दो व्यक्तियों के बीच मिलन है।

समाधि एक व्यक्ति और अनंत के बीच मिलन है।

स्वभावतः, दो व्यक्तियों का मिलन क्षण भर को हो सकता है। एक व्यक्ति और अनंत का मिलन अनंत के लिए हो सकता है। दोनों व्यक्ति सीमित हैं, उनका मिलन असीम नहीं हो सकता है। यही पीड़ा है, यही कष्ट है सारे दांपत्य का, सारे प्रेम का--कि जिससे हम जुड़ना चाहते हैं उससे भी सदा के लिए नहीं जुड़ पाते, क्षण भर को जुड़ते हैं और फिर फासले हो जाते हैं। फासले पीड़ा देते हैं, फासले कष्ट देते हैं, और निरंतर दो प्रेमी इसी पीड़ा में परेशान रहते हैं कि फासला क्यों है? और हर चीज फिर धीरे-धीरे ऐसी मालूम पड़ने लगती है कि दूसरा फासला बना रहा है। इसलिए दूसरे

पर क्रोध पैदा होना शुरू हो जाता है।

लेकिन जो जानते हैं, वे यह कहेंगे कि दो व्यक्ति अनिवार्यतः दो अलग-अलग व्यक्ति हैं। वे जबरदस्ती क्षण भर को मिल सकते हैं, लेकिन सदा के लिए नहीं मिल सकते। यही प्रेमियों की पीड़ा और कष्ट है कि निरंतर एक संघर्ष खड़ा हो जाता है। जिसे प्रेम करते हैं, उसी से संघर्ष खड़ा हो जाता है; उसी से तनाव, अशांति और द्वेष खड़ा हो जाता है! क्योंकि ऐसा प्रतीत होने लगता है, जिससे मैं मिलना चाहता हूं, शायद वह मिलने को तैयार नहीं, इसलिए मिलना पूरा नहीं हो पाता।

लेकिन इसमें व्यक्तियों का कसूर नहीं है। दो व्यक्ति अनंतकालीन तल पर नहीं मिल सकते, एक क्षण के लिए मिल सकते हैं। क्योंकि व्यक्ति सीमित हैं, उनके मिलने का क्षण भी सीमित होगा। अगर अनंत मिलन चाहिए तो वह परमात्मा से हो सकता है, वह समस्त अस्तित्व से हो सकता है।

जो लोग संभोग की गहराई में उतरते हैं, उन्हें पता चलता है--एक क्षण मिलने का इतना आनंद है, तो अनंतकाल के लिए मिल जाने का कितना आनंद होगा! उसका तो हिसाब लगाना मुश्किल है। एक क्षण के मिलन की इतनी अदभुत प्रतीति है, तो अनंत से मिल जाने की कितनी प्रतीति होगी, कैसी प्रतीति होगी!

जैसे एक घर में दीया जल रहा हो और उस दीये से हम हिसाब लगाना चाहें कि सूरज की रोशनी में कितने दीये जल रहे हैं? हिसाब लगाना बहुत मुश्किल हो जाएगा। एक दीया बहुत छोटी बात है। सूरज बहुत बड़ी बात है। सूरज पृथ्वी से साठ हजार गुना बड़ा है। दस करोड़ मील दूर है, तब भी हमें तपाता है, तब भी हमें झुलसा देता है। उतने बड़े सूरज को एक छोटे से दीये से हम तौलने जाएं तो कैसे तोल सकेंगे?

लेकिन नहीं, एक दीये से सूरज को तौला जा सकता है; क्योंकि दीया भी सीमित है और सूरज भी सीमित है। दीये में एक कैंडल का लाइट है, तो अरबों-खरबों कैंडल का लाइट होगा सूरज में; लेकिन सीमा आंकी जा सकती है, तौली जा सकती है।

लेकिन संभोग में जो आनंद है और समाधि में जो आनंद है, उसे फिर भी नहीं तौला जा सकता। क्योंकि संभोग अत्यंत क्षणिक दो क्षुद्र व्यक्तियों का मिलन है और समाधि बूंद का अनंत के सागर से मिल जाना है। उसे कोई भी नहीं तौला जा सकता है। उसे तौलने का कोई भी उपाय नहीं है। उसे कोई मार्ग नहीं कि हम जांचें कि वह कितना होगा। इसलिए जब वह उपलब्ध होता है--जब वह उपलब्ध हो जाता है--

तो फिर कहां सेक्स! फिर कहां संभोग! फिर कहां कामना! जब उतना अनंत मिल गया तब कोई कैसे सोचेगा, कैसे विचार करेगा उस क्षण भर के सुख को पाने के लिए! तब वह सुख दुख जैसा प्रतीत होता है। तब वह सुख पागलपन जैसा प्रतीत होता है। तब वह सुख शक्ति का अपव्यय प्रतीत होता है। और ब्रह्मचर्य सहज फलित हो जाता है।

लेकिन संभोग और समाधि के बीच एक सेतु है, एक ब्रिज है, एक यात्रा है, एक मार्ग है। समाधि जिसका अंतिम छोर है आकाश में जाकर, संभोग उस सीढ़ी का पहला सोपान है, पहला पाया है। और जो इस पाए के ही विरोध में हो जाते हैं वे आगे नहीं बढ़ पाते, यह मैं आपसे कह देना चाहता हूं। जो इस पहले पाए को इनकार करने लगते हैं वे दूसरे पाए पर पैर नहीं रख सकते हैं, मैं आपसे यह कह देना चाहता हूं। इस पहले पाए पर भी अनुभव से, ज्ञान से, बोध से पैर रखना जरूरी है। इसलिए नहीं कि हम उसी पर रुके रह जाएं, बल्कि इसलिए कि हम उस पर पैर रख कर आगे निकल जा सकें।

लेकिन मनुष्य-जाति के साथ एक अदभुत दुर्घटना हो गई। जैसा मैंने कहा, वह पहले पाए के विरोध में हो गया है और अंतिम पाए पर पहुंचना चाहता है! उसे पहले पाए का ही अनुभव नहीं, उसे दीये का भी अनुभव नहीं और वह सूरज के अनुभव की आकांक्षा करता है। यह कभी भी नहीं हो सकेगा। जो दीया मिला है प्रकृति की तरफ से, पहले उस दीये की रोशनी को समझ लेना जरूरी है। पहले उस दीये की हलकी सी रोशनी को, जो क्षण भर में जीती है और बुझ जाती है, जरा सा हवा का झोंका जिसे मिटा देता है, उस रोशनी को भी जान लेना जरूरी है। ताकि सूरज की आकांक्षा की जा सके, ताकि सूरज तक पहुंचने के लिए कदम उठाया जा सके, ताकि सूरज की प्यास, असंतोष, आकांक्षा और अभीप्सा भीतर पैदा हो सके।

संगीत के एक छोटे से अनुभव से उस परम संगीत की तरफ जाया जा सकता है। प्रकाश के एक छोटे से अनुभव से अनंत प्रकाश की तरफ जाया जा सकता है। एक बूंद को जान लेना, पूरे सागर को जान लेने के लिए पहला कदम है। एक छोटे से अणु को जान कर हम पदार्थ की सारी शक्ति को जान लेते हैं।

संभोग का एक छोटा सा अणु है, जो प्रकृति की तरफ से मनुष्य को मुफ्त में मिला हुआ है। लेकिन हम उसे जान नहीं पाते हैं। आंख बंद करके जी लेते हैं किसी तरह, पीठ फेर कर जी लेते हैं किसी तरह। उसकी स्वीकृति नहीं है हमारे मन में, स्वीकार नहीं है हमारे मन में। आनंद और अहोभाव से उसे जानने और जीने और

उसमें प्रवेश करने की कोई विधि नहीं है हमारे हाथ में।

मैंने जैसा आपसे कहा, जिस दिन आदमी इस विधि को जान पाएगा, उस दिन हम दूसरे तरह के मनुष्य को पैदा करने में समर्थ हो जाएंगे।

मैं इस संदर्भ में आपसे यह कहना चाहता हूं कि स्त्री और पुरुष दो अपोजिट पोल्स हैं विद्युत के--पाजिटिव और निगेटिव, विधायक और नकारात्मक दो छोर हैं। उन दोनों के मिलन से एक संगीत पैदा होता है; विद्युत का पूरा चक्र पैदा होता है।

मैं आपसे यह भी कहना चाहता हूं कि जैसा मैंने कहा कि अगर गहराई और देर तक संभोग थिर रह जाए--स्त्री और पुरुष का एक जोड़ा अगर आधे घंटे के पार तक संभोग में रह जाए--तो दोनों के पास प्रकाश का एक वलय, दोनों के पास प्रकाश का एक घेरा निर्मित हो जाता है। दोनों की विद्युत जब पूरी तरह मिलती है तो आस-पास अंधेरे में भी एक रोशनी दिखाई पड़ने लगती है।

कुछ अदभुत खोजियों ने उस दिशा में काम किया है और फोटोग्राफ भी लिए हैं। जिस जोड़े को उस विद्युत का अनुभव उपलब्ध हो जाता है, वह जोड़ा सदा के लिए संभोग के बाहर हो जाता है।

लेकिन यह हमारा अनुभव नहीं है। और ये बातें अजीब लगेंगी, कि यह तो हमारे अनुभव में नहीं है यह बात। अगर अनुभव में नहीं है तो उसका मतलब है कि आप फिर से सोचें, फिर से देखें और जिंदगी को--कम से कम सेक्स की जिंदगी को--क ख ग से फिर से शुरू करें।

समझने के लिए, बोधपूर्वक जीने के लिए—मेरी अपनी अनुभूति यह है, मेरी अपनी धारणा यह है कि महावीर या बुद्ध या क्राइस्ट और कृष्ण आकस्मिक रूप से पैदा नहीं हो जाते हैं। यह उन दो व्यक्तियों के परिपूर्ण मिलन का परिणाम है। मिलन जितना गहरा होगा, जो संतति पैदा होगी वह उतनी ही अदभुत होगी। मिलन जितना अधूरा होगा, जो संतति पैदा होगी वह उतनी ही कचरा और दलित होगी।

आज सारी दुनिया में मनुष्यता का स्तर रोज नीचे चला जा रहा है। लोग कहते हैं कि नीति बिगड़ गई है, इसलिए स्तर नीचे जा रहा है। लोग कहते हैं कि कलियुग आ गया है, इसलिए स्तर नीचे जा रहा है। गलत, बेकार की और फिजूल की बातें कहते हैं।

सिर्फ एक फर्क पड़ा है। मनुष्य के संभोग का स्तर नीचे उतर गया है। मनुष्य के संभोग ने पवित्रता खो दी है। मनुष्य के संभोग ने वैज्ञानिकता खो दी है, सरलता और प्राकृतिकता खो दी है। मनुष्य का संभोग जबरदस्ती, एक नाइटमेयर, एक दुखद

स्वप्न जैसा हो गया है। मनुष्य के संभोग ने एक हिंसात्मक स्थिति ले ली है। वह एक प्रेमपूर्ण कृत्य नहीं है, वह एक पवित्र और शांत कृत्य नहीं है, वह एक ध्यानपूर्ण कृत्य नहीं है। इसलिए मनुष्य नीचे उतरता चला जाएगा।

एक कलाकार कुछ चीज बनाता हो--कोई मूर्ति बनाता हो--और कलाकार नशे में हो, तो आप आशा करते हैं कि कोई सुंदर मूर्ति बन पाएगी? एक नृत्यकार नाच रहा हो, क्रोध से भरा हो, अशांत हो, चिंतित हो, तो आप आशा करते हैं कि नृत्य सुंदर हो सकेगा?

हम जो भी करते हैं, वह हम किस स्थिति में हैं, इस पर निर्भर होता है। और सबसे ज्यादा उपेक्षित, निग्लेक्टेड सेक्स है, संभोग है।

और बड़े आश्चर्य की बात है, उसी संभोग से जीवन की सारी यात्रा चलती है! नये बच्चे, नई आत्माएं जगत में प्रवेश करती हैं!

शायद आपको पता न हो, संभोग एक सिचुएशन है, जिसमें एक आकाश में उड़ती हुई आत्मा अपने योग्य स्थिति को समझ कर प्रविष्ट होती है। आप सिर्फ एक अवसर पैदा करते हैं। आप बच्चे के जन्मदाता नहीं हैं, सिर्फ एक अवसर पैदा करते हैं। वह अवसर जिस आत्मा के लिए जरूरी, उपयोगी और सार्थक मालूम होता है, वह आत्मा प्रविष्ट होती है।

अगर आपने एक रुग्ण अवसर पैदा किया है, अगर क्रोध में, दुख में, पीड़ा में और चिंता में आप हैं, तो जो आत्मा अवतरित होगी वह आत्मा इसी तल की हो सकती है, इससे ऊंचे तल की नहीं हो सकती है।

श्रेष्ठ आत्माओं की पुकार के लिए श्रेष्ठ संभोग का अवसर और सुविधा चाहिए, तो श्रेष्ठ आत्माएं जन्मती हैं और जीवन ऊपर उठता है।

इसलिए मैंने कहा कि जिस दिन आदमी संभोग के पूरे शास्त्र में निष्णात होगा, जिस दिन हम छोटे-छोटे बच्चों से लेकर सारे जगत को उस कला और विज्ञान के संबंध में सारी बात कह सकेंगे और समझा सकेंगे, उस दिन हम बिलकुल नये मनुष्य को--जिसे नीत्शे सुपरमैन कहता था, जिसे अरविंद अतिमानव कहते थे, जिसको महान आत्मा कहा जा सके--वैसा बच्चा, वैसी संतति, वैसा जगत निर्मित किया जा सकता है। और जब तक हम ऐसा जगत निर्मित नहीं कर लेते हैं, तब तक न शांति हो सकती है विश्व में, न युद्ध रुक सकते हैं, न घृणा रुकेगी, न अनीति रुकेगी, न दुश्चरित्रता रुकेगी, न व्यभिचार रुकेगा, न जीवन का यह अंधकार रुकेगा। लाख राजनीतिज्ञ चिल्लाते रहें... (बारिश की हलकी बौछारें, श्रोताओं में

कुछ हलन-चलन।) मत फिक्र करें, यह पांच मिनट के पानी गिरने से कोई फर्क नहीं पड़ेगा। बंद कर लें छाते! क्योंकि दूसरे लोगों के पास छाते नहीं हैं; यह बहुत अधार्मिक होगा कि कुछ लोग छाता खोल लें। उसे बंद कर लें! सबके पास छाते होते तो ठीक था। और लोगों के पास नहीं हैं और आप खोल कर बैठेंगे तो कैसा बेहूदा होगा, कैसा असंस्कृत होगा। उसको बंद कर लें! मैं जरूर, मेरे ऊपर छप्पर है, तो जितनी देर आप पानी में बैठे रहेंगे, मीटिंग के बाद उतनी देर मैं पानी में खड़ा हो जाऊंगा।

...नहीं मिटेंगे युद्ध, नहीं मिटेगी अशांति, नहीं मिटेगी हिंसा, नहीं मिटेगी ईर्ष्या। कितने दिन हो गए! दस हजार साल हो गए! मनुष्य-जाति के पैगंबर, तीर्थंकर, अवतार समझा रहे हैं कि मत लड़ो, मत करो हिंसा, मत करो क्रोध। लेकिन किसी ने कभी नहीं सुना। जिन्होंने हमें समझाया कि मत करो हिंसा, मत करो क्रोध, उनको हमने सूली पर लटका दिया।

यह उनकी शिक्षा का फल हुआ। गांधी हमें समझाते थे कि प्रेम करो, एक हो जाओ! हमने गोली मार दी। यह कुल उनकी शिक्षा का फल हुआ।

दुनिया के सारे मनुष्य, सारे महापुरुष हार गए हैं, यह समझ लेना चाहिए। असफल हो चुके हैं। आज तक का कोई भी मूल्य जीत नहीं सका। सब मूल्य हार गए। सब मूल्य असफल हो गए। बड़े से बड़े पुकारने वाले लोग, भले से भले लोग भी हार गए और समाप्त हो गए। और आदमी रोज अंधेरे और नरक में चला जाता रहा है। क्या इससे यह पता नहीं चलता कि हमारी शिक्षाओं में कहीं कोई बुनियादी भूल है!

अशांत आदमी इसलिए अशांत है कि वह अशांति में जन्मता है। उसके पास अशांति के कीटाणु हैं। उसके प्राणों की गहराई में अशांति का रोग है। जन्म के पहले दिन वह अशांति को, दुख और पीड़ा को लेकर पैदा हुआ है। जन्म के पहले क्षण में ही उसके जीवन का सारा स्वरूप निर्मित हो गया है। इसलिए बुद्ध हार जाएंगे, महावीर हारेंगे, कृष्ण हारेंगे, क्राइस्ट हारेंगे। हार चुके हैं। हम शिष्टतावश यह कहते हों कि वे नहीं हारे हैं तो दूसरी बात है, लेकिन वे सब हार चुके हैं।

और आदमी रोज बिगड़ता चला गया है, रोज बिगड़ता गया है। अहिंसा की इतने दिन की शिक्षा, और हम छुरी से एटम और हाइड्रोजन बम पर पहुंच गए हैं। यह अहिंसा की शिक्षा की सफलता होगी?

पिछले पहले महायुद्ध में तीन करोड़ लोगों की हमने हत्या की थी। और उसके

बाद--शांति और प्रेम की बातें करने के बाद--दूसरे महायुद्ध में हमने साढ़े सात करोड़ लोगों की हत्या की। और उसके बाद भी चिल्ला रहे हैं बर्ट्रेंड रसेल से लेकर विनोबा तक सारे लोग कि शांति चाहिए, शांति चाहिए, और हम तीसरे महायुद्ध की तैयारी कर रहे हैं। और तीसरा महायुद्ध दूसरे महायुद्ध को बच्चों का खेल बना देगा।

आइंस्टीन से किसी ने पूछा था कि तीसरे महायुद्ध में क्या होगा? आइंस्टीन ने कहा कि तीसरे के बाबत कुछ भी नहीं कहा जा सकता, लेकिन चौथे के संबंध में मैं कुछ कह सकता हूं। पूछने वालों ने कहा, आश्चर्य! आप तीसरे के संबंध में नहीं कह सकते तो चौथे के संबंध में क्या कहेंगे?

आइंस्टीन ने कहा, चौथे के संबंध में एक बात निश्चित है कि चौथा महायुद्ध कभी नहीं होगा। क्योंकि तीसरे के बाद किसी आदमी के बचने की कोई उम्मीद नहीं।

यह मनुष्य की सारी नैतिक और धार्मिक शिक्षा का फल है। मैं आपसे कहना चाहता हूं, इसकी बुनियादी वजह दूसरी है। जब तक हम मनुष्य के संभोग को सुव्यवस्थित, मनुष्य के संभोग को आध्यात्मिक, जब तक हम मनुष्य के संभोग को समाधि का द्वार बनाने में सफल नहीं होते, तब तक अच्छी मनुष्यता पैदा नहीं हो सकती है। रोज बदतर से बदतर मनुष्यता पैदा होगी, क्योंकि आज के बदतर बच्चे कल संभोग करेंगे और अपने से बदतर लोगों को जन्म दे जाएंगे। हर पीढ़ी नीचे उतरती चली जाएगी, यह बिलकुल ही निश्चित है, इसकी प्रोफेसी की जा सकती है, इसकी भविष्यवाणी की जा सकती है।

और अब तो हम उस जगह पहुंच गए हैं कि शायद और पतन की गुंजाइश नहीं है। करीब-करीब सारी दुनिया एक मैड हाउस, एक पागलखाना हो गई है।

अमेरिका के मनोवैज्ञानिकों ने हिसाब लगाया है कि न्यूयार्क जैसे नगर में केवल अठारह प्रतिशत लोग मानसिक रूप से स्वस्थ कहे जा सकते हैं। अठारह प्रतिशत! अठारह प्रतिशत लोग मानसिक रूप से स्वस्थ हैं, तो बयासी प्रतिशत लोगों की क्या हालत है? बयासी प्रतिशत लोग करीब-करीब विक्षिप्त होने की हालत में हैं।

आप कभी अपने संबंध में कोने में बैठ कर विचार करना, तो आपको पता चलेगा कि पागलपन कितना है भीतर! किसी तरह दबाए हैं पागलपन को, किसी तरह सम्हल कर चले जा रहे हैं, वह बात दूसरी है। जरा सा कोई धक्का दे दे, और कोई भी आदमी पागल हो सकता है।

यह संभावना है कि सौ वर्ष के भीतर सारी मनुष्यता एक पागलघर बन जाए,

सारे लोग करीब-करीब पागल हो जाएं! फिर हमें एक फायदा होगा कि पागलों के इलाज की कोई जरूरत न रहेगी। एक फायदा होगा कि पागलों के चिकित्सक नहीं होंगे। एक फायदा होगा कि कोई अनुभव नहीं करेगा कि कोई पागल है। क्योंकि पागल का पहला लक्षण यह है कि वह कभी नहीं मानता कि मैं पागल हूं। इतना ही फायदा होगा।

लेकिन यह रुग्णता बढ़ती चली जाती है। यह रोग, यह अस्वास्थ्य, यह मानसिक चिंता और मानसिक अंधकार बढ़ता चला जाता है। क्या मैं आपसे कहूं कि सेक्स को स्प्रिचुएलाइज किए बिना, संभोग को आध्यात्मिक बनाए बिना कोई नई मनुष्यता पैदा नहीं हो सकती है?

इन तीन दिनों में यही थोड़ी सी बातें मैंने आपसे कहीं। निश्चित ही एक नये मनुष्य को जन्म देना है। मनुष्य के प्राण आतुर हैं ऊंचाइयों को छूने के लिए, आकाश में उठ जाने के लिए, चांद-तारों जैसे रोशन होने के लिए, फूलों जैसे खिल जानें के लिए, नृत्य के लिए, संगीत के लिए, आदमी की आत्मा रोती है और प्यासी है। और आदमी कोल्हू के बैल की तरह एक चक्कर में घूमता है और उसी में समाप्त हो जाता है, चक्कर के बाहर नहीं उठ पाता है! क्या है कारण?

कारण एक ही है। मनुष्य के जन्म की प्रक्रिया बेहूदी है, एब्सर्ड है। मनुष्य के पैदा होने की विधि पागलपन से भरी हुई है। मनुष्य के संभोग को हम द्वार नहीं बना सके समाधि का, इसलिए। मनुष्य का संभोग समाधि का द्वार बन सकता है।

इन तीन दिनों में इसी छोटे से मंत्र पर मैंने सारी बातें कहीं। और अंत में एक बात दोहरा दूं और आज की चर्चा मैं पूरी करूं।

मैं यह कह देना चाहता हूं कि जीवन के सत्यों से आंखें चुराने वाले लोग मनुष्य के शत्रु हैं। जो आपसे कहे कि संभोग और सेक्स की बात विचार भी नहीं करनी चाहिए, वह आदमी मनुष्य का दुश्मन है। क्योंकि ऐसे ही दुश्मनों ने हमें सोचने नहीं दिया। अन्यथा यह कैसे संभव था कि हम आज तक वैज्ञानिक दृष्टि न खोज लेते और जीवन को नया करने का प्रयोग न खोज लेते!

जो आपसे कहे कि सेक्स का धर्म से कोई संबंध नहीं है, वह आदमी सौ प्रतिशत गलत बात कहता है। क्योंकि सेक्स की ऊर्जा ही परिवर्तित और रूपांतरित होकर धर्म के जगत में प्रवेश पाती है। वीर्य की शक्ति ही ऊर्ध्वस्वी होकर मनुष्य को उन लोकों में ले जाती है, जिनका हमें कोई भी पता नहीं है, जहां कोई मृत्यु नहीं है, जहां कोई दुख नहीं है, जहां आनंद के अतिरिक्त और कोई अस्तित्व नहीं है। उस

सत्-चित्-आनंद में ले जाने वाली शक्ति और ऊर्जा किसके पास है और कहां है?

हम उसे व्यय कर रहे हैं। हम उन पात्रों की तरह हैं जिनमें छेद हैं, जिन्हें हम कुओं में डालते हैं खींचने के लिए। ऊपर तक पात्र तो आ जाता है, शोरगुल भी बीच में बहुत होता है और पानी गिरता है और लगता है कि पानी आता होगा। लेकिन पानी सब बीच में गिर जाता है, खाली पात्र हाथ में वापस आ जाते हैं।

हम उन नावों की तरह हैं जिनमें छेद हैं। हम नावों को खेते हैं--सिर्फ डूबने के लिए; नावें किसी किनारे पर नहीं पहुंचा पातीं, सिर्फ मझधार में डुबा देती हैं और नष्ट कर देती हैं।

और ये सारे छिद्र मनुष्य की सेक्स ऊर्जा के गलत मार्गों से प्रवाहित और बह जाने के कारण हैं। और उन गलत मार्गों पर बहाने वाले लोग वे नहीं हैं जिन्होंने नंगी तस्वीरें लटकाई हैं, वे नहीं हैं जिन्होंने नंगे उपन्यास लिखे हैं, वे नहीं हैं जो नंगी फिल्में बना रहे हैं।

मनुष्य की ऊर्जा को विकृत करने वाले वे लोग हैं जिन्होंने मनुष्य को सेक्स के सत्य से परिचित होने में बाधा दी है। और वे ही लोगों के कारण ये नंगी तस्वीरें बिक रही हैं, नंगी फिल्में बिक रही हैं, लोग नंगे क्लबों को ईजाद कर रहे हैं और गंदगी के नये-नये और बेहूदगी के नये-नये रास्ते निकाल रहे हैं।

किनके कारण? ये उनके कारण जिनको हम साधु और संन्यासी कहते हैं! उन्होंने इनके बाजार का रास्ता तैयार किया है। अगर गौर से हम देखें तो वे इनके विज्ञापनदाता हैं, वे इनके एजेंट हैं।

एक छोटी सी कहानी, मैं अपनी बात पूरी कर दूंगा।

एक पुरोहित जा रहा था अपने चर्च की तरफ। दूर था गांव, भागा हुआ चला जा रहा था। तभी उसे पास की खाई में जंगल में एक आदमी पड़ा हुआ दिखाई पड़ा--घावों से भरा हुआ, खून बह रहा है, छुरी उसकी छाती में चुभी है।

पुरोहित को खयाल आया कि चलूं, मैं इसे उठा लूं। लेकिन उसने देखा कि चर्च पहुंचने में देर हो जाएगी और वहां उसे व्याख्यान देना है और लोगों को समझाना है। आज वह प्रेम के संबंध में ही समझाने जाता था। आज उसने विषय चुना था : लव इज़ गॉड। क्राइस्ट के वचन को चुना था कि ईश्वर, परमात्मा प्रेम है। वह यही समझाने जा रहा था, वह उसी का हिसाब लगाता हुआ भागा जा रहा है। लेकिन उस आदमी ने आंखें खोलीं और उसने चिल्लाया कि पुरोहित, मुझे पता है कि तू प्रेम पर बोलने जा रहा है। मैं भी आज सुनने आने वाला था। लेकिन दुष्टों ने मुझे छुरी मार

कर यहां पटक दिया है। लेकिन याद रख, अगर मैं जिंदा रह गया तो गांव भर में खबर कर दूंगा कि आदमी मर रहा था और यह आदमी प्रेम पर व्याख्यान देने चला गया! देख, आगे मत बढ़!

इससे पुरोहित को थोड़ा डर लगा। क्योंकि अगर यह आदमी जिंदा रह जाए और गांव में खबर कर दे, तो लोग कहेंगे कि प्रेम का व्याख्यान बड़ा झूठा था, आपने इस आदमी की फिक्र न की जो मरता था! तो मजबूरी में उसे नीचे उतर कर उसके पास जाना पड़ा। वहां जाकर उसका चेहरा देखा तो वह बहुत घबराया। चेहरा तो पहचाना हुआ सा मालूम पड़ता था! उसने कहा, ऐसा मालूम होता है मैंने तुम्हें कहीं देखा है! और उस मरणासन्न आदमी ने कहा, जरूर देखा होगा। मैं शैतान हूं, और पादरियों से अपना पुराना नाता है। तुमने नहीं देखा होगा तो किसने मुझे देखा होगा!

तब उसे खयाल आया कि वह तो शैतान है, चर्च में उसकी तस्वीर लटकी हुई है। उसने अपने हाथ अलग कर लिए और कहा कि मर जा! शैतान को तो हम चाहते हैं कि वह मर ही जाए। अच्छा हुआ कि तू मर जा। मैं तुझे बचाने का क्यों उपाय करूं? मैंने तेरा खून भी छू लिया, यह भी पाप हुआ। मैं जाता हूं।

वह शैतान जोर से हंसा, उसने कहा, याद रखना, जिस दिन मैं मर जाऊंगा, उस दिन तुम्हारा धंधा भी मर जाएगा। मेरे बिना तुम जिंदा नहीं रह सकते हो। मैं हूं, इसलिए तुम जिंदा हो। मैं तुम्हारे धंधे का आधार हूं। मुझे बचाने की कोशिश करो! नहीं तो जिस दिन शैतान मर जाएगा, उसी दिन पुरोहित, पंडा, पुजारी सब मर जाएगा; क्योंकि दुनिया अच्छी हो जाएगी, पंडे, पुजारी, पुरोहित की कोई जरूरत नहीं रह जाएगी।

पुरोहित ने सोचा और घबराया कि यह तो बहुत बेसिक, बहुत बुनियादी बात कह रहा है वह आदमी। उसने उसे तत्काल कंधे पर उठा लिया और कहा, प्यारे शैतान, घबराओ मत! मैं ले चलता हूं अस्पताल, तुम्हारा इलाज करवाऊंगा, तुम जल्दी ही ठीक हो जाओगे। लेकिन देखो, मर मत जाना। तुम ठीक कहते हो, तुम मर गए तो हम बिलकुल बेकार हो जाने वाले हैं।

हमें खयाल भी नहीं आ सकता कि पुरोहित के धंधे के पीछे शैतान है। हमें यह भी खयाल नहीं आ सकता कि शैतान के धंधे के पीछे पुरोहित है। यह जो शैतान का धंधा चल रहा है--सेक्स का शोषण चल रहा है सारी दुनिया में, हर चीज के पीछे सेक्स का शोषण चल रहा है--हमें खयाल भी नहीं आ सकता कि पुरोहित का हाथ है इसके पीछे। पुरोहित ने जितनी निंदा की है, सेक्स उतना आकर्षक हो गया है। फिर

उसने जितने दमन के लिए कहा है, आदमी उतना भोग में गिर गया है। पुरोहित ने जितना इनकार किया कि सेक्स के संबंध में सोचना ही मत, सेक्स उतनी ही अनजान पहेली हो गई और हम उसके संबंध में कुछ भी करने में असमर्थ हो गए।

नहीं! ज्ञान चाहिए। ज्ञान शक्ति है। और सेक्स का ज्ञान बड़ी शक्ति बन सकता है। अज्ञान में जीना हितकर नहीं है। और सेक्स के अज्ञान में जीना तो बिलकुल हितकर नहीं है।

यह भी हो सकता है कि हम न जाएं चांद पर। कोई जरूरत नहीं है चांद पर जाने की। चांद को जान लेने से कोई मनुष्य-जाति का बहुत हित नहीं हो जाएगा। यह भी जरूरी नहीं है कि हम पैसिफिक महासागर की गहराइयों में उतरें पांच मील, जहां कि सूरज की रोशनी भी नहीं पहुंचती। उसको जान लेने से भी मनुष्य-जाति का कोई बहुत परम मंगल हो जाने वाला नहीं है। यह भी जरूरी नहीं है कि हम एटम को तोड़ें और पहचानें।

लेकिन एक बात बिलकुल जरूरी है, सबसे ज्यादा जरूरी है, अल्टीमेट कंसर्न की है, और वह यह है कि हम मनुष्य के सेक्स को ठीक से जान लें और समझ लें, ताकि नये मनुष्य को जन्म देने में सफल हो सकें।

ये थोड़ी सी बातें तीन दिन में मैंने आपसे कहीं। कल आपके प्रश्नों के उत्तर दूंगा। और चूंकि कल का दिन खाली छूट गया, कुछ मित्र आए और भीग कर लौट गए, तो मेरे ऊपर उनका ऋण हो गया है, तो कल मैं दो घंटे उत्तर दे दूंगा ताकि आपको कोई अड़चन और तकलीफ न हो। अपने प्रश्न आप लिख कर दे देंगे-- ईमानदारी से! क्योंकि यह मामला ऐसा नहीं है कि आप परमात्मा, आत्मा के संबंध में जिस तरह की बातें पूछते हैं, वे यहां पूछें। यह मामला जिंदगी का है और सीधे और सच्चे अगर आपने प्रश्न पूछे तो हम इन विषयों की और गहराई में भी उतरने में समर्थ हो सकते हैं।

मेरी बातों को इतने प्रेम से सुना, उसके लिए अनुगृहीत हूं। और अंत में सबके भीतर बैठे परमात्मा को प्रणाम करता हूं, मेरे प्रणाम स्वीकार करें।

5

समाधि : संभोग-ऊर्जा का आध्यात्मिक नियोजन

मेरे प्रिय आत्मन्!

मित्रों ने बहुत से प्रश्न पूछे हैं। सबसे पहले एक मित्र ने पूछा है कि मैंने बोलने के लिए सेक्स या काम का विषय क्यों चुना है?

इसकी थोड़ी सी कहानी है। एक बड़ा बाजार है। उस बड़े बाजार को कुछ लोग बंबई कहते हैं। उस बड़े बाजार में एक सभा थी। और उस सभा में एक पंडित जी, कबीर क्या कहते हैं, इस संबंध में बोलते थे। उन्होंने कबीर की एक पंक्ति कही और उसका अर्थ समझाया। उन्होंने कहा कि कबीरा खड़ा बाजार में, लिए लुकाठी हाथ; जो घर बारै आपना, चले हमारे साथ। उन्होंने यह कहा कि कबीर बाजार में खड़ा था और चिल्ला कर लोगों से कहने लगा कि लकड़ी उठा कर मैं बुलाता हूं उन्हें, जो अपने घर को जलाने की हिम्मत रखते हों, वे हमारे साथ आ जाएं।

उस सभा में मैंने देखा कि लोग यह बात सुन कर बहुत खुश हुए। मुझे बड़ी हैरानी हुई! मुझे हैरानी यह हुई कि वे जो लोग खुश हो रहे थे, उनमें से कोई भी अपने घर को जलाने को कभी भी तैयार नहीं था। लेकिन उन्हें प्रसन्न देख कर मैंने समझा कि बेचारा कबीर आज होता तो कितना खुश न होता! जब तीन सौ साल पहले वह था और किसी बाजार में उसने चिल्ला कर कहा होगा, तो एक भी आदमी खुश नहीं हुआ होगा।

आदमी की जात बड़ी अदभुत है। जो मर जाते हैं, उनकी बातें सुन कर लोग खुश होते हैं। और जो जिंदा होते हैं, उन्हें मार डालने की धमकी देते हैं।

मैंने सोचा, आज कबीर होते इस बंबई के बड़े बाजार में, तो कितने खुश होते कि लोग कितने प्रसन्न हो रहे हैं! कबीर जी क्या कहते हैं, इसको सुन कर लोग प्रसन्न हो रहे हैं। कबीर जी को सुन कर वे कभी भी प्रसन्न नहीं हुए थे।लेकिन लोगों को प्रसन्न देख कर मुझे ऐसा लगा कि जो लोग अपने घर को जलाने के लिए भी हिम्मत रखते हैं और खुश होते हैं, उनसे आज कुछ दिल की बातें कही जाएं। तो मैं भी उसी धोखे में आ गया, जिसमें कबीर और क्राइस्ट और सारे लोग हमेशा आते रहे हैं।

तो मैंने लोगों से सत्य की कुछ बात कहनी चाही। और सत्य के संबंध में कोई बात कहनी हो तो उन असत्यों को सबसे पहले तोड़ देना जरूरी है जो आदमी ने सत्य समझ रखे हैं। जिन्हें हम सत्य समझते हैं और जो सत्य नहीं हैं, जब तक उन्हें न तोड़ दिया जाए, तब तक सत्य क्या है, उसे जानने की तरफ कोई कदम नहीं उठाया जा सकता है।

मुझे कहा गया था उस सभा में कि मैं प्रेम के संबंध में कुछ कहूं। और मुझे लगा कि प्रेम के संबंध में तब तक बात समझ में नहीं आ सकती, जब तक कि हम काम और सेक्स के संबंध में कुछ गलत धारणाएं लिए हुए बैठे हैं। अगर गलत धारणाएं हैं सेक्स के संबंध में, तो प्रेम के संबंध में हम जो भी बातचीत करेंगे, वह अधूरी होगी, वह झूठी होगी, वह सत्य नहीं हो सकती।

इसलिए उस सभा में मैंने काम और सेक्स के संबंध में कुछ कहा। और यह कहा कि काम की ऊर्जा ही रूपांतरित होकर प्रेम की अभिव्यक्ति बनती है। एक आदमी खाद खरीद लाता है, गंदी और बदबू से भरी हुई। और अगर अपने घर के पास ढेर लगा ले तो सड़क पर से निकलना मुश्किल हो जाएगा, इतनी दुर्गंध वहां फैलेगी। लेकिन एक दूसरा आदमी उसी खाद को बगीचे में डालता है और फूलों के बीज डालता है। फिर वे बीज बड़े होते हैं, पौधे बनते हैं, और फूल आते हैं। और फूलों की सुगंध पास-पड़ोस के घरों में निमंत्रण बन कर पहुंच जाती है। राह से निकलते हुए लोगों को भी वह सुगंध छूती है, वह पौधों का लहराता हुआ संगीत अनुभव होता है। लेकिन शायद ही कभी आपने सोचा हो कि फूलों से जो सुगंध बन कर प्रकट हो रहा है, वह वही दुर्गंध है जो खाद से प्रकट होती थी। खाद की दुर्गंध बीजों से गुजर कर फूलों की सुगंध बन जाती है।

दुर्गंध सुगंध बन सकती है। काम प्रेम बन सकता है।

लेकिन जो काम के विरोध में हो जाएगा, वह उसे प्रेम कैसे बनाएगा? जो काम का शत्रु हो जाएगा, वह उसे कैसे रूपांतरित करेगा? इसलिए काम को, सेक्स को समझना जरूरी है--यह मैंने वहां कहा--और उसे रूपांतरित करना जरूरी है।

मैंने सोचा था, जो लोग सिर हिलाते थे घर जल जाने पर, वे लोग मेरी बातें सुन कर बड़े खुश होंगे। लेकिन मुझसे गलती हो गई। जब मैं मंच से उतरा, तो उस मंच पर जितने नेता थे, जितने संयोजक थे, वे सब भाग चुके थे। वे मुझे उतरते वक्त मंच पर कोई भी नहीं मिले। वे शायद अपने घर चले गए होंगे, कहीं घर में आग न लग जाए, उसे बुझाने का इंतजाम करने भाग गए थे। मुझे धन्यवाद देने को भी संयोजक वहां नहीं थे। जितनी भी सफेद टोपियां थीं, जितने भी खादी वाले लोग थे, वे मंच पर कोई भी नहीं थे, वे जा चुके थे। नेता बड़ा कमजोर होता है, वह अनुयायियों के पहले भाग जाता है।

लेकिन कुछ हिम्मतवर लोग जरूर ऊपर आए। कुछ बच्चे आए, कुछ बच्चियां आईं; कुछ बूढ़े, कुछ जवान। और उन्होंने मुझसे कहा कि आपने वह बात हमें कही है, जो हमें किसी ने भी कभी नहीं कही। और हमारी आंखें खोल दी हैं। हमें बहुत ही प्रकाश अनुभव हुआ है। तो फिर मैंने सोचा कि उचित होगा कि इस बात को और ठीक से पूरी तरह कहा जाए, इसलिए यह विषय मैंने आज यहां चुना। इन चार दिनों में वह कहानी जो वहां अधूरी रह गई थी, उसे पूरा करने का कारण यह था कि लोगों ने मुझे कहा। और वह उन लोगों ने कहा जिनकी जीवन को समझने की हार्दिक चेष्टा है। और उन्होंने चाहा कि मैं पूरी बात कहूं। एक तो कारण यह था।

और दूसरा कारण यह था कि वे जो लोग भाग गए थे मंच से, उन्होंने जगह-जगह जाकर कहना शुरू कर दिया कि मैंने तो ऐसी बातें कही हैं जिनसे धर्म का विनाश हो जाएगा! मैंने तो ऐसी बातें कही हैं जिनसे कि लोग अधार्मिक हो जाएंगे!

तो मुझे लगा कि उनका भी कहना पूरा स्पष्ट हो सके, उनको भी पता चल सके कि लोग सेक्स के संबंध में समझ कर अधार्मिक होने वाले नहीं हैं। नहीं समझा है उन्होंने आज तक, इसलिए अधार्मिक हो गए हैं।

अज्ञान अधार्मिक बना सकता है; ज्ञान कभी भी अधार्मिक नहीं बना सकता। और अगर ज्ञान अधार्मिक बनाता हो, तो मैं कहता हूं कि ऐसा ज्ञान उचित हैं।

जो अधार्मिक बना दे, उस अज्ञान की बजाय जो कि धार्मिक बनाता हो। क्योंकि जो अज्ञान धार्मिक बनाता हो, तो वह धर्म भी दो कौड़ी का है जो अज्ञान की बुनियाद पर खड़ा होता हो। धर्म तो वही सत्य है जो ज्ञान के आधार पर खड़ा होता है।

संभोग से समाधि की ओर

और मुझे नहीं दिखाई पड़ता कि ज्ञान मनुष्य को कभी भी कोई हानि पहुंचा सकता है। हानि हमेशा अंधकार से पहुंचती है और अज्ञान से।

इसलिए अगर मनुष्य-जाति भ्रष्ट हो गई, यौन के संबंध में विकृत और विक्षिप्त हो गई, सेक्स के संबंध में पागल हो गई, तो उसका जिम्मा उन लोगों पर नहीं है जिन्होंने सेक्स के संबंध में ज्ञान की खोज की है। उसका जिम्मा उन नैतिक, धार्मिक और थोथे साधु-संतों पर है जिन्होंने मनुष्य को हजारों वर्षों से अज्ञान में रखने की चेष्टा की है। यह मनुष्य-जाति कभी की सेक्स से मुक्त हो गई होती। लेकिन नहीं यह हो सका। नहीं हो सका उनकी वजह से जो अंधकार कायम रखने की चेष्टा कर रहे हैं।

तो मैंने समझा कि अगर थोड़ी सी किरण से इतनी बेचैनी हुई है तो फिर पूरे प्रकाश की चर्चा कर लेनी उचित है। ताकि साफ हो सके कि ज्ञान मनुष्य को धार्मिक बनाता है या अधार्मिक बनाता है। यह कारण था इसलिए यह विषय चुना। और अगर यह कारण न होता तो शायद मुझे अचानक खयाल न आता इसे चुनने का। शायद इस पर मैं कोई बात न करता। इस लिहाज से वे लोग धन्यवाद के पात्र हैं जिन्होंने अवसर पैदा कर दिया और यह विषय मुझे चुनना पड़ा। और अगर आपको धन्यवाद देना हो तो मुझे मत देना। वह भारतीय विद्याभवन में जिन्होंने सभा आयोजित की थी, उनको धन्यवाद देना। उन्होंने ही यह विषय चुनवा दिया है। मेरा इसमें कोई हाथ नहीं है।

एक मित्र ने पूछा है कि मैंने कहा कि काम का रूपांतरण ही प्रेम बनता है। तो उन्होंने पूछा है कि मां का बेटे के लिए प्रेम--क्या वह भी काम है, वह भी सेक्स है? और भी कुछ लोगों ने इसी तरह के प्रश्न पूछे हैं।

इसे थोड़ा समझ लेना उपयोगी होगा।

अगर मेरी बात आपने ध्यान से सुनी है, तो मैंने कहा कि सेक्स के अनुभव की बड़ी गहराइयां हैं जिन तक आदमी पहुंच भी नहीं पाता है। तीन तल हैं सेक्स के अनुभव के, वह मैं आपसे कहूं।

एक तल तो शरीर का तल है--बिलकुल फिजियोलाजिकल। एक आदमी वेश्या के पास जाता है। उसे जो सेक्स का अनुभव होता है, वह शरीर से गहरा नहीं हो सकता। वेश्या शरीर बेच सकती है, मन नहीं बेचा जा सकता। और आत्मा के

बेचने का तो कोई उपाय नहीं है। शरीर मिल सकता है।

एक आदमी बलात्कार करता है, तो बलात्कार में किसी का मन भी नहीं मिल सकता और किसी की आत्मा भी नहीं। शरीर पर बलात्कार किया जा सकता है, आत्मा पर बलात्कार करने का न कोई उपाय खोजा जा सका है, न खोजा जा सकता है। तो बलात्कार में भी जो अनुभव होगा, वह शरीर का होगा। सेक्स का प्राथमिक अनुभव शरीर से ज्यादा गहरा नहीं होता। लेकिन शरीर के अनुभव पर ही जो रुक जाते हैं, वे सेक्स के पूरे अनुभव को उपलब्ध नहीं होते। उन्हें, मैंने जो गहराइयों की बातें कही हैं, उसका उन्हें कोई भी पता नहीं चल सकता। और अधिक लोग शरीर के तल पर ही रुक गए हैं।

इस संबंध में यह भी जान लेना जरूरी है कि जिन देशों में भी प्रेम के बिना विवाह होता है, उस देश में सेक्स शरीर के तल पर ही रुक जाता है, उससे गहरा नहीं जा सकता।

विवाह दो शरीरों का हो सकता है, विवाह दो आत्माओं का नहीं। दो आत्माओं का प्रेम हो सकता है।

तो अगर प्रेम से विवाह निकलता हो, तब तो विवाह एक गहरा अर्थ ले लेता है। और अगर विवाह दो पंडितों के और दो ज्योतिषियों के हिसाब-किताब से निकलता हो, और जाति के विचार से निकलता हो, और धन के विचार से निकलता हो, तो वैसा विवाह कभी भी शरीर से ज्यादा गहरा नहीं जा सकता।

लेकिन ऐसे विवाह का एक फायदा है। शरीर मन की बजाय ज्यादा स्थिर चीज है। इसलिए शरीर जिन समाजों में विवाह का आधार है, उन समाजों में विवाह सुस्थिर होगा, जीवन भर चल जाएगा।

शरीर अस्थिर चीज नहीं है। शरीर बहुत स्थिर चीज है। उसमें परिवर्तन बहुत धीरे-धीरे आता है और पता भी नहीं चलता। शरीर जड़ता का तल है। इसलिए जिन समाजों ने यह समझा कि विवाह को स्थिर बनाना जरूरी है--एक ही विवाह पर्याप्त हो, बदलाहट की जरूरत न पड़े, उनको प्रेम अलग कर देना पड़ा। क्योंकि प्रेम होता है मन से और मन चंचल है।

जो समाज प्रेम के आधार पर विवाह को निर्मित करेंगे, उन समाजों में तलाक अनिवार्य होगा। उन समाजों में विवाह परिवर्तित होगा; विवाह स्थायी व्यवस्था नहीं हो सकती। क्योंकि प्रेम तरल है।

मन चंचल है। शरीर स्थिर और जड़ है।

आपके घर में एक पत्थर पड़ा हुआ है। सुबह पत्थर पड़ा था, सांझ भी पत्थर वहीं पड़ा रहेगा। सुबह एक फूल खिला था, सांझ तक मुर्झा जाएगा और गिर जाएगा। फूल जिंदा है, जन्मेगा, जीएगा, मरेगा। पत्थर मुर्दा है, वैसे का वैसा सुबह था, वैसा ही शाम पड़ा रहेगा। पत्थर बहुत स्थिर है।

विवाह पत्थर की तरह है। शरीर के तल पर जो विवाह है, वह स्थिरता लाता है, समाज के हित में है। लेकिन एक-एक व्यक्ति के अहित में है। क्योंकि वह स्थिरता शरीर के तल पर लाई गई है और प्रेम से बचा गया है।

इसलिए शरीर के तल से ज्यादा पति और पत्नी का संभोग और सेक्स नहीं पहुंच पाता गहरे में। एक यांत्रिक, एक मैकेनिकल रूटीन हो जाती है। एक यंत्र की भांति जीवन हो जाता है सेक्स का। उस अनुभव को रिपीट करते रहते हैं और जड़ होते चले जाते हैं। लेकिन उससे ज्यादा गहराई कभी भी नहीं मिलती।

जहां प्रेम के बिना विवाह होता है उस विवाह में और वेश्या के पास जाने में बुनियादी भेद नहीं है, थोड़ा सा भेद है। बुनियादी नहीं है वह। वेश्या को आप एक दिन के लिए खरीदते हैं और पत्नी को आप पूरे जीवन के लिए खरीदते हैं। इससे ज्यादा फर्क नहीं पड़ता। जहां प्रेम नहीं है, वहां खरीदना ही है, चाहे एक दिन के लिए खरीदो, चाहे पूरी जिंदगी के लिए खरीदो। हालांकि साथ रहने से रोज-रोज एक तरह का संबंध पैदा हो जाता है एसोसिएशन से। लोग उसी को प्रेम समझ लेते हैं। वह प्रेम नहीं है। प्रेम और ही बात है। शरीर के तल पर विवाह है इसलिए शरीर के तल से गहरा संबंध कभी भी नहीं उत्पन्न हो पाता। यह एक तल है।

दूसरा तल है सेक्स का--मन का तल, साइकोलाजिकल। वात्स्यायन से लेकर पंडित कोक तक जिन लोगों ने भी इस तरह के शास्त्र लिखे हैं सेक्स के बाबत, वे शरीर के तल से गहरे नहीं जाते। दूसरा तल है मानसिक। जो लोग प्रेम करते हैं और फिर विवाह में बंधते हैं, उनका सेक्स शरीर के तल से थोड़ा गहरा जाता है। वह मन तक जाता है। उसकी गहराई साइकोलाजिकल है। लेकिन वह भी रोज-रोज पुनरुक्त होने से थोड़े दिनों में शरीर के तल पर आ जाता है और यांत्रिक हो जाता है।

पश्चिम ने जो व्यवस्था विकसित की है दो सौ वर्षों में प्रेम-विवाह की, वह मानसिक तल तक सेक्स को ले जाती है। और इसीलिए पश्चिम में समाज अस्तव्यस्त हो गया है; क्योंकि मन का कोई भरोसा नहीं है। वह आज कहता है कुछ, कल कुछ कहने लगता है। सुबह कुछ कहता है, सांझ कुछ कहने लगता है। घड़ी भर पहले कुछ कहता है, घड़ी भर बाद कुछ कहने लगता है।

शायद आपने सुना होगा कि बायरन ने जब शादी की, तो कहते हैं कि तब तक वह कोई साठ-सत्तर स्त्रियों से संबंधित रह चुका था। एक स्त्री ने उसे मजबूर ही करदिया विवाह के लिए। तो उसने विवाह किया। और जब वह चर्च से उतर रहा था विवाह करके अपनी पत्नी का हाथ हाथ में लेकर--घंटियां बज रही हैं चर्च की; मोमबत्तियां अभी जो जलाई गई हैं, जल रही हैं; अभी जो मित्र स्वागत करने आए थे, वे विदा हो रहे हैं; और वह अपनी पत्नी का हाथ पकड़ कर सामने खड़ी घोड़ागाड़ी में बैठने के लिए चर्च की सीढ़ियां उतर रहा है--तभी उसे चर्च के सामने ही एक और स्त्री जाती हुई दिखाई पड़ी। एक क्षण को वह भूल गया अपनी पत्नी को, उसके हाथ को, अपने विवाह को। सारा प्राण उस स्त्री का पीछा करने लगा। जाकर वह गाड़ी में बैठा। बहुत ईमानदार आदमी रहा होगा। उसने अपनी पत्नी से कहा कि तूने कुछ ध्यान दिया? एक अजीब घटना घट गई। कल तक तुझसे मेरा विवाह नहीं हुआ था तो मैं विचार करता था कि तू मुझे मिल पाएगी या नहीं? तेरे सिवाय मुझे कोई भी नहीं दिखाई पड़ता था। और आज जब कि विवाह हो गया है, मैं तेरा हाथ पकड़ कर नीचे उतर रहा हूं, मुझे एक स्त्री दिखाई पड़ी गाड़ी के उस तरफ जाती हुई--और तू मुझे भूल गई और मेरा मन उस स्त्री का पीछा करने लगा। और एक क्षण को मुझे लगा कि काश, यह स्त्री मुझे मिल जाए!

मन इतना चंचल है। तो जिन लोगों को समाज को व्यवस्थित रखना था, उन्होंने मन के तल पर सेक्स को नहीं जाने दिया, उन्होंने शरीर के तल पर रोक लिया। विवाह करो, प्रेम नहीं। फिर विवाह से प्रेम आता हो तो आए, न आता हो न आए। शरीर के तल पर स्थिरता हो सकती है। मन के तल पर स्थिरता बहुत मुश्किल है। लेकिन मन के तल पर सेक्स का अनुभव शरीर से ज्यादा गहरा होता है।

पूरब की बजाय पश्चिम का सेक्स का अनुभव ज्यादा गहरा है।

तो पश्चिम के जो मनोवैज्ञानिक हैं फ्रायड से जुंग तक, उन सारे लोगों ने जो भी लिखा है, वह सेक्स की दूसरी गहराई है, वह मन की गहराई है।

लेकिन मैं जिस सेक्स की बात कर रहा हूं, वह तीसरा तल है। वह न आज तक पूरब में पैदा हुआ है, न पश्चिम में। वह तीसरा तल है--स्प्रिचुअल। वह तीसरा तल है--आध्यात्मिक। शरीर के तल पर भी एक स्थिरता है, क्योंकि शरीर जड़ है। और आत्मा के तल पर भी एक स्थिरता है, क्योंकि आत्मा के तल पर कोई परिवर्तन कभी होता ही नहीं। वहां सब शांत है, वहां सब सनातन है। बीच में एक तल है मन का, जहां तरलता है, पारे की तरह तरल है मन, जरा में बदल जाता है।

पश्चिम मन के साथ प्रयोग कर रहा है, इसलिए विवाह टूट रहा है, परिवार नष्ट हो रहा है। मन के साथ विवाह और परिवार खड़े नहीं रह सकते। अभी दो वर्ष में तलाक है, कल दो घंटे में तलाक हो सकता है। मन तो घंटे भर में बदल जाता है। तो पश्चिम का सारा समाज अस्तव्यस्त हो गया है। पूरब का समाज व्यवस्थित था। लेकिन सेक्स की जो गहरी अनुभूति थी, वह पूरब को उपलब्ध नहीं हो सकी।

एक और स्थिरता है, एक और घड़ी है--अध्यात्म की। उस तल पर जो पति-पत्नी एक बार मिल जाते हैं या दो व्यक्ति एक बार मिल जाते हैं, उन्हें तो ऐसा लगता है कि वे अनंत जन्मों के लिए एक हो गए। वहां फिर कोई परिवर्तन नहीं है। उस तल पर चाहिए स्थिरता। उस तल पर चाहिए अनुभव।

तो मैं जिस अनुभव की बात कर रहा हूं, जिस सेक्स की बात कर रहा हूं, वह स्प्रिचुअल सेक्स है। आध्यात्मिक अर्थ नियोजन करना चाहता हूं काम की वासना में। और अगर मेरी यह बात समझेंगे तो आपको पता चल जाएगा कि मां का बेटे के प्रति जो प्रेम है, वह आध्यात्मिक काम है, वह स्प्रिचुअल सेक्स का हिस्सा है। आप कहेंगे, यह तो बहुत उलटी बात है ! मां का बेटे के प्रति काम का क्या संबंध ?

लेकिन जैसा मैंने कहा कि पुरुष और स्त्री, पति और पत्नी एक क्षण के लिए मिलते हैं, एक क्षण के लिए दोनों की आत्माएं एक हो जाती हैं। और उस घड़ी में जो उन्हें आनंद का अनुभव होता है, वही उनको बांधने वाला हो जाता है।

कभी आपने सोचा कि मां के पेट में बेटा नौ महीने तक रहता है और मां के अस्तित्व से मिला रहता है। पति एक क्षण को मिलता है। बेटा नौ महीने के लिए एक होता है, इकट्ठा होता है। इसीलिए मां का बेटे से जो गहरा संबंध है, वह पति से भी कभी नहीं होता। हो भी नहीं सकता। पति एक क्षण के लिए मिलता है अस्तित्व के तल पर, जहां एक्झिस्टेंस है, जहां बीइंग है, वहां एक क्षण को मिलता है, फिर बिछुड़ जाता है। एक क्षण को करीब आते हैं और फिर कोसों का फासला शुरू हो जाता है।

लेकिन बेटा नौ महीने तक मां की सांस से सांस लेता है, मां के हृदय से धड़कता है, मां के खून से खून, मां के प्राण से प्राण। उसका अपना कोई अस्तित्व नहीं होता, वह मां का एक हिस्सा होता है। इसीलिए स्त्री मां बने बिना कभी भी पूरी तरह तृप्त नहीं हो पाती। कोई पति स्त्री को कभी तृप्त नहीं कर सकता, जो उसका बेटा उसको कर देता है। कोई पति कभी उतना गहरा कंटेंटमेंट उसे नहीं दे पाता, जितना उसका बेटा उसको दे पाता है।

स्त्री मां बने बिना पूरी नहीं हो पाती। उसके व्यक्तित्व का पूरा निखार और पूरा सौंदर्य उसके मां बनने पर प्रकट होता है। उससे उसके बेटे के आत्मिक संबंध बहुत गहरे हैं।

और इसीलिए आप यह भी समझ लो कि जैसे ही स्त्री मां बन जाती है, उसकी सेक्स में रुचि कम हो जाती है। यह कभी आपने खयाल किया? जैसे ही स्त्री स्त्री मां बन जाती है, सेक्स के प्रति उसकी रुचि कम हो जाती है।

फिर सेक्स में उसे उतना रस नहीं मालूम पड़ता। उसने एक और गहरा रस ले लिया है--मातृत्व का। वह एक प्राण के साथ और नौ महीने तक इकट्ठी जी ली है, अब उसे सेक्स में रस नहीं रह जाता।

अक्सर पति हैरान होते हैं। क्योंकि पति के पिता बनने से पुरुषों में कोई फर्क नहीं पड़ता। लेकिन मां बनने से स्त्री में बुनियादी फर्क पड़ जाता है। पिता बनने से पति में कोई फर्क नहीं पड़ता। क्योंकि पिता कोई बहुत गहरा संबंध नहीं है। जो नया व्यक्ति पैदा होता है उससे पिता का कोई गहरा संबंध नहीं है।

पिता बिलकुल सामाजिक व्यवस्था है, सोशल इंस्टीटयूशन है।

पिता के बिना भी दुनिया चल सकती है। इसीलिए पिता से कोई गहरा संबंध नहीं है बेटे का।

मां से उसके बहुत गहरे संबंध हैं। और मां तृप्त हो जाती है उसके बाद, और उसमें एक और ही तरह की आध्यात्मिक गरिमा प्रकट होती है। जो मां नहीं बनी है स्त्री, उसको देखें; और जो मां बन गई है, उसे देखें। और उन दोनों की चमक और उनकी ऊर्जा और उनका व्यक्तित्व अलग मालूम पड़ेगा। मां में एक दीप्ति दिखाई पड़ेगी--शांत। जैसे नदी जब मैदान में आ जाती है तब शांत हो जाती है। जो अभी मां नहीं बनी है, उस स्त्री में एक दौड़ दिखेगी। जैसे पहाड़ पर नदी दौड़ती है, झरने की तरह टूटती है, चिल्लाती है, गड़गड़ाहट है, आवाज है, दौड़ है। मां बन कर वह एकदम शांत हो जाती है।

इसीलिए मैं आपसे इस संदर्भ में यह भी कहना चाहता हूं कि जिन स्त्रियों को सेक्स का पागलपन सवार हो गया है--जैसे पश्चिम में--वे इसीलिए मां नहीं बनना चाहतीं, क्योंकि मां बनने के बाद सेक्स का रस कम हो जाता है। पश्चिम की स्त्री मां बनने से इनकार करती है, क्योंकि मां बनी कि सेक्स का रस गया। सेक्स का रस तभी तक रह सकता है, जब तक वह मां न बने।

तो पश्चिम की अनेक हुकूमतें घबरा गई हैं इस बात से कि यह रोग अगर बढ़ता

चला गया तो उनकी संख्या का क्या होगा! हम यहां घबरा रहे हैं कि हमारी संख्या न बढ़ जाए। पश्चिम में मुल्क घबरा रहे हैं कि उनकी संख्या कहीं कम न हो जाए! क्योंकि स्त्रियों को अगर इतने तीव्र रूप से यह भाव पैदा हो जाए की मां बनने से सेक्स का रस कम हो जाता है और वे मां न बनना चाहें तो क्या किया जा सकता है! कोई कानूनी जबरदस्ती की जा सकती है?

किसी को संतति-नियमन के लिए तो कानूनी जबरदस्ती भी की जा सकती है कि हम जबरदस्ती बच्चे नहीं होने देंगे। लेकिन किसी स्त्री को मजबूर नहीं किया जा सकता कि बच्चे पैदा करने ही पड़ेंगे।

पश्चिम के सामने हमसे बड़ा सवाल है। हमारा सवाल उतना बड़ा नहीं है। हम संख्या को रोक सकते हैं जबरदस्ती, कानूनन। लेकिन संख्या को कानूनन बढ़ाने का कोई भी रास्ता नहीं है। किसी व्यक्ति को जबरदस्ती नहीं की जा सकती कि तुम बच्चे पैदा करो।

और आज से दो सौ साल के भीतर पश्चिम के सामने यह प्रश्न बहुत भारी हो जाएगा। क्योंकि पूरब की संख्या बढ़ती चली जाएगी, वह सारी दुनिया पर छा सकती है। और पश्चिम की संख्या क्षीण होती जा सकती है। स्त्री को मां बनने के लिए उन्हें फिर से राजी करना पड़ेगा।

और उनके कुछ मनोवैज्ञानिकों ने यह सलाह देनी शुरू की है कि बाल-विवाह शुरू कर दो, अन्यथा खतरा है। क्योंकि स्त्री होश में आ जाती है तो वह मां नहीं बनना चाहती, उसे सेक्स का रस लेने में ज्यादा ठीक मालूम पड़ता है। इसलिए बचपन में शादी कर दो, उसे पता ही न चले वह कब मां बन गई।

पूरब में जो बाल-विवाह चलता था, उसके एक कारणों में यह भी था। स्त्री जितनी युवा हो जाएगी और जितनी समझदार हो जाएगी और सेक्स का जैसे रस लेने लगेगी, वैसे वह मां नहीं बनना चाहेगी। हालांकि उसे कुछ पता नहीं कि मां बनने से क्या मिलेगा। यह तो मां बनने से ही पता चल सकता है। उसके पहले कोई उपाय नहीं है।

स्त्री तृप्त होने लगती है मां बन कर--क्यों? उसने एक आध्यात्मिक तल पर सेक्स का अनुभव कर लिया बच्चे के साथ। और इसीलिए मां और बेटे के पास एक आत्मीयता है। मां अपने प्राण दे सकती है बेटे के लिए। मां बेटे के प्राण लेने की कल्पना भी नहीं कर सकती है।

पत्नी पति के प्राण ले सकती है। लिए हैं अनेक बार। और अगर नहीं भी लेती

तो पूरी जिंदगी में प्राण लेने की हालत पैदा कर देती है। लेकिन बेटे के लिए कल्पना भी नहीं कर सकती। वह संबंध बहुत गहरा है।

और मैं आपसे यह भी कह दूं, जब उसका अपने पति से संबंध भी इतना गहरा हो जाता है, तो पति भी उसे बेटे की तरह दिखाई पड़ने लगता है, पति की तरह नहीं। यहां इतनी स्त्रियां बैठी हैं और इतने पुरुष बैठे हैं। मैं उनसे यह पूछता हूं कि जब उन्होंने अपनी पत्नी को बहुत प्रेम किया है तो क्या उन्होंने इस तरह व्यवहार नहीं किया है जैसे छोटा बच्चा अपनी मां के साथ करता है? क्या आपको इस बात का खयाल है कि पुरुष के हाथ स्त्री के स्तन की तरफ क्यों पहुंच जाते हैं?

वे छोटे बच्चे के हाथ हैं, जो अपनी मां के स्तन की तरफ जा रहे हैं।

जैसे ही पुरुष स्त्री के प्रति गहरे प्रेम से भरता है, उसके हाथ उसके स्तन की तरफ बढ़ते हैं--क्यों? स्तन से क्या संबंध है सेक्स का?

स्तन से कोई संबंध नहीं है। स्तन से मां और बेटे का संबंध है। बचपन से वह जानता रहा है। बेटे का संबंध स्तन से है। और जैसे ही पुरुष गहरे प्रेम से भरता है, वह बेटा हो जाता है।

और स्त्री का हाथ कहां पहुंच जाता है?

वह पुरुष के सिर पर पहुंच जाता है। उसके बालों में अंगुलियां चली जाती हैं। वह पुराने बेटे की याद है। वह पुराने बेटे का सिर है, जिसे उसने सहलाया है।

इसलिए अगर ठीक से प्रेम आध्यात्मिक तल तक विकसित हो जाए तो पति आखिर में बेटा हो जाता है। और बेटा हो जाना चाहिए, तो आप समझिए कि हमने तीसरे तल पर सेक्स का अनुभव किया--अध्यात्म के तल पर, स्प्रिचुएलिटी के तल पर। इस तल पर एक संबंध है जिसका हमें कोई पता ही नहीं! पति-पत्नी का संबंध उसकी तैयारी है, उसका अंत नहीं है। वह यात्रा की शुरुआत है, पूर्णता नहीं है।

इसीलिए पति-पत्नी सदा कष्ट में रहते हैं, क्योंकि वह यात्रा है, यात्रा सदा कष्ट में होती है। मंजिल पर शांति मिलती है। पति-पत्नी कभी शांत नहीं हो सकते। वह बीच की यात्रा है। और अधिक लोग यात्रा में ही खत्म हो जाते हैं, मुकाम पर कभी पहुंच ही नहीं पाते।

इसलिए पति-पत्नी के बीच एक इनर कांफ्लिक्ट चौबीस घंटे चलती है। चौबीस घंटे एक कलह चलती है। जिसे हम प्रेम करते हैं, उसी के साथ चौबीस घंटे कलह चलती है! लेकिन न पति समझता, न पत्नी समझती कि कलह का कारण क्या है? पति सोचता है कि शायद दूसरी स्त्री होती तो सब ठीक हो जाता। पत्नी

सोचती है कि शायद दूसरा पुरुष होता तो सब ठीक हो जाता। यह जोड़ा गलत हो गया।

लेकिन मैं आपसे कहता हूं कि दुनिया भर के जोड़ों का यही अनुभव है। और आपको अगर बदलने का मौका दे दिया जाए तो इतना ही फर्क पड़ेगा जैसे कि कुछ लोग अरथी को लेकर मरघट जाते हैं--कंधे पर रख कर अरथी को--एक कंधा दुखने लगता है तो उठा कर दूसरे कंधे पर रख लेते हैं। थोड़ी देर राहत मिलती है, कंधा बदल गया। थोड़ी देर के बाद पता चलता है कि बोझ उतना का उतना ही फिर शुरू हो गया है।

पश्चिम में इतने तलाक हो रहे हैं। उनका अनुभव यह है कि दूसरी स्त्री दस-पांच दिन के बाद पहली स्त्री फिर साबित हो जाती है। दूसरा पुरुष पंद्रह दिन के बाद पहला पुरुष फिर साबित हो जाता है। इसके कारण गहरे हैं। इसके कारण इस स्त्री और इस पुरुष से संबंधित नहीं हैं। इसके कारण इस बात से संबंधित हैं कि स्त्री और पुरुष का, पति और पत्नी का संबंध बीच की यात्रा का संबंध है, वह मुकाम नहीं है, वह अंत नहीं है। अंत तो वहीं होगा जहां स्त्री मां बन जाएगी और पुरुष फिर बेटा हो जाएगा।

तो मैं आपसे कह रहा हूं कि मां और बेटे का संबंध आध्यात्मिक काम का संबंध है। और जिस दिन स्त्री और पुरुष में, पति और पत्नी में भी आध्यात्मिक काम का संबंध उत्पन्न होगा, उस दिन फिर मां-बेटे का संबंध स्थापित हो जाएगा। और वह स्थापित हो जाए तो एक तृप्ति, जिसको मैंने कहा कंटेंटमेंट, अनुभव होगा। और उस अनुभव से ब्रह्मचर्य फलित होता है। तो यह मत सोचें कि मां और बेटे के संबंध में कोई काम नहीं है। आध्यात्मिक काम है। अगर हम ठीक से कहें तो आध्यात्मिक काम को ही प्रेम कह सकते हैं, वह प्रेम है। स्प्रिचुअल जैसे ही सेक्स हो जाता है, वह प्रेम हो जाता है।

एक मित्र ने इस संबंध में और एक बात पूछी है। उन्होंने पूछा है कि आपको हम सेक्स पर कोई अथारिटी, कोई प्रामाणिक व्यक्ति नहीं मान सकते हैं। हम तो आपसे ईश्वर के संबंध में पूछने आए थे और आप सेक्स के संबंध में बताने लगे। हम तो सुनने आए थे ईश्वर के संबंध में। तो आप हमें ईश्वर के संबंध में बताइए!

उन्हें शायद पता नहीं कि जिस व्यक्ति को हम सेक्स के संबंध में भी अथारिटी नहीं मान सकते, उससे ईश्वर के संबंध में पूछना फिजूल है। क्योंकि जो पहली सीढ़ी के संबंध में कुछ नहीं जानता, उससे आप अंतिम सीढ़ी के संबंध में पूछना चाहते

हैं? अगर सेक्स के संबंध में जो मैंने कहा वह स्वीकार्य नहीं है, तो फिर तो भूल कर ईश्वर के संबंध में मुझसे पूछने कभी मत आना। क्योंकि वह बात ही खत्म हो गई। पहली कक्षा के योग्य भी मैं सिद्ध नहीं हुआ, तो अंतिम कक्षा के योग्य कैसे सिद्ध हो सकता हूं? लेकिन उनके पूछने का कारण है।

अब तक काम को और राम को दुश्मन की तरह देखा जाता रहा है। सेक्स को और परमात्मा को दुश्मन की तरह देखा जाता रहा है। अब तक ऐसा समझा जाता रहा है कि जो राम की खोज करते हैं, उनको काम से कोई संबंध नहीं है। और जो लोग काम की यात्रा करते हैं, उनको अध्यात्म से कोई संबंध नहीं है। ये दोनों बातें बेवकूफी की हैं।

आदमी काम की यात्रा भी राम की खोज के लिए ही करता है। वह काम का इतना तीव्र आकर्षण, राम की ही खोज है। और इसीलिए काम में कभी तृप्ति नहीं मिलती; कभी ऐसा नहीं लगता कि बस पूरा हो गया सब। वह जब तक राम न मिल जाए तब तक लग भी नहीं सकता है।

और जो लोग काम के शत्रु होकर राम को खोजते हैं, राम की खोज नहीं है वह, वह सिर्फ राम के नाम में काम से एस्केप है, पलायन है; काम से बचना है। इधर प्राण घबराते हैं, डर लगता है, तो राम की चदरिया ओढ़ कर उसमें छुप जाना है और राम-राम, राम-राम, राम-राम जपते रहना है कि वह काम की याद न आए।

जब भी कोई आदमी राम-राम, राम-राम जपते मिले, तो जरा गौर करना। उसके भीतर राम-राम के जप के पीछे काम का जप चल रहा होगा, सेक्स का जप चल रहा होगा। स्त्री को देखेगा और माला फेरने लगेगा, कहेगा : राम-राम, राम-राम, राम-राम। वह स्त्री दिखी कि वह ज्यादा जोर से माला फेरता है, ज्यादा जोर से राम राम कहता है।

क्यों?

वह भीतर जो काम बैठा है, वह धक्के मार रहा है। राम का नाम ले-ले कर उसे भुलाने की कोशिश करता है। लेकिन इतनी आसान तरकीबों से अगर जीवन बदलते होते तो दुनिया कभी की बदल गई होती। उतना आसान रास्ता नहीं है।

तो मैं आपसे कहना चाहता हूं कि काम को समझना जरूरी है अगर आप अपने राम की और परमात्मा की खोज को भी समझना चाहते हैं। क्यों? यह इसलिए मैं कहता हूं कि एक आदमी बंबई से कलकत्ता की यात्रा करना चाहे, वह कलकत्ते के संबंध में पता लगाए कि कलकत्ता कहां है, किस दिशा में है। लेकिन उसे यही पता न

हो कि बंबई कहां है और किस दिशा में है और कलकत्ते की वह यात्रा करना चाहे, तो क्या वह कभी सफल हो सकेगा? कलकत्ता जाने के लिए सबसे पहले यह पता लगाना जरूरी है कि बंबई कहां है जहां मैं हूं। वह किस दिशा में है? फिर कलकत्ते की तरफ दिशा-विचार की जा सकती है। लेकिन मुझे यही पता नहीं कि बंबई कहां है, तो कलकत्ते के बाबत सारी जानकारी फिजूल है। क्योंकि यात्रा मुझे बंबई से शुरू करनी पड़ेगी। यात्रा का प्रारंभ बंबई से करना है। और प्रारंभ पहले है, अंत बाद में है।

आप कहां खड़े हैं?

राम की यात्रा करना चाहते हैं, वह ठीक। भगवान तक पहुंचना चाहते हैं, वह ठीक। लेकिन खड़े कहां हैं आप? खड़े तो काम में हैं, खड़े तो वासना में हैं, खड़े तो सेक्स में हैं। वह आपका निवासगृह है, जहां से आपको कदम उठाने हैं और यात्रा करनी है। तो पहले तो उस जगह को समझ लेना जरूरी है जहां हम हैं। जो एक्चुअलिटी है उसे पहले, जो वास्तविक है उसे पहले समझ लेना जरूरी है, तब हम उसे भी समझ सकते हैं जो संभावना है। जो पासिबिलिटी है, जो हम हो सकते हैं, उसे जानने के लिए, जो हम हैं उसे पहले जान लेना जरूरी है। अंतिम कदम को समझने के पहले पहला कदम समझ लेना जरूरी है, क्योंकि पहला कदम ही अंतिम कदम तक पहुंचाने का रास्ता बनेगा। और अगर पहला कदम ही गलत हो गया तो अंतिम कदम कभी भी सही नहीं होने वाला है।

राम से भी ज्यादा महत्वपूर्ण काम को समझना है, परमात्मा से भी ज्यादा महत्वपूर्ण सेक्स को समझना है। क्यों इतना महत्वपूर्ण है?

इसलिए महत्वपूर्ण है कि अगर परमात्मा तक पहुंचना है तो सेक्स को बिना समझे आप नहीं पहुंच सकते हैं। इसलिए यह मत पूछें।

रह गई अथारिटी की बात कि मैं अथारिटी हूं या नहीं--यह कैसे निर्णय होगा? अगर मैं ही इस संबंध में कुछ कहूंगा तो वह निर्णायक नहीं रहेगा, क्योंकि मेरे संबंध में ही निर्णय होना है। अगर मैं ही कहूं कि मैं अथारिटी हूं, तो उसका कोई मतलब नहीं है; अगर मैं कहूं कि मैं अथारिटी नहीं हूं, तो उसका भी कोई मतलब नहीं है; क्योंकि मेरे दोनों वक्तव्यों के संबंध में विचारणीय है कि अथारिटेटिव आदमी कह रहा है कि गैर-अथारिटेटिव। मैं जो भी कहूंगा इस संबंध में, वह फिजूल है। मैं अथारिटी हूं या नहीं, यह तो आप थोड़े सेक्स की दुनिया में प्रयोग करके देखें। और जब अनुभव आएगा तो पता चलेगा कि जो मैंने कहा था, वह अथारिटी थी या नहीं।

उसके बिना कोई रास्ता नहीं है।

मैं आपसे कहता हूं कि तैरने का यह रास्ता है। आप कहें कि लेकिन हम कैसे मानें कि आप तैरने के संबंध में प्रामाणिक बात कह रहे हैं? तो मैं कहता हूं कि चलिए, आपको साथ लेकर नदी में उतरा जा सकता है, आपको नदी में उतारे देता हूं। मैंने जो कहा है आपको, अगर वह कारगर हो जाए पार होने में और हाथ-पैर चलाने में और तैरने में, तो आप समझना कि जो मैंने कहा है वह कुछ जान कर कहा है।

उन्होंने यह भी कहा है कि फ्रायड अथारिटी हो सकते हैं।लेकिन मैं आपसे कहता हूं, जो मैं कह रहा हूं, उस पर फ्रायड दो कौड़ी भी नहीं जानते। फ्रायड मानसिक तल से कभी भी ऊपर नहीं उठ पाया। उसको कल्पना भी नहीं है आध्यात्मिक सेक्स की। फ्रायड की सारी जानकारी रुग्ण सेक्स की है-- हिस्टेरिक, होमोसेक्सुअलिटी, मैस्टरबेशन--इस सबकी खोजबीन है। रुग्ण सेक्स, विकृत सेक्स के बाबत खोजबीन है। पैथॉलाजिकल है, बीमार की चिकित्सा की वह खोज है। फ्रायड एक डाक्टर है। फिर पश्चिम में जिन लोगों का उसने अध्ययन किया, वे मन के तल के सेक्स के लोग हैं। उसके पास एक भी अध्ययन नहीं, एक भी केस हिस्ट्री नहीं, जिसको स्प्रिचुअल सेक्स कहा जा सके।

तो अगर खोज करनी है कि जो मैं कह रहा हूं वह कहां तक सच है, तो सिर्फ एक दिशा में खोज हो सकती है, वह दिशा है तंत्र। और तंत्र के बाबत हमने हजारों साल से सोचना बंद कर दिया है। तंत्र ने सेक्स को स्प्रिचुअल बनाने का दुनिया में सबसे पहला प्रयास किया था। खजुराहो में खड़े मंदिर, पुरी और कोणार्क के मंदिर सबूत हैं। कभी आप खजुराहो गए हैं? कभी आपने जाकर खजुराहो की मूर्तियां देखी हैं?

तो आपको दो बातें अदभुत अनुभव होंगी। पहली तो बात यह कि नग्न मैथुन की प्रतिमाओं को देख कर भी आपको ऐसा नहीं लगेगा कि उनमें जरा भी कुछ गंदा है, जरा भी कुछ अग्ली है। नग्न मैथुन की प्रतिमाओं को देख कर कहीं भी ऐसा नहीं लगेगा कि कुछ कुरूप है, कुछ बुरा है। बल्कि मैथुन की प्रतिमाओं को देख कर एक शांति, एक पवित्रता का अनुभव होगा, जो बड़ी हैरानी की बात है! वे प्रतिमाएं, आध्यात्मिक सेक्स को जिन लोगों ने अनुभव किया था, उन शिल्पियों से निर्मित करवाई गई हैं।

उन प्रतिमाओं के चेहरों पर... आप एक सेक्स से भरे हुए आदमी को देखें, उसकी आंखें देखें, उसका चेहरा देखें। वह घिनौना, घबराने वाला, कुरूप प्रतीत

संभोग से समाधि की ओर

होगा। उसकी आंखों से एक झलक मिलती हुई मालूम होगी, जो घबराने वाली और डराने वाली होगी। प्यारे से प्यारे आदमी को, अपने निकटतम प्यारे से प्यारे व्यक्ति को भी स्त्री जब सेक्स से भरा हुआ पास आते हुए देखती है तो उसे दुश्मन दिखाई पड़ता है, मित्र नहीं दिखाई पड़ता। प्यारी से प्यारी स्त्री को अगर कोई पुरुष अपने निक्रट सेक्स से भरा हुआ आता हुआ दिखाई देगा तो उसे उसके भीतर नरक दिखाई पड़ेगा, स्वर्ग नहीं दिखाई पड़ सकता।

लेकिन खजुराहो की प्रतिमाओं को देखें, तो उनके चेहरों को देख कर ऐसा लगता है, जैसे बुद्ध का चेहरा हो, महावीर का चेहरा हो। मैथुन की प्रतिमाएं और मैथुनरत जोड़े के चेहरे पर जो भाव हैं, वे समाधि के हैं। और सारी प्रतिमाओं को देख लें और पीछे एक हलकी सी शांति की झलक छूट जाएगी, और कुछ भी नहीं। और एक आश्चर्य आपको अनुभव होगा।

आप सोचते होंगे कि नंगी तस्वीरें और मूर्तियां देख कर आपके भीतर कामुकता पैदा होगी। तो मैं आपसे कहता हूं, फिर आप देर न करें और सीधे खजुराहो चले जाएं। खजुराहो पृथ्वी पर इस समय अनूठी चीज है।

लेकिन हमारे कई नीतिशास्त्री, पुरुषोत्तमदास टंडन और उनके कुछ साथी इस सुझाव के थे कि खजुराहो के मंदिर पर मिट्टी छाप कर दीवालें बंद कर देनी चाहिए, क्योंकि उनको देखने से वासना पैदा हो सकती है। मैं तो हैरान हो गया!

खजुराहो के मंदिर जिन्होंने बनाए थे, उनका खयाल यह था कि इन प्रतिमाओं को अगर कोई बैठ कर घंटे भर देखे तो वासना से शून्य हो जाएगा। वे प्रतिमाएं आब्जेक्ट्स फॉर मेडिटेशन रहीं हजारों वर्ष तक। वे प्रतिमाएं ध्यान के लिए आब्जेक्ट का काम करती रही हैं। जो लोग अति कामुक थे, उन्हें खजुराहो के मंदिर के पास भेज कर उन पर ध्यान करवाने के लिए कहा जाता था कि तुम ध्यान करो--इन प्रतिमाओं को देखो और इनमें लीन हो जाओ।

और यह आश्चर्य की बात है...हालांकि हमारे अनुभव में है, लेकिन हमें खयाल नहीं। आपको पता है, रास्ते पर दो आदमी लड़ रहे हों और आप रास्ते से चले जा रहे हों, तो आपका मन होता है कि खड़े होकर वह लड़ाई देख लें। लेकिन क्यों? आपने कभी खयाल किया? लड़ाई देखने से आपको क्या फायदा है? हजार जरूरी काम छोड़ कर आप आधे घंटे तक दो आदमियों की मुक्केबाजी देख सकते हैं खड़े होकर--फायदा क्या है?

शायद आपको पता नहीं, फायदा एक है। दो आदमियों को लड़ते देख कर

आपके भीतर जो लड़ने की प्रवृत्ति है वह विसर्जित होती है, उसका निकास होता है, वह एवोपरेट हो जाती है।

अगर मैथुन की प्रतिमा को कोई घंटे भर तक शांत बैठ कर ध्यानमग्न होकर देखे, तो उसके भीतर जो मैथुन करने का पागल भाव है, वह विलीन हो जाता है।

एक मनोवैज्ञानिक के पास एक आदमी को लाया गया था। वह एक दफ्तर में काम करता है। और अपने मालिक से, अपने बॉस से बहुत रुष्ट है। मालिक उससे कुछ भी कहता है तो उसे बहुत अपमान मालूम होता है और उसके मन में होता है कि निकालूं जूता और इसे मार दूं।

लेकिन मालिक को जूता कैसे मारा जा सकता है? हालांकि ऐसे नौकर कम ही होंगे जिनके मन में यह खयाल न आता हो कि निकालूं जूता और मार दूं। ऐसा नौकर खोजना मुश्किल है। अगर आप मालिक हैं तो भी आपको पता होगा और आप अगर नौकर हैं तो भी आपको पता होगा--

कि नौकर के मन में नौकर होने की भारी पीड़ा है और मन होता है कि इसका बदला ले लूं। लेकिन नौकर अगर बदला ले सकता तो नौकर होता क्यों?
तो वह बेचारा मजबूर है और दबाए चला जाता है, दबाए चला जाता है।

फिर तो हालत उसकी ऐसी रुग्ण हो गई कि उसे यह डर पैदा हो गया कि किसी दिन आवेश में मैं जूता मार ही न दूं। तो वह जूता घर ही छोड़ जाता है। लेकिन दफ्तर में उसे जूते की दिन भर याद आती है और जब भी मालिक दिखाई पड़ता है वह पैर टटोल कर देखता है कि जूता? लेकिन जूता तो वह घर छोड़ आया है, और खुश होता है कि अच्छा हुआ मैं छोड़ आया, किसी दिन आवेश के क्षण में निकल आए जूता तो मुश्किल हो गई।

लेकिन घर जूता छोड़ आने से जूते से मुक्ति नहीं होती। जूता उसका पीछा करने लगा। वह कागज पर कुछ भी बनाता है तो जूता बन जाता है। वह रजिस्टर पर कुछ ऐसे ही लिख रहा है और पाता है कि जूते ने आकार लेना शुरू कर दिया। उसके प्राणों में जूता घिरने लगा है। वह बहुत घबरा गया है और उसे ऐसा डर लगने लगा है धीरे-धीरे कि मैं किसी भी दिन हमला कर सकता हूं। तो उसने अपने घर आकर कहा कि अब मुझे नौकरी पर जाना ठीक नहीं, मैं छुट्टी लेना चाहता हूं; क्योंकि अब हालत ऐसी हो गई है कि मैं दूसरे का जूता निकाल कर भी मार सकता हूं। अब अपने जूते की जरूरत नहीं रह गई है। मेरे हाथ दूसरे लोगों के पैरों की तरफ भी बढ़ने की कोशिश करते हैं।

तो घर के लोगों ने समझा कि वह पागल हो गया है, उसे एक मनोवैज्ञानिक के पास ले गए। उस मनोवैज्ञानिक ने कहा कि इसकी बीमारी बड़ी नहीं, छोटी सी है। इसके मालिक की एक तस्वीर घर में लगा लो और इससे कहो कि रोज सुबह पांच जूते धार्मिक भाव से मारा करे। पांच जूते मारे, तब दफ्तर जाए--बिलकुल रिलीजसली। ऐसा नहीं कि किसी दिन चूक जाए। जैसे लोग ध्यान, जप करते हैं। बिलकुल वक्त पर पांच जूते मारे। दफ्तर से लौट कर पांच जूते मारे।
वह आदमी पहले तो बोला कि यह क्या पागलपन की बात है! लेकिन भीतर उसे खुशी मालूम हुई। वह हैरान हुआ, उसने कहा, लेकिन मुझे भीतर खुशी मालूम हो रही है।

तस्वीर टांग ली गई और वह रोज पांच जूते मार कर दफ्तर गया। पहले दिन ही जब वह पांच जूते मार कर दफ्तर गया तो उसे एक बड़ा अदभुत अनुभव हुआ-- मालिक के प्रति उसने दफ्तर में उतना क्रोध अनुभव नहीं किया। और पंद्रह दिन के भीतर तो वह मालिक के प्रति अत्यंत विनयशील हो गया। मालिक को भी हैरानी हुई। उसे तो कुछ पता नहीं कि भीतर क्या चल रहा है। उसने उसको पूछा कि तुम आजकल बहुत आज्ञाकारी, बहुत विनम्र, बहुत हंबल हो गए हो। बात क्या है? उसने कहा, वह मत पूछिए, नहीं तो सब गड़बड़ हो जाएगा।
क्या हुआ? तस्वीर को जूते मारने से कुछ हो सकता है? लेकिन तस्वीर को जूते मारने से, वह जो जूते मारने का भाव है, वह तिरोहित हुआ, वह एवोपरेट हुआ, वह वाष्पीभूत हुआ।

खजुराहो के मंदिर या कोणार्क और पुरी के मंदिर जैसे मंदिर सारे देश के गांव-गांव में होने चाहिए।

बाकी मंदिरों की कोई जरूरत नहीं है, वे बेवकूफी के सबूत हैं, उनमें कुछ नहीं है। उनमें न कोई वैज्ञानिकता है, न कोई अर्थ है, न कोई प्रयोजन है। वे निपट गंवारी के सबूत हैं। लेकिन खजुराहो के मंदिर जरूर अर्थपूर्ण हैं।

जिस आदमी का भी मन सेक्स से बहुत भरा हो, वह जाकर उन पर ध्यान करे; और वह हलका लौटेगा, शांत लौटेगा। तंत्र ने जरूर सेक्स को आध्यात्मिक बनाने की कोशिश की थी। लेकिन इस मुल्क के नीतिशास्त्री और जो मॉरल प्रीचर्स हैं, उन दुष्टों ने उनकी बात को समाज तक नहीं पहुंचने दिया। वे मेरी बात भी नहीं पहुंचने देना चाहते हैं।

यहां से मैं भारतीय विद्याभवन से बोल कर जबलपुर वापस लौटा और तीसरे

दिन मुझे एक पत्र मिला कि अगर आप इस तरह की बातें कहना बंद नहीं कर देते हैं तो आपको गोली क्यों न मार दी जाए ? मैं उन्हें उत्तर देना चाहता था, लेकिन वे गोली मारने वाले सज्जन बहुत कायर मालूम पड़े, न उन्होंने नाम लिखा था, न पता लिखा था। शायद वे डरे होंगे कि मैं पुलिस को न दे दूं। लेकिन अगर वे यहां कहीं हों-- अगर होंगे तो किसी झाड़ के पीछे या कहीं दीवाल के पीछे छिपे होंगे--अगर वे यहां कहीं हों तो मैं उनको कहना चाहता हूं कि पुलिस को देने की कोई भी जरूरत नहीं है। वे अपना नाम और पता मुझे भेज दें, ताकि मैं उनको उत्तर दे सकूं। लेकिन अगर उनकी हिम्मत न हो तो मैं उत्तर यहीं दिए देता हूं, ताकि वे सुन लें।

पहली तो बात यह है कि इतनी जल्दी गोली मारने की मत करना। क्योंकि गोली मारते ही, जो बात मैं कह रहा हूं वह परम सत्य हो जाएगी, इसका उनको पता होना चाहिए। जीसस क्राइस्ट को दुनिया कभी की भूल गई होती, अगर उसको सूली पर न लटकाया गया होता। जीसस क्राइस्ट को दुनिया कभी की भूल गई होती, अगर उसको सूली न मिली होती। सूली देने वाले ने बड़ी कृपा की।

और मैंने तो यहां तक सुना है कुछ इनर सर्किल्स में--जो जीवन की गहराइयों की खोज करते हैं, उनसे मुझे यह भी ज्ञात हुआ है--कि जीसस ने खुद अपनी सूली लगवाने के लिए योजना और षडयंत्र किया था। जीसस ने चाहा था कि मुझे सूली लगा दी जाए। क्योंकि सूली लगते ही, जो जीसस ने कहा है, वह करोड़ों-करोड़ों वर्ष के लिए अमर हो जाएगा और हजारों लोगों के, लाखों लोगों के काम आ सकेगा।

इस बात की बहुत संभावना है। क्योंकि जुदास, जिसने ईसा को बेचा तीस रुपयों में, वह ईसा के प्यारे से प्यारे शिष्यों में से एक था। और यह संभव नहीं है कि जो वर्षों से ईसा के पास रहा हो, वह सिर्फ तीस रुपये में ईसा को बेच दे, सिवाय इसके कि ईसा ने उसको कहा हो कि तू कोशिश कर, दुश्मन से मिल जा, और किसी तरह मुझे उलझा दे और सूली लगवा दे! ताकि मैं जो कह रहा हूं, वह अमृत का स्थान ले ले और करोड़ों लोगों का उद्धार बन जाए।

महावीर को अगर सूली लगी होती तो दुनिया में केवल तीस लाख जैन नहीं होते, तीस करोड़ हो सकते थे। लेकिन महावीर शांति से मर गए, सूली का उन्हें पता भी नहीं था। न किसी ने लगाई, न उन्होंने लगवाने की व्यवस्था की। आज आधी दुनिया ईसाई है। उसका सिवाय इसके कोई कारण नहीं कि ईसा अकेला सूली पर लटका हुआ है--न बुद्ध, न मोहम्मद, न महावीर, न कृष्ण, न राम। सारी दुनिया भी ईसाई हो सकती है। वह सूली पर लटकने से यह फायदा हो गया। तो मैं उनसे कहता

संभोग से समाधि को ओर

हूं कि जल्दी मत करना, नहीं तो नुकसान में पड़ जाओगे।

दूसरी बात यह कहना चाहता हूं कि घबराएं न वे। मेरे इरादे खाट पर मरने के हैं भी नहीं। मैं पूरी कोशिश करूंगा कि कोई न कोई गोली मार ही दे! तो मैं खुद ही कोशिश करूंगा, जल्दी उनको करने की आवश्यकता नहीं है। समय आने पर मैं चाहूंगा कि कोई गोली मार ही दे! जिंदगी भी काम आती है और गोली लग जाए तो मौत भी काम आती है और जिंदगी से ज्यादा काम आ जाती है। जिंदगी जो नहीं कर पाती है, वह गोली लगी हुई मौत कर देती है। अब तक हमेशा यह भूल की है दुश्मनों ने, नासमझी की है। सुकरात को जिन्होंने सूली पर लटका दिया, जिन्होंने जहर पिला दिया; मंसूर को जिन्होंने सूली पर लटका दिया; और अभी गोडसे ने गांधी को गोली मार दी। गोडसे को पता नहीं कि गांधी के भक्त और गांधी के अनुयायी गांधी को इतने दूर तक स्मरण कराने में कभी भी सफल नहीं हो सकते थे, जितना अकेले गोडसे ने कर दिया है।

और अगर गांधी ने मरते वक्त, जब उन्हें गोली लगी और हाथ जोड़ कर गोडसे को नमस्कार किया होगा, तो बड़ा अर्थपूर्ण था वह नमस्कार। वह अर्थपूर्ण था कि मेरा अंतिम शिष्य सामने आ गया। अब जो मुझे आखिरी और हमेशा के लिए अमर किए दे रहा है। भगवान ने आदमी भेज दिया जिसकी जरूरत थी।

जिंदगी का ड्रामा, वह जो जिंदगी की कहानी है, वह बहुत उलझी हुई है। वह इतनी आसान नहीं है। खाट पर मरने वाले हमेशा के लिए मर जाते हैं, गोली खाकर मरने वालों का मरना बहुत मुश्किल हो जाता है।

सुकरात से किसी ने पूछा--उसके मित्रों ने--कि अब तुम्हें जहर दे दिया जाएगा और तुम मर जाओगे, तो हम तुम्हारे गाड़ने की कैसी व्यवस्था करें? जलाएं, कब्र बनाएं, क्या करें? सुकरात ने कहा, पागलों, तुम्हें पता नहीं है कि तुम मुझे नहीं गाड़ सकोगे। तुम जब सब मिट जाओगे, तब भी मैं जिंदा रहूंगा। मैंने मरने की तरकीब जो चुनी है, वह हमेशा जिंदा रहने वाली है।

तो वे मित्र अगर कहीं हों तो उनको पता होना चाहिए, जल्दी न करें। जल्दी में नुकसान हो जाएगा उनका। मेरा कुछ होने वाला नहीं है। क्योंकि जिसको गोली लग सकती है, वह मैं नहीं हूं; और जो गोली लगने के बाद भी पीछे बच जाता है, वही हूं। तो वे जल्दी न करें। और दूसरी बात यह कि वे घबराएं भी न। मैं हर तरह की कोशिश करूंगा कि खाट पर न मर सकूं। वह मरना बड़ा गड़बड़ है। वह बेकार ही मर जाना है। वह निरर्थक मर जाना है। मर जाने की भी सार्थकता चाहिए।

और तीसरी बात यह कि वे दस्तखत करने से न घबराएं, न पता लिखने से घबराएं। क्योंकि अगर मुझे लगे कि कोई आदमी मारने को तैयार हो गया है, तो वह जहां मुझे बुलाएगा, मैं चुपचाप बिना किसी को खबर किए वहां आने को हमेशा तैयार हूं, ताकि उस पर पीछे कोई मुसीबत न आए।

लेकिन ये पागलपन सूझते हैं। इस तरह के धार्मिक...और जिस बेचारे ने लिखा है, उसने यही सोच कर लिखा है कि वह धर्म की रक्षा कर रहा है। उसने यही सोच कर लिखा है कि मैं धर्म को मिटाने की कोशिश कर रहा हूं, वह धर्म की रक्षा कर रहा है। उसकी नीयत में कहीं कोई खराबी नहीं है। उसके भाव बड़े अच्छे और बड़े धार्मिक हैं। ऐसे ही धार्मिक लोग तो दुनिया को दिक्कत में डालते रहे हैं। उनकी नीयत बड़ी अच्छी है, लेकिन बुद्धि मूढ़ता की है।

तो हजारों साल से तथाकथित नैतिक लोगों ने जीवन के सत्यों को पूरा-पूरा प्रकट होने में बाधा डाली है, उसे प्रकट नहीं होने दिया। नहीं प्रकट होने के कारण एक अज्ञान व्यापक हो गया। और उस अज्ञान की अंधेरी रात में हम टटोल रहे हैं, भटक रहे हैं, गिर रहे हैं। और वे मॉरल टीचर्स, वे नीतिशास्त्र के उपदेशक, हमारे इस अंधकार के बीच में मंच बना कर उपदेश देने का काम करते रहते हैं!

यह भी सच है कि जिस दिन हम अच्छे लोग हो जाएंगे, जिस दिन हमारे जीवन में सत्य की किरण आएगी, समाधि की कोई झलक आएगी, जिस दिन हमारा सामान्य जीवन भी परमात्म-जीवन में रूपांतरित होने लगेगा, उस दिन उपदेशक व्यर्थ हो जाएंगे, उनकी कोई जगह नहीं रह जाने वाली है। उपदेशक तभी तक सार्थक है, जब तक लोग अंधेरे में भटकते हैं।

गांव में चिकित्सक की तभी तक जरूरत है, जब तक लोग बीमार पड़ते हैं। जिस दिन आदमी बीमार पड़ना बंद कर देगा, उस दिन चिकित्सक को विदा कर देना पड़ेगा। तो हालांकि चिकित्सक ऊपर से बीमार का इलाज करता हुआ मालूम पड़ता है, लेकिन भीतर से उसके प्राणों की आकांक्षा यही होती है कि लोग बीमार पड़ते रहें। यह बड़ी उलटी बात है! क्योंकि चिकित्सक जीता है लोगों के बीमार पड़ने पर। उसका प्रोफेशन बड़ा कंट्राडिक्टरी है, उसका धंधा बड़ा विरोधी है। कोशिश तो उसकी यह है कि लोग बीमार पड़ते रहें। और जब मलेरिया फैलता है और फ्लू की हवाएं आती हैं, तो वह भगवान को एकांत में धन्यवाद देता है। क्योंकि यह धंधे का वक्त आया--सीजन!

मैंने सुना है, एक रात एक मधुशाला में बड़ी देर तक कुछ मित्र आकर खाना-

पीना करते रहे, शराब पीते रहे। उन्होंने खूब मौज की। और जब वे चलने लगे आधी रात को तो शराबखाने के मालिक ने अपनी पत्नी को कहा कि भगवान को धन्यवाद, बड़े भले लोग आए। ऐसे लोग रोज आते रहें तो कुछ ही दिनों में हम मालामाल हो जाएं।

विदा होते मेहमानों को सुनाई पड़ गया और जिसने पैसे चुकाए थे उसने कहा कि दोस्त, भगवान से प्रार्थना करो कि हमारा भी धंधा रोज चलता रहे, तो हम तो रोज आएं।

चलते-चलते उस शराबघर के मालिक ने पूछा कि भाई, तुम्हारा धंधा क्या है?

उसने कहा, मेरा धंधा पूछते हो, मैं मरघट पर लकड़ियां बेचता हूं मुर्दों के लिए। जब आदमी ज्यादा मरते हैं, तब मेरा धंधा चलता है, तब हम थोड़े खुश होते हैं। हमारा धंधा रोज चलता रहे, हम रोज यहां आते रहें।

चिकित्सक का धंधा है कि लोगों को ठीक करे। लेकिन फायदा, लाभ और शोषण इसमें है कि लोग बीमार पड़ते रहें। तो एक हाथ से चिकित्सक ठीक करता है और उसके प्राणों के प्राणों की प्रार्थना होती है कि मरीज जल्दी ठीक न हो जाए।

इसीलिए पैसे वाले मरीज को ठीक होने में बड़ी देर लगती है। गरीब मरीज जल्दी ठीक हो जाता है; क्योंकि गरीब मरीज को ज्यादा देर बीमार रहने से कोई फायदा नहीं है, चिकित्सक को कोई फायदा नहीं है। चिकित्सक को फायदा है अमीर मरीज से! तो अमीर मरीज लंबा बीमार रहता है। सच तो यह है कि अमीर अक्सर ही बीमार रहते हैं। वह चिकित्सक की प्रार्थनाएं काम कर रही हैं। उसकी आंतरिक इच्छा भी उसके हाथ को रोकती है कि मरीज एकदम ठीक ही न हो जाए।

उपदेशक की स्थिति भी ऐसी ही है। समाज जितना नीतिभ्रष्ट हो, जितना व्यभिचार फैले, जितना अनाचार फैले, उतना ही उपदेशक का मंच ऊपर उठने लगता है। क्योंकि जरूरत आ जाती है कि वह लोगों को कहेः अहिंसा का पालन करो, सत्य का पालन करो, ईमानदारी स्वीकार करो; यह व्रत पालन करो, वह व्रत पालन करो। अगर लोग व्रती हों, अगर लोग संयमी हों, अगर लोग शांत हों, ईमानदार हों, तो उपदेशक मर गया। उसकी कोई जगह न रही।

और हिंदुस्तान में सारी दुनिया से ज्यादा उपदेशक क्यों हैं? ये गांव-गांव गुरु और घर-घर स्वामी और संन्यासी क्यों हैं? यह महात्माओं की इतनी भीड़ और यह कतार क्यों है?

यह इसलिए नहीं है कि आप बड़े धार्मिक देश हैं जहां कि संत-महात्मा पैदा होते

हैं। यह इसलिए है कि आप इस समय पृथ्वी पर सबसे ज्यादा अधार्मिक और अनैतिक देश हैं, इसलिए इतने उपदेशकों को पालने का ठेका और धंधा मिल जाता है। हमारा तो जातीय रोग हो गया।

मैंने सुना है कि अमेरिका में किसी ने एक लेख लिखा हुआ था। किसी मित्र ने वह लेख मेरे पास भेज दिया। उसमें एक कमी थी, उन्होंने मेरी सलाह चाही। किसी ने लेख लिखा था वहां--मजाक का कोई लेख था--उसने लिखा था कि हर आदमी और हर जाति का लक्षण शराब पिला कर पता लगाया जा सकता है कि बेसिक कैरेक्टर क्या है?

तो उसने लिखा था कि अगर डच आदमी को शराब पिला दी जाए तो वह एकदम से खाने पर टूट पड़ता है, फिर वह किचेन के बाहर ही नहीं निकलता, फिर वह एकदम खाने की मेज से उठता ही नहीं। बस शराब पी कि वह दो-दो, तीन-तीन घंटे खाने में लग जाता है। अगर फ्रेंच को शराब पिला दी जाए तो शराब पीने के बाद वह एकदम नाच-गाने के लिए तत्पर हो जाता है। और अगर अंग्रेज को शराब पिला दी जाए तो वह एकदम चुप होकर एक कोने में मौन हो जाता है। वह वैसे ही चुप बैठा रहता है। और शराब पी ली, तो उसका कैरेक्टर है, वह और चुप हो जाता है। ऐसे दुनिया के सारे लोगों के लक्षण थे। लेकिन भूल से या अज्ञान के वश भारत के बाबत कुछ भी नहीं लिखा था। तो किसी मित्र ने मुझे लेख भेजा और कहा कि आप भारत के कैरेक्टर के बाबत क्या कहते हैं? अगर भारतीय को शराब पिलाई जाए तो क्या होगा?

तो मैंने कहा कि वह तो जग-जाहिर बात है। भारतीय शराब पीएगा और तत्काल उपदेश देना शुरू कर देगा। यह उसकी कैरेक्टरस्टिक है। वह उनका जातीय गुण है।

यह जो उपदेशकों का समाज और साधु-संतों और महात्माओं की ये लंबी कतार हैं, ये रोग के लक्षण हैं, ये अनीति के लक्षण हैं। और मजा यह है कि इनमें से कोई भी भीतरी हृदय से कभी नहीं चाहता कि अनीति मिट जाए, रोग मिट जाए; क्योंकि उसके मिटने के साथ वे भी मिट जाते हैं। प्राणों की पुकार यही होती है कि रोग बना रहे और बढ़ता चला जाए।

और उस रोग को बढ़ाने के लिए जो सबसे सुगम उपाय है, वह यह है कि जीवन के संबंध में सर्वांगीण ज्ञान उत्पन्न न हो सके। और जीवन के जो सबसे ज्यादा गहरे केंद्र हैं, जिनके अज्ञान के कारण अनीति और व्यभिचार और भ्रष्टाचार फैलता है,

उन केंद्रों को आदमी कभी भी न जान सके। क्योंकि उन केंद्रों को जान लेने के बाद मनुष्य के जीवन से अनीति तत्काल विदा हो सकती है।

और मैं आपसे कहना चाहता हूं कि सेक्स मनुष्य की अनीति का सर्वाधिक केंद्र है। मनुष्य के व्यभिचार का, मनुष्य की विकृति का सबसे मौलिक, सबसे आधारभूत केंद्र वहां है। और इसीलिए धर्मगुरु उसकी बिलकुल बात नहीं करना चाहते!

एक मित्र ने मुझे खबर भिजवाई है कि कोई संत-महात्मा सेक्स की बात नहीं करता। और आपने सेक्स की बात की तो हमारे मन में आपका आदर बहुत कम हो गया है।

मैंने उनसे कहा, इसमें कुछ गलती न हुई। पहले आदर था, उसमें गलती थी। इसमें क्या गलती हुई? मेरे प्रति आदर होने की जरूरत क्या है? मुझे आदर देने का प्रयोजन क्या है? मैंने कब मांगा है कि मुझे आदर दें? देते थे तो आपकी गलती थी; नहीं देते हैं, आपकी कृपा है। मैं महात्मा नहीं रहा। मैंने कभी चाहा होता कि मैं महात्मा होऊं तो मुझे बड़ी पीड़ा होती। और मैं कहता, क्षमा करना, भूल से ये बातें मैंने कह दीं।

मैं महात्मा था नहीं, मैं महात्मा हूं नहीं, मैं महात्मा होना चाहता नहीं।

जहां इतने बड़े जगत में इतने लोग दीन-हीन हैं, वहां एक आदमी महात्मा होना चाहे, उससे ज्यादा निम्न प्रवृत्ति और स्वार्थ से भरा हुआ आदमी नहीं है। जहां इतने दीन-हीन जन हैं, जहां इतनी हीन आत्माओं का विस्तार है, वहां महात्मा होने की कल्पना और विचार ही पाप है।

महान मनुष्यता मैं चाहता हूं। महान मनुष्य मैं चाहता हूं।

महात्मा होने की मेरे मन में कोई भी इच्छा और आकांक्षा नहीं है। महात्माओं के दिन विदा हो जाने चाहिए। महात्माओं की कोई जरूरत नहीं। महान मनुष्य की जरूरत है। महान मनुष्यता की जरूरत है। ग्रेटमैन नहीं, ग्रेट ह्युमैनिटी! बड़े आदमी बहुत हो चुके। उनसे क्या फायदा हुआ? अब बड़े आदमियों की जरूरत नहीं, बड़ी आदमियत की जरूरत है।

तो मुझे बहुत अच्छा लगा कि कम से कम एक आदमी का इल्यूजन तो टूटा। एक आदमी तो डिसइल्यूजंड हुआ। एक आदमी को तो यह पता चल गया कि यह आदमी महात्मा नहीं है। एक आदमी का भ्रम टूट गया, यह भी बड़ी बात है। वे शायद सोचें होंगे कि इस भांति कह कर वे शायद मुझे प्रलोभन दे रहे हैं कि मुझे

महात्मा और महर्षि बनाया जा सकता है, अगर मैं इस तरह की बातें न करूं।

आज तक महर्षियों और महात्माओं को इसी तरह बनाया गया है। और इसीलिए उन कमजोर लोगों ने इस तरह की बातें नहीं कीं जिनसे महात्मापन छिन सकता था। अपने महात्मापन के बचा रखने के लिए--उस प्रलोभन में--जीवन का कितना अहित हो सकता है, इसका उन्होंने कोई भी खयाल नहीं किया है।

मुझे चिंता नहीं है, मुझे विचार भी नहीं है, मुझे खयाल भी नहीं है! और मुझे घबराहट ही होती है, जब कोई मुझे महात्मा मानना चाहे।

और आज की दुनिया में महात्मा बन जाना और महर्षि बन जाना इतना आसान है, जिसका कोई हिसाब नहीं। हमेशा आसान रहा है। हमेशा आसान रहा है। वह सवाल नहीं है। सवाल यह है कि महान मनुष्य कैसे पैदा हो--उसके लिए हम क्या कर सकते हैं? क्या सोच सकते हैं? क्या खोज कर सकते हैं? और मुझे लगता है कि मैंने बुनियादी सवाल पर जो बातें आपसे कही हैं, वे आपके जीवन में एक दिशा तोड़ने में सहयोगी हो सकती हैं। उनसे एक मार्ग प्रकट हो सकता है। और क्रमशः आपकी वासना का रूपांतरण आत्मा की दिशा में हो सकता है। अभी हम वासना हैं, आत्मा नहीं। कल हम आत्मा भी हो सकते हैं। लेकिन वह होंगे कैसे? इसी वासना के सर्वांग रूपांतरण से! इसी शक्ति को निरंतर ऊपर से ऊपर ले जाने से!

जैसा मैंने कल आपको कहा, उस संबंध में भी बहुत से प्रश्न हैं, उसके संबंध में एक बात कहूंगा।

मैंने आपको कहा कि संभोग में समाधि की झलक का स्मरण रखें, रिमेंबरिंग रखें और उस बिंदु को पकड़ने की कोशिश करें--उस बिंदु को जो विद्युत की तरह संभोग के बीच में चमकता है समाधि का। एक क्षण को जो चमक आती है और विदा हो जाती है, उस बिंदु को पकड़ने की कोशिश करें कि वह क्या है? उसे जानने की कोशिश करें। उसको पकड़ लें पूरी तरह से कि वह क्या है? और एक दफा उसे आपने पकड़ लिया, तो उस पकड़ में आपको दिखाई पड़ेगा कि उस क्षण में आप शरीर नहीं रह जाते हैं--बॉडीलेसनेस। उस क्षण में आप शरीर नहीं हैं। उस क्षण में एक झलक की तरह आप कुछ और हो गए हैं, आप आत्मा हो गए हैं।

और वह झलक आपको दिखाई पड़ जाए तो फिर उस झलक के लिए ध्यान के मार्ग से श्रम किया जा सकता है। उस झलक को फिर ध्यान की तरफ से पकड़ा जा सकता है। उस झलक को फिर ध्यान के रास्ते से जाकर परिपूर्ण रूप से, पूरे रूप से जाना और जीया जा सकता है। और वह अगर हमारे ज्ञान, जानने और जीवन का

हिस्सा बन जाए तो आपके जीवन में सेक्स की कोई जगह नहीं रह जाएगी।

एक मित्र ने पूछा है कि अगर इस भांति सेक्स विदा हो जाएगा तो दुनिया में संतति का क्या होगा? अगर इस भांति सारे लोग समाधि का अनुभव करके ब्रह्मचर्य को उपलब्ध हो जाएंगे तो बच्चों का क्या होगा?

जरूर इस भांति के बच्चे पैदा नहीं होंगे जिस भांति आज पैदा होते हैं। यह ढंग कुत्ते, बिल्लियों और इल्लियों का तो ठीक है, आदमियों का ठीक नहीं। यह कोई ढंग है? यह कोई बच्चों की कतार लगाए चले जाना--निरर्थक, अर्थहीन, बिना जाने-बूझे--यह भीड़ पैदा करते चले जाना। यह भीड़ कितनी हो गई? यह भीड़ इतनी हो गई है कि वैज्ञानिक कहते हैं कि अगर सौ बरस तक इसी भांति बच्चे पैदा होते रहे और कोई रुकावट नहीं लगाई जा सकी, तो जमीन पर टेहुनी हिलाने के लिए भी जगह नहीं बचेगी। हमेशा आप सभा में ही खड़े हुए मालूम होंगे। जहां जाएंगे, वहीं सभा मालूम होगी। सभा करना बहुत मुश्किल हो जाएगा। टेहुनी हिलाने की जगह नहीं रह जाने वाली है सौ साल के भीतर, अगर यही स्थिति रही।

वे मित्र ठीक पूछते हैं कि अगर इतना ब्रह्मचर्य उपलब्ध होगा तो बच्चे कैसे पैदा होंगे? उनसे भी मैं एक और बात कहना चाहता हूं, वह भी अर्थ की है और आपके खयाल में आ जानी चाहिए। ब्रह्मचर्य से भी बच्चे पैदा हो सकते हैं, लेकिन ब्रह्मचर्य से बच्चों के पैदा करने का सारा प्रयोजन और अर्थ बदल जाता है। काम से बच्चे पैदा होते हैं, सेक्स से बच्चे पैदा होते हैं। सेक्स से बच्चे पैदा होना--बच्चे पैदा करने के लिए कोई सेक्स में नहीं जाता है।

बच्चे पैदा होना आकस्मिक है, एक्सीडेंटल है।

सेक्स में आप जाते हैं किसी और कारण से, बीच में बच्चे आ जाते हैं। बच्चों के लिए आप कभी सेक्स में नहीं जाते हैं। बिना बुलाए मेहमान हैं बच्चे। और इसीलिए बच्चों के प्रति आपके मन में वह प्रेम नहीं हो सकता। जो बिना बुलाए मेहमानों के प्रति कब होता है? घर में कोई आ जाए अतिथि बिना बुलाए तो जो हालत घर में हो जाती है--बिस्तर भी लगाते हैं उसको सुलाने के लिए, खाना भी खिलाते हैं उसको खिलाने के लिए, आवभगत भी करते हैं, हाथ भी जोड़ते हैं--लेकिन पता होगा आपको कि बिना बुलाए मेहमान के साथ क्या घर की हालत हो जाती है! यह सब ऊपर-ऊपर होता है, भीतर कुछ भी नहीं। और पूरे वक्त यही इच्छा होती है कि कब आप विदा हों, कब आप जाएं।

बिना बुलाए बच्चों के साथ भी दुर्व्यवहार होगा, सदव्यवहार नहीं हो सकता।

क्योंकि उन्हें हमने कभी चाहा न था, कभी हमारे प्राणों की वे आकांक्षा न थे। हम तो किसी और ही तरफ गए थे, वे बाइ-प्रॉडक्ट हैं, प्रॉडक्ट नहीं। आज के बच्चे प्रॉडक्ट नहीं हैं, बाइ-प्रॉडक्ट हैं। वे उत्पत्ति नहीं हैं। वह उत्पत्ति के साथ, जैसे गेहूं के साथ भूसा पैदा हो जाता है, वैसी हालत है। आपका विचार, आपकी कामना दूसरी थी, बच्चे बिलकुल आकस्मिक हैं।

और इसीलिए सारी दुनिया में हमेशा से यह कोशिश चली है--वात्स्यायन से लेकर आज तक यह कोशिश चली है--कि सेक्स को बच्चों से किसी तरह मुक्त कर लिया जाए। उसी से बर्थ-कंट्रोल विकसित हुआ, संतति-नियमन विकसित हुआ, कृत्रिम साधन विकसित हुए कि हम बच्चों से भी बच जाएं और सेक्स को भी भोग लें। बच्चों से बचने की चेष्टा हजारों साल से चल रही है। आयुर्वेद के ग्रंथों में दवाइयों का उल्लेख है, जिनको लेने से बच्चे नहीं होंगे, गर्भधारण नहीं होगा। आयुर्वेद के तीन-चार-पांच हजार साल पुराने ग्रंथ इसका विचार करते हैं। और अभी आज का आधुनिकतम स्वास्थ्य का मिनिस्टर भी इसी की बात करता है। क्यों? आदमी ने यह ईजाद करने की चेष्टा क्यों की?

बच्चे बड़े उपद्रव का कारण हो गए। वे बीच में आते हैं, जिम्मेवारियां ले आते हैं। और भी एक खतरा--बच्चों के आते से ही स्त्री परिवर्तित हो जाती है।

पुरुष भी बच्चे नहीं चाहता। नहीं होते हैं तो चाहता है, इस कारण नहीं कि बच्चों से प्रेम है, बल्कि अपनी संपत्ति से प्रेम है--कल मालिक कौन होगा? बच्चों से प्रेम नहीं है। बाप जब चाहता है कि बच्चा हो जाए एक घर में, लड़का नहीं है, तो आप यह मत सोचना कि लड़के के लिए बड़े उनके प्राण आतुर हो रहे हैं। नहीं, आतुरता यह हो रही है कि मैं रुपये कमा-कमा कर मरा जा रहा हूं, न मालूम कौन कब्जा कर लेगा! एक हकदार मेरे खून का उसको बचाने के लिए होना चाहिए।

बच्चों के लिए कोई कभी नहीं चाहता कि बच्चे आ जाएं। बच्चों से हम बचने की कोशिश करते रहे हैं। लेकिन बच्चे पैदा होते चले गए। हमने संभोग किया और बच्चे बीच में आ गए। वह उसके साथ जुड़ा हुआ संबंध था। यह कामजन्य संतति है। यह बाइ-प्रॉडक्ट है सेक्सुअलिटी की। और इसीलिए मनुष्य इतना रुग्ण, इतना दीन-हीन, इतना उदास, इतना चिंतित है।

ब्रह्मचर्य से भी बच्चे आएंगे। लेकिन वे बच्चे सेक्स के बाइ-प्रॉडक्ट नहीं होंगे। उन बच्चों के लिए सेक्स एक वीहिकल होगा। उन बच्चों को लाने के लिए सेक्स एक माध्यम होगा। सेक्स से कोई संबंध नहीं होगा।

जैसे एक आदमी बैलगाड़ी में बैठ कर कहीं गया। उसे बैलगाड़ी से कोई मतलब है ? वह हवाई जहाज में बैठ कर गया। उसे हवाई जहाज से कोई मतलब है ? आप यहां से बैठ कर दिल्ली गए हवाई जहाज में। हवाई जहाज से आपको कोई भी मतलब है ? कोई भी संबंध है ? कोई भी नाता है ? कोई नाता नहीं है। नाता है दिल्ली जाने से। हवाई जहाज सिर्फ वीहिकल है, सिर्फ माध्यम है।

ब्रह्मचर्य को जब लोग उपलब्ध हों और संभोग की यात्रा समाधि तक हो जाए, तब भी वे बच्चे चाह सकते हैं। लेकिन उन बच्चों का जन्म उत्पत्ति होगी, वे प्रॉडक्ट होंगे, वे क्रिएशन होंगे, वे सृजन होंगे। सेक्स सिर्फ माध्यम होगा।

और जिस भांति अब तक यह कोशिश की गई है--इसे बहुत गौर से सुन लेना--जिस भांति अब तक यह कोशिश की गई है कि बच्चों से बच कर सेक्स को भोगा जा सके, वह नई मनुष्यता यह कोशिश कर सकती है कि सेक्स से बच कर बच्चे पैदा किए जा सकें। मेरी आप बात समझे ?

ब्रह्मचर्य अगर जगत में व्यापक हो जाए तो हम एक नई खोज करेंगे, जैसे हमने पुरानी खोज की है कि बच्चों से बचा जा सके और सेक्स का अनुभव पूरा हो जाए। इससे उलटा प्रयोग आने वाले जगत में हो सकता है, जब ब्रह्मचर्य व्यापक होगा, कि सेक्स से बचा जा सके और बच्चे हो जाएं।

और यह हो सकता है, इसमें कोई भी कठिनाई नहीं है। इसमें जरा भी कठिनाई नहीं है, यह हो सकता है। ब्रह्मचर्य से जगत के अंत होने का कोई संबंध नहीं है।

जगत के अंत होने का संबंध सेक्सुअलिटी से पैदा हो गया है। तुम करते जाओ बच्चे पैदा और जगत अंत हो जाएगा। न एटम बम की जरूरत है, न हाइड्रोजन बम की जरूरत है। यह बच्चों की इतनी बड़ी तादाद, यह कतार, यह काम से उत्पन्न हुए कीड़े-मकोड़ों जैसी मनुष्यता, यह अपने आप नष्ट हो जाएगी।

ब्रह्मचर्य से तो एक और ही तरह का आदमी पैदा होगा। उसकी उम्र बहुत लंबी हो सकती है। उसकी उम्र इतनी लंबी हो सकती है, जिसकी हम कोई कल्पना भी नहीं कर सकते हैं। उसका स्वास्थ्य अदभुत हो सकता है कि उसमें बीमारी पैदा न हो। उसका मस्तिष्क वैसा होगा, जैसी कभी-कभी कोई प्रतिभा दिखाई पड़ती है। उसके व्यक्तित्व में सुगंध ही और होगी, बल ही और होगा, सत्य ही और होगा, धर्म ही और होगा। वह धर्म को साथ लेकर पैदा होगा।

हम अधर्म को साथ लेकर पैदा होते हैं और अधर्म में जीते हैं और अधर्म में मरते हैं, और इसलिए दिन-रात जिंदगी भर धर्म की चर्चा करते हैं। शायद उस मनुष्यता में

धर्म की कोई चर्चा नहीं होगी, क्योंकि धर्म लोगों का जीवन होगा। हम चर्चा उसी की करते हैं जो हमारा जीवन नहीं होता; जो जीवन होता है उसकी हम चर्चा नहीं करते। हम सेक्स की चर्चा नहीं करते, क्योंकि वह हमारा जीवन है। हम ईश्वर की चर्चा करते हैं, क्योंकि वह हमारा जीवन नहीं है। असल में, जिस चीज को हम जिंदगी में उपलब्ध नहीं कर पाते, बातचीत करके उसको पूरा कर लेते हैं।

आपने खयाल किया होगा, स्त्रियां पुरुषों से ज्यादा लड़ती हैं। स्त्रियां लड़ती ही रहती हैं, कुछ न कुछ खटपट पास-पड़ोस, सब तरफ चलती रहती है। कहते हैं कि दो स्त्रियां साथ-साथ बहुत देर तक शांति से बैठी रहें, यह बहुत कठिन है।

मैंने तो सुना है कि चीन में एक बार एक बड़ी प्रतियोगिता हुई और उस प्रतियोगिता में चीन के सबसे बड़े झूठ बोलने वाले लोग इकट्ठे हुए। झूठ बोलने की प्रतियोगिता थी कि कौन सबसे बड़ा झूठ बोलता है, उसको पहला पुरस्कार मिल जाएगा।

एक आदमी को पहला पुरस्कार मिल गया। और उसने यह बात बोली थी सिर्फ कि मैं एक बगीचे में गया। दो औरतें एक ही बेंच पर पांच मिनट तक चुप बैठी रहीं।

और लोगों ने कहा कि इससे बड़ा झूठ कुछ भी नहीं हो सकता! यह तो अल्टीमेट अनट्रुथ हो गया। और भी बड़ी-बड़ी झूठ लोगों ने बोली थी। उन्होंने कहा, वह सब बेकार, पुरस्कार इसको दे दो। यह आदमी बाजी मार ले गया।

लेकिन कभी आपने सोचा कि स्त्रियां इतनी बातें क्यों करती हैं? पुरुष काम करते हैं, स्त्रियों के हाथ में कोई काम नहीं है। और जब काम नहीं होता तो बात होती है।

भारत इतनी बातचीत क्यों करता है? वही स्त्रियों वाला दुर्गुण है। काम कुछ भी नहीं है, बातचीत-बातचीत है।

ब्रह्मचर्य से एक नये मनुष्य का जन्म होगा, जो बातचीत करने वाला नहीं, जीने वाला होगा। वह धर्म की बात नहीं करेगा, धर्म को जीएगा। लोग भूल ही जाएंगे कि धर्म कुछ है, वह इतना स्वभाव हो सकता है। उस मनुष्य के बाबत विचार करना भी अदभुत है। वैसे कुछ मनुष्य पैदा होते रहे हैं। आकस्मिक था उनका पैदा होना।

कभी एक महावीर पैदा हो जाता है। ऐसा सुंदर आदमी पैदा हो जाता है कि अगर वह वस्त्र पहने तो उतना सुंदर न मालूम पड़े। नग्न खड़ा हो जाता है। उसके सौंदर्य की सुगंध फैल जाती है सब तरफ। लोग महावीर को देखने चले आते हैं। वह ऐसा मालूम होता है, संगमरमर की प्रतिमा हो। उसमें इतना वीर्य प्रकट होता है कि--

उसका नाम तो वर्धमान था--लोग उसको महावीर कहने लगते हैं। उसके ब्रह्मचर्य का तेज इतना प्रकट होता है कि लोग अभिभूत हो जाते हैं कि वह आदमी ही और है।

कभी एक बुद्ध पैदा होता है, कभी एक क्राइस्ट पैदा होता है, कभी एक कनफ्यूशियस पैदा होता है। पूरी मनुष्य-जाति के इतिहास में दस-पच्चीस नाम हम गिन सकते हैं जो पैदा हुए हैं।

जिस दिन दुनिया में ब्रह्मचर्य से बच्चे आएंगे--और यह शब्द ही सुनना आपको अजीब लगेगा कि ब्रह्मचर्य से बच्चे! मैं एक नये ही कंसेप्ट की बात कर रहा हूं। ब्रह्मचर्य से जिस दिन बच्चे आएंगे, उस दिन सारे जगत के लोग ऐसे होंगे--ऐसे सुंदर, ऐसे शक्तिशाली, ऐसे मेधावी, ऐसे विचारशील। फिर कितनी देर होगी उन लोगों को कि वे परमात्मा को न जानें? वे परमात्मा को इसी भांति जानेंगे, जिस तरह हम रात को सोते हैं।

लेकिन जिस आदमी को नींद नहीं आती, उससे अगर कोई कहे कि मैं सिर्फ तकिए पर सिर रखता हूं और सो जाता हूं, तो वह आदमी कहेगा, यह बिलकुल गलत, झूठ बात है। मैं तो बहुत करवट बदलता हूं, उठता हूं, बैठता हूं, माला फेरता हूं, गाय-भैंस गिनता हूं; लेकिन कुछ नहीं! नींद आती नहीं। आप झूठ कहते हैं। ऐसा कैसे हो सकता है कि तकिए पर सिर रखा और नींद आ जाए। तकिए पर सिर रखा और नींद आ जाती है? आप सरासर झूठ बोलते हैं! क्योंकि मैंने तो बहुत प्रयोग करके देख लिया; नींद तो कभी नहीं आती, रात-रात गुजर जाती है।

अमेरिका में न्यूयार्क जैसे नगरों में तीस से लेकर चालीस प्रतिशत लोग नींद की दवाएं लेकर सो रहे हैं। और अमेरिकी मनोवैज्ञानिक कहता है कि सौ वर्ष के भीतर न्यूयार्क जैसे नगर में एक भी आदमी सहज रूप से नहीं सो सकेगा, दवा लेनी ही पड़ेगी। तो यह हो सकता है कि न्यूयार्क में सौ साल बाद होगा, दो सौ साल बाद हिंदुस्तान में होगा; क्योंकि हिंदुस्तान के नेता इस बात के पीछे पड़े हैं कि हम उनका मुकाबला करके रहेंगे! हम उनसे पीछे नहीं रह सकते। वे कहते हैं कि हम उनसे पीछे नहीं रह सकते, उनकी सब बीमारियों में हम मुकाबला करके रहेंगे!

तो यह हो सकता है कि पांच सौ साल बाद सारी दुनिया के लोग नींद की दवा लेकर ही सोएं! और बच्चा जब पहली दफा पैदा हो मां के पेट से, तो वह दूध न मांगे, वह कहे--ट्रैंक्केलाइजर! नौ महीने सो नहीं पाया तुम्हारे पेट में, ट्रैंक्केलाइजर कहां है? तो पांच सौ साल बाद उन लोगों को यह विश्वास दिलाना कठिन होगा कि आज से पांच सौ साल पहले सारी मनुष्यता आंख बंद करती थी और सो जाती थी।

वे कहेंगे, इंपासिबल! असंभव है यह बात। यह नहीं हो सकता। कैसे हो सकती है यह बात!

मैं आपसे कहता हूं, उस ब्रह्मचर्य से जो जीवन उपजेगा, उसको यह विश्वास करना कठिन हो जाएगा कि लोग चोर थे, लोग बेईमान थे, लोग हत्यारे थे, लोग आत्महत्याएं कर लेते थे, लोग जहर खाते थे, लोग शराब पीते थे, लोग छुरे भोंकते थे, लोग युद्ध करते थे। यह उनको विश्वास करना मुश्किल होगा कि यह कैसे हो सकता है?काम से अब तक उत्पत्ति हुई है। और वह भी उस काम से जो फिजियोलाजिकल से ज्यादा नहीं है।

एक आध्यात्मिक काम का जन्म हो सकता है और एक नये जीवन का प्रारंभ हो सकता है। उस नये जीवन के प्रारंभ के लिए ये थोड़ी सी बातें इन चार दिनों में मैंने आपसे कही हैं। मेरी बातों को इतने प्रेम और इतनी शांति से--और ऐसी बातों को, जिन्हें प्रेम और शांति से सुनना बहुत मुश्किल गया होगा, बड़ी कठिनाई मालूम पड़ी होगी।

एक मित्र तो मेरे पास आए और कहने लगे कि मैं डर रहा था कि कहीं दस-बीस आदमी खड़े होकर यह न कहने लगें कि बंद करिए, यह बात नहीं होनी चाहिए! मैंने कहा, इतने हिम्मतवर आदमी भी होते तो भी ठीक था।

इतने हिम्मतवर आदमी भी कहां हैं कि किसी को कह दें कि बंद करिए यह बात! अगर इतने ही हिम्मतवर आदमी इस मुल्क में होते तो बेवकूफों की कतार, जो कुछ भी कह रही है मुल्क में, वह कभी की बंद हो गई होती। लेकिन वह बंद नहीं हो पा रही।

मैंने कहा, मैं तो प्रतीक्षा करता हूं कि कभी कोई बहादुर आदमी खड़े होकर कहेगा कि बंद कर दो यह बात, उससे कुछ बात करने का मजा होगा। तो ऐसी बातों को, जिनसे कि मित्र डरे हुए थे कि कहीं कोई खड़े होकर न कह दे, आप इतने प्रेम से सुनते रहे, आप बड़े भले आदमी हैं और जितना आपका ऋण मानूं उतना कम है।

अंत में यही कामना करता हूं परमात्मा से कि प्रत्येक व्यक्ति के भीतर जो काम है, वह राम के मंदिर तक पहुंचाने की सीढ़ी बन सके। बहुत-बहुत धन्यवाद! और अंत में सबके भीतर बैठे हुए परमात्मा को प्रणाम करता हूं, मेरे प्रणाम स्वीकार करें।

6

यौन : जीवन का ऊर्जा-आयाम

प्रश्न : धर्मशास्त्रों में स्त्रियों और पुरुषों का अलग रहने में और स्पर्श आदि के बचने में क्या चीज है ? इतने इनकार में अनिष्ट वह नहीं होता है ?

धर्म के दो रूप हैं। जैसे कि सभी चीजों के होते हैं। एक स्वस्थ और एक अस्वस्थ।

स्वस्थ धर्म तो जीवन को स्वीकार करता है। अस्वस्थ धर्म जीवन को अस्वीकार करता है।

जहां भी अस्वीकार है, वहां अस्वास्थ्य है। जितना गहरा अस्वीकार होगा, उतना ही व्यक्ति आत्मघाती है। जितना गहरा स्वीकार होगा, उतना ही व्यक्ति जीवनोन्मुख है।

तो जिन धर्मशास्त्रों में कहा गया है कि स्त्री-पुरुष दूर रहें, स्पर्श भी न करें, मैं उन्हें रुग्ण मानता हूं, बीमार। स्वस्थ तो मैं उस बात को मानता हूं, जो जीवन में, जीवन की जो सहजता है, जो जीवन का निसर्ग भाव है, उसका जहां अंगीकार हो।

तो ऐसे धर्मशास्त्र भी हैं, जो स्त्री-पुरुष के बीच किसी तरह की कलह, द्वंद्व और संघर्ष नहीं करते। उन्हीं तरह के धर्मशास्त्रों का नाम तंत्र है। और मेरी मान्यता यह है कि जितनी गहरी पहुंच तंत्र की है जीवन के संबंध में, उतनी उन क्षुद्र शास्त्रों की नहीं है, जहां निषेध किया गया है। मैं तो समर्थन में नहीं हूं। क्योंकि मेरी मान्यता ऐसी है

कि जगत और परमात्मा दो नहीं हैं।

परमात्मा जगत की ही गहनतम अनुभूति है। और मोक्ष कोई संसार के विपरीत नहीं है; बल्कि संसार के अनुभव में ही जाग जाने का नाम है।

तो मैं पूरे जीवन को स्वीकार करता हूं--उसके समस्त रूपों में।

स्त्री-पुरुष इस जीवन के दो अनिवार्य अंग हैं। और एक अर्थ में पुरुष भी अधूरा है, और एक अर्थ में स्त्री भी अधूरी है। उनकी निकटता जितनी गहन हो सके, उतने ही ऐक्य का अनुभव शुरू होता है। तो मेरी दृष्टि में, स्त्री-पुरुष के प्रेम में परमात्मा की पहली झलक उपलब्ध होती है। और जिस व्यक्ति को स्त्री-पुरुष के प्रेम में परमात्मा की पहली झलक उपलब्ध नहीं होती, उसे कोई भी झलक उपलब्ध होनी मुश्किल है।

स्त्री-पुरुष के बीच जो आकर्षण है, वह अगर हम ठीक से समझें, तो जीवन का ही आकर्षण है। और गहरे समझें, तो स्त्री-पुरुष के बीच का जो आकर्षण है, वह परमात्मा की ही लीला का हिस्सा है, उसका ही आकर्षण है। तो मेरी दृष्टि में, उनके बीच के आकर्षण में कोई भी पाप नहीं है।

लेकिन, क्या कारण से स्त्री-पुरुष को कुछ धर्मों ने, कुछ धर्मशास्त्रों ने, कुछ धर्मगुरुओं ने एक शत्रुता का भाव पैदा करने की कोशिश की? गहरे में एक ही कारण है। मनुष्य के अहंकार पर सबसे बड़ी चोट प्रेम में पड़ती है। जब एक पुरुष एक स्त्री के प्रेम में पड़ जाता है, या एक स्त्री एक पुरुष के प्रेम में पड़ती है, तो उन्हें अपना अहंकार तो छोड़ना ही पड़ता है। प्रेम की पहली चोट अहंकार पर होती है। तो जो अति अहंकारी हैं, वे प्रेम से बचेंगे। बहुत अहंकारी व्यक्ति प्रेम नहीं कर सकता, क्योंकि वह दांव पर लगाना पड़ेगा प्रेम में।

प्रेम का मतलब ही यह है कि मैं अपने से ज्यादा मूल्यवान किसी दूसरे को मान रहा हूं। उसका मतलब ही यह है कि मेरा सुख गौण है अब, किसी दूसरे का सुख ज्यादा महत्वपूर्ण है। और जरूरत पड़े तो मैं अपने को पूरा मिटाने को राजी हूं, ताकि दूसरा बच सके। और फिर प्रेम की जो प्रक्रिया है, उसका मतलब ही है कि एक-दूसरे में लीन हो जाना।

शरीर के तल पर यौन भी इसी लीनता का उपाय है--शरीर के तल पर। प्रेम और गहरे तल पर इसी लीनता का उपाय है। लेकिन दोनों लीनताएं हैं--एक-दूसरे में डूब जाना और एक हो जाना; एक फ्यूजन, फासला मिट जाए और कहीं मेरा मैं खो जाए; अस्तित्व रह जाए, मैं का कोई भाव न रहे।

तो प्रेम से सबसे ज्यादा पीड़ा उनको होती है, जिनको अहंकार की कठिनाई है। तो अहंकारी व्यक्ति प्रेम नहीं कर सकता। अहंकारी व्यक्ति प्रेम के भी विरोध में हो जाएगा और अहंकारी व्यक्ति काम के भी विरोध में हो जाएगा। ऐसे अहंकारी व्यक्ति अगर धार्मिक हो जाएं, तो उनसे जो धर्म का जन्म होता है, वह रुग्ण धर्म है। और ऐसे अहंकारी व्यक्ति अक्सर धार्मिक हो जाते हैं; क्योंकि उन्हें जीवन में अब कहीं जाने का उपाय नहीं रह जाता।

जिसका प्रेम का द्वार बंद है, उसके जीवन का भी द्वार बंद हो गया। और जिसे प्रेम का अनुभव नहीं हो रहा है, उसके जीवन में दुख ही दुख रह गया। अब इस दुख से ऊबने के लिए, उबरने के लिए कोई रास्ता खोजेगा। वह प्रेम में खो नहीं सकता तो अब वह कहीं और खोने का रास्ता खोजेगा।

तो वह परमात्मा की कल्पना करेगा, मोक्ष की कल्पना करेगा। लेकिन उसका परमात्मा और मोक्ष अनिवार्य रूप से संसार के विरोध में होगा; क्योंकि वह संसार के विरोध में है। संसार से मतलबः वह प्रेम के विरोध में है, शरीर के विरोध में है। तो उसका जो परमात्मा है--उसकी कल्पना का--वह विपरीत होगा संसार के। एक अर्थ में संसार का दुश्मन होगा।

ऐसा जो आदमी धार्मिक हो जाए तो रुग्ण धर्म पैदा हो जाता है। और ऐसे लोग अक्सर धार्मिक हो जाते हैं। ऐसे लोग शास्त्र भी लिखते हैं, ऐसे लोग अपने विचार का प्रचार भी करते हैं। और दुनिया में बहुत दुखी लोग हैं, वे इस आशा में कि इस तरह के विचारों से आनंद मिलेगा, वे भी इस तरफ झुकते हैं। और दुनिया में सभी के पास थोड़ा-बहुत अहंकार है। तो जिनके भी अहंकार को थोड़ा बढ़ावा पाने की इच्छा हो, वे भी इस ओर झुक जाते हैं।

अहंकारी आदमी हमेशा आक्रामक होता है। तो वह अपने धर्म को लेकर भी आक्रमण करता है दूसरों पर। उनको कनवर्ट करता, उनको समझाता-बुझाता, बदलता है। और चूंकि वह प्रेम, काम, जीवन के सामान्य संबंधों से अपने को दूर रखता है, स्वभावतः ऐसा लगता है कि वह बड़ा त्याग कर रहा है। और जिन चीजों में हमें सुख मिल रहा है, उन सबको छोड़ रहा है, इसलिए हमारे मन में भी आदर पैदा होता है।

आदर तभी पैदा होता है जब हमसे विपरीत कोई कुछ कर रहा हो। जो हम न कर पा रहे हों, वह कोई कर रहा हो, तो आदर पैदा होता है। और वह आक्रामक है, अहंकारी है। वह सब भांति अपने विचार को हमारे ऊपर थोपने की कोशिश करता

है। हम उससे राजी न भी हो पाएं, तो कम से कम हममें वह अपराध-भाव, गिल्ट तो पैदा कर ही देता है कि तुम पाप कर रहे हो। तुम जो कर रहे हो वह गलत है और पाप है, इतना भाव तो वह पैदा कर ही देता है।

इस भाव के बड़े मजेदार परिणाम होते हैं। इसका बड़ा परिणाम तो यह होता है कि जो आप कर रहे हैं वह छोड़ तो नहीं पाते, क्योंकि वह स्वाभाविक है, लेकिन अब उसे करते वक्त आपको अपराध की प्रतीति होने लगती है। तो प्रेम जो है, वह पाप हो जाता है। प्रेम भी करते हैं और भीतर कहीं गहरे में यह भी लगता रहता है कि कुछ गलत कर रहे हैं, कुछ पाप कर रहे हैं। इसका परिणाम यह होता है कि प्रेम से जो भी सुख मिलता था, वह मिलना बंद हो जाता है। प्रेम जारी रहता है और सुख इस अपराध-भाव के कारण मिलना बंद हो जाता है।

जिस चीज में भी अपराध-भाव पैदा हो जाए, उसमें सुख नहीं मिल सकता।

सुख के लिए पहली बात जरूरी है कि मन में अहोभाव हो, अपराध-भाव न हो।

तो पुरुष का मन है कि स्त्री को प्रेम करे, स्त्री का मन है कि पुरुष को प्रेम करे, यह स्वाभाविक आकर्षण है, नैसर्गिक, कुछ इसमें बुरा नहीं है। लेकिन अब वह जो अपराध पैदा कर देंगे त्यागी, वह जहर बन जाएगा। तो स्त्री-पुरुष एक-दूसरे के प्रति आकर्षित भी होंगे और साथ ही विकर्षित भी होंगे। एक दोहरी धारा, द्वंद्व और विपरीत स्थिति बन जाएगी, एक भीतरी कंट्राडिक्शन खड़ा हो जाएगा।

यह सारी मनुष्य-जाति में उन्होंने पैदा कर दिया। इसके उनको फायदे हैं। क्योंकि जब आपको प्रेम से कोई सुख नहीं मिलता, तो उनकी बात बिलकुल ठीक लगने लगती है कि न तो इसमें कोई सुख है... और सुख नहीं मिलता इसलिए नहीं कि प्रेम में सुख नहीं है, सुख नहीं मिलता इसलिए कि उन्होंने पाप का भाव पैदा कर दिया। अगर कोई बच्चे को समझा दे कि श्वास लेने में पाप है, तो श्वास लेने में दुख मिलने लगेगा। हम जो भी समझा दें, उसमें दुख मिलने लगेगा।

दुख जो है, वह कोई भी गलत काम हम कर रहे हैं, उससे मिलने लगेगा। वह काम गलत है या नहीं, यह सवाल नहीं है। जैसे, जैन घर का बच्चा रात को खाना खाए, तो लगता है कि पाप हो रहा है।

जब मैंने पहली दफा रात में खाना खाया तो मुझे वॉमिट हो गई, एकदम उलटी हो गई। क्योंकि चौदह साल तक मैंने कभी रात खाना खाया नहीं था, घर पर कोई कभी खाता नहीं था। और रात खाना पाप था--जाहिर। और जब पहली दफे

विद्यार्थियों के साथ पिकनिक पर चला गया और वहां कोई जैन नहीं था, सब हिंदू थे, उन्होंने दिन में कोई फिक्र न की भोजन बनाने की या खाने की। और मेरे अकेले के लिए मुझे अच्छा भी नहीं लगा कि कुछ कहूं। दिन भर की थकान, पहाड़ी पर चढ़ना, दिन भर की भूख, और फिर रात उनका खाना बनाना मेरे ही सामने। तो भूख भी, उनके खाने की गंध भी, तो मैं राजी हो गया। फिर मैंने सोचा कि इतने लोग इतने दिन से खाकर अभी तक नरक नहीं गए, एक दिन खा लेने से मैं नरक चला जाऊंगा? नरक तो नहीं गया, लेकिन रात मेरी तकलीफ में पड़ गई, मैं नरक में ही रहा; क्योंकि मुझे उलटी हो गई खाने के बाद। चौदह साल तक जिस बात को पाप समझा हो, उसको एकदम से भीतर ले जाना बहुत मुश्किल है। उस दिन जब मुझे उलटी हो गई तो मैंने यही सोचा कि बात पाप ही है, नहीं तो उलटी कैसे हो जाती!

तो विसियस सर्किल हैं, विचार के भी दुष्टचक्र हैं। जिस चीज को हम पाप मान लेते हैं, उसमें सुख नहीं मिलता, दुख मिलने लगता है। और जब दुख मिलने लगता है, तो उसे और भी पाप मान लेने का गहरा भाव हो जाता है। जितना गहरा पाप मानते हैं, उतना ज्यादा दुख मिलने लगता है।

इस भांति पांच हजार साल से त्यागवादी आदमी की गर्दन पकड़े हुए हैं। और वे बीमार लोग हैं, रुग्ण हैं। जीवन को जो भोग नहीं सकते--क्योंकि जीवन के भोगने के लिए जो अनिवार्य शर्त है, उसको वे पूरी नहीं कर सकते, उनका अहंकार बाधा बनता है--तब फिर वे कहना शुरू कर देते हैं कि सब अंगूर खट्टे हैं। और वह इतना प्रचार किया हुआ है अंगूर खट्टे होने का कि अंगूर खट्टे हैं या नहीं, जब आप उनको मुंह में डालते हैं तो आपके दांत कहते हैं कि खट्टे हैं। प्रचार इतना बड़ा है।

इन सारे लोगों ने स्त्री-पुरुष के बीच बहुत तरह की बाधाएं खड़ी की हैं। और चूंकि इनमें अधिक लोग पुरुष थे, इसलिए स्वभावतः स्त्री को उन्होंने बुरी तरह निंदित किया। ये सब शास्त्र रचने वाले चूंकि अधिकतर पुरुष थे, इसलिए स्त्री को उन्होंने बिलकुल नरक का द्वार बना दिया। तो नरक के द्वार को छूने में खतरा तो है ही फिर। नरक के द्वार के पास होने में खतरा है। और जितना इन लोगों ने यह भाव पैदा किया कि स्त्री नरक का द्वार है, स्त्री-पुरुष के संबंध पाप हैं, अपराध हैं--ये भी सामान्य मनुष्य थे, इनके भीतर भी स्त्री के प्रति वही आकर्षण था जो किसी और के मन में है। और जब इन्होंने इतना विरोध किया तो यह आकर्षण और बढ़ गया। निषेध से आकर्षण बढ़ता है।

जिस चीज का इनकार किया जाए, उसमें एक तरह का रस पैदा होना शुरू हो

जाता है।

तो ये दिन-रात इनकार करते रहे तो इनका रस भी बढ़ गया। और जब इनका रस बढ़ गया, तो अगर इस तरह के लोग ध्यान करने बैठें, प्रार्थना करने बैठें, तो स्त्री ही उनको दिखाई पड़ने वाली है। वे भगवान को देखना चाहते हैं, लेकिन दिखाई स्त्री पड़ती है! तब स्वभावतः उनको और भी पक्का होता चला गया कि स्त्री ही नरक का द्वार है। कहां हम भगवान को जब भी पाने जाना चाहते हैं, तभी स्त्री बीच में आ जाती है!

सारे ऋषि-मुनियों को स्त्रियां सताती हैं। इसमें स्त्रियों का कोई कसूर नहीं है, इसमें ऋषि-मुनियों के मन की भाव-दशा है। ये ऋषि-मुनि स्त्री के खिलाफ लड़ रहे हैं। कोई ऊपर इंद्र बैठा हुआ नहीं है कि अप्सराएं भेज दे। मगर इन सबको अप्सराएं घेर लेती हैं--नग्न स्त्रियां, सुंदर स्त्रियां--ये इनके मन के रूप हैं! जो इन्होंने दबाया है और जिसको निषेध किया है, वह इतना प्रगाढ़ हो गया है, वह इतना प्रगाढ़ हो गया है कि अब वह बिलकुल इनको वास्तविक मालूम पड़ता है।

तो इनके कहने में भी गलती नहीं है कि इन्होंने जो अप्सराएं देखीं, बिलकुल वास्तविक हैं। यह अत्यंत रुग्ण चित्त की दशा है, विक्षिप्त चित्त की दशा है--जब कि कोई वासना इतनी प्रगाढ़ हो जाती है कि उस वासना से जो स्वप्न खड़ा होता है वह वास्तविक मालूम होता है। यह पागल मन की हालत है। और इन सबको स्त्रियां ही सताती हैं, क्योंकि इनका पूरे जीवन का सारा संघर्ष स्त्री से है। जिससे संघर्ष है, वह सताएगा।

जिस दिन आपने उपवास किया है, उस दिन भोजन के स्वप्न आ जाएंगे। और अगर दो-चार महीने का आपको लंबा उपवास करना पड़े, तो आप डिल्यूजन की हालत में हो जाएंगे--मस्तिष्क फिर जो भी देखेगा, भोजन ही दिखाई पड़ेगा; कुछ भी सुनेगा, भोजन ही सुनाई पड़ेगा; कोई भी गंध आएगी, वह भोजन की ही गंध होगी। इससे कहीं कोई संबंध बाहर का नहीं है। इसके भीतर जो अभाव पैदा हो गया है, वह प्रक्षेपण कर रहा है।

तो जब इन ऋषि-मुनियों को ऐसा लगा कि स्त्री सब तरह डिगाती है और उनके ध्यान की अवस्था नष्ट हो जाती है, और वे बड़ी ऊंचाई पर चढ़ रहे थे और नीचे गिर जाते हैं--कोई न गिरा रहा है, न कहीं वे चढ़ रहे थे, सब उनका मन का खेल है; वे जिससे लड़ रहे थे, जिससे भाग रहे थे, उसी से खिंच कर नीचे गिर जाते हैं--तो फिर स्वभावतः उन्होंने कहा कि स्त्री को देखना भी नहीं, छूना भी नहीं। स्त्री बैठी हो किसी

जगह, तो उस जगह पर एकदम मत बैठ जाना; कुछ काल व्यतीत हो जाने देना, ताकि उस स्त्री की ध्वनि-तरंगें उस स्थान से अलग हो जाएं। अब यह बिलकुल रुग्ण-चित्त लोगों की दशा है। इतने भयभीत लोग! और जो स्त्री से इतने भयभीत हों, वे कुछ और पा सकेंगे, इसकी संभावना नहीं है।

इस तरह के लोगों ने जो बातें लिखी हैं, मैं मानता हूं कि आज नहीं कल हम उनको विक्षिप्त, मनोविकारग्रस्त शास्त्रों में गिनेंगे। मेरा कोई समर्थन इनको नहीं है।

मेरा तो मानना ऐसा है कि जीवन में मुक्ति का एक ही उपाय है कि जीवन का जितना गहन अनुभव हो सके! और जिस चीज के हम जितने गहन अनुभव में उतर जाते हैं, उतना ही उससे हमारा छुटकारा हो जाता है।

अगर निषेध से रस पैदा होता है, तो अनुभव से वैराग्य पैदा होता है।

मेरी जो दृष्टि है कि जिस चीज को हम जान लेते हैं, जानते ही हमारा उससे जो विक्षिप्त आकर्षण था, वह शांत होने लगता है।

और स्वभावतः काम का आकर्षण सर्वाधिक है। होगा! क्योंकि हम उत्पन्न काम से होते हैं। और हमारे शरीर का एक-एक कण जीवाणु काम-कण है। माता-पिता के जिस कामाणु से निर्माण होता है, फिर उसी का विस्तार हमारा पूरा शरीर है। तो हमारा रोआं-रोआं काम से निर्मित है। पूरी सृष्टि काम-सृष्टि है। इसमें होने का मतलब ही है कामवासना के भीतर होना।

जैसे हम श्वास ले रहे हैं हवा में, उससे भी गहरा हमारा अस्तित्व कामवासना में है। क्योंकि श्वास लेना तो बहुत बाद में शुरू होता है। बच्चा जब मां के पेट से पैदा होगा और जब रोएगा, तब पहली श्वास लेगा। इसके पहले भी नौ महीने वह जिंदा रह चुका है। और वह नौ महीने जो जिंदा रह चुका है, वह तो उसकी काम-ऊर्जा का ही सारा फैलाव है। तो वह जो काम-ऊर्जा से हमारा सारा शरीर निर्मित है, कण-कण निर्मित है, श्वास से भी गहरा हमारा उसमें अस्तित्व छिपा हुआ है, उससे भाग कर कोई बच नहीं सकता। क्योंकि भागोगे कहां? वह तुम्हारे भीतर है, तुम ही हो। तो मैं कहता हूं, उससे भागने की कोई जरूरत नहीं। और भागने वाला उपद्रव में पड़ जाता है। तो जीवन में जो है, उसका सहज अनुभव, उसका स्वीकार।

और जितना गहरा अनुभव होता है, उतने हम जाग सकते हैं।

इसलिए मैं तंत्र के पक्ष में हूं, त्याग के पक्ष में नहीं हूं। और मेरा मानना है, जब तक त्यागवादी धर्म दुनिया से समाप्त नहीं होते, तब तक दुनिया सुखी नहीं हो सकती, शांत भी नहीं हो सकती। सारी रोग की जड़ इनमें छिपी है।

तंत्र की दृष्टि बिलकुल उलटी है। तंत्र कहता है कि अगर स्त्री-पुरुष के बीच आकर्षण है, तो इस आकर्षण को दिव्य बनाओ। इससे भागो मत, इसको पवित्र करो। अगर कामवासना इतनी गहरी है तो इससे तुम भाग सकोगे भी नहीं। तो इस गहरी कामवासना को ही क्यों न परमात्मा से जुड़ने का मार्ग बनाओ। और अगर सृष्टि काम से हो रही है, तो परमात्मा को हम कामवासना से मुक्त नहीं कर सकते, नहीं तो कुछ होने का उपाय नहीं रह जाता।

अगर कहीं भी कोई शक्ति है इस जगत में, तो उसका हमें किसी न किसी रूप से कामवासना से संबंध जोड़ना ही पड़ेगा। नहीं तो इस सृष्टि के होने का कहीं कोई आधार नहीं रह जाता। इस सृष्टि में जो कुछ हो रहा है, यह किसी न किसी रूप में परमात्मा से जुड़ा है। और हम आंखें खोल कर चारों तरफ देखें तो सारा काम का फैलाव है। आदमी में तो हम बेचैन हो जाते हैं, वे ऋषि-मुनि भी आदमी में बेचैन हो जाते हैं, लेकिन और तरफ उनको खयाल में नहीं आता।

सुबह जब पक्षी गीत गा रहे हैं तो उनको लगता है कि बड़ी दिव्य बात हो रही है। लेकिन वह पक्षी जो पुकार लगा रहा है वह सब कामवासना की है। और जब फूल खिलते हैं ऋषि की वाटिका में तो वह सोचता है, बड़ी अदभुत बात है। और फूलों को जाकर भगवान को चढ़ा रहा है। लेकिन सब फूल कामवासना के रूप हैं। वे वीर्याणु हैं उनमें। उनमें छिपा बीज है जन्म का। और फूलों पर तितलियां घूम कर उनके वीर्याणु को लेकर दूसरे फूलों से जाकर मिला रही हैं। तो फूल देख कर तो ऋषि खुश होता है, क्योंकि उसको खयाल में नहीं है कि फूल जो है वह कामवासना का रूप है। पक्षी का गीत सुन कर खुश होता है। मोर नाचता है तो खुश होता है। कोयल पुकारती है तो खुश होता है। लेकिन उसे पता नहीं। सिर्फ आदमी में ही क्यों परेशान है? आदमी से क्या परेशानी है?

वही काम! लेकिन आदमी के काम से वह परिचित है, वह उसकी खुद की पीड़ा है। बाकी पूरी प्रकृति काम का फैलाव है। यहां जो भी दिखाई पड़ रहा है, उस सबके भीतर काम छिपा हुआ है। सारा फैलाव, सारा खेल उसका है। तो जो काम इतने गहरे में है, वह परमात्मा से जुड़ा होगा।

तंत्र कहता है, सबसे ज्यादा गहरी चीज कामवासना है, क्योंकि उससे ही जन्म होता है, उससे ही जीवन फैलता है। तो इस गहरे तंतु का हम उपयोग कर लें। इस तंतु से लड़ें न, बल्कि इस तंतु को धारा बना लें, जिसमें हम बह जाएं।

और कामवासना को अगर कोई धारा बना ले, ध्यान बना ले, समाधि बना ले,

तो दोहरे परिणाम होते हैं। वह जो ऋषि निरंतर चाहता है--त्यागवादी--कि छुटकारा हो जाए, वह भी हो जाता है। और दूसरा परिणाम यह होता है कि यह व्यक्ति कामवासना से भी छूट जाता है और कामवासना के कारण अहंकार से भी छूट जाता है।

तंत्र की साधना ही स्वस्थ साधना है।

तो मैं तो विरोध में नहीं हूं। न तो मैं विरोध में हूं कि स्पर्श से बचें वे। न बच सकते हैं। ऐसा ऊपर से बचेंगे तो भीतर अप्सराएं सताएंगी। उससे इस पृथ्वी की स्त्रियों में कुछ ज्यादा उपद्रव नहीं है। बचने की बात ही, मैं मानता हूं, गलत है।

भागना क्यों? डरना क्यों? जीवन जैसा है, उसके तथ्य में जागरूक होना। अगर मेरे मन में किसी चीज के प्रति आकर्षण है, तो मैं इस आकर्षण को समझने की कोशिश करूं--क्या है यह आकर्षण? क्यों है यह आकर्षण? और इस आकर्षण को मैं कैसे सृजनात्मक करूं कि इससे मेरा जीवन खिले और विकसित हो। यह मेरा विध्वंस न बन जाए। और इस आकर्षण का मैं उपयोग कैसे करूं, यह सवाल है।

तो इस आकर्षण का गहरा उपयोग ध्यान के लिए हो सकता है। और स्त्री-पुरुषों की सन्निधि बड़ी मुक्तिदायी हो सकती है। अगर कभी ऐसा हुआ कि मनुष्य और ज्यादा समझदार, और ज्यादा विचारपूर्ण हुआ, तो हम स्त्री-पुरुष के बीच की सारी बाधाएं तोड़ देंगे। स्त्री-पुरुष के बीच की बाधाएं तोड़ते ही हमारी नब्बे परसेंट बीमारियां विलीन हो जाएंगी। क्योंकि उन बाधाओं के कारण सारे रोग खड़े हो रहे हैं। हमको दिखाई नहीं पड़ता। और चक्र ऐसा है कि जब रोग खड़े होते हैं तो हम सोचते हैं, और बाधाएं खड़ी करो, ताकि रोग खड़े न हों!

अभी मैं एक गांव में था। और कुछ बड़े विचारक और संत-साधु मिल कर अश्लील पोस्टर विरोधी एक सम्मेलन कर रहे थे। तो उनका खयाल है कि अश्लील पोस्टर लगता है दीवाल पर, इसलिए लोग कामवासना से परेशान रहते हैं। जब कि हालत दूसरी है, लोग कामवासना से परेशान हैं, इसलिए पोस्टर में मजा है। यह पोस्टर कौन देखेगा? पोस्टर को देखने कौन जा रहा है?

पोस्टर को देखने वही जा रहा है, जो स्त्री-पुरुष के शरीर को देख ही नहीं सका। जो शरीर के सौंदर्य को नहीं देख सका, जो शरीर की सहजता को अनुभव नहीं कर सका, वह पोस्टर देख रहा है।

पोस्टर इन्हीं गुरुओं की कृपा से लग रहे हैं, क्योंकि ये इधर स्त्री-पुरुष को मिलने-जुलने नहीं देते, पास नहीं होने देते, तो इसका परवर्टेड, विकृत रूप है कि

कोई गंदी किताब पढ़ रहा है, कोई गंदी तस्वीर देख रहा है, कोई फिल्म बना रहा है। क्योंकि आखिर यह फिल्म कोई आसमान से नहीं टपकती, लोगों की जरूरत है।

इसलिए सवाल यह नहीं है कि गंदी फिल्म क्यों है, सवाल यह है कि लोगों में जरूरत क्यों है? यह तस्वीर जो पोस्टर लगती है, कोई ऐसे ही मुफ्त पैसा खराब करके नहीं लगाता, इसका कोई उपयोग है। इसे कहीं कोई देखने को तैयार है, मांग है इसकी। वह मांग कैसे पैदा हुई है? वह मांग हमने पैदा की है। स्त्री-पुरुष को दूर कर-कर के वह मांग पैदा कर दी। अब वह मांग को पूरा करने जब कोई जाता है तो हमको लगता है कि गड़बड़ हो रही है। तो उसको और बाधाएं डालो। उसको जितनी वे बाधाएं डालेंगे, वह नये रास्ते खोजता है मांग के। क्योंकि मांग तो अपनी पूर्ति मांगती है।

तो मैंने उनको कहा कि अगर सच में ही चाहते हो कि ये पोस्टर विलीन हो जाएं, तो स्त्री-पुरुषों के बीच की बाधा कम करो। क्योंकि मैं नहीं देखता--आदिवासी समाज है, जहां स्त्री-पुरुष सहज हैं, करीब-करीब नग्न हैं--वहां कोई पोस्टर लगा है? या कोई पोस्टर में रस ले?

जब पहली दफे ईसाई मिशनरी ऐसे कबीलों में पहुंचे जहां लोग नग्न थे, तो उनको यह भरोसा ही नहीं आया कि कोई नग्न स्त्री में भी रस ले सकता है। क्योंकि रस लेने का कोई कारण नहीं है। जब तक हम वस्त्रों में ढांके हैं और दीवालें और बाधाएं खड़ी किए हैं, तब रस पैदा होगा। रस पैदा होगा, तो हम सोचते हैं कि--और डर पैदा हो रहा है--तो इसको रोको।

मनुष्य की अधिक उलझनें इसी भांति की हैं--कि जो सोचता है कि सीढ़ियां हैं सुलझाव की, वही उपद्रव हैं, वही बाधाएं हैं।

तो मैं तो मानता हूं कि बच्चे बड़े हों, साथ बड़े हों; लड़के और लड़कियों के बीच कोई फासला न हो; साथ खेलें, दौड़ें, बड़े हों; साथ स्नान करें, तैरें; ताकि स्त्री-पुरुष के शरीर की नैसर्गिक प्रतीति हो। और वह प्रतीति कभी भी रुग्ण न बन जाए। और उसके लिए कोई बीमार रास्ते न खोजने पड़ें।

और यह बिलकुल उचित ही है। यह उचित ही है कि पुरुषों की स्त्री के शरीर में उत्सुकता हो, स्त्री की पुरुषों के शरीर में उत्सुकता हो। यह बिलकुल स्वाभाविक है। और इसमें कुछ भी कुरूप नहीं है और कुछ भी अशोभन नहीं है। अशोभन तो तब होता है...जो हमने किया है उससे अशोभन हो गई बात।

अब जिस स्त्री से मेरा प्रेम हो उसके शरीर में मेरा रस होना स्वाभाविक है, नहीं

तो प्रेम ही नहीं होगा। लेकिन एक अनजान स्त्री को रास्ते पर मैं धक्का मार दूं भीड़ में, यह अशोभन है। लेकिन इसके पीछे ऋषि-मुनियों का हाथ है। जिस स्त्री से मेरा प्रेम है, उसे मैं अपने करीब, निकट ले लूं, उसका आलिंगन करूं, यह समझ में आने वाली बात है, इसमें कुछ बुरा नहीं है। लेकिन जिस स्त्री को मैं जानता ही नहीं, जिससे मेरा कोई लेना-देना नहीं है, रास्ते पर मौका भीड़ में मिल जाए तो मैं उसको धक्का मार दूं। उस धक्के में कुछ बीमार बात है। वह धक्का क्यों पैदा हो रहा है? वह धक्का किसी जरूरत की कमी है। जिससे प्रेम हो सकता है, उसको मैं कभी पास नहीं ले पाता! वह रुग्ण हो गई मेरी वृत्ति, अब मैं धक्का मारने में भी रस ले रहा हूं। तो भीड़ में एक धक्का ही मार कर चला गया तो भी समझो कि कुछ सुख पाया। और सुख इसमें मिल नहीं सकता; ग्लानि मिलेगी मन को, निंदा मिलेगी, अपराध का भाव पैदा होगा; तो मैं समझूंगा कि मैं पाप कर रहा हूं। और जितना मैं समझूंगा कि मैं पाप कर रहा हूं, उतना स्त्री और मेरे बीच का फासला बढ़ता जाएगा। और जितना फासला बढ़ेगा, इसको मिटाने की मैं बेहूदी कोशिशें करूंगा। और यह चलता रहेगा।

तो मैं तो स्त्री-पुरुष को निकट लाना चाहता हूं। इतने निकट कि उनको यह प्रतीति नहीं रह जानी चाहिए कि कौन स्त्री है, कौन पुरुष है।

स्त्री-पुरुष होना चौबीस घंटे का बोध नहीं होना चाहिए। वह बीमारी है, अगर इतना बोध बना रहता है तो। स्त्री-पुरुष होना चौबीस घंटे का बोध नहीं होना चाहिए। वह मिटेगा तभी जब हम बीच के फासले मिटाएंगे।

और इसके गहरे परिणाम हों कि समाज की अश्लीलता, गंदा साहित्य, गंदी फिल्में, बेहूदी वृत्तियां, वे अपने आप गिर जाएं। और एक ज्यादा स्वस्थ मनुष्य का जन्म हो। और यह जो स्वस्थ मनुष्य है, इसकी मैं आशा कर सकता हूं कि यह धार्मिक हो सके। क्योंकि जो स्वस्थ ही नहीं हो पाया अभी, उसके धार्मिक होने की कोई आशा मैं नहीं मानता।

तो एक तो धर्म है जो अधर्म से भी बुरा है, अस्वस्थ धर्म। उससे तो अधर्म ठीक। और एक धर्म है जो अधर्म से श्रेष्ठ है, और उसे मैं कहता हूं स्वस्थ धर्म। जीवन की समझ, प्रतीति, अनुभव, होश--इससे पैदा हुआ धर्म।

स्त्री-पुरुष जितने निकट होंगे, उतना ही यह जो उपद्रव है, शांत हो जाए। और यह उपद्रव शांत हो जाए तो असली खोज शुरू हो। क्योंकि आदमी बिना आकर्षण के नहीं जी सकता। और अगर स्त्री-पुरुष का आकर्षण शांत हो जाता है तो वह और

संभोग से समाधि की ओर

गहरे आकर्षण की खोज में लग जाता है। बिना आकर्षण के जीना मुश्किल है। वही प्रयोजन है। और जो स्त्री-पुरुष में ही लड़ता रहता है, उसका आकर्षण तो कायम रहता है, दूसरे आकर्षण का कोई उपाय नहीं है।

परमात्मा मेरे लिए प्रकृति में ही गहरे अनुभव का नाम है।

और जिस दिन वह अनुभव होने लगता है, उस दिन ये सारे, जिनसे हम बचना चाहते थे, इनसे हम बच जाते हैं, पर बिना कोई चेष्टा किए। एक तो कच्चा फल है, जिसको कोई झटका देकर तोड़ ले। और एक पका हुआ फल है जो वृक्ष से गिर जाता है। न वृक्ष को खबर होती है कि वह कब गिर गया; न फल को खबर होती है कि कब गिर गया। न फल को लगता है कि कोई बड़ा भारी प्रयास करना पड़ा। न, कहीं कुछ होता नहीं, सब चुपचाप हो जाता है।

तो जीवन के अनुभव से एक वैराग्य का जन्म होता है, जिसको मैं पका हुआ फल कहता हूं। और जीवन से लड़ने से एक वैराग्य का जन्म होता है, जिसको मैं कच्चा फल कहता हूं। सब तरफ घाव छूट जाते हैं। और उन घावों का भरना मुश्किल है।तो मैं तो ऐसे किसी शास्त्रों के पक्ष में नहीं हूं।

मेरा तो मानना यह है कि जो भी प्रकृति से उपलब्ध है, उसका समग्र, सर्वांगीण स्वीकार।

और उसी स्वीकार से रूपांतरण है। और यही रूपांतरण गहरा हो सकता है। संघर्ष में मेरा भरोसा नहीं है।और इसी बात को मैं आस्तिकता कहता हूं। सब त्यागियों को मैं नास्तिक कहता हूं। क्योंकि परमात्मा की सृष्टि उन्हें स्वीकार नहीं। और जिनको परमात्मा की सृष्टि स्वीकार नहीं, वे परमात्मा भी उन्हें मिल जाएगा तो स्वीकार करेंगे, मैं नहीं मानता। अस्वीकृति की उनकी आदत इतनी गहरी है कि जब वे परमात्मा को भी देखेंगे तो हजार भूलें निकाल लेंगे कि इसमें यह पाप है। और यह...।

शॉपनहार ने कहीं कहा है कि हे परमात्मा, तू तो मुझे स्वीकार है, तेरी सृष्टि स्वीकार नहीं है। लेकिन अगर परमात्मा स्वीकार है, तो उसकी सृष्टि अनिवार्यरूपेण स्वीकृत हो जाती है। और अगर उसकी सृष्टि स्वीकार नहीं है, तो बहुत गहरे में हम उसे भी स्वीकार नहीं कर सकते। कैसे स्वीकार करेंगे? फिर या तो हम परमात्मा से ज्यादा समझदार हो गए, उससे ऊपर अपने को रख लिया कि हम उसमें भी चुनाव करते हैं।

मेरा कोई चुनाव नहीं। मैं तो मानता हूं, जो प्रकट है, वह अप्रकट का ही हिस्सा

है। जो दिखाई पड़ रहा है, उसके पीछे ही अदृश्य छिपा हुआ है। थोड़ी पर्त में भीतर प्रवेश करने की जरूरत है। और प्रेम जितना गहरा जाता है, इस जगत में कोई और चीज इतनी गहरी नहीं जाती। मैं छुरा मार सकता हूं आपकी छाती में, वह उतना गहरा नहीं जाएगा जितना मेरा प्रेम आपके भीतर गहरा जाएगा। तो प्रेम से गहरा तो कुछ भी नहीं जाता। इसको ही जो छोड़ देता है, वह उथला सतह पर रह जाता है। तो मेरे मन में तो ऐसे शास्त्र अनिष्ट हैं। और जितने शीघ्र उनसे छुटकारा हो उतना अच्छा। और ऐसे ऋषि-मुनियों की चिकित्सा होनी चाहिए, मानसिक रोग है उन्हें।

प्रश्न : जो अभी सब साधु-संत आते हैं, वे चमत्कार बताते हैं, उसको सब लोग बहुत मानते हैं। तो चमत्कार के विषय में आपका क्या मत है ?

आदमी बहुत कमजोर है, और बहुत तरह की तकलीफों में है। उसकी तकलीफें बिलकुल सांसारिक हैं। और सामान्य आदमी ही नहीं, सुशिक्षित, जिनको हम विशेष कहें, वे भी।

अभी एक चार-छह दिन पहले कलकत्ता से एक डाक्टर का पत्र मुझे आया। वह डाक्टर है, तबादला करवाना है कलकत्ता से बनारस। पत्नी-बच्चे बनारस में हैं। तो मुझे लिखता है कि मैं सब तरह के पूजा-पाठ करवा चुका, साधु-संतों के सब तरह के दर्शन कर चुका, सैकड़ों रुपये भी खर्च कर चुका इस पर, लेकिन अभी तक मेरा तबादला नहीं हो पाया। तब आखिरी आपकी शरण आता हूं कि तबादला करवा दें, नहीं तो मेरा भगवान से भरोसा ही उठ जाएगा।

इधर मैं देखता हूं, सौ में निन्यानबे आदमियों की तकलीफें ऐसी हैं। और जितना गरीब मुल्क होगा, उतनी ये तकलीफें ज्यादा होंगी। किसी को नौकरी नहीं, किसी को बच्चा नहीं, किसी को बीमारी है, किसी को कोई तकलीफ है--हजार तरह की, तकलीफें हैं। यह जो तकलीफों से भरा हुआ आदमी है, यह चमत्कार की तलाश करता है। अगर कोई चमत्कार कर रहा है तो इसे एक आशा बंधती है कि शायद इसकी तकलीफ भी दूर हो सकती है। और तो सब आशा छूट गई है, और यह सब उपाय कर चुका, कुछ होता दिखाई इसे पड़ता नहीं। लेकिन अगर यह देख ले कि कोई आदमी हवा में से भभूत दे रहा है, तो फिर इसे भरोसा आता है कि अभी भी कुछ आशा है, मुझे भी लड़का मिल सकता है। जब हवा से भभूत आ सकती है, तो साधु के चमत्कार से बच्चा भी आ सकता है। और अगर हाथ से सोना आ जाता है

और घड़ियां आ जाती हैं, तो फिर क्या दिक्कत कि मेरा तबादला न हो जाए और मुझे नौकरी न मिल जाए। गरीब समाज है, दुखी-पीड़ित समाज है। और जब तक लोग दुखी हैं, तब तक कोई न कोई चमत्कार से शोषण करेगा। सिर्फ ठीक संपन्न समाज हो तो चमत्कार का असर कम हो जाएगा। जितनी तकलीफ होगी उतना चमत्कार का परिणाम होगा।

फिर चमत्कार क्या हैं? एक तरफ तो ये दुखी-पीड़ित लोग हैं जिनका शोषण किया जा सकता है आसानी से। ये हाथ फैलाए खड़े हैं कि इनका शोषण करो। और इनका शोषण एक ही तरह से किया जा सकता है कि इनकी वासनाओं की तृप्ति की कोई आशा बंधे। तो वह आशा कैसे बंधे? अगर कोई बुद्ध-महावीर हो, तो वह तो आशा बंधाता नहीं। वह तो उलटे इस आदमी को कहता है कि तुम्हारे दुखों का कारण तुम्हीं हो। तो तुम दुख के बाहर कैसे जाओगे, उसका मैं रास्ता बता सकता हूं। लेकिन जिन कारणों से तुम दुखी हो, उनको पूर्ति करने का मेरे पास कोई उपाय नहीं है।

लेकिन बुद्ध-महावीर के प्रति ये आदमी आकर्षित नहीं होंगे। इनकी वासना ही वह नहीं है अभी। एक आदमी ताबीज निकाल देगा, उसके प्रति आकर्षित होंगे, क्योंकि इनकी वासना के लिए रास्ता मिलता है। और ताबीज निकालना इतना आसान काम है कि सड़क पर मदारी कर रहा है उसको। जिसको हम दो पैसे देने को भी राजी नहीं हैं। और वही मदारी कल साधु बन कर खड़ा हो जाए तो फिर हम उसके चरणों में सिर रखने को और सब कुछ रखने को राजी हैं।

तो गरीबी है, दुख है और मूढ़ता है। और मूढ़ता यह है कि साधु कर रहा है तो चमत्कार है और गैर-साधु कर रहा है तो मदारी है। और जो वे कर रहे हैं वह बिलकुल एक चीज है। उसमें जरा भी फर्क नहीं है। बल्कि मदारी ईमानदार है और यह साधु बेईमान है। क्योंकि मदारी बेचारा कह रहा है कि यह खेल है। यही उसकी भूल है, मूढ़ों के बीच इतना साफ होना ठीक नहीं। इतना सच्चा होना, यही उसकी गलती है--कि वह कह रहा है, यह खेल है, इसमें हाथ की तरकीब है; कि आप भी चाहें तो सीख सकते हैं और कर सकते हैं। बात खतम हो गई, तो फिर हमें कोई रस नहीं है उसमें। हमें खुद में तो कोई रस है ही नहीं। जो हम ही कर सकते हैं, उसमें कोई बात नहीं रह गई। यह मदारी बताने को तैयार है कि कैसे हो रहा है। यह मदारी परीक्षा ली जाए इसके लिए तैयार है। वह आपका साधु न तो परीक्षा के लिए तैयार है, न किसी तरह के वैज्ञानिक शोध के लिए राजी है।

लेकिन फिर कारण क्या है, हम उसको इतना मूल्य देते हैं और मदारी को नहीं देते?

क्योंकि मदारी से हमारी वासना की कोई पूर्ति की आशा नहीं बंधती। ठीक है, हाथ का खेल है, बात खतम हो गई। अगर मैं हाथ के खेल से ही ताबीज निकाल रहा हूं तो बात खतम हो गई। ठीक है, अब मुझसे क्या आपको मिलेगा और। कोई हाथ के खेल से बच्चा तो पैदा नहीं हो सकता। न नौकरी मिल सकती है, न धन आ सकता है, न मुकदमा जीता जा सकता--कुछ नहीं हो सकता--न आपकी बीमारी दूर हो सकती है। हाथ का खेल तो हाथ का खेल है। ठीक है, मनोरंजन है, बात खतम हो गई।

जब मैं यह दावा करता हूं कि हाथ का खेल नहीं है, यह चमत्कार है, दिव्य शक्ति है, तब आपकी आशा बंधती है। फिर आपकी आशा का शोषण होता है। तो मैं मानता हूं, जो भी साधु चमत्कार करते हैं, उनसे ज्यादा असाधु व्यक्ति खोजने कठिन हैं। क्योंकि असाधुता और क्या होगी इसके कि लोगों का शोषण हो! और उनकी मूढ़ता का लाभ! और धोखा! एक भी चमत्कार ऐसा नहीं है जो मदारी नहीं करते। पर अंधेपन की सीमाएं नहीं हैं। सच तो यह है कि मदारी जो करते हैं वह आपके कोई साधु नहीं कर सकते। और जो आपके साधु करते हैं वह दो कौड़ी का मदारी कोई भी करता है। और जो मदारी करते हैं वह आपका कोई साधु नहीं कर सकता। फिर भी... तो इसके पीछे कोई कारण है।

यह मैं समझा भी दूं तो मैं यह मानता नहीं कि मेरे समझाने से कोई चमत्कार में आस्था रखने वाले में कोई फर्क पड़ने वाला है। कोई फर्क नहीं। क्योंकि यह समझाने का सवाल नहीं है, उसकी जो वासना है वह तकलीफ दे रही है। उसके भीतर जो वासना है उसका प्रश्न है कि वह कैसे हल हो?

अब यह जो आदमी है, डाक्टर, जिसने मुझे लिखा, इसको मैं कितना ही समझाऊं, इससे कोई फर्क नहीं पड़ने वाला। क्योंकि समझाने से तबादला तो होगा नहीं। समझाने का एक ही परिणाम होगा कि यह मुझे हाथ जोड़ कर किसी और की तलाश करे। और कोई उपाय नहीं है। क्योंकि यह आदमी--इस आदमी को कुछ मालूम नहीं है, बात खतम हो गई। इतना ही इसका परिणाम होगा, और कोई परिणाम होने वाला नहीं। यह किसी और की तलाश करेगा। जो चमत्कार के तलाशी हैं...और हमारे मुल्क में ज्यादा होंगे, क्योंकि बहुत दुखी मुल्क है, बहुत पीड़ित मुल्क है, अति कष्ट में है। इतने कष्ट में यह शोषण आसान है।

मगर मेरा मानना ऐसा है कि धर्म से चमत्कार का कोई लेना-देना नहीं है। क्योंकि धर्म का वस्तुतः आपकी वासना से कोई लेना-देना नहीं है। धर्म तो इस बात की खोज है कि वह घड़ी कैसे आए जब सब वासनाएं शांत हो जाएं। कैसे वह क्षण आए जब मेरे भीतर कोई चाह न रह जाए। क्योंकि तभी मैं शांत हो पाऊंगा। जब तक चाह है तब तक अशांति रहेगी। चाह ही अशांति है। तो धर्म की तो पूरी चेष्टा यह है कि कैसे आपके भीतर वह भावदशा बन जाए, जहां कोई चाह नहीं है, कोई मांग नहीं है। उस घड़ी ही अनुभव होगा जीवन की परम धन्यता का।

तो चमत्कार से क्या लेना-देना है? धर्म का कोई लेना-देना चमत्कार से नहीं है। और सब चमत्कार मदारी के लिए हैं। जो नासमझ मदारी हैं वे बेचारे सड़कों पर करते हैं। जो समझदार हैं, चालाक हैं, होशियार हैं, बेईमान हैं, वे साधु के वेश में कर रहे हैं। और इनको तोड़ा भी नहीं जा सकता, वह भी मैं समझता हूं, कि इनके खिलाफ कुछ भी कहो उससे कोई परिणाम नहीं होता। परिणाम उस आदमी पर हो सकता है जो वासना के पीछे न हो, ऐसा आदमी खोजना मुश्किल है। एक स्त्री मेरे पास आई, उसको बच्चा चाहिए। और उसको मैं समझा रहा हूं कि सब चमत्कार मदारीगिरी है। वह उदास हो गई बिलकुल, वह बोली कि सब मदारीगिरी है? उसको दुख हो रहा है मेरी बात सुन कर। मुझे खुद ही ऐसा अनुभव होने लगा कि मैं पाप कर रहा हूं जो इसको मैं समझा रहा हूं। क्योंकि हो बच्चा, न हो बच्चा, होने की आशा में तो वह अपना दौड़-धूप कर रही है। तो उससे मैंने कहा, तू मेरी बात की फिकर मत कर, और तू वैसे भी नहीं करेगी, तू जा कोई और खोज, कोई न कोई...पता नहीं कोई कर सके चमत्कार। उसकी आंखों में ज्योति वापस लौट आई। उसने कहा कि आप कहते हैं कि शायद कोई कर सके?

ये हमारे विश फुलफिलमेंट हैं, भीतर हमारी इच्छा है कि ऐसा हो। चमत्कार होना चाहिए, ऐसा हम चाहते हैं। इसलिए फिर कोई तैयार होकर बता देता है कि देखो, ये हो रहे हैं! और तुम चाहते थे वह इच्छा पूरी हो गई। और उन चमत्कारियों से कोई भी नहीं कहता कि जब तुम राख ही निकालते हो, तो क्यों राख निकालते हो?

कुछ और काम की चीज निकालो, इस मुल्क में कुछ काम आए! क्या तुम ताबीज निकालते हो, जब निकाल ही रहे हो और चमत्कार ही दिखा रहे हो, तो फिर इस मुल्क में कुछ और बहुत चीजों की जरूरत है। और इससे क्या फर्क पड़ता है, जब राख निकल सकती है, ताबीज निकल सकता है, घड़ी निकल सकती है; तो जब एक तरकीब तुम्हारे हाथ ही आ गई तो अब कुछ भी निकल सकता है। अगर

एक बूंद पानी को हम भाप बना सकते हैं, तो फिर हम पूरे सागर को भाप बना सकते हैं। नियम की बात है, जब नियम मेरे हाथ में आ गया कि शून्य से राख बन जाती है, तो अब क्या दिक्कत रही! अब कोई दिक्कत नहीं है।

ये चमत्कार दिखाने वाले इस मुल्क में दिखा रहे हैं हजारों साल से चमत्कार। और यह मुल्क रोज बीमारी और गरीबी और दुख में दबता जाता है और मरता जाता है। और ये दिखाते चले जाते हैं। इनकी वजह से, इनके चमत्कार की वजह से गरीबी नहीं मिटती। मेरा मानना है, गरीबी की वजह से इनके चमत्कार चलते हैं। थोड़ी देर को सोच लेना, इतने लोग बैठे हैं, अगर अभी यहां बाहर पता चले कि सत्य साईंबाबा मौजूद हैं, तो आपके मन में पहला खयाल क्या आएगा? और अगर कोई यह कह दे कि वह जो भी आपकी इच्छा है उनसे पूरी हो सकती है। फिर आपकी क्योंकि समझ-वमझ तो पीछे भी हो सकती है। आपको तत्काल क्या खयाल आएगा? अगर आपको पता चले कि बाहर साईंबाबा खड़े होकर आपकी इच्छा पूरी कर सकते हैं, तो आपको जो पहला खयाल आएगा वह यह नहीं आएगा कि चमत्कार मदारीगिरी है, पहला खयाल आपको यह आएगा कि आपकी वासना क्या है? फौरन आपको आपकी वासना उठ जाएगी मन में--कि तो फिर ठीक है, चल कर मैं इतनी मांग कर ही लूं। आदमी जी रहा है अपनी वासनाओं से। वासनाग्रस्त आदमी, चमत्कार नहीं होता, ऐसा मान नहीं सकता। यह तकलीफ है। वह चाहता है कि चमत्कार होते हों। अगर एक साईंबाबा गलत हों तो कोई फिकर नहीं, यह आदमी गलत होगा। लेकिन कहीं कोई न कोई चमत्कार कर रहा होगा, कोई दूसरा ठीक होगा।

मेरे पास लोग आते हैं। वे कहते हैं, ये गलत होंगे, वे गलत होंगे, लेकिन कोई तो ठीक होगा! यह सवाल नहीं है, सब गलत सिद्ध हो जाएं--तो रोज पता चल जाता है कि फलां आदमी गलत सिद्ध हो गया, पर कोई फर्क नहीं पड़ता, चमत्कार जारी रहता है। अ गलत होता है तो ब करता है, ब गलत होता है तो स करता है। कोई न कोई करता है। कोई न कोई देखने वाला तैयार है। चमत्कार नहीं रुकते, चमत्कारी गिरते जाते हैं, चमत्कार नहीं रुकते। क्योंकि कोई बहुत मौलिक वासना की तृप्ति हो रही है। हम हैं दीन और दुखी, बड़ी चाहों से भरे, और कोई आशा नहीं दिखती कि ये चाहें पूरी हम कर पाएंगे। कोई पूरी कर दे आकाश से, तो ही एकमात्र आशा है।

इसलिए दुनिया में चमत्कार होते रहेंगे, जब तक दीनता, दुख, पीड़ा, मूढ़ता सघन हैं। और मैं नहीं देखता कि कभी भी ऐसा मौका आएगा कि आदमी इतना

समझदार होगा कि चमत्कार न चलें। बहुत मुश्किल दिखता है, बहुत मुश्किल दिखता है। पांच हजार साल पहले चलते थे, तो हम सोचते थे विज्ञान विकसित नहीं हुआ है।

अभी भी चलते हैं, और अब विज्ञान इतना विकसित है। लेकिन कोई फर्क नहीं पड़ता, कोई फर्क नहीं पड़ता। आदमी जब तक नहीं बदलता, कोई फर्क नहीं पड़ेगा। आप कुछ भी खोजबीन करके ले आओ, सब जाहिर कर दो। समझने में उत्सुकता नहीं रह जाएगी। फिर आप चाहेंगे कि कब यहां से छुटकारा हो।

इधर मैंने प्रयोग किए, मैं सोचा कि शायद इसका कुछ परिणाम हो! लेकिन फिर मुझे लगा नहीं होगा। मैंने दो मित्रों को राजी किया कि मैं तुम्हें लेकर घूमूं सारे मुल्क में, और जो-जो चमत्कार लोग दिखाते हैं, तुम मंच पर खड़े होकर दिखा दो। और फिर हम लोगों को समझा दें कि यह सब खेल है। मैंने कुछ मित्रों को उनके खेल दिखाए, तो उन्होंने देख कर कहा कि हां, यह होगा खेल! लेकिन सत्य साईंबाबा, वह खेल नहीं है। तब मैंने कहा कि फिजूल है, इसमें कोई मतलब नहीं है, इन दो को बेचारों को परेशान करना। वे कहेंगे कि ये हैं मदारी, लेकिन वे थोड़े ही मदारी हैं। क्या किया जा सकता है? इसमें कोई उनकी ये रक्षा कर रहे हैं, ऐसा भी नहीं है। इनको कोई लेना-देना नहीं है। लेकिन इनकी वासना! ये चाहते हैं कि कहीं तो कोई कर रहा हो चमत्कार जो सच्चा है। बस इनकी चाह है। तो मैं तो सख्त खिलाफ हूं। क्योंकि मेरा मानना है कि इन क्षुद्र बातों में लोगों को उलझाना, उनका समय नष्ट करना है। उनके मनों को लुभाना, व्यर्थ उलझाव में बनाए रखना है। कुछ हल तो नहीं होता। धार्मिक व्यक्ति का तो कर्तव्य एक है कि कैसे व्यक्ति का दुख शांत हो, इस दिशा में अगर वह कुछ उनको बता सके, कुछ उनको करवा सके, कुछ उनके जीवन को बदलने की कीमिया खोज सके।

बुद्ध ने कहा है कि मैं चिकित्सक हूं, वैद्य हूं। मैं कोई चमत्कार नहीं दिखा सकता, मैं तुम्हें सिर्फ औषधि की प्रक्रिया बता सकता हूं। और तुम बीमार हो। तो अगर तुम्हारी बीमारी को मिटाने की इच्छा हो तो यह औषधि का उपयोग कर सकते हो।

तो मेरा तो औषधि में भरोसा है। लेकिन इस तरह की उत्सुकता उन लोगों में होती है जो कि सच में ही शांति की खोज में हों। अब जो इस खोज में ही नहीं है, उसके लिए तो...।

फिर मैं मानता हूं कि इतनी बड़ी दुनिया है, उसमें बहुत तरह के लोग हैं। उसमें

कोई चमत्कार देखना चाहता है तो उसको देखने का हक है और कोई दिखाना चाहता है उसको दिखाने का हक है। और दोनों मजा ले रहे हैं तो हम क्यों बीच में बाधा डालें! उनको लेने देना चाहिए। कभी समझ आएगी तो ठीक। इसमें जो देख रहे हैं उनका तो जीवन खराब हो रहा है, जो दिखा रहे हैं उनका और बुरी तरह खराब हो रहा है।

क्योंकि देखने वाले तो शायद कभी जग भी जाएं--कि छोड़ो, कहां के खेल में पड़े हुए हैं! वह जो दिखाने वाला है, उसके अहंकार की इतनी तृप्ति होती रहती है, उसे खयाल भी नहीं होता।

तो मेरे लिए तो साईंबाबा जैसे लोग दया के पात्र हैं, दयनीय हैं। उनका जीवन तो बिलकुल मिट्टी में जा रहा है। धर्म का कोई संबंध चमत्कार से नहीं है।

प्रश्न : भगवान किसी को मनाए जाते हैं।

मेरी दृष्टि में तो भगवान के सिवाय कुछ और है नहीं। कोई जागा हुआ भगवान है, कोई सोया हुआ भगवान है; कोई अच्छे भगवान, कोई बुरे। बाकी भगवान के सिवाय कुछ भी नहीं है।

प्रश्न : बुरे भी होते हैं भगवान?

बिलकुल! क्योंकि उसके सिवाय कुछ भी नहीं है। अगर बुरे को हम काट दें उससे, तो फिर बुरा होगा कैसे? होना मात्र ही उसका है। तो कोई राम की शक्ल में भगवान, कोई रावण की शक्ल में भगवान। लेकिन रावण को अगर हम कह दें कि उसमें भगवान नहीं है, तो फिर रावण के होने का कोई उपाय नहीं रह जाता। होगा कैसे वह? अस्तित्व ही उसका है।

तो हमें कठिन लगता है कि बुरे भगवान कैसे? चोर भगवान कैसे? बाकी अगर वही है, तो चोर में भी वही है। उसका ही होना अगर सब कुछ है, तो फिर कोई चीज उसके बाहर नहीं। आमतौर से हमारी धारणा ऐसी है कि भगवान कहीं कोई सातवें आकाश में बैठा हुआ कोई व्यक्ति सारी दुनिया को चला रहा है। यह बचकानी है, इसका कोई मूल्य नहीं।

भगवान से मेरा अर्थ है--अस्तित्व, होना मात्र। और जिस दिन भी कोई शुद्ध होने को समझ लेता है--अपनी उपाधियों से हट कर, अपने रोगों से हट कर--जिस दिन शुद्ध होने को थोड़ा समझ लेता है, वही भगवान हो गया। तो यह हमारा मुल्क अकेला मुल्क है जिसने हिम्मतपूर्वक यह कहा है कि सभी में भगवान है। और भगवान को अलग न रख कर हमने प्रत्येक के भीतर केंद्र पर रख दिया। वह होने का

सहज गुण है। न जानो, सोए रहो, मत पहचानो--यह हो सकता है। मगर वह भी तुम्हारी मर्जी। कोई भगवान अपने को नहीं पहचानना चाहता तो क्या किया जा सकता है! वह नहीं पहचाने। लेकिन जिस दिन भी पहचानेगा, उस दिन खयाल में आ जाएगा।

तो भगवान तुमसे कोई दूर कोई अलग वस्तु है, ऐसा नहीं है--मेरी धारणा। मेरी धारणा यह है कि तुम्हारा होना ही भगवत्ता है। और जैसे मछली को पता नहीं चलता कि सागर कहां? पता भी कैसे चले, क्योंकि उसी में पैदा होती है, उसी में जीती है, उसी में मरती है। मछली को तो पता ही तब चलता है सागर का जब कोई उसे खींच कर किनारे पर निकाल लेता है। हमारी मुसीबत यह है कि भगवान को छोड़ कर कोई किनारा भी नहीं जहां खींच कर हमको निकाला जा सके। इसलिए हमको कोई पता नहीं चलता उसके होने का कि वह क्या है? कहां है? मछली तट पर आकर तड़फती है, तब उसको पता चलता है कि कुछ खो गया जो सदा था, लेकिन जब था तब पता भी नहीं चलता था। आदमी को भगवान के बाहर नहीं खींचा जा सकता, यही तकलीफ है। नहीं तो हमको पता चल जाए कि भगवान क्या है!

लोग कहते हैं कि भगवान मिलता नहीं। और मैं कहता हूं, चूंकि तुमने कभी खोया नहीं, यही तकलीफ है। एक दफे भी उसे खो देते तो तुम्हें मिल जाता। मिलने के लिए खोना बिलकुल जरूरी शर्त है। और चूंकि हम उसी में जी रहे हैं, हम वही हैं, इसलिए हमें पता नहीं चलता।

फिर मेरे मन में, चूंकि मैं देखता हूं कि बुरा भी वही है, बुराई के प्रति भी मेरे मन में कुछ बुरा भाव नहीं रह जाता। यह मैं, इसको मैं एक आध्यात्मिक रूपांतरण की कीमिया मानता हूं। अगर यह मेरा खयाल हो कि सभी वही है, तो जिसको हम बुरा कहते हैं वह भी वही है। तो फिर बुराई के प्रति भी बुराई का कोई भाव नहीं रह जाता। ठीक है, वह भी ठीक है। शायद वह भी अनिवार्य हिस्सा है। शायद उसके बिना भी जगत् नहीं हो सकता। जैसे अंधेरे के बिना प्रकाश नहीं हो सकेगा और मृत्यु के बिना जीवन नहीं हो सकेगा, शायद इसी तरह रावण के बिना राम भी नहीं हो सकते। शायद परमात्मा के होने के ढंग में ये दोनों बातें साथ-साथ सम्मिलित हैं कि जब भी वह राम होगा तब रावण भी होगा, नहीं तो नहीं हो सकता।

तो यह द्वंद्व जो हमें इतना विपरीत दिखाई पड़ता है, कहीं भीतर जुड़ा हुआ है। थोड़ा रावण को अलग कर लें राम की कथा से, और राम के प्राण निकल जाते हैं। रावण के बिना क्या बल है कथा में? कथा में बचेगा क्या? एक रावण को हटा लें तो

पूरी रामायण व्यर्थ हो जाती है।

तो जब मैं ऐसा देखता हूं कि बुरा और भला एक ही सिक्के के दो पहलू हैं, तो बुरा भी कुछ बुरा नहीं रह जाता। इसलिए मेरी कोई चेष्टा ऐसी नहीं है कि बुरे आदमी को अच्छा बनाओ। मेरी चेष्टा ऐसी है कि बुरा आदमी ठीक से बुरा हो जाए और अच्छा आदमी ठीक से अच्छा हो जाए। मेरा आप फर्क समझ रहे हैं न?

क्योंकि बुरा आदमी अच्छा हो जाए, ऐसी मेरी कोई कोशिश नहीं, कि रावण को राम बनाओ। कुछ मतलब हल न होगा, सब खराब हो जाएगा, सब खराब हो जाएगा। और कुछ न कहो कि रावण कोई दिन राम बन जाए, तो राम को बेचारों को तत्काल रावण बनना पड़े, क्योंकि इसके सिवाय कोई उपाय नहीं है, कोई उपाय नहीं है। रावण अच्छा रावण हो--शानदार--पूरी तरह प्रकट हो; और राम पूरी तरह प्रकट हों अपनी प्रतिभा में। तो ये खेल का पूरा रूप आ जाए।

तो मैं नहीं कहता किसी को कि तुम ऐसे हो जाओ। मैं कहता हूं, तुम जो हो वही तुम पूरी तरह हो जाओ। कोई ढांचा नहीं देता कि ऐसे बनो! क्योंकि मैं कौन हूं ढांचा देने वाला? तुम जो बन सकते हो वही बनो। उसमें पूरी तरह संलग्न हो जाओ। और कैसे पूरी तरह संलग्न हो सकते हो, वह मैं जरूर कहता हूं। और जिस दिन तुम जो हो वही बन जाओगे, उस दिन तुम्हें परमात्मा की प्रतीति हो जाएगी। क्योंकि जिस दिन तुम पूरे खिलोगे अपने व्यक्तित्व में--वही, वही अनुभव है उसका। व्यक्ति का पूरा खिल जाना ही, उसके भीतर जो छिपा है उसका पूरा पंखुड़ियों तक फैल जाना ही-- अनुभव है।

तो मेरे लिए भगवान तो सभी हैं। और अगर इसका खयाल भी पैदा हो जाए कि मैं भी भगवान हूं, तो तुम्हारी जिंदगी बदलनी शुरू हो जाए। क्षुद्र से जोड़ना ही क्यों नाता अपना? नाता ही जोड़ना हो तो विराट से ही जोड़ लेना चाहिए।

प्रश्न ः हमको चमत्कार के बाबत में थोड़ा और समझाइए। आपने जो बताया बराबर मतलब का है। लेकिन को-इंसिडेंस से कभी मेरा खुला रहना वह चमत्कार के टाइम में जब परिणाम आ जाता है, जो घटता है तो परिणाम आता है, तो को-इंसिडेंस है या ऑटो-सजेशन है कि सच्ची बात क्या है?

बहुत से कारण हो सकते हैं, लेकिन चमत्कार नहीं है। चमत्कारिक भी मालूम हो, चमत्कार नहीं है। आदमी के मन के बहुत से नियम हैं, जिनका हमें होश नहीं है। और उन नियमों के कारण बहुत सी घटनाएं घटती हैं।

एक युवक मेरे पास आता है। पहली दफा जब आया तो किसी डाक्टर ने भेजा

था। उसके पेट में दर्द था, वह डाक्टर इलाज कर-कर के परेशान हो गया था। तो उसने तो सिर्फ अपनी बला टाली। क्योंकि उस डाक्टर ने मुझे कहा कि यह तो बड़ी मुश्किल बात हो गई, मैं तो इसको इसलिए हटाया कि यह रोज मेरे दवाखाने में बैठ जाता आकर। और इसकी वजह से दूसरे मरीजों पर बुरा असर पड़ता। क्योंकि यह कहता कि साल भर हो गया, अभी तक ठीक नहीं हुआ! तो मैंने इसके हाथ जोड़े और कहा कि तू उनके पास जा, अब उनसे ही ठीक होगा! हमसे ठीक नहीं होने वाला। सिर्फ बला टालने के लिए आपके पास भेजा था और यह ठीक हो गया! वह मेरे पास आया और कहा कि मुझे अपने हाथ का छुआ हुआ पानी दे दें, वह डाक्टर ने कहा है। मैंने कहा, बात क्या है? उसने कहा कि बात पूछने की--साल भर से मुझे पेट की तकलीफ है।

और जिसको डाक्टर ठीक न कर पाया हो, वह फिर चमत्कार से ही ठीक होता है। क्योंकि डाक्टर ठीक नहीं कर पाया, उसका मतलब यह है कि शरीर में कोई रोग नहीं है। नहीं तो डाक्टर ही ठीक कर लेता, ऐसी कोई बात नहीं थी। रोग सिर्फ मन में है, उसको सिर्फ खयाल है कि पेट में दर्द है।

मैं उसको इनकार किया, उसको कहा कि यह मैं करूंगा नहीं, क्योंकि कल और लोग आ जाएं। तब उसने मेरे पैर पकड़ लिए, उसने कहा कि आप क्या कह रहे हैं, मैं किसी को बताऊंगा ही नहीं! मैंने कहा, यह बात छिपती नहीं, तू साल भर से बीमार है और अगर ठीक हो गया, तो तू तो ठीक हुआ, हम फंस गए, क्योंकि और लोग आ जाएंगे। बारह बजे रात तक मैं उसे रोके रहा। जब वह बिलकुल छाती पीट कर रोने लगा, मेरी मां मौजूद थी वहां, उसने मुझे कहा कि यह बेचारा सिर्फ पानी ही मांगता है, तीन घंटे से मैं सुन रही हूं तुम्हारी बातचीत, इसको पानी दो--हो ठीक, न हो ठीक--झंझट मिटाओ और सो जाओ।

पर तीन घंटे उसे रोकना जरूरी था। क्योंकि जितना मैंने उसे रोका, उतना उसका पक्का होता गया कि पानी में कुछ है! नहीं तो फिर रोकने की बात भी क्या थी? मजबूरी में मैंने उसे दिया और मैंने कहा कि तू कसम खा कि किसी को बताएगा नहीं अपने घर में भी। जब उसने कसम खा ली, तब मैंने उसे पानी दिया। पानी पीते से ही वह बोला कि अरे, मेरा दर्द तो चला गया! और दर्द उसका चला गया।

न तो कोई संयोग है, न कोई चमत्कार है। उसका एक वहम था। और वहम के निकलने के लिए एक ही उपाय है कि किसी पर भरोसा आ जाए। और कोई उपाय नहीं है। वहम के निकलने का एक ही उपाय है कि उससे बड़ा वहम पैदा हो जाए।

उसका वहम था कि पेट में दर्द है, अब उसका वहम है कि मैं चमत्कारी हूं। यह बड़ा वहम है। और जो झूठा पेट में दर्द पैदा कर ले, वह झूठा चमत्कारी न पैदा कर ले इसमें कठिनाई क्या है? है उसका ही खेल, मेरा कोई लेना-देना नहीं है उसमें। कल तक वह पेट में दर्द पैदा कर रहा था, डाक्टर को साल भर तक जिसने हराया, वह कोई छोटा-मोटा आदमी नहीं है--वहम पैदा कर सकता है। और दर्द जैसा वहम पैदा कर लिया, जिसमें दुख ही पाया। तो यह तो बड़ा सुखद था मामला। उसने, घूंट अंदर नहीं गया कि उसने कहा कि गजब, यह तो चमत्कार हो गया! और उसने कहा कि वह कसम-वसम मैं नहीं मानूंगा, क्योंकि मेरी मां की तबीयत खराब है। और आप जान कर हैरान होंगे कि वह एक बोतल रखने लगा, जिसको मुझसे छुआ कर ले जाता था, और मरीजों को ठीक करने लगा। क्योंकि उसको देख कर मरीज...उसका पूरा मोहल्ला जानता था कि वह तो क्रानिक मरीज है, वह कोई ठीक होने वाला प्राणी नहीं। वह ठीक हो गया, तो उससे लोग मांगने लगे कि किस तरकीब से? और अनेकों को वह ठीक करने लगा।

अब मैं उसको समझाऊं भी तो समझाने का कोई उपाय नहीं, क्योंकि वह ठीक हो गया है। और ठीक होने का एक नियम है, सौ में से नब्बे बीमारियां मानसिक हैं, इसलिए नब्बे बीमारियां तो चमत्कार से ठीक हो ही सकती हैं। वे जो दस बीमारियां हैं जो मानसिक नहीं हैं, उनका भी चमत्कार से असर हो सकता है, आपको भुलाई जा सकती हैं। जैसे कि झूठी बीमारी पैदा हो सकती है, वैसे ही सच्ची बीमारी भूल सकती है।

हिप्नोसिस में दो तरह के प्रयोग हैं। अभी किसी को सम्मोहित किया जाए, और एक खाली कुर्सी रख दी जाए। जब वह सम्मोहित हो तब उसको कहा जाए कि खाली कुर्सी पर उसका कोई परिचित व्यक्ति आकर बैठा गया। फिर उससे कहो, आंखें खोलो! वहां कुर्सी खाली है, वह देखेगा बराबर कि फलां आदमी बैठा हुआ है, जो नहीं है वह दिखाई पड़ रहा है। इससे उलटा भी हो जाता है, जो कुर्सी पर बैठा हुआ आदमी है, उसको कहो कि कुर्सी खाली है, यहां कोई नहीं है। फिर उससे आंख खोलने को कहो, उसको दिखाई नहीं पड़ेगा।

हमारा मन जो देखना चाहे, वह न हो तो भी दिखाई पड़ सकता है। और हमारा मन जो देखना न चाहे, तो जो हो वह भी नहीं दिखाई पड़ेगा। अब इसके लिए जरूरी है कि एक बहुत गहरी आस्था का भाव पैदा हो जाए। चमत्कारी व्यक्ति उतना ही काम कर रहा है कि वह उतना भरोसा दिलवा रहा है कि ठीक। अब इसमें कठिनाइयां

ये हैं कि अगर चमत्कारी व्यक्ति...जैसे मैंने यह बात आपसे कह दी, अब आपके पेट में दर्द हो तो मैं कुछ नहीं कर सकता। यह बेकाम है, मेरा चमत्कार काम नहीं करेगा। आपके पेट में दर्द हो तो मैं तभी आपको ठीक कर सकता हूं,

जब मेरे आस-पास मैं हवा बना कर रखूं पूरी की पूरी कि मैं चमत्कारी हूं। इसमें जरा भी एक्सप्लेनेशन खतरनाक है। इसमें जरा सी व्याख्या साफ हो गई आपकी तो फिर आपको फायदा मुझसे नहीं हो सकता। आपको फायदा इसी आधार पर हो सकता है कि मैं चमत्कारी हूं, मैं फायदा करता हूं। अगर मैं आपको कहूं कि आपसे आपको ही फायदा हो गया है, मैं सिर्फ बहाना था। तो हो सकता है दर्द चला गया हो वह भी वापस लौट आए। बिलकुल लौट सकता है! क्योंकि उसका मतलब है कि चमत्कार...आपका अपने पर भरोसा है ही नहीं, यही तो तकलीफ है, इसलिए कोई और चाहिए। आत्मविश्वास की कमी आपकी बीमारियों का आधार है। तो कोई आपको चाहिए जो आत्मविश्वास दिला दे, वह किसी भी तरह से दिला दे।

तो जितना प्रतिष्ठित हो वह विश्वास उतना फायदे का है। जैसे अगर आपको मुझे सच में ठीक करना है तो मेरे आस-पास दस-पच्चीस लोग चाहिए, जो आपके आते से ही बताने लगें--किसी की टांग ठीक हो गई, किसी का कान ठीक हो गया। और ये अपने आप इकट्ठे हो जाते हैं, इनको इकट्ठा करने की कोई जरूरत नहीं पड़ती। क्योंकि अगर मेरे पास दस आदमी आएं और उनमें से दो ठीक हो जाएं, तो जो आठ ठीक नहीं होंगे वे किसी दूसरे को तलाशेंगे, वे यहां काहे के लिए आएंगे! वे जो दो ठीक हो गए, वे यहां आएंगे। मेरे आस-पास इस तरह के लोगों की भीड़ इकट्ठी हो जाएगी जो मुझसे ठीक हुए। और जब एक नया आदमी आता है बीमारी लिए हुए, तो बीमारी तो वह छोड़ना ही चाहता है, यहां देखता है--इसका यह छूट गया, उसका वह छूट गया। मेरे आने के पहले ही चमत्कार काफी हो चुका होता है। उसके मेरे पास आने की बात है, वह ऊंट पर आखिरी तिनका रखना है, वह ठीक हो जाएगा।

यह जो ठीक होना है, यह सीधे मन के नियम से हो रहा है। और चूंकि आप अपनी बीमारियां पैदा कर रहे हैं, इसलिए चमत्कार दिखाए जा रहे हैं। नहीं तो कहीं कोई चमत्कार की जरूरत नहीं है।

पर ये चमत्कार खतरनाक हैं। खतरनाक इसलिए हैं कि आपकी मूल जो बीमारी की आधारशिला थी वह नहीं बदलती, बीमारी बदल जाती है। इस आदमी का पेट ठीक हो गया, लेकिन यह आदमी तो वही का वही है। कल यह सिरदर्द पैदा कर

लेगा, फिर उसको किसी चमत्कार की जरूरत है। परसों यह पैर में तकलीफ पैदा कर लेगा। इसका मन तो वही का वही है, बीमारी एक तरफ से हटा दी, अब यह दूसरी तरफ से पकड़ लेगा। इस आदमी को कोई लाभ नहीं हो रहा है।

क्योंकि लाभ तो इसको तभी हो सकता है जब यह समझ ले कि बीमारी मैं पैदा कर रहा हूं, और होशपूर्वक उस बीमारी को छोड़ दे, तो फिर यह आदमी दुबारा बीमारी पैदा नहीं करेगा।

तो अब मेरे सामने दो विकल्प रहे सदा कि क्या मैं आपकी एक बीमारी में सहायता करके छोड़ दूं, दूसरी बीमारी आप पैदा करें। मेरे लिए सरल काम वही था कि आपकी एक बीमारी ठीक कर दी, आपको लगा कि बिलकुल ठीक हो गया, बात खतम हुई। उसमें समझाने-बुझाने की कोई भी जरूरत नहीं है। समझाने-बुझाने का काम ही नहीं है उसमें बिलकुल। उसमें तो चमत्कारी पुरुष जितना चुप रहे उतना अच्छा है। क्योंकि आपमें बुद्धि डालना ठीक नहीं, अबुद्धि से ही आपको फायदा हो रहा है। दूसरा यह है कि मैं आपको समझाऊं कि आपकी सारी बीमारी, सारे दुख की जड़ क्या है! मगर तब मुझे चमत्कारी होने का कोई उपाय नहीं है। तब तो मैं आपके साथ संघर्ष करूं, आपकी बुद्धि को निखारूं, तोड़ूं, मिटाऊं, नया बनाऊं कि किसी दिन ऐसा क्षण आ जाए कि न तो आप झूठी बीमारी पकड़ें, न झूठे चमत्कारों की जरूरत रहे। आप मुक्त हो जाएं भीतर अपनी बीमारी से--अपने बल से--उसमें आपकी सहायता करूं।

सच्चा शिक्षक मैं उसको कहता हूं, जो आपको सहायता करे स्वतंत्र होने के लिए कि एक दिन आप मुक्त हो जाएं और स्वतंत्र हो जाएं, अपने पैर पर खड़े हो जाएं। और झूठा शिक्षक मैं उसको कहता हूं, जो आपकी बीमारी भी ठीक करे, लेकिन उसी कारण से करे जिस कारण से बीमारी थी।

मैं एक कहानी कहता रहा हूं। एक घर में एक मेहमान आकर रहा। तो मेहमान जवान था, और बिगड़ न जाए, तो घर के लोगों ने उसको डरवा रखा था कि बाजार न जाए, रात सिनेमा न जाए। बीच में एक मरघट पड़ता था, तो कह रखा था कि उस मरघट से गुजरना बहुत खतरनाक है। भूत-प्रेत! तो उसे भूत-प्रेत का डर पैदा हो गया। तो वह रात तो नहीं जाता था बस्ती की तरफ, लेकिन धीरे-धीरे डर इतना बढ़ा कि दिन में भी वह अकेला न जाए। तो घर के लोगों ने कहा, यह तो मुसीबत हो गई। वे भूत-प्रेत जिनसे रात में डरवाया था, वे कोई कंपार्टमेंट तो मानते नहीं, वे दिन में भी डरवाएंगे। डर ही तो कारण था, डर पकड़ गया, अब वह दिन में भी कहे कि कोई

साथ चलो तो वह बस्ती में जाएगा अंदर। तो फिर उन्होंने कहा, कोई उपाय करना पड़े।

तो एक फकीर के पास ले गए। तो उस फकीर ने कहा कि इसमें कोई दिक्कत की बात नहीं। यह ताबीज मैं बांधे देता हूं, इस ताबीज की इतनी ताकत है कि कोई भूत-प्रेत पास नहीं आ सकता। तू बिलकुल ताबीज पहन कर मरघट से निकल जा। ताबीज पहन कर वह आदमी मरघट से निकले, वहां कोई भूत तो था नहीं, कोई आया भी नहीं, लेकिन वह समझा कि ताबीज! अब वह ताबीज के बिना एक मिनट न रहे, क्योंकि ताबीज अगर रात छोड़ कर भी रख दे तो उसे घबड़ाहट लगे कि कहीं भूत-प्रेत पास न आ जाएं। अब वह ताबीज की मुसीबत हो गई! मगर बीमारी वही की वही है। भूत-प्रेत से डरता था, अब ताबीज से डरने लगा--कि कहीं ताबीज ख़ो जाए, कोई ताबीज चुरा ले, या ताबीज गिर जाए, या ताबीज के साथ कोई अशिष्टता हो जाए, या ताबीज अपवित्र हो जाए, या कुछ हो जाए। अब वह चौबीस घंटे ताबीज से घिर गया, बीमार वहीं का वहीं है--कल भूत सता रहे थे, अब ताबीज सता रहा है। अब उसको ताबीज से छुटकारा करवाना। हम छुटकारा करवा सकते हैं दूसरी चीज पकड़ा कर, मूल आधार वही रहे।

मेरी प्रक्रिया सारी इतनी है कि आपको कोई ताबीज न देना पड़े। आपकी बीमारी है, तो चाहे थोड़ी देर लगे, मुश्किल पड़े--कोई फिकर नहीं, उससे भी प्रौढ़ता आएगी--लेकिन बीमारी जाए, नई बीमारी बिना पकड़े। इसको ही मैं कहूंगा कि असली चमत्कार है, बाकी सब धोखाधड़ी है। और मन इतनी कुशलता से खड़ा करता है कि हमें खयाल नहीं है।

खोज कहती है कि सौ में से केवल तीन सांप में ज़हर होता है, सत्तानबे सांपों में ज़हर होता ही नहीं। लेकिन आदमी तीन परसेंट से ज्यादा मरते हैं। और कोई भी सांप काटे और मरने का डर पैदा हो जाता है। और ज़हर है नहीं उसमें, आप मरते कैसे हैं? सांप में ज़हर है ही नहीं, और आदमी को काटा और आदमी मर गया। आदमी सांप से कम मरता है, सांप ने काटा इससे मरता है। असली ज़हर सांप में नहीं है, आदमी के मन में है कि सांप ने काट खाया! फिर चाहे चूहे ने ही काटा हो, इससे कोई फर्क नहीं पड़ता, आदमी मर जाएगा। इसलिए सांप झाड़ा जा सकता है, क्योंकि कोई ज़हर तो होता नहीं। सत्तानबे मौके पर सांप का झाड़ने वाला सफल होगा। क्योंकि ज़हर तो होता ही नहीं, आदमी का कोई वास्तविक कारण नहीं है मरने का, सिर्फ यह खयाल।तो मेरे एक मित्र जो सांप झाड़ने का काम करते हैं, उन्होंने

सांप पाल रखे हैं। यह जरूरी है। जब उनके लड़के को सांप ने काट खाया, तो वे भागे मेरे पास आए कि आप कुछ करो। मैंने कहा कि तुम तो न मालूम कितनों के झाड़ चुके। उन्होंने कहा, वह काम इस पर नहीं करेगा।

लड़का जानता है! वह जो तरकीब है वह लड़का जानता है। यह ज्ञान के साथ यह खराबी है। उस लड़के से भी मैंने पूछा कि तू क्यों घबड़ा रहा है? तेरे बाप को...। उसने कहा, उनका मुझे पता है। मुझ पर न चलेगा उनका काम! क्योंकि मैं खुद ही उनका सांप छोड़ता हूं। वह जब सांप कोई काटता है, तो सांप उन्होंने पाल रखे हैं, तो वे भारी मंत्र पढ़ेंगे और मुंह से फसूकर गिरेगा, फिर वे चिल्लाएंगे-चीखेंगे, फिर वे सांप को आवाज देंगे। फिर जिस सांप ने काटा है वह सांप आएगा, बाहर दरवाजे से चलता हुआ अंदर आएगा। जब वह मरीज देखता है काटा हुआ कि सांप आ गया, तो वह भी चमत्कृत हो जाता है--कि जिस सांप ने काटा था! कभी-कभी छह-छह घंटे लग जाते, क्योंकि सांप बहुत दूर है, वह आए तब! फिर सांप आता है, वह सांप आकर बिलकुल कंपने लगता है और सिर पटकने लगता है झाड़ने वाले के सामने। तो मरीज आधा तो ठीक हो ही गया, उसने कहा, गजब का चमत्कार है! फिर वे सांप को कहते हैं कि वापस जहां उसको काटा है, उसको वापस उसका खून पीओ। तो वे सांप मुंह लगा कर वहां से--वे सब ट्रेंड सांप हैं--दो-चार बूंद खून की टपक आती हैं! वे कहते हैं, बस। ज़हर उसने वापस ले लिया।

उनके लड़के को काट लिया। अब वह लड़का कहे कि हम खुद ही छोड़ते हैं, इसलिए बड़ी मुसीबत है। और बाप भी कहे कि मेरा काम नहीं चलेगा इसमें, आप कुछ करो।

तो इस सारे चमत्कार की दुनिया में आपकी वे बीमारियां दूर हो रही हैं जो कभी थी ही नहीं। इसका यह मतलब नहीं है कि आप तकलीफ नहीं पा रहे थे। आप तकलीफ पा रहे थे, आप मर भी जाते, यह भी हो सकता है। और लाभ आपको पहुंचाया जा रहा है, इसलिए लाभ पहुंचाने वाले को दोष देने का भी कोई कारण नहीं है। जब तक आप हो, तब तक किसी को झूठा सांप झाड़ना पड़ेगा। यह आपकी वजह से उपद्रव है।

आप जान कर हैरान होंगे कि ऐसी घटनाएं घटी हैं...बहुत प्रसिद्ध घटना है सूफी जुन्नैद के बाबत; वह निरंतर कहा करता था कि उसने एक आदमी को मरते देखा। वह एक कॉफी हाउस में बैठा हुआ था और गपशप कर रहा था, कुछ लोग और बैठे हुए थे। और एक आदमी आया। उस कॉफी हाउस के मालिक ने कहा, तुम

अभी जिंदा हो ?

उस आदमी ने कहा, क्या बात करते हो ! तुमको किसी ने कहा कि मैं मर गया ?

उसने कहा, नहीं, किसी ने कहा नहीं; हमने सोचा हुआ था; भूल हुई। साल भर पहले जब तुम यहां रुके थे, तो तुम्हारे साथ तीन आदमी और रुके थे उस रात यहां, चारों ने रात जो खाना खाया था यहां वह विषाक्त हो गया था। तुम तो आधी रात उठ कर चले गए, तुम्हें कहीं जाना था यात्रा पर, बाकी तीन मर गए। तो हम यही सोचते थे कि तुम मर गए होओगे।

वह साल भर बाद वापस लौटा था। यह सुनते ही वह बेहोश होकर गिर पड़ा। वह जो आदमी था, साल भर पहले... । जुन्नैद ने लिखा है, जब मैंने उसको बेहोश होकर गिरते देखा, तो मुझे दुनिया के सब चमत्कार समझ में आ गए। अब यह जो आदमी है यह गिर पड़ा--तीन मर गए, विषाक्त भोजन--साल भर का फासला ही मिट गया, उसको खयाल ही न रहा कि यह साल भर पहले की बात है। उसको होश में लाने के लिए पड़ोस से झाड़ने-फूंकने वाले बुलाने पड़े, बामुश्किल वह होश में आया।

आदमी का मन है और उसके नियम हैं, उनसे सारा खेल है।

7

युवक और यौन

एक कहानी से मैं अपनी बात शुरू करना चाहूंगा।

एक बहुत अदभुत व्यक्ति हुआ है। उस व्यक्ति का नाम था नसरुद्दीन। एक मुसलमान फकीर था। एक दिन सांझ अपने घर से बाहर निकला था किन्हीं मित्रों से मिलने के लिए, द्वार पर ही बचपन का बिछुड़ा हुआ एक साथी घोड़े पर से उतरा। बीस वर्षों बाद वह मित्र उसे मिला था। गले वे दोनों मिल गए। लेकिन नसरुद्दीन ने कहा कि तुम ठहरो घड़ी भर, मैं किन्हीं को वचन दिया हूं, उनसे मिल कर अभी लौट आता हूं। दुर्भाग्य कि वर्षों बाद तुम मिले हो और मुझे अभी घर से जाना पड़ेगा, लेकिन मैं जल्दी ही लौट आऊंगा।

उस मित्र ने कहा, तुम्हें छोड़ने का मेरा मन नहीं, वर्षों बाद हम मिले हैं। उचित होगा कि मैं भी तुम्हारे साथ चलूं। रास्ते में तुम्हें देखूंगा भी, तुम से बात भी कर लूंगा। लेकिन मेरे कपड़े सब धूल से भरे हैं। अच्छा होगा, अगर तुम्हारे पास दूसरे कपड़े हों तो मुझे दे दो।

फकीर ने एक कपड़े की जोड़ी, बादशाह ने उसे भेंट की थी। सुंदर कोट था, पगड़ी थी, जूते थे। वह अपने मित्र के लिए निकाल लाया। उसने उसे कभी पहना नहीं था। सोचा था, कभी जरूरत पड़ेगी तो पहनूंगा। फिर फकीर था, वे कपड़े बादशाही थे, हिम्मत भी उसकी पहनने की पड़ी नहीं थी।

मित्र ने जल्दी वे कपड़े पहन लिए। जब मित्र कपड़े पहन रहा था, तब नसरुद्दीन को लगा कि यह तो भूल हो गई। इतने सुंदर कपड़े पहन कर वह मित्र तो एक सम्राट मालूम पड़ने लगा और नसरुद्दीन उसके सामने एक फकीर, एक भिखारी मालूम पड़ने लगा। रास्ते पर लोग मित्र की तरफ ही देखेंगे, जिसके कपड़े अच्छे थे। लोग तो सिर्फ कपड़ों की तरफ ही देखते हैं और तो कुछ दिखाई नहीं पड़ता है। जिनके घर ले जाऊंगा, वे भी मित्र को ही देखेंगे। क्योंकि हमारी आंखें इतनी अंधी हैं कि सिवाय कपड़ों के और कुछ भी नहीं देखतीं। उसके मन में बहुत पीड़ा होने लगी कि ये कपड़े पहना कर मैंने भूल कर ली है।

लेकिन फिर उसे खयाल आया कि मेरा प्यारा मित्र है, वर्षों के बाद मिला है, क्या अपने कपड़े भी मैं उसको नहीं दे सकता हूं? इतना नीच, इतनी क्षुद्र मेरी वृत्ति है! क्या रखा है कपड़ों में? समझाता हुआ वह अपने को चला, लेकिन रास्ते पर सारी नजरें उसके मित्र के कपड़ों पर अटक गई थीं। रास्ते पर जिसने भी देखा वही गौर से देखने लगा। वह मित्र बड़ा सुंदर मालूम पड़ रहा था। जब भी कोई उसके मित्र को देखता, उसके मन में चोट लगती कि कपड़े मेरे हैं और देखा मित्र जा रहा है! फिर अपने को समझाता कि कपड़े क्या किसी के होते हैं? मैं तो शरीर को तक अपना नहीं मानता तो कपड़ों को अपना क्या मानना? इसमें क्या हर्जा हो गया?

समझाता-बुझाता अपने को उस घर पहुंचा। भीतर जाकर--जैसे ही अंदर गया, परिवार के लोगों की नजरें उसके मित्र के कपड़ों पर अटक गईं--फिर उसे चोट लगी, ईर्ष्या मालूम हुई, मेरे ही कपड़े हैं और मैं ही अपने कपड़ों के कारण दीन-हीन हो गया हूं! बड़ी भूल हो गई। फिर अपने को समझाया, फिर अपने मन को दबाया।

फिर मित्र का परिचय दिया। घर के लोग पूछने लगे, कौन हैं ये? कहा, मेरे मित्र हैं बचपन के, बहुत अदभुत व्यक्ति हैं। जमाल इनका नाम है। रह गए कपड़े, सो कपड़े मेरे हैं।

घर के लोग बहुत हैरान हुए। मित्र भी हैरान हुआ। नसरुद्दीन भी कह कर हैरान हुआ। सोचा भी नहीं था कि ये शब्द मुंह से निकल जाएंगे।

लेकिन जो दबाया था, वह निकल जाता है। जो दबाओ, वह निकलता है; जो सप्रेस करो, वह प्रकट होगा। इसलिए भूल कर गलत चीज मत दबाना, अन्यथा जीवन सारी गलत चीज की अभिव्यक्ति बन जाता है।

घबरा गया बहुत। सोचा भी नहीं था कि निकल जाएगा। मित्र भी बहुत हतप्रभ हो गया। घर के लोग भी सोचने लगे, यह क्या बात कही! बाहर निकल कर मित्र ने

कहा कि क्षमा करो, अब मैं तुम्हारे साथ दूसरे घर में नहीं जाऊंगा। यह तुमने क्या बात कही?

नसरुद्दीन की आंखों में आंसू आ गए। क्षमा मांगने लगा। कहने लगा, भूल हो गई। जबान पलट गई। जबान कभी भी नहीं पलटती है।

ध्यान रखना! जो भीतर दबा हो, वह कभी-कभी जबान से निकल जाता है। जबान पलटती कभी भी नहीं।

क्षमा कर दो, अब ऐसी भूल नहीं होगी। कपड़ों में क्या रखा है! लेकिन कैसे निकल गई यह बात? मैंने कभी सोचा भी नहीं था कि कपड़े किसके हैं!

सोचा यही था। आदमी वही नहीं कहता है जो भीतर सोचता रहता है। कहता कुछ और है, सोचता कुछ और है।

कहने लगा, मैंने तो सोचा भी नहीं, कपड़े का तो मुझे खयाल भी नहीं आया था। यह बात कैसे निकल गई! और घर से चलने और इस घर तक आने में सिवाय कपड़े के उसे और कुछ भी खयाल नहीं आया था।

आदमी बहुत बेईमान है। जो उसके भीतर खयाल आता है, कभी कहता भी नहीं बाहर कि ये खयाल आते हैं। और जो बाहर बताता है, वह भीतर बिलकुल नहीं होता है। आदमी सरासर एक झूठ है।

मित्र ने कहा, मैं चलता हूं तुम्हारे साथ, लेकिन अब यह कपड़ों की बात...। नसरुद्दीन ने कहा, कपड़े तुम्हारे ही हो गए तुमने पहने। अब मैं इन्हें लूंगा भी नहीं। कपड़ों में क्या रखा है?

कह तो वह रहा था कि कपड़ों में क्या रखा है, लेकिन दिखाई पड़ रहा था कि कपड़ों में ही सब कुछ रखा है। वे कपड़े बहुत सुंदर थे। वह मित्र बहुत अदभुत मालूम पड़ रहा है। चले रास्ते पर। नसरुद्दीन फिर अपने को समझाने लगा कि ये कपड़े दे ही दूंगा मित्र को। लेकिन जितना सोचता था, उतना ही मन होता था--एक बार भी पहने नहीं, एक बार भी आंखें इन कपड़ों पर लोगों की रुकी नहीं, कैसे दे दूंगा? लेकिन अपने को समझाया कि भूल हो गई। क्षमा में दे देना चाहिए। और अब! अब कभी यह खयाल भी नहीं लाऊंगा अपने मन में कि ये कपड़े मेरे हैं। दूसरे घर में पहुंचा--सम्हल कर, संयम से।

संयमी आदमी हमेशा खतरनाक होता है। क्योंकि संयम का मतलब होता है कि उसने कुछ भीतर दबा रखा है। सच्चा आदमी संयमी नहीं होता। सच्चा आदमी सिर्फ सच्चा होता है। उसके भीतर कुछ भी दबा नहीं होता है। संयमी आदमी हमेशा झूठा

संभोग से समाधि की ओर

होता है। जो वह ऊपर से दिखाई पड़ता है, उससे ठीक उलटा उसके भीतर दबा होता है। उसी को दबाने की कोशिश में वह संयमी हो गया होता है। संयमी के भीतर हमेशा बारूद है, जिसमें कभी भी आग लग जाए तो बहुत खतरनाक है। और चौबीस घंटे दबाना पड़ता है जो दबाया है उसे। एक क्षण को भी फुरसत दी, छुट्टी दी, कि वह निकल कर बाहर आ जाएगा। इसलिए संयमी आदमी को हॉली-डे कभी भी नहीं होता--चौबीस घंटे, जब तक जागता है। हां, नींद में बड़ी गड़बड़ हो जाती है, सपने में सब बदल जाता है। वह जिसको दबाया है, वह नींद में प्रकट होने लगता है। क्योंकि नींद में संयम नहीं चलता। इसलिए संयमी आदमी नींद से डरते हैं, इसका पता है? संयमी आदमी कहते हैं, कम सोना चाहिए! उसका और कोई कारण नहीं है। नींद तो परमात्मा का अदभुत आशीर्वाद है। लेकिन संयमी डरता है। क्योंकि जो दबाया है, वह नींद में धक्के मारता है, सपने बन कर आता है।

किसी तरह संयम-साधना करके वह बेचारा नसरुद्दीन उस घर में घुसा। दबाए हुए है मन में वे कपड़े ही कपड़े, कपड़े ही कपड़े। कह रहा है कि मेरे नहीं हैं, अब तो मित्र के ही हैं। लेकिन जितना यह कह रहा है कि मेरे नहीं हैं, मित्र के ही हैं, उतने ही वे कपड़े और भी मेरे मालूम पड़ रहे हैं।

मन को जिस बात के लिए इनकार करो, मन उसी की तरफ दौड़ने लगता है। इनकार करो, और मन दौड़ता है।

इनकार बुलावा है। मन में 'न' का मतलब 'हां' होता है। मन में भीतर 'न' का मतलब 'हां' होता है। जिस बात को तुमने कहा 'नहीं', मन कहेगा 'हां यही'।

कपड़े मेरे हैं, मन कहने लगा, कौन कहता है कपड़े मेरे नहीं हैं? और नसरुद्दीन की ऊपर की बुद्धि समझाने लगी कि नहीं, कपड़े तो मैंने दे दिए मित्र को। जब वे भीतर गए, तब नसरुद्दीन कोई समझ भी नहीं सकता था कि भीतर कपड़ों में लड़ रहा है। घर में जिसके पास ले गए थे, पति मौजूद न था, सुंदर पत्नी मौजूद थी। उसकी आंखें एकदम कपड़ों पर अटक गईं मित्र के। नसरुद्दीन को धक्का लगा। इस सुंदर स्त्री ने उसे भी कभी इतने प्रेम से नहीं देखा। पूछने लगी, कौन हैं ये? कौन व्यक्ति हैं ये, कभी देखा नहीं! नसरुद्दीन ने कहा, मेरे मित्र हैं। हालांकि कह रहा था, मालूम पड़ रहा था कि मेरे शत्रु हैं। कह रहा था कि मेरे मित्र हैं, लेकिन लग रहा था कि मेरे शत्रु हैं। इस दुष्ट को कहां साथ ले आए! जो देखो वही इसको देख रहा है! और पुरुषों के देखने तक गनीमत थी, सुंदर स्त्रियां भी उसी को देख रही हैं, तो फिर बहुत मुसीबत हो गई। मेरे मित्र हैं, बचपन के साथी हैं, बहुत अच्छे आदमी हैं। रह गए

कपड़े उन्हीं के हैं, मेरे नहीं हैं।

लेकिन कपड़े अगर उन्हीं के हैं तो कहने की जरूरत क्या है? कह गया तब पता चला कि फिर भूल हो गई।

भूल का नियम है, भूल अतियों पर होती है, एक्सट्रीम पर होती है। एक एक्सट्रीम से बचो, दूसरी एक्सट्रीम पर हो जाती है। भूल का नियम है, घड़ी के पेंडुलम की तरह चलती है भूल। इस कोने से फिर ठीक दूसरे कोने पर जाती है, बीच में नहीं रुकती भूल। भोग से जाएगी तो एकदम त्याग पर चली जाएगी। एक बेवकूफी छूटी, दूसरी बेवकूफी पर पहुंच जाएगी। ज्यादा भोजन से बचेगी, उपवास! वह ज्यादा भोजन से भी बदतर है। क्योंकि ज्यादा भोजन भी आदमी दिन में दो-एक बार कर सकता है, लेकिन उपवास करने वाला आदमी दिन भर मन ही मन में भोजन करता है। करना पड़ता है! चौबीस घंटे भोजन करना पड़ता है!

एक भूल से आदमी का मन बचता है और दूसरी भूल पर, मन जो है वह एक्सट्रीम्स में, अतियों में डोलता है। एक भूल की थी कि कपड़े मेरे हैं, अब दूसरी भूल हो गई कि कपड़े उसी के हैं। लेकिन एम्फेटिकली जब इतने जोर से कोई कहे कि कपड़े उसी के हैं, तो साफ हो जाता है कि कपड़े उसके नहीं हैं।

यह बड़े मजे की बात है! जोर से हमें वही बात कहनी पड़ती है जो सच्ची नहीं होती। अगर तुम कहो कि मैं बहुत बहादुर आदमी हूं! तो समझ लेना कि तुम पक्के नंबर एक के कायर हो।

अभी हिंदुस्तान पर चीन का हमला हुआ। सारे हिंदुस्तान में कवि पैदा हो गए, जैसे बरसात में मेंढक पैदा होते हैं। और वे सब कहने लगे कि हम सोए हुए शेर हैं, हमको मत छेड़ो! कभी सोए शेर ने कविता की है कि हमको मत छेड़ो? सुना है कभी यह? सोए शेर को छेड़ दो, फिर वह कविता करेगा? फिर पता चल जाएगा कि छेड़ने का क्या मतलब होता है। लेकिन हमारा पूरा मुल्क कहने लगा, हम सोए शेर हैं। हम ऐसा कर देंगे, हम वैसा कर देंगे। और चीन लाखों मील जमीन दबा कर बैठ गया, सोए शेर सो गए फिर से कविता वगैरह बंद करके। यह शेर-वेर होने का खयाल शेरों को पैदा नहीं होता, यह कायरों को पैदा होता है। शेर शेर होता है, चिल्ला-विल्ला कर कहने की जरूरत नहीं होती।

वह जितने जोर से हम कहते हैं, उससे उलटा हमारे भीतर होता है। इसलिए जोर से कुछ कहते वक्त जरा सम्हल कर कहना। अगर किसी से कहो कि मैं तुम्हें बहुत प्रेम करता हूं, तो संदिग्ध है वह प्रेम। प्रेम कहीं बहुत किया जाता है! बस किया

जाता है या नहीं किया जाता। लेकिन आदमी का मन पूरे वक्त नासमझियों के चक्कर में घूमता है।

कह दिया नसरुद्दीन ने कि कपड़े--कपड़े इन्हीं के हैं। वह स्त्री भी हैरान हुई। मित्र भी हैरान हुआ कि फिर वही बात! बाहर निकल कर उस मित्र ने कहा, क्षमा करो, अब मैं लौट जाता हूं। गलती हो गई तुम्हारे साथ आया। क्या तुम्हें कपड़े ही कपड़े दिखाई पड़ रहे हैं?

नसरुद्दीन ने कहा, मैं भी नहीं समझता। आज तक जिंदगी में कपड़े मुझे दिखाई नहीं पड़े। यह पहेला ही मौका है! क्या हो गया है मुझे? मेरे दिमाग में क्या गड़बड़ हो गई है? लेकिन पहली भूल हो गई थी, उससे उलटी भूल हो गई। अब कपड़ों की बात ही नहीं करूंगा। बस एक मित्र के घर और मिलने चलना है। फिर हम वापस लौट चलेंगे। और एक मौका मुझे और दो, नहीं तो जिंदगी भर के लिए अपराध मन में रहेगा कि मैंने मित्र के साथ कैसा व्यवहार किया!

मित्र साथ जाने को राजी हो गया। सोचा अब और क्या करेगा भूल! बात खत्म हो गई है। दो बातें हो सकती थीं, दोनों हो गई हैं। लेकिन भूल करने वाले बड़े इनवेंटिव होते हैं, पता है? नई भूलें ईजाद कर लेते हैं, जिनका आपको पता भी न हो।

तीसरे मित्र के घर गए। अब की बार तो नसरुद्दीन अपनी छाती को दबाए-पकड़े बैठा है कि कुछ भी हो जाए!

लेकिन जितने जोर से किसी चीज को दबाओ, वह उतने जोर से पैदा होनी शुरू होती है। किसी चीज को दबाना, उसे शक्ति देने का दूसरा नाम है। दबाओ, और शक्ति मिलती है उसे। जितने जोर से आप दबाते हो, जोर में जो ताकत आपकी लगती है, वह उसी में चली जाती है जिसको आप दबाते हो। तो ताकत मिल गई उसे।

अब वह दबा रहा है और पूरे वक्त पा रहा है कि मैं कमजोर पड़ता जा रहा हूं और वे कपड़े मजबूत होते जा रहे हैं। कपड़े जैसी चीज, फिजूल, इतनी मजबूत हो सकती है कि नसरुद्दीन जैसा ताकतवर आदमी हारा जा रहा है उसके सामने! जो किसी चीज से नहीं हारा था, आज साधारण से कपड़े उसे हराए डालते हैं! वह अपनी पूरी ताकत लगा रहा है। लेकिन उसे पता नहीं है कि पूरी ताकत हम लगाते उसके खिलाफ हैं जिससे हम भयभीत हो जाते हैं। और जिससे हम भयभीत हो जाते हैं उससे हम हार जाते हैं, उससे हम कभी नहीं जीत सकते।

आदमी ताकत से नहीं जीतता, अभय से जीतता है, फियरलेसनेस से जीतता

है। ताकत से कोई आदमी नहीं जीतता, बड़े से बड़ा ताकतवर हार जाएगा अगर भीतर फ़ियर है। हम दूसरे से कभी नहीं हारते, अपने ही भय से हारते हैं--यह ध्यान रहे! कम से कम मानसिक जगत में तो यह पक्का है कि दूसरा हमें कभी नहीं हराता, हमारा भय ही हमें हरा देता है।

वह जितना भयभीत हो रहा है, उतनी ताकत लगा रहा है। वह जितनी ताकत लगा रहा है, उतना भयभीत हुआ जा रहा है। क्योंकि कपड़े छूटते नहीं, पीछे वे चक्कर काट रहे हैं। तीसरे मकान के भीतर घुसा है, वह आदमी होश में नहीं है, वह बेहोश है। उसे न दीवालें दिख रही हैं, न घर के लोग दिखाई पड़ रहे हैं। उसे वह कोट-पगड़ी, वही दिखाई पड़ रहा है। मित्र भी खो गया है, बस कपड़े हैं और वह है। और वह लड़ रहा है, ऊपर से किसी को पता नहीं। जिस घर में गया, फिर आंखें टिक गईं वहीं, उसके मित्र के कपड़ों पर। पूछा, कौन हैं ये? अब वह बुखार में है, अब वह नसरुद्दीन होश में नहीं है, अब वह फीवर में है।

दमन करने वाले लोग हमेशा बुखार में जीते हैं, कभी शांत नहीं होते। सप्रेशन जो है, वह मेंटल फीवर है। वह मानसिक बुखार है।

दबा लिया है, अब बुखार पकड़ा हुआ है। हाथ-पैर कंप रहे हैं उसके। वह अपने हाथ-पैर रोकने की कोशिश कर रहा है। लेकिन जितना रोकने की कोशिश कर रहा है, वे उतने कंप रहे हैं। उसने कहा, कौन हैं ये! अब उसे खुद भी याद नहीं आ रहा है कि कौन हैं ये? सिर्फ कपड़े हैं, सिर्फ कपड़े हैं, सिर्फ कपड़े हैं--यही मालूम पड़ रहा है। लेकिन कहता है कि नहीं। जैसे बहुत मुश्किल पड़ रहा है उसे याद करना। कहा, मेरे मित्र हैं, नाम है फलां-फलां। रह गए कपड़े, सो कपड़े की बात ही नहीं करनी है, किसी के भी हों! कपड़े की बात ही नहीं उठानी है!

लेकिन बात उठ गई। जिसकी बात न उठानी हो, उसी की बात ज्यादा उठती है। जिसकी बात न उठानी हो, उसी की बात ज्यादा उठती है।

यह छोटी सी कहानी क्यों मैंने कही? सेक्स की बात नहीं उठानी है और उसकी ही बात चौबीस घंटे उठती है। नहीं किसी से बात करनी है, लेकिन अपने से ही बात चलती है। मत करो दूसरे से, तो खुद ही से करनी पड़ेगी बात। और दूसरे से बात करने में राहत भी मिल सकती है, खुद से बात करने में कोई रास्ता ही नहीं है, कोल्हू के बैल की तरह अपने भीतर ही घूमते रहो। सेक्स की बात नहीं करनी है! टैबू है! उसकी बात नहीं करनी है। उसकी बात ही नहीं उठानी है। मां अपने बेटे के सामने नहीं उठाती। बेटा अपने बाप के सामने नहीं उठाता। मित्र मित्र के सामने नहीं

उठाते। उठानी नहीं है बात। जो उठाते हैं वे अशिष्ट हैं। और चौबीस घंटे वही बात चलती है। सबके मन में वही चलता है।

यह सेक्स इतना महत्वपूर्ण नहीं है जितना कि बात न उठाने से महत्वपूर्ण हो गया है। यह सेक्स बिलकुल महत्वपूर्ण नहीं है, जितना कि हम समझ रहे हैं इसे।

लेकिन किसी भी व्यर्थ की बात को उठाना बंद कर दो, वह सबसे ज्यादा महत्वपूर्ण हो जाएगी। इस दरवाजे पर एक तख्ती लगा दो कि यहां झांकना मना है! और यहां झांकना बड़ा महत्वपूर्ण हो जाएगा। फिर चाहे आपकी यूनिवर्सिटी में कुछ भी हो रहा हो--आइंस्टीन आकर गणित पर भाषण दे रहे हों--बेकार है वह, यह तख्ती महत्वपूर्ण है, यहीं झांकने की जरूरत हो जाएगी। हर विद्यार्थी यहीं चक्कर लगाने लगेगा। लड़के जरा जोर से लगाएंगे, लड़कियां जरा धीरे।

बस बाकी कोई बुनियादी फर्क नहीं है आदमी-आदमी में।

उनके मन में भी होगा कि क्या है इस तख्ती के भीतर? यह तख्ती एकदम अर्थ ले लेगी। हां, कुछ जो अच्छे लड़के-लड़कियां नहीं हैं, वे आकर सीधा देख कर झांकने लगेंगे। वे बदनामी उठाएंगे कि ये अच्छे लोग नहीं हैं। तख्ती जहां लगी थी कि नहीं झांकना है, ये वहीं झांक रहे थे। जो भद्र हैं, सज्जन हैं, अच्छे घर के हैं--इस तरह के वहम जिनके दिमाग में हैं--वे इधर से तिरछी आंखें किए हुए निकल जाएंगे। आंखें तिरछी रहेंगी, दिखाई तख्ती ही पड़ेगी महाशय। और तिरछी आंखों से जो चीज दिखाई पड़ती है, वह बहुत खतरनाक होती है। दिखाई भी नहीं पड़ती और दिखाई भी पड़ती है। देख भी नहीं पाते, मन में भाव भी रह जाता है देखना था।

फिर वे जो पीड़ित जन यहां से तिरछे-तिरछे निकल जाएंगे, वे इसका बदला लेंगे। किससे? जो झांक रहे थे उनसे। गालियां देंगे उनको कि बुरे लोग हैं, अशिष्ट हैं, सज्जन नहीं हैं, असाधु हैं। ये किससे बदला ले रहे हैं वे? इस तरह मन को सांत्वना, कंसोलेशन जुटा रहे हैं कि हम अच्छे आदमी हैं, इसलिए हमने झांक कर नहीं देखा। लेकिन झांक कर देखना तो जरूर था, वह मन कहे चला जाएगा। सांझ होते-होते, अंधेरा घिरते-घिरते वे आएंगे। क्लास में बैठ कर पढ़ेंगे, तब भी तख्ती दिखाई पड़ेगी, किताब नहीं। लेबोरेट्री में एक्सपेरिमेंट करते होंगे और तख्ती बीच-बीच में आ जाएगी। सांझ तक वे आ जाएंगे। आना पड़ेगा।

आदमी के मन के नियम हैं। इन नियमों का उलटा नहीं हो सकता। हां, कुछ बहुत ही कमजोर होंगे, वे शायद नहीं आ पाएं। तो रात सपने में उनको आना पड़ेगा। आना पड़ेगा! मन के नियम अपवाद नहीं मानते। वहां एक्सेप्शन नहीं होता। जगत्

के किसी नियम में कोई अपवाद नहीं होता। जगत् के नियम अत्यंत वैज्ञानिक हैं। मन के नियम भी उतने ही वैज्ञानिक हैं।

यह जो सेक्स इतना महत्वपूर्ण हो गया है, यह वर्जना के कारण। वर्जना की तख्ती लगी है। उस वर्जना के कारण इतना महत्वपूर्ण हो गया है कि सारे मन को घेर लिया है। सारे मन को! सारा मन सेक्स के इर्द-गिर्द घूमने लगा है।

वह फ्रायड ठीक कहता है कि मनुष्य का मन सेक्स के आस-पास ही घूमता है। लेकिन वह यह गलत कहता है कि सेक्स बहुत महत्वपूर्ण है, इसलिए घूमता है।

नहीं, घूमने का कारण है--वर्जना, इनकार, विरोध, निषेध। घूमने का कारण है--हजारों साल की परंपरा; सेक्स को टैबू, वर्जित, निंदित, गर्हित सिद्ध करने वाली परंपरा। सेक्स को इतना महत्वपूर्ण बनाने वालों में साधु-संतों, महात्माओं का हाथ है, उन्होंने तख्तियां लटकाई हैं वर्जना की।

यह बड़ा उलटा मालूम पड़ेगा, लेकिन यही सत्य है और कहना जरूरी है! मनुष्य-जाति को सेक्सुअलिटी की, कामुकता की तरफ ले जाने का काम महात्माओं ने ही किया है। जितने जोर से वर्जना लगाई है उन्होंने, आदमी उतने जोर से आतुर होकर भागने लगा है। इधर वर्जना लगा दी है, उसका परिणाम यह हुआ है कि सेक्स रग-रग से फूट कर निकल पड़ा है। कविता--थोड़ा खोजबीन करो, ऊपर की राख हटाओ--भीतर सेक्स मिलेगा। उपन्यास, कहानी--महान से महान साहित्यकार की--जरा राख झाड़ो, भीतर सेक्स मिलेगा। चित्र देखो, मूर्ति देखो, सिनेमा देखो...

और साधु-संत इस वक्त सिनेमा के बहुत खिलाफ हैं। और उन्हें पता नहीं कि सिनेमा नहीं था तो भी आदमी यही करता था। कालिदास के ग्रंथ पढ़ो! कोई फिल्म इतनी अश्लील नहीं बन सकती जितने कालिदास के वचन हैं। उठा कर देखो पुराना साहित्य, पुरानी मूर्तियां देखो, पुराने मंदिर देखो। जो फिल्म में है, वह पत्थरों में खुदा मिलेगा। लेकिन आंख नहीं खुलती हमारी। अंधे की तरह पीटे चले जाते हैं लकीरों को।

सेक्स जब तक दमन किया जाएगा और जब तक स्वस्थ खुले आकाश में उसकी बात न होगी और जब तक एक-एक बच्चे के मन से वर्जना की तख्ती नहीं हटेगी, तब तक दुनिया सेक्स के आब्सेशन से मुक्त नहीं हो सकती है, तब तक सेक्स एक रोग की तरह आदमी को पकड़े रहेगा। वह कपड़े पहनेगा तो नजर सेक्स पर होगी। खाना खाएगा तो नजर सेक्स पर होगी। किताब पढ़ेगा तो नजर सेक्स पर

संभोग से समाधि की ओर

होगी। गीत गाएगा तो नजर सेक्स पर होगी। संगीत सुनेगा तो नजर सेक्स पर होगी। नाचेगा तो नजर सेक्स पर होगी। सारी जिंदगी! अनातोले फ्रांक मर रहा था। मरते वक्त एक मित्र उसके पास गया और अनातोले जैसे अदभुत साहित्यकार से उसने पूछा कि तुमसे मरते वक्त मैं यह पूछता हूं अनातोले, जिंदगी में सबसे महत्वपूर्ण क्या है? अनातोले ने कहा, जरा पास आ जाओ, कान में ही बता सकता हूं, क्योंकि आस-पास और लोग भी बैठे हैं। मित्र पास आ गया। उसने सोचा कि अनातोले जैसा आदमी, जो मकानों की चोटियों पर चढ़ कर चिल्लाने का आदी है, जो उसे ठीक लगे कहता है, वह भी आज मरते वक्त इतना कमजोर हो गया कि जीवन की सबसे महत्वपूर्ण बात बताने को कहता है पास आ जाओ, कान में कहूंगा! सुनो धीरे से कान में! मित्र पास सरक आया। अनातोले कान के पास ओंठ ले आया, लेकिन कुछ बोला नहीं। मित्र ने कहा, बोलते नहीं! अनातोले ने कहा, तुम समझ गए होओगे, अब बोलने की क्या जरूरत है।

ऐसा मजा है। और मित्र समझ गए। और तुम भी समझ गए, नहीं तो हंसते नहीं। समझ गए न? बोलने की कोई जरूरत नहीं है। क्या पागलपन है यह? यह कैसे मनुष्य को पागलपन की तरफ ले जाने का, मैड हाउस बनाने की दुनिया को कोशिश चल रही है?

इसका बुनियादी कारण यह है कि सेक्स को आज तक स्वीकार नहीं किया गया। जिससे जीवन का जन्म होता है, जिससे जीवन के बीज फूटते हैं, जिससे जीवन के फूल आते हैं, जिससे जीवन की सारी सुगंध, सारा रंग, जिससे जीवन का सारा नृत्य है, जिसके आधार पर जीवन का पहिया घूमता है, उसको ही स्वीकार नहीं किया। जीवन के मौलिक आधार को अस्वीकार किया गया। जीवन में जो केंद्रीय था, परमात्मा जिसको सृष्टि का आधार बनाए हुए है--चाहे फूल हों, चाहे पक्षी हों, चाहे बीज हों, चाहे पौधे हों, चाहे मनुष्य हों--सेक्स जो है वह जीवन के जन्म का मार्ग है, उसको ही अस्वीकार कर दिया!

उसकी अस्वीकृति के दो परिणाम हुए। अस्वीकार करते ही वह सबसे ज्यादा महत्वपूर्ण हो गया। अस्वीकार करते ही वह सर्वाधिक महत्वपूर्ण हो गया और मनुष्य के चित्त को उसने सब तरफ से पकड़ लिया। अस्वीकार करते ही उसे सीधा जानने का उपाय नहीं रहा। इसलिए तिरछे जानने के उपाय खोजने पड़े, जिनसे मनुष्य का चित्त विकृत, बीमार होने लगा। जिस चीज को सीधे जानने के उपाय न रह जाएं और मन जानना चाहता हो, फिर गलत उपाय खोजने पड़ते हैं।

मनुष्य को अनैतिक बनाने में तथाकथित नैतिक लोगों की वर्जनाओं का हाथ है। जिन लोगों ने आदमी को नैतिक बनाने की चेष्टा की है दमन के द्वारा, वर्जना के द्वारा, उन लोगों ने सारी मनुष्य-जाति को इम्मॉरल, अनैतिक बना कर छोड़ दिया।

और जितना आदमी अनैतिक होता चला जाता है, उतनी उनकी वर्जना सख्त होती चली जाती है। वे कहते हैं कि फिल्मों में नंगी तस्वीर नहीं होनी चाहिए। वे कहते हैं, पोस्टरों पर नंगी तस्वीर नहीं होनी चाहिए। वे कहते हैं, किताब ऐसी होनी चाहिए। वे कहते हैं, फिल्म में चुंबन लेते वक्त कितने इंच का फासला हो--यह भी गवर्नमेंट तय करेगी! वे यह सब कहते हैं। बड़े अच्छे लोग हैं वे, इसलिए कहते हैं कि आदमी अनैतिक न हो जाए।

और उनकी ये सब चेष्टाएं फिल्मों को और गंदा करती चली जाती हैं। पोस्टर और अश्लील होते चले जाते हैं। किताबें और गंदी होती चली जाती हैं। हां, एक फर्क रहता है। किताब के भीतर कुछ रहता है, ऊपर कवर कुछ और रहता है। और अगर ऐसा नहीं रहता, तो लड़का गीता खोल लेता है, गीता के अंदर दूसरी किताब रख लेता है, उसको पढ़ता है। बाइबिल का कवर चढ़ा लेता है ऊपर। कोई लड़का बाइबिल पढ़ता है? अगर बाइबिल पढ़ता हो तो समझना भीतर कोई दूसरी किताब है। यह सब धोखा, यह.डिसेप्शन पैदा होता है।

विनोबा कहते हैं, तुलसी कहते हैं--अश्लील पोस्टर नहीं चाहिए! गांधी जी तो यह कहते थे कि खजुराहो और कोणार्क के मंदिरों पर मिट्टी पोत कर उनकी प्रतिमाओं को ढांक देना चाहिए। आदमी इनको देख कर गंदा न हो जाए। और बड़े मजे की बात यह है कि तुम ढांकते चले जाओ उनको, हजारों साल से ढांक रहे हो, इससे आदमी गंदगी से मुक्त नहीं होता, गंदगी बढ़ती चली जाती है।

मैं यह पूछना चाहता हूं--तस्वीर लगी है नंगी दीवार पर, अश्लील पोस्टर लगा है, अश्लील किताब छपती है--अश्लील किताब, अश्लील सिनेमा के कारण आदमी कामुक होता है कि आदमी कामुक है इसलिए अश्लील तस्वीर बनती है और पोस्टर चिपकाए जाते हैं? कौन है बुनियादी?

आदमी की मांग है अश्लील पोस्टर के लिए, इसलिए अश्लील पोस्टर लगता है और देखा जाता है। साधु-संन्यासी भी देखते हैं उसको, लेकिन एक फर्क रहता है। आप उसको देखते हैं, आप अगर पकड़ लिए जाएंगे तो आप समझे जाएंगे यह आदमी गंदा है। अगर कोई साधु-संन्यासी मिल जाए, और आप उससे कहें, आप क्यों देख रहे हैं? वह कहेगा कि हम निरीक्षण कर रहे हैं, स्टडी कर रहे हैं कि लोग

किस तरह...अनैतिकता से कैसे बचाए जाएं, इसलिए अध्ययन कर रहे हैं। इतना फर्क पड़ेगा। बाकी कोई फर्क नहीं पड़ेगा। बल्कि आप बिना देखे भी निकल जाएं, साधु-संन्यासी बिना देखे कभी नहीं निकल सकता। उसकी वर्जना और भी ज्यादा है, उसका चित्त और भी वर्जित है।

एक संन्यासी मेरे पास आए। वे नौ वर्ष के थे, तब दुष्टों ने उनको दीक्षा दे दी। नौ वर्ष के आदमी को दीक्षा देना कोई भले आदमी का काम हो सकता है? नौ वर्ष के बच्चे को! बाप मर गए थे उनके, तो साधु-संन्यासियों को मौका मिल गया, उनको दीक्षा दे दी। अनाथ बच्चे, उनके साथ कोई भी दुर्व्यवहार किया जा सकता है। उनको दीक्षा दे दी। वह आदमी नौ वर्ष की उम्र से बेचारा संन्यासी है। अब उनकी उम्र कोई पचास साल है। वे मेरे पास रुके थे। मेरी बातें सुन कर उनकी हिम्मत बढ़ी कि मुझसे सच्ची बातें कही जा सकती हैं। इस मुल्क में सच्ची बातें किसी से नहीं कही जा सकतीं। सच्ची बातें कहना ही मत, नहीं तो फंस जाओगे। उन्होंने एक रात मुझसे कहा कि मैं बहुत परेशान हूं, सिनेमा और टाकीज के पास से निकलता हूं तो मुझे लगता है, अंदर पता नहीं क्या होता होगा? इतने लोग अंदर जाते हैं, इतना क्यू लगाए खड़े रहते हैं, जरूर कुछ न कुछ बात होगी! हालांकि मंदिर में जब मैं बोलता हूं तो मैं कहता हूं कि सिनेमा जाने वाले नरक जाएंगे। लेकिन जिनको मैं कहता हूं नरक जाएंगे, वे नरक की धमकी से भी नहीं डरते और सिनेमा जाते हैं, तो जरूर कुछ बात होगी!

नौ साल का बच्चा था, तब वह साधु हो गया। नौ ही साल के पास उसकी बुद्धि अटकी रह गई, उससे आगे विकसित नहीं हुई, क्योंकि जीवन के अनुभव से तोड़ दिया गया। नौ साल के बच्चे के मन में जैसे भाव उठे कि सिनेमा के भीतर क्या हो रहा है, ऐसे ही उसके मन में उठता है। लेकिन किससे कहे? तो मैंने उनसे कहा, सिनेमा दिखला दें आपको? वे बोले कि अगर दिखला दें तो बड़ी कृपा हो, झंझट छूट जाए; क्या है वहां? एक मित्र को मैंने बुलाया कि इनको ले जाओ। वे मित्र बोले कि मैं झंझट में नहीं पड़ता। कोई देख ले कि मैं साधु को लाया तो मैं भी झंझट में पड़ जाऊंगा। अंग्रेजी फिल्म दिखाने ले जा सकता हूं इनको, क्योंकि वह मिलिट्री एरिया में है, और उधर ये साधु-वाधु मानने वाले इनके भक्त भी वहां नहीं होंगे, वहां मैं इनको ले जा सकता हूं। पर वे साधु अंग्रेजी नहीं जानते। कहने लगे, कोई हर्जा नहीं, लेकिन देख तो लेंगे कि क्या मामला है, अंग्रेजी में ही सही।

यह चित्त है। और यह चित्त वहां गाली देगा मंदिर में बैठ कर कि नरक जाओगे

अगर अश्लील पोस्टर देखोगे, फिल्म देखोगे। यह बदला ले रहा है। वह तिरछा देख कर निकल गया आदमी है, वह बदला ले रहा है, जिन्होंने सीधा देखा उनसे। लेकिन सीधे देखने वाले मुक्त भी हो सकते हैं, तिरछे देखने वाले मुक्त नहीं हो सकते। अश्लील पोस्टर इसलिए लग रहे हैं, अश्लील किताबें इसलिए पढ़ी जा रही हैं, लड़के अश्लील गालियां इसलिए बक रहे हैं, अश्लील कपड़े इसलिए पहने जा रहे हैं, कि तुमने जो मौलिक था उसको अस्वीकार किया है। उसकी अस्वीकृति के परिणामस्वरूप ये सब गलत रास्ते खोजे जा रहे हैं।

जिस दिन दुनिया में सेक्स स्वीकृत होगा, जैसे कि भोजन स्वीकृत है, स्नान स्वीकृत है, उस दिन दुनिया में अश्लील पोस्टर नहीं लगेंगे, अश्लील कविताएं नहीं होंगी, अश्लील मंदिर नहीं बनेंगे। क्योंकि जैसे ही वह स्वीकृत हो जाएगा, अश्लील पोस्टरों को बनाने की कोई जरूरत नहीं रह जाएगी।

अगर किसी समाज में भोजन वर्जित कर दिया जाए कि भोजन छिप कर खाना, कोई देख न ले! अगर किसी समाज में यह हो कि भोजन करना पाप है! तो भोजन के पोस्टर सड़कों पर लगने लगेंगे फौरन। क्योंकि आदमी तब पोस्टरों से भी तृप्ति पाने की कोशिश करेगा। पोस्टरों से तृप्ति तभी पाई जाती है, जब जिंदगी तृप्ति देना बंद कर देती है और जिंदगी के द्वार बंद होते हैं।

यह जो जितनी अश्लीलता और कामुकता और जितनी सेक्सुअलिटी है, यह सारी की सारी वर्जना का अंतिम परिणाम है।

और यह मैं आने वाले युवकों से कहना चाहता हूं कि तुम जिस दुनिया को बनाने में संलग्न होओगे, उसमें सेक्स को वर्जित मत करना, अन्यथा आदमी और भी कामुक से कामुक होता चला जाएगा। यह बात मेरी बड़ी उलटी लगेगी। मुझे तो लोग, अखबारवाले और नेतागण चिल्ला-चिल्ला कर घोषणा करते हैं कि मैं लोगों में काम का प्रचार कर रहा हूं। मैं लोगों को काम से मुक्त करना चाहता हूं; प्रचार वे कर रहे हैं! लेकिन उनका प्रचार दिखाई नहीं पड़ता। उनका प्रचार दिखाई नहीं पड़ता, क्योंकि हजारों साल की परंपरा से उनकी बातें सुन-सुन कर हम अंधे और बहरे हो गए हैं। हमें खयाल भी नहीं रहा कि वे क्या कह रहे हैं। मन के सूत्रों का, मन के विज्ञान का कोई बोध भी नहीं रहा कि वे क्या कर रहे हैं और क्या करवा रहे हैं। इसीलिए आज पृथ्वी पर जितना कामुक आदमी भारत में है, उतना कामुक आदमी पृथ्वी के किसी कोने में नहीं है।

मेरे एक डाक्टर मित्र इंग्लैंड एक मेडिकल कांफ्रेंस में भाग लेने गए थे। हाइड

पार्क में उनकी सभा होती थी। कोई पांच सौ डाक्टर इकट्ठे थे, बातचीत चलती थी, खाना-पीना चलता था। लेकिन पास की एक बेंच पर एक युवक और एक युवती गले में हाथ डाले अत्यंत प्रेम में लीन आंख बंद किए बैठे थे। मित्र के प्राणों में बेचैनी हो गई। भारतीय प्राण! चारों तरफ झांक-झांक कर--अब खाने में उनका मन न रहा, अब चर्चा में उनका रस न रहा, वे बार-बार लौट-लौट कर उस बेंच की तरफ देखने लगे। और मन में सोचने लगे--पुलिस क्या कर रही है? इनको बंद क्यों नहीं करती? यह कैसा अश्लील देश है! ये लड़के और लड़की आंख बंद किए चुपचाप, पांच सौ लोगों की भीड़ के पास ही, बेंच पर बैठे हुए प्रेम प्रकट कर रहे हैं! यह क्या हो रहा है? यह बरदाश्त के बाहर है। पुलिस क्या कर रही है? बार-बार वहां देखने का मन।

पड़ोस के डाक्टर ने, एक आस्ट्रेलियन डाक्टर ने, उनको हाथ से इशारा किया और कहा, वहां बार-बार मत देखिए, नहीं पुलिसवाला आपको आकर उठा कर ले ज़ाएगा। यह अनैतिकता का सबूत है। यह उन दो व्यक्तियों की अपनी जिंदगी की बात है। और वे दोनों व्यक्ति इसलिए पांच सौ लोगों की भीड़ के पास भी शांति से बैठे हैं, क्योंकि वे जानते हैं कि यहां सज्जन लोग इकट्ठे हैं, कोई देखेगा नहीं। किसी को क्या प्रयोजन है? आपका यह देखना बहुत गर्हित है, बहुत अशोभन है, अशिष्ट है। जेंटलमैनली नहीं है; अच्छे आदमी का सबूत नहीं है। आप वहां बार-बार...आप पांच सौ लोगों को नहीं देख रहे, कोई फिक्र नहीं कर रहा है! क्या प्रयोजन है किसी को? यह उनकी अपनी बात है। और दो व्यक्ति इस उम्र में प्रेम करें तो पाप क्या है? और प्रेम में वे आंख बंद करके पास-पास बैठे हों तो हर्ज क्या है? आप क्यों परेशान हो रहे हैं? न तो वे आपके गले में हाथ डाले हुए हैं!

वे मित्र मुझसे लौट कर कहने लगे कि मैं इतना घबड़ा गया कि ये कैसे लोग हैं। लेकिन धीरे-धीरे उनकी समझ में यह बात पड़ी कि गलत वे ही थे।

हमारा पूरा मुल्क, पूरा मुल्क, एक-दूसरे के दरवाजे में की-होल रहता है न, उसमें से झांक रहा है--कहां क्या हो रहा है? कौन क्या कर रहा है? कौन कहां जा रहा है? कौन किसके साथ है? कौन किसके गले में हाथ डाले है? कौन किसका हाथ हाथ में लिए है? क्या बदतमीजी है! कैसी संस्कारहीनता है! यह सब क्या है? यह क्यों हो रहा है? यह हो रहा है--भीतर वह जिसको दबाया है, वह सब तरफ दिखाई पड़ रहा है, वही-वही दिखाई पड़ रहा है।

विद्यार्थियों से मैं कहना चाहता हूं: तुम्हारे मां-बाप, तुम्हारे पुरखे, तुम्हारी

हजारों साल की पीढ़ियां सेक्स से भयभीत रही हैं। तुम भयभीत मत रहना। तुम समझने की कोशिश करना उसे। तुम पहचानने की कोशिश करना। तुम बात करना। तुम सेक्स के संबंध में जो आधुनिकतम नई से नई खोज हुई है उसको पढ़ना, चर्चा करना और समझने की कोशिश करना--क्या है सेक्स? क्या है सेक्स का मेकेनिज्म? उसका यंत्र क्या है? क्या है उसकी आकांक्षा? क्या है प्यास? क्या है प्राणों के भीतर छिपा हुआ राज? इसको समझना। इसकी सारी की सारी वैज्ञानिकता को पहचानना। इससे भागना मत, एस्केप मत करना, आंख बंद मत करना। और तुम हैरान हो जाओगे--तुम जितना समझोगे, तुम उतने ही मुक्त हो जाओगे। तुम जितना समझोगे, तुम उतने ही स्वस्थ हो जाओगे। तुम जितना सेक्स के फैक्ट को समझ लोगे, उतना ही सेक्स के फिक्शन से तुम्हारा छुटकारा हो जाएगा।

तथ्य को समझते ही आदमी कहानियों से मुक्त हो जाता है। और जो तथ्य से बचता है, वह कहानियों में भटक जाता है।

कितनी सेक्स की कहानियां चलती हैं! कोई मजाक ही नहीं है और! बस एक ही मजाक है हमारे पास कि हम सेक्स की तरफ इशारा करें और हंसें। जो आदमी सेक्स की तरफ इशारा करके हंसता है, वह आदमी बहुत ही क्षुद्र है। सेक्स की तरफ इशारा करके हंसने का क्या मतलब है? उसका मतलब है : आप समझते नहीं हैं।

बच्चे तो बहुत तकलीफ में हैं--कौन उन्हें समझाए? किससे वे बातें करें? कौन सारे तथ्यों को सामने रखे? उनके प्राणों में जिज्ञासा है, खोज है। लेकिन उसको दबाए चले जाते हैं, रोके चले जाते हैं। उसके दुष्परिणाम होते हैं। जितना रोकते हैं, उतना मन वहां दौड़ने लगता है। और इस रोकने और दौड़ने में सारी शक्ति और ऊर्जा नष्ट हो जाती है।

यह मैं आपसे कहना चाहता हूं--जिस देश में भी सेक्स की स्वस्थ रूप से स्वीकृति नहीं होती, उस देश की प्रतिभा का जन्म ही नहीं होता है।

पश्चिम में तीन सौ वर्षों में जो जीनियस पैदा हुआ है, जो प्रतिभा पैदा हुई है, वह सेक्स के तथ्य की स्वीकृति से पैदा हुई है।

जैसे ही सेक्स स्वीकृत हो जाता है, तो जो शक्ति हमारी लड़ने में नष्ट होती है, वह शक्ति मुक्त हो जाती है, वह रिलीज हो जाती है। उस शक्ति को हम रूपांतरित करते हैं--पढ़ने में, खोज में, आविष्कार में, कला में, संगीत में, साहित्य में।

और अगर वह शक्ति इसी में उलझी रह जाए...। अब सोच लो कि वह आदमी जो कपड़ों में उलझ गया था, नसरुद्दीन, वह कोई विज्ञान के प्रयोग कर सकता था

बेचारा? कि वह कोई साहित्य का सृजन कर सकता था? कि कोई मूर्ति का निर्माण कर सकता था? वह कुछ भी करता, कपड़े ही कपड़े चारों तरफ घूमते रहते।

भारत के युवक के चारों तरफ सेक्स घूमता रहता है पूरे वक्त। और इस घूमने के कारण उसकी सारी शक्ति इसी में लीन और नष्ट हो जाती है। जब तक भारत के युवक की सेक्स के इस रोग से मुक्ति नहीं होती, तब तक भारत के युवक की प्रतिभा का जन्म नहीं हो सकता है। जिस दिन इस देश में सेक्स की सहज स्वीकृति हो जाएगी, हम उसे जीवन के एक तथ्य की तरह अंगीकार कर लेंगे--प्रेम से, आनंद से--निंदा से नहीं, घृणा से नहीं। और निंदा, घृणा का कोई क़ारण नहीं है।

वह जीवन का अदभुत रहस्य है। वह जीवन की अदभुत मिस्ट्री है। उससे कोई घबराने की, भागने की जरूरत नहीं है। जिस दिन हम इसे स्वीकार कर लेंगे, उस दिन इतनी बड़ी ऊर्जा मुक्त होगी भारत में कि हम आइंस्टीन पैदा कर सकते हैं, हम न्यूटन भी पैदा करेंगे। हम भी चांद-तारों की यात्रा करेंगे। लेकिन अभी हम कैसे करें! लड़के लड़कियों के स्कर्ट के आस-पास परिभ्रमण करें कि चांद-तारों पर जाएं? लड़कियां चौबीस घंटे अपने कपड़ों को चुस्त से चुस्त करने की कोशिश करें कि चांद-तारों का विचार करें? यह नहीं हो सकता। ये सब सेक्सुअलिटी के रूप हैं। लेकिन हमें दिखाई नहीं पड़ते। कपड़ों का चुस्त से चुस्त होते चले जाना सेक्सुअलिटी का रूप है।

हम शरीर को नंगा देखना और दिखाना चाहते हैं, इसलिए कपड़े चुस्त से चुस्त होते चले जाते हैं।

सौंदर्य की बात नहीं है यह। क्योंकि कई बार चुस्त कपड़े शरीर को बहुत बेहूदा और भोंडा बना देते हैं। हां, क़िसी शरीर पर चुस्त कपड़े सुंदर भी हो सकते हैं। किसी शरीर पर ढीले कपड़े सुंदर हो सकते हैं। और ढीले कपड़ों की शान ही और है। ढीले कपड़ों की गरिमा और है। ढीले कपड़ों की पवित्रता और है।

लेकिन वह हमारे खयाल में नहीं आएगा। हम समझेंगे, यह फैशन है। हम समझेंगे कि यह कला है, अभिरुचि है, टेस्ट है। टेस्ट-वेस्ट नहीं है, अभिरुचि भी नहीं है। वह जो हम जिसको छिपा रहे हैं भीतर, वह दूसरे रास्तों से प्रकट होने की कोशिश कर रहा है। लड़के लड़कियों का चक्कर काट रहे हैं, लड़कियां लड़कों के चक्कर काट रही हैं। तो चांद-तारों का चक्कर कौन काटेगा? कौन जाएगा वहां? और प्रोफेसर्स? वे बेचारे, दोनों एक-दूसरे का चक्कर न काटें, सो बीच में पहरेदार बने हुए खड़े हैं। वह कुछ और उनके पास काम नहीं है। जीवन के और किन्हीं सत्यों

की खोज में उन्हें इन बच्चों को नहीं लगाना है। बस ये सेक्स से बच जाएं, इतना ही काम कर दें तो कृतार्थता हो जाती है, परिणाम पूरा हो जाता है।

यह सब कैसा रोग! यह कैसा डिजीज्ड माइंड है हमारा! नहीं, यह हम सेक्स के तथ्य की सीधी स्वीकृति के बिना इस रोग से मुक्त नहीं हो सकते हैं। यह महारोग है।

इस पूरी चर्चा में मैंने यह कहने की कोशिश की है कि मनुष्य को क्षुद्रताओं से ऊपर उठना है, जीवन के साधारण तथ्यों से जीवन के बहुत ऊंचे तथ्यों की खोज करनी है। सेक्स ही सब कुछ नहीं है, परमात्मा भी है इस दुनिया में। लेकिन उसकी खोज कौन करेगा? सेक्स ही सब कुछ नहीं है इस दुनिया में, सत्य भी है। उसकी कौन खोज करेगा? यहीं जमीन से अटके हम रह जाएंगे तो आकाश की खोज कौन करेगा? पृथ्वी के कंकड़-पत्थरों को हम खोजते रहेंगे तो चांद-तारों की तरफ आंखें कौन उठाएगा?

पता भी नहीं होगा उनको! जिन्होंने पृथ्वी की ही तरफ आंख लगा कर जिंदगी गुजार दी, उन्हें पता भी नहीं चलेगा कि आकाश में तारे भी हैं, आकाशगंगा भी है। रात के सन्नाटे में मौन सन्नाटा भी है आकाश का। वे बेचारे कंकड़-पत्थर बीनने वाले लोग, उन्हें कैसे पता चलेगा कि और आकाश भी है। और अगर कभी कोई उनसे कहेगा कि आकाश भी है जहां चमकते हुए तारे हैं, वे कहेंगे--सब झूठी बातचीत है, सब कल्पना है। पत्थर ही पत्थर हैं। कभी रंगीन पत्थर भी होते हैं, कभी गैर-रंगीन पत्थर भी होते हैं। बस इतनी ही जिंदगी है।

नहीं, पृथ्वी से मुक्त होना है कि आकाश दिखाई पड़ सके। शरीर से मुक्त होना है कि आत्मा दिखाई पड़ सके। और सेक्स से मुक्त होना है, ताकि समाधि तक मनुष्य पहुंच सके। लेकिन उस तक हम नहीं पहुंच सकेंगे, अगर हम सेक्स से बंधे रह जाते हैं। और सेक्स से हम बंध गए हैं, क्योंकि हम सेक्स से लड़ रहे हैं।

लड़ाई बांध देती है, समझ मुक्त करती है। अंडरस्टैंडिंग चाहिए। समझो!

सेक्स के पूरे रहस्य को समझो! बात करो, विचार करो, मुल्क में हवा पैदा करो कि हम इसे छिपाएंगे नहीं, समझेंगे। अपने पिता से बात करो, अपनी मां से बात करो। वे बहुत घबड़ाएंगे। अपने प्रोफेसर्स से बात करो, अपने कुलपति को पकड़ो और कहो कि हमें समझाओ। जिंदगी के सवाल हैं ये। वे भागेंगे, क्योंकि वे डरे हुए लोग हैं, डरी हुई पीढ़ी से आए हैं। उनको पता भी नहीं है कि जिंदगी बदल गई है। अब डर से काम नहीं चलेगा। जिंदगी का एनकाउंटर चाहिए, मुकाबला चाहिए। जिंदगी को लड़ने और समझने की तैयारी करो। मित्रों का सहयोग लो, शिक्षकों का

सहयोग लो, मां-बाप का सहयोग लो।

वह मां गलत है, जो अपनी बेटी को और अपने बेटे को वे सारे राज नहीं बता जाती जो उसने जाने हैं। क्योंकि उसके बताने से बेटे और उसकी बेटियां भूलों से बच सकेंगे; उसके न बताने से उनसे भी उन्हीं भूलों के दोहराने की संभावना है, जो उसने खुद की होंगी। वह बाप गलत है, जो अपने बेटे को अपनी प्रेम की और अपनी सेक्स की जिंदगी की सारी बातें नहीं बता देता। क्योंकि बता देने से बेटा उन भूलों से बच जाएगा जो उसने की हैं। शायद बेटा ज्यादा स्वस्थ हो सकेगा।
लेकिन बाप! बाप इस तरह जीएगा कि बेटे को पता चले कि इसने कभी प्रेम ही नहीं किया। वह इस तरह खड़ा रहेगा आंखें पत्थर की बना कर कि इसकी जिंदगी में कभी कोई औरत इसे अच्छी ही नहीं लगी।

यह सब झूठ है। यह सरासर झूठ है। तुम्हारे बाप ने भी प्रेम किया है। उनके बाप ने भी प्रेम किया था। सब बाप प्रेम करते रहे हैं, लेकिन सब बाप धोखा देते रहे हैं। तुम भी प्रेम करोगे और बाप बन कर धोखा दोगे। यह धोखे की दुनिया अच्छी नहीं है। चीजें साफ और सीधी होनी चाहिए। जो बाप ने अनुभव किया है, वह बेटे को दे जाए। जो मां ने अनुभव किया है, वह बेटे को दे जाए। जो ईर्ष्याएं उसने अनुभव की हैं, जो प्रेम अनुभव किए हैं, जो गलतियां उसने की हैं, जिन गलत रास्तों पर वह भटकी है और भरमी है, उन सारी कथा को अपने बच्चों को जो नहीं दे जाते हैं, वे बच्चों का हित नहीं करते हैं। तो शायद दुनिया ज्यादा साफ होगी।

हम दूसरी चीजों के संबंध में साफ हो गए हैं। अगर केमिस्ट्री के संबंध में कोई बात जाननी हो, तो सब साफ है। फिजिक्स के संबंध में कोई बात जाननी हो, सब साफ है। भूगोल के बाबत जाननी हो कि टिम्बकटू कहां है? कुस्तुनतुनिया कहां है? सब साफ है, नक्शा बना हुआ है। आदमी के बाबत कुछ भी साफ नहीं है, कहीं कोई नक्शा नहीं है। आदमी के बाबत सब झूठ है! इसलिए दुनिया सब तरह से विकसित हो रही है, सिर्फ आदमी विकसित नहीं हो रहा है। आदमी के संबंध में भी जिस दिन साइंटिफिक एटिटयूड, चीजें साफ-साफ देखने की हिम्मत हम जुटा लेंगे, उस दिन आदमी का भी विकास निश्चित है।

ये थोड़ी सी बातें मैंने कहीं। मेरी बातों को सोचना। मान लेने की कोई जरूरत नहीं है। क्योंकि हो सकता है, जो मैं कहूं, बिलकुल गलत हो। सोचना, समझना, कोशिश करना। हो सकता है कोई सत्य तुम्हें दिखाई पड़े। जो सत्य तुम्हें दिखाई पड़ जाएगा, वह तुम्हारे जीवन में प्रकाश का दीया बन जाता है।

मेरी बातों को इतने प्रेम और शांति से सुना, उससे बहुत अनुगृहीत हूं। और अंत में तुम सबके भीतर बैठे परमात्मा को प्रणाम करता हूं, मेरे प्रणाम स्वीकार करें।

8

प्रेम और विवाह

मनुष्य की आत्मा, मनुष्य के प्राण निरंतर ही परमात्मा को पाने के लिए आतुर हैं। लेकिन किस परमात्मा को? कैसे परमात्मा को? उसका कोई अनुभव, उसका कोई आकार, उसकी कोई दिशा मनुष्य को ज्ञात नहीं है। सिर्फ एक छोटा सा अनुभव है, जो मनुष्य को ज्ञात है और जो परमात्मा की झलक दे सकता है। वह अनुभव प्रेम का अनुभव है।

जिसके जीवन में प्रेम की भी कोई झलक नहीं है, उसके जीवन में परमात्मा के आने की कोई संभावना नहीं है।

न तो प्रार्थनाएं परमात्मा तक पहुंचा सकती हैं, न धर्मशास्त्र पहुंचा सकते हैं, न मंदिर-मस्जिद पहुंचा सकते हैं, न कोई संगठन हिंदू और मुसलमानों के और ईसाइयों और पारसियों के पहुंचा सकते हैं। एक ही बात परमात्मा तक पहुंचा सकती है और वह यह है कि प्राणों में प्रेम की ज्योति का जन्म हो जाए।

मंदिर और मस्जिद तो प्रेम की ज्योति को बुझाने का काम करते रहे हैं। जिन्हें हम धर्मगुरु कहें, वे मनुष्य को मनुष्य से तोड़ने के लिए जहर फैलाते रहे हैं। जिन्हें हम धर्मशास्त्र कहें, वे घृणा और हिंसा के आधार और माध्यम बन गए हैं।

और जो परमात्मा तक पहुंचा सकता था, वह प्रेम अत्यंत उपेक्षित, अत्यंत निग्लेक्टेड, जीवन के रास्ते के किनारे कहीं अंधेरे में पड़ा रह गया है। इसलिए पांच

हजार वर्षों से आदमी प्रार्थनाएं कर रहा है, पांच हजार वर्षों से आदमी भजन-पूजन कर रहा है, पांच हजार वर्षों से मंदिरों और मस्जिदों की मूर्तियों के सामने सिर टेक रहा है, लेकिन परमात्मा की कोई झलक मनुष्यता को उपलब्ध नहीं हो सकी। परमात्मा की कोई किरण मनुष्य के भीतर अवतरित नहीं हो सकी। कोरी प्रार्थनाएं हाथ में रह गई हैं, और आदमी रोज-रोज नीचे गिरता गया है, रोज-रोज अंधेरे में भटकता गया है। आनंद के केवल सपने हाथ में रह गए हैं, सच्चाइयां अत्यंत दुखपूर्ण होती चली गई हैं। और आज तो आदमी करीब-करीब ऐसी जगह खड़ा हो गया है, जहां उसे यह खयाल भी लाना असंभव होता जा रहा है कि परमात्मा भी हो सकता है।

क्या आपने कभी सोचा कि यह घटना कैसे घट गई है ? क्या नास्तिक इसके लिए जिम्मेवार हैं कि लोगों की आकांक्षा और अभीप्सा ने परमात्मा की दिशा की तरफ जाना बंद कर दिया है ? क्या वे लोग इसके लिए जिम्मेवार हैं--वैज्ञानिक और भौतिकवादी और मैटीरियलिस्ट--उन्होंने परमात्मा के द्वार बंद कर दिए हैं ?

नहीं, परमात्मा के द्वार इसलिए बंद हो गए हैं कि परमात्मा का एक ही द्वार था-- प्रेम, और वह प्रेम की तरफ हमारा कोई ध्यान ही नहीं रहा है! और भी अजीब और कठिन और आश्चर्य की बात यह हो गई है कि तथाकथित धार्मिक लोगों ने ही मिल-जुल कर प्रेम की हत्या कर दी है। और मनुष्य के जीवन को इस भांति सुव्यवस्थित करने की कोशिश की गई है कि उसमें प्रेम की किरण की संभावना ही न रह जाए।

नारी समाज की इस बैठक में मैं इस प्रेम के संबंध में थोड़ी सी बात कहना चाहता हूं, क्योंकि इसके अतिरिक्त मुझे कोई रास्ता नहीं दिखाई पड़ता है कि कोई प्रभु तक कैसे पहुंच सकता है। और इतने लोग जो वंचित हो गए हैं प्रभु तक पहुंचने से, वह इसीलिए कि वे प्रेम तक पहुंचने से ही वंचित हो गए हैं।

समाज की पूरी की पूरी व्यवस्था अप्रेम की व्यवस्था है। परिवार का पूरा का पूरा केंद्र अप्रेम का केंद्र है। बच्चे के कंसेप्शन से लेकर, उसके गर्भाधारण से लेकर उसकी मृत्यु तक की सारी यात्रा अप्रेम की यात्रा है। और हम इसी समाज को, इसी परिवार को, इसी गृहस्थी को सम्मान किए जाते हैं, आदर दिए जाते हैं, शोरगुल मचाए चले जाते हैं कि यह बड़ा पवित्र परिवार है, बड़ा पवित्र समाज है, बड़ा पवित्र जीवन है। और यही परिवार और यही समाज और यही सभ्यता, जिसके गुणगान करते हम थकते नहीं, यही सभ्यता और यही समाज और यही परिवार मनुष्य को

परमात्मा से रोकने का कारण बन रहा है।

इस बात को थोड़ा समझ लेना जरूरी होगा। मनुष्यता के विकास में कहीं कोई बुनियादी भूल हो गई है। यह सवाल नहीं है कि एकाध आदमी ईश्वर को पा ले। कोई कृष्ण, कोई राम, कोई बुद्ध, कोई क्राइस्ट ईश्वर को उपलब्ध हो जाए, यह कोई सवाल नहीं है। अरबों-खरबों लोगों में अगर एक आदमी के जीवन में ज्योति उतर आती हो, तो यह कोई विचार करने की बात भी नहीं है, इस पर कोई हिसाब रखने की भी जरूरत नहीं है।

एक माली एक बगीचा लगाए, उसमें दस करोड़ पौधे लगाए और एक पौधे में एक छोटा सा फूल आ जाए, तो उस माली की प्रशंसा करने कौन जाएगा? कौन कहेगा कि माली, तू बहुत कुशल है! तूने जो बगीचा लगाया है, वह बहुत अदभुत है! देख, दस करोड़ वृक्षों में एक फूल खिल गया है! हम कहेंगे कि यह माली की कुशलता का सबूत नहीं है--यह फूल खिल जाना। माली की भूल-चूक से खिल गया होगा। क्योंकि बाकी सारे पेड़ खबर दे रहे हैं कि माली कितना कुशल है। यह इंस्पाइट, यह माली के बावजूद खिल गया होगा फूल। माली ने कोशिश की होगी कि न खिल पाए, क्योंकि सारे पौधे तो खबर दे रहे हैं कि माली के फूल कैसे खिले हुए हैं!

अरबों लोगों के बीच कभी एकाध आदमी के जीवन में ज्योति जल जाती है और हम उसी का शोरगुल मचाते रहते हैं हजारों साल तक, उसी की पूजा करते रहते हैं, उसी के मंदिर बनाते रहते हैं, उसी का गुणगान करते रहते हैं। अब तक हम रामलीला कर रहे हैं। अब तक बुद्ध की जयंती मना रहे हैं। अब तक महावीर की पूजा कर रहे हैं। अब तक क्राइस्ट के सामने घुटने टेके बैठे हुए हैं।

यह किस बात का सबूत है? यह इस बात का सबूत है कि पांच हजार साल में पांच-छह आदमियों के अतिरिक्त आदमियत के जीवन में परमात्मा का कोई संपर्क नहीं हो सका है। नहीं तो कभी का हम भूल गए होते राम को, कभी का हम भूल गए होते बुद्ध को, कभी का हम भूल गए होते महावीर को।

महावीर को हुए ढाई हजार साल हो गए। ढाई हजार साल में कोई आदमी नहीं हुआ कि महावीर को हम भूल सकते। महावीर को याद रखना पड़ा है। वह एक फूल खिला था, वह अब तक हमें याद रखना पड़ा है। यह कोई गौरव की बात नहीं है कि हमको अब तक स्मृति है बुद्ध की, महावीर की, कृष्ण की, राम की, मोहम्मद की, क्राइस्ट की या जरथुस्त्र की। यह इस बात का सबूत है कि आदमी होते ही नहीं कि

उनको हम भुला सकें। बस दो-चार इने-गिने नाम अटके रह गए हैं मनुष्य-जाति की स्मृति में।

और उन नामों के पास भी हमने क्या किया है सिवाय उपद्रव के, हिंसा के? और उनकी पूजा करने वाले लोगों ने क्या किया है--सिवाय आदमी के जीवन को नरक बनाने के और क्या किया है? मस्जिदों और मंदिरों के पुजारियों ने और पूजकों ने जमीन पर जितनी हत्या की है और जितना खून बहाया है और जीवन का जितना अहित किया है, उतना किसी ने भी नहीं किया है। जरूर कहीं कोई बुनियादी भूल हो गई है। नहीं तो इतने पौधे लगें और फूल न आएं, यह बड़े आश्चर्य की बात है! कहां भूल हो गई है?

मेरी दृष्टि में, मनुष्य के जीवन का केंद्र ही अब तक प्रेम नहीं बनाया जा सका, इसलिए भूल हो गई है। और वह प्रेम केंद्र बनेगा भी नहीं, क्योंकि जिन चीजों के कारण वह प्रेम जीवन का केंद्र नहीं बन रहा है, हम उन्हीं चीजों का शोरगुल मचा रहे हैं, आदर कर रहे हैं, सम्मान कर रहे हैं--तो कैसे होगा?

मनुष्य की जन्म से लेकर मृत्यु तक की यात्रा ही गलत हो गई है। इस पर पुनर्विचार करना जरूरी है। अन्यथा सिर्फ हम कामनाएं कर सकते हैं और कुछ भी उपलब्ध नहीं हो सकता है। क्या गलत हो गया है? क्या आपको कभी यह बात खयाल में आई कि आपका परिवार प्रेम का शत्रु है? क्या आपको कभी यह बात खयाल में आई कि आपका समाज प्रेम का शत्रु है? क्या आपको यह बात कभी खयाल में आई कि मनु से लेकर आज तक के सभी नीतिकार प्रेम के विरोधी हैं? जीवन का केंद्र है परिवार। और परिवार विवाह पर खड़ा किया गया है; जब कि परिवार प्रेम पर खड़ा होना चाहिए था। भूल हो गई, आदमी के सारे पारिवारिक विकास की बुनियादी भूल हो गई। परिवार निर्मित होना चाहिए प्रेम के केंद्र पर, और परिवार निर्मित किया जाता है विवाह के केंद्र पर! इससे ज्यादा झूठी और मिथ्या बात नहीं हो सकती।

प्रेम और विवाह का क्या संबंध है?

प्रेम से तो विवाह निकल सकता है, लेकिन विवाह से प्रेम नहीं निकलता और नहीं निकल सकता है। इस बात को थोड़ा समझ लें तो हम आगे बढ़ सकें।

प्रेम परमात्मा की व्यवस्था है और विवाह आदमी की व्यवस्था है।

विवाह सामाजिक संस्था है, प्रेम प्रकृति का दान है।

प्रेम तो प्राणों के किसी कोने में अनजाने, अपरिचित पैदा होता है।

और विवाह ? विवाह समाज, कानून नियमित करता है, स्थिर करता है, बनाता है।

विवाह आदमी की ईजाद है।

और प्रेम ? प्रेम परमात्मा का दान है।

हमने सारे परिवार को विवाह के केंद्र पर खड़ा कर दिया है, प्रेम के केंद्र पर नहीं। हमने यह मान रखा है कि विवाह कर देने से दो व्यक्ति प्रेम की दुनिया में उतर जाएंगे। अदभुत झूठी बात है ! और पांच हजार वर्षों में भी हमको इसका खयाल नहीं आ सका, हम अदभुत अंधे हैं! दो आदमियों को साथ बांध देने से प्रेम के पैदा हो जाने की कोई जरूरत नहीं है, कोई अनिवार्यता नहीं है। बल्कि सच्चाई यह है कि जो लोग बंधा हुआ अनुभव करते हैं, वे आपस में प्रेम कभी भी नहीं कर सकते।

प्रेम का जन्म होता है स्वतंत्रता में। प्रेम का जन्म होता है स्वतंत्रता की भूमि में-- जहां कोई बंधन नहीं है, जहां कोई जबरदस्ती नहीं है, जहां कोई कानून नहीं है।

प्रेम तो व्यक्ति का अपना आत्मदान है--बंधन नहीं, जबरदस्ती नहीं। उसके पीछे कोई कानून नहीं, कोई नियम नहीं।

लेकिन हमने आज तक की मनुष्यता की सभ्यता को--सारी दुनिया में--प्रेम से वंचित कर दिया। शुरू किरण जो प्रेम की पैदा होती है स्त्री या पुरुष के मन में, युवक और युवती के मन में, उस पहली किरण की ही हम गला घोंट कर हत्या कर देते हैं। हम कहते हैं, विवाह, प्रेम नहीं। और फिर हम कहते हैं, विवाह से प्रेम पैदा होना चाहिए। फिर जो प्रेम पैदा होता है, वह बिलकुल पैदा किया होता है, कल्टीवेटेड होता है, कोशिश से लाया गया होता है। वह प्रेम वास्तविक नहीं होता। वह प्रेम स्पांटेनिअस नहीं होता। वह प्रेम प्राणों से सहज उठता नहीं, फैलता नहीं। और जिसे हम विवाह से उत्पन्न प्रेम कहते हैं, वह प्रेम केवल सहवास के कारण पैदा हुआ मोह होता है। प्राणों की ललक और प्राणों का आकर्षण और प्राणों की विद्युत वहां अनुपस्थित होती है।

फिर यह परिवार बनता है--यह विवाह से पैदा हुआ परिवार। और परिवार की पवित्रताओं की कथाओं का हिसाब नहीं है! और परिवार की प्रशंसाओं की, स्तुतियों की भी कोई गणना नहीं है! और परिवार सबसे कुरूप संस्था साबित हुई है पूरे मनुष्य को विकृत करने में, परवर्टेड करने में। प्रेम से शून्य परिवार मनुष्य को विकृत करने में, अधार्मिक करने में, हिंसक बनाने में सबसे बड़ी संस्था साबित हुई है। प्रेम से शून्य परिवार से ज्यादा अग्ली और कुरूप कुछ भी नहीं है, और वही

अधर्म का अड्डा बना हुआ है।

क्यों ? जब एक बार एक युवक और युवती को हम विवाह में बांध देते हैं--बिना प्रेम के, बिना आंतरिक परिचय के, बिना एक-दूसरे के प्राणों के संगीत के--जब हम केवल धागों में और पंडित के मंत्रों में और वेदी की पूजा में और थोथे उपक्रम में उनको विवाह में बांध देते हैं, और फिर आशा करते हैं उनको साथ छोड़ कर कि उनके जीवन में प्रेम पैदा हो जाएगा ! प्रेम पैदा नहीं होता, सिर्फ उनके संबंध कामुक होते हैं, सेक्सुअल होते हैं, और कोई संबंध नहीं होते। और जब उनका प्रेम पैदा नहीं हो पाता है...क्योंकि प्रेम पैदा किया नहीं जा सकता। प्रेम पैदा हो जाए तो दो व्यक्ति साथ जुड़ कर परिवार का निर्माण कर सकते हैं। लेकिन दो व्यक्तियों को परिवार के निर्माण के लिए जोड़ दिया जाए और फिर आशा की जाए कि प्रेम पैदा हो जाए, यह नहीं हो सकता।

और जब प्रेम पैदा नहीं होता है तो क्या परिणाम घटित होते हैं, आपको पता है ? एक-एक परिवार कलह है। जिसको गृहस्थी हम कहते हैं, वह संघर्ष, कलह, द्वेष, ईर्ष्या और चौबीस घंटे के उपद्रव का अड्डा बना हुआ है। लेकिन न मालूम हम कैसे अंधे हैं कि इसे हम देखते भी नहीं ! बाहर जब हम निकलते हैं तो हम मुस्कुराते हुए निकलते हैं। सब घर के आंसू पोंछ कर बाहर आ जाते हैं। पत्नी भी हंसती हुई मालूम पड़ती है, पति भी हंसता हुआ मालूम पड़ता है। ये चेहरे झूठे हैं। ये दूसरों को दिखाई पड़ने वाले चेहरे हैं। घरों के भीतर के चेहरे बहुत आंसुओं से भरे हुए हैं। चौबीस घंटे कलह और संघर्ष में जीवन बीत रहा है। फिर इस कलह और संघर्ष के परिणाम होंगे। दो परिणाम होंगे।

एक तो परिणाम यह होगा कि प्रेम के अतिरिक्त किसी व्यक्ति के जीवन में फुलफिलमेंट, आत्मतृप्ति उपलब्ध् होती।

प्रेम जो है, वह व्यक्तित्व की तृप्ति का चरम बिंदु है। और जब प्रेम नहीं मिलता तो व्यक्तित्व हमेशा अनफुलफिल्ड, हमेशा अधूरा, बेचैन, तड़फता हुआ, मांग करता हुआ कि मुझे पूर्ति चाहिए, हमेशा बेचैन, तड़फता हुआ रह जाता है। यह तड़फता हुआ व्यक्तित्व समाज में अनाचार पैदा करता है। क्योंकि यह तड़फता हुआ व्यक्तित्व प्रेम को खोजने निकलता है। विवाह में प्रेम नहीं मिलता। वह विवाह के अतिरिक्त प्रेम को खोजने की कोशिश करता है।

वेश्याएं पैदा होती हैं विवाह के कारण।

विवाह है रूट, विवाह है जड़ वेश्याओं के पैदा होने की। और अब तक तो स्त्री

वेश्याएं थीं, अब तो सभ्य मुल्कों में पुरुष वेश्याएं, मेल प्रास्टीटयूट्स भी उपलब्ध हैं। वेश्या पैदा होगी। क्योंकि परिवार में जो प्रेम उपलब्ध होना चाहिए था वह नहीं उपलब्ध हुआ है, आदमी दूसरे घरों में झांक रहा है उस प्रेम के लिए। वेश्याएं होंगी।

और अगर वेश्याएं रोक दी जाएंगी तो दूसरे परिवारों में पीछे के द्वारों से प्रेम के रास्ते निर्मित होंगे। इसीलिए तो सारे समाज ने यह तय कर लिया है कि कुछ वेश्याएं निश्चित कर दो, ताकि परिवारों का आचरण सुरक्षित रहे। कुछ स्त्रियों को पीड़ा में डाल दो, ताकि बाकी स्त्रियां पतिव्रता बनी रहें और सती-सावित्री बनी रहें।

लेकिन जो समाज ऐसे अनैतिक उपाय खोजता है...वेश्या जैसा अनैतिक उपाय और क्या हो सकता है ? इससे ज्यादा और इम्मॉरल क्या हो सकता है ? जिस समाज को वेश्याओं जैसी अनैतिक संस्थाएं ईजाद करनी पड़ती हैं, जान लेना चाहिए कि वह पूरा समाज बुनियादी रूप से अनैतिक होगा। अन्यथा यह अनैतिक ईजादों की आवश्यकता नहीं थी।

वेश्या पैदा होती है, अनाचार पैदा होता है, व्यभिचार पैदा होता है, तलाक पैदा होते हैं। नहीं तलाक होता, नहीं अनाचार होता, नहीं व्यभिचार होता, तो घर एक चौबीस घंटे का मानसिक तनाव और एंग्जाइटी बन जाता है।

सारी दुनिया में पागलों की संख्या बढ़ती गई है। ये पागल परिवार के भीतर पैदा होते हैं।

सारी दुनिया में स्त्रियां हिस्टेरिक होती चली जा रही हैं, न्यूरोटिक होती चली जा रही हैं, विक्षिप्त, उन्माद से भरती चली जा रही हैं। बेहोश होती हैं, गिरती हैं, चिल्लाती हैं, रोती हैं।

पुरुष पागल होते चले जा रहे हैं। एक घंटे में जमीन पर एक हजार आत्महत्याएं हो जाती हैं ! और हम चिल्लाए जा रहे हैं कि यह समाज हमारा बहुत महान है, ऋषि-मुनियों ने इसे निर्मित किया है। और हम चिल्लाए जा रहे हैं कि बहुत सोच-समझ कर इस समाज के आधार रखे गए हैं। कैसे ऋषि-मुनि और कैसे ये आधार ? अभी एक घंटा मैं बोलूंगा, तो इस बीच एक हजार आदमी कहीं छुरा मार लेंगे, कोई ट्रेन के नीचे लेट जाएंगे, कोई जहर पी लेंगे ! उन एक हजार लोगों की जिंदगी कैसी होगी जो हर घंटे मरने को तैयार हो जाते हैं ?

और आप यह मत सोचना कि जो नहीं मरते हैं वे बहुत सुखमय हैं। कुल जमा कारण यह है कि वे मरने की हिम्मत नहीं जुटा पाते। सुख-वुख का कोई भी सवाल नहीं है। कावर्ड्स हैं, कायर हैं, मरने की हिम्मत नहीं जुटा पाते हैं, तो जीए चले जाते

हैं, धक्के खाए चले जाते हैं और जीए चले जाते हैं। सोचते हैं, आज गलत है, तो कल सब ठीक हो जाएगा, परसों सब ठीक हो जाएगा। लेकिन मस्तिष्क उनके रुग्ण होते चले जाते हैं।

प्रेम के अतिरिक्त कोई आदमी कभी स्वस्थ नहीं हो सकता।

प्रेम जीवन में न हो तो मस्तिष्क होगा रुग्ण, चिंता से भरेगा, तनाव से भरेगा। आदमी शराब पीएगा, नशे करेगा, कहीं जाकर अपने को भूल जाना चाहेगा कि यह सब मैं भूल जाऊं। दुनिया में बढ़ती हुई शराब शराबियों के कारण नहीं है। परिवार उस हालत में ला दिया है लोगों को कि बिना बेहोश हुए थोड़ी देर के लिए भी राहत मिलना मुश्किल हो गई है। तो लोग शराब पीते चले जाएंगे, लोग बेहोश पड़े रहेंगे, लोग हत्या करेंगे, लोग पागल हो जाएंगे।

अमेरिका में प्रतिदिन तीस लाख आदमी अपना मानसिक इलाज करवा रहे हैं। और ये सरकारी आंकड़े हैं! और आप भलीभांति जानते हैं, सरकारी आंकड़े कभी भी सही नहीं होते। तीस लाख सरकार कहती है, तो कितने लोग इलाज करा रहे होंगे, यह कहना मुश्किल है। और जो अमेरिका की हालत है, वह सारी दुनिया की हालत है।

आधुनिक युग के मनसविद यह कहते हैं कि करीब-करीब चार आदमियों में तीन आदमी एबनार्मल हो गए हैं। चार आदमियों में तीन आदमी रुग्ण हो गए हैं, स्वस्थ नहीं हैं। तो जिस समाज में चार आदमियों में तीन आदमी मानसिक रूप से रुग्ण हो जाते हों, उस समाज की फाउंडेशंस को, उसकी बुनियादों को फिर से सोच लेना जरूरी है। नहीं तो कल चार आदमी ही रुग्ण हो जाएंगे और फिर सोचने वाले भी शेष नहीं रह जाएंगे। फिर बहुत मुश्किल हो जाएगी।

लेकिन होता ऐसा है कि जब एक ही बीमारी से सारे लोग ग्रसित होते हैं, तो उस बीमारी का पता नहीं चलता है। हम सब एक से रुग्ण, बीमार, परेशान, झूठी मुस्कुराहट से भरे हुए, तो हमें बिलकुल पता नहीं चलता। सभी ऐसे हैं, इसलिए एट ईज मालूम पड़ते हैं। जब सभी ऐसे हैं, तो ठीक है, ऐसे ही दुनिया चलती है, यही जीवन है। और जब इतनी पीड़ा दिखाई पड़ती है तो हम ऋषि-मुनियों के वचन दोहराते हैं कि वह तो ऋषि-मुनियों ने पहले ही कह दिया है कि जीवन दुख है।

यह जीवन दुख नहीं है, यह दुख हम बनाए हुए हैं। वह तो पहले ही ऋषि-मुनियों ने कह दिया है कि जीवन तो असार है, इससे छुटकारा पाना चाहिए। जीवन असार नहीं है, यह असार हमने बनाया हुआ है।

और जीवन से छुटकारा पाने की बातें सब दो कौड़ी की हैं। क्योंकि जो आदमी जीवन से छुटकारा पाने की कोशिश करता है, वह प्रभु को कभी उपलब्ध नहीं हो सकता। क्योंकि जीवन प्रभु है, जीवन परमात्मा है। जीवन में परमात्मा ही तो प्रकट हो रहा है। उससे जो भागेगा दूर, वह परमात्मा से ही दूर चला जाएगा।

लेकिन जब एक ही बीमारी पकड़ती है, पता नहीं चलता। एक गांव में ऐसा हुआ, एक जादूगर आया और उसने एक कुएं में एक पुड़िया डाल दी। और कहा कि इस कुएं का जो भी पानी पीएगा वह पागल हो जाएगा। उस गांव में दो ही कुएं थे। एक गांव का कुआं था और एक राजा के महल का कुआं था। शाम तक गांव के लोगों को पानी पीना पड़ा, वे सब पागल हो गए। सिर्फ राजा, उसकी रानी, उसके वजीर पागल नहीं हुए, क्योंकि उनका अपना अलग कुआं था। वजीर बहुत खुश थे, रानी बहुत नाचती थी, राजा बहुत प्रसन्न था कि हम बच गए, हमारा अलग कुआं है। लेकिन सांझ होते-होते उन्हें पता चला कि बच कर बड़ी भूल हो गई। सारी राजधानी के लोगों ने महल घेर लिया। और वे चिल्लाने लगे कि राजा पागल हो गया! राजा को निकाल बाहर करो! गांव भर पागल हो गया था, उसको राजा पागल मालूम पड़ने लगा। राजा बहुत घबड़ाया, उसने अपने वजीर को कहा, अब क्या होगा? उसके सिपाही भी पागल हो गए, उसके सैनिक भी पागल हो गए। उसके पहरेदार भी चिल्ला रहे हैं कि राजा पागल हो गया, इसको निकाल बाहर करो! हमको स्वस्थ राजा चाहिए।

वजीर ने कहा, अब एक ही रास्ता है कि हम जल्दी से भागें और पीछे के रास्ते से जाकर उस कुएं का पानी पी लें जिसका इन सब लोगों ने पानी पीया है।
राजा भागा और जाकर उस कुएं का पानी पी लिया।

उस रात उस गांव में बड़ा जलसा मनाया गया, एक शोभायात्रा निकली। सारे गांव के लोग आनंद से नाचने लगे कि राजा का दिमाग ठीक हो गया। वह राजा भी पागल हो गया था तो उनको पता चला कि इसका दिमाग ठीक हो गया।

जब एक सी बीमारी पकड़ती है तो किसी को पता नहीं चलता। पूरी आदमियत जड़ से रुग्ण है, इसलिए पता नहीं चलता। फिर हम दूसरी तरकीबें खोजते हैं इलाज की। कॉजेलिटी जो है, बुनियादी कारण जो है, उसको सोचते नहीं; ऊपरी इलाज सोचते हैं। ऊपरी इलाज हम क्या सोचते हैं? एक आदमी शराब पीने लगता है जीवन से घबरा कर। एक आदमी जाकर नृत्य देखने लगता है, वेश्या के घर बैठ जाता है जीवन से घबरा कर। दूसरा आदमी सिनेमा में बैठ जाता है। तीसरा आदमी इलेक्शन

लड़ने लगता है, ताकि भूल जाए सब। इस उपद्रव में लग जाए तो भूल जाए सब। चौथा आदमी जाकर मंदिर में बैठ कर भजन-कीर्तन करने लगता है। यह भजन-कीर्तन करने वाला भी खुद के जीवन को भूलने की कोशिश कर रहा है। यह कोई परमात्मा को पाने का रास्ता नहीं है।

परमात्मा तो जीवन में प्रवेश से उपलब्ध होता है, जीवन से भागने से नहीं। ये सब एस्केप हैं--कि एक आदमी मंदिर में भजन-कीर्तन कर रहा है, हिल-डुल रहा है। हम कह रहे हैं, भक्त जी बहुत आनंदित हो रहे हैं। भक्त जी आनंदित नहीं हो रहे हैं, भक्त जी किसी दुख से भागे हुए हैं, उसको भुलाने की कोशिश कर रहे हैं। शराब का ही यह दूसरा रूप है।यह स्प्रिचुअल इंटाक्सिकेशन है, यह अध्यात्म के नाम से नई शराबें हैं, जो सारी दुनिया में चलती हैं। इन लोगों ने जीवन से भाग-भाग कर जिंदगी को बदला नहीं है आज तक; जिंदगी वैसी की वैसी दुख से भरी हुई है। और जब भी कोई दुखी हो जाता है, वह भी इनके पीछे चला जाता है कि हमको भी गुरुमंत्र दे दें, हमारा कान भी फूंक दें कि हम भी इसी तरह सुखी हो जाएं जैसे आप हो गए हो! लेकिन यह जिंदगी क्यों दुख पैदा कर रही है, इसको देखने के लिए, इसके विज्ञान को खोजने के लिए कोई भी जाता नहीं है।

मेरी दृष्टि में, जहां से शुरुआत होती है जीवन की, वहीं कुछ गड़बड़ हो गई है। और वह गड़बड़ यह हो गई है कि हमने मनुष्य-जाति को प्रेम की जगह विवाह से थोप दिया है। फिर विवाह होगा और ये सारे रूप पैदा होंगे। और जब दो व्यक्ति एक-दूसरे से बंध जाते हैं और उनके जीवन में कोई शांति और तृप्ति नहीं मिलती, तो वे दोनों एक-दूसरे पर क्रुद्ध हो जाते हैं--कि तेरे कारण मुझे शांति नहीं मिल पा रही है! और वह कहता है, तेरे कारण मुझे शांति नहीं मिल पा रही है! वे एक-दूसरे को सताना शुरू करते हैं, परेशान करना शुरू करते हैं, हैरान करना शुरू करते हैं। और इसी हैरानी, इसी परेशानी, इसी कलह, इसी एंग्जाइटी के बीच बच्चों का जन्म होता है। ये बच्चे पैदाइश से ही परवर्टेड हो जाते हैं, विकृत हो जाते हैं।

मेरी समझ में, मेरी दृष्टि में, किसी दिन जब मनुष्य-जाति आदमी के पूरे विज्ञान पर...आदमी की तो पूरी साइंस भी खड़ी नहीं हो सकी है कि आदमी कैसा स्वस्थ और शांत हो! भजन-कीर्तन के विज्ञान विज्ञान नहीं हैं। जिस दिन आदमी पूरी तरह आदमी के विज्ञान को विकसित करेगा, तो शायद आपको पता लगे कि दुनिया में बुद्ध, कृष्ण और क्राइस्ट जैसे लोग शायद इसीलिए पैदा हो सके कि उनके मां-बाप ने जिस क्षण में संभोग किया था, उनके मां-बाप अपूर्व प्रेम से संयुक्त हुए थे। वह

प्रेम के क्षण में कंसेप्शन हुआ था। यह किसी दिन, जिस दिन जनन-विज्ञान पूरा विकसित होगा, उस दिन शायद यह हमको पता चलेगा कि जो दुनिया में थोड़े से अदभुत लोग हुए हैं--शांत, आनंदित, प्रभु को उपलब्ध--वे वे ही लोग हैं, जिनका पहला अणु प्रेम की दीक्षा से उत्पन्न हुआ था, जिनका पहला जीवन-अणु प्रेम में सराबोर पैदा हुआ था।

पति और पत्नी कलह से भरे हुए हैं--क्रोध से, ईर्ष्या से, एक-दूसरे के प्रति संघर्ष से, अहंकार से। एक-दूसरे की छाती पर चढ़े हुए पज़ेस कर रहे हैं, एक-दूसरे के मालिक बनना चाह रहे हैं, एक-दूसरे को डॉमिनेट करना चाह रहे हैं। इसी बीच उनके बच्चे पैदा हो रहे हैं। ये बच्चे किसी आध्यात्मिक जन्म में कैसे प्रवेश कर पाएंगे?

मैंने सुना है, एक घर में एक मां अपने छोटे बेटे और अपनी छोटी बेटी को--वे दोनों बेटे और बेटी बाहर मैदान में लड़ रहे थे, एक-दूसरे पर घूंसेबाजी कर रहे थे--उस मां ने उनसे कहा कि अरे, यह क्या करते हो? कितनी बार मैंने समझाया कि लड़ा मत करो, आपस में लड़ो मत! उस लड़की ने कहा, मम्मी, वी आर नाट फाइटिंग, वी आर प्लेइंग मम्मी एंड डैडी। हम लड़ नहीं रहे हैं, हम तो मम्मी-डैडी का खेल कर रहे हैं। हम लड़ नहीं रहे हैं, हम तो मम्मी-डैडी का खेल दोहरा रहे हैं। जो घर में रोज हो रहा है, वह हम दोहरा रहे हैं। यह खेल जन्म के क्षण से शुरू हो जाता है। इस संबंध में दो-चार बातें समझ लेनी बहुत जरूरी हैं।

पहली बात: मेरी दृष्टि में, जब एक स्त्री और पुरुष परिपूर्ण प्रेम के आधार पर मिलते हैं--उनका संभोग होता, उनका मिलन होता--तो उस परिपूर्ण प्रेम के तल पर उनके शरीर ही नहीं मिलते हैं, उनका मनस भी मिलता है, उनकी आत्मा भी मिलती है। वे एक लयपूर्ण संगीत में डूब जाते हैं, वे दोनों विलीन हो जाते हैं और शायद परमात्मा ही शेष रह जाता है उस क्षण में। और उस क्षण जिस बच्चे का गर्भाधान होता है, वह बच्चा परमात्मा को उपलब्ध हो सकता है, क्योंकि प्रेम के क्षण का पहला कदम उसके जीवन में उठा लिया गया।

लेकिन जो मां-बाप, जो पति और पत्नी आपस में द्वेष से भरे हैं, घृणा से भरे हैं, क्रोध से भरे हैं, कलह से भरे हैं, वे भी मिलते हैं, लेकिन उनके शरीर ही मिलते हैं, उनकी आत्मा और प्राण नहीं मिलते। और उनके शरीर के ऊपरी मिलन से जो बच्चे पैदा होते हैं, वे अगर मैटीरियलिस्ट पैदा होते हों, शरीरवादी पैदा होते हों, सेक्सुअल पैदा होते हों, बीमार और रुग्ण पैदा होते हों, उनके जीवन में अगर कोई आत्मा की

प्यास पैदा न होती हो, तो दोष मत देना उन बच्चों पर। बहुत दिया जा चुका यह दोष। दोष देना उन मां-बाप पर, जिनकी छवि लेकर वे जन्मते हैं, और जिनके सब अपराध और जिनकी सब बीमारियां लेकर जन्मते हैं, और जिनका सब क्रोध और घृणा लेकर जन्मते हैं। जन्म के साथ ही उनका पौधा विकृत हो जाता है, परवर्शन शुरू हो जाता है। फिर इनको पिलाओ गीता, इनको समझाओ कुरान, इनसे कहो कि प्रार्थना करो, सब झूठी हो जाती हैं! क्योंकि प्रेम का बीज ही शुरू नहीं हो सका तो प्रार्थना कैसे शुरू हो सकती है?

जब एक स्त्री और पुरुष परिपूर्ण प्रेम और आनंद में मिलते हैं, तो वह मिलन एक स्प्रिचुअल एक्ट हो जाता है, एक आध्यात्मिक कृत्य हो जाता है। फिर उसका सेक्स से कोई संबंध नहीं है। वह मिलन फिर कामुक नहीं है, वह मिलन शारीरिक नहीं है। वह मिलन इतना अनूठा है, वह उतना ही महत्वपूर्ण है, जितनी किसी योगी की समाधि। उतना ही महत्वपूर्ण है वह मिलन, जब दो आत्माएं परिपूर्ण प्रेम से संयुक्त होती हैं। और उतना ही पवित्र है वह कृत्य, क्योंकि परमात्मा उसी कृत्य से जीवन को जन्म देता है और जीवन को गति देता है।

लेकिन तथाकथित धार्मिक लोगों ने, तथाकथित झूठे समाज ने, तथाकथित झूठे परिवार ने अब तक यही समझाने की कोशिश की है कि सेक्स, काम, यौन अपवित्र है, घृणित है। हद्द पागलपन की बातें हैं! अगर यौन घृणित है और अपवित्र है, तो सारा जीवन अपवित्र हो गया और घृणित हो गया। अगर सेक्स पाप है, तो सारा जीवन पाप हो गया, पूरा जीवन कंडेम्ड हो गया। और अगर जीवन ही पूरा कंडेम्ड हो जाएगा, तो कैसे प्रसन्न लोग उपलब्ध होंगे? कैसे प्रेम करने वाले लोग उपलब्ध होंगे? कैसे सच्चे लोग उपलब्ध होंगे? जब जीवन ही पूरा का पूरा पाप है, तो सारी रात अंधेरी हो गई। अब इसमें प्रकाश की किरण कहां से लानी पड़ेगी?

तो मैं आपको कहना चाहता हूं, एक नये मनुष्यता के जन्म के लिए सेक्स की पवित्रता, सेक्स की धार्मिकता स्वीकार करनी अत्यंत आवश्यक है; क्योंकि जीवन उससे जन्मता है, परमात्मा उसी कृत्य से जीवन को जन्माता है।

और परमात्मा ने जिसको जीवन की शुरुआत बनाया है, वह पाप नहीं हो सकता! लेकिन आदमी ने उसे पाप कर दिया है।

जो चीज प्रेम से रहित है वह पाप हो जाती है; जो चीज प्रेम से शून्य है वह पाप हो जाती है। आदमी की जिंदगी में प्रेम नहीं रहा, इसलिए सिर्फ सेक्सुअलिटी रह गई, सिर्फ यौन रह गया। वह यौन पाप हो गया है। वह यौन का पाप नहीं है, वह हमारे प्रेम

के अभाव का पाप है। और उस पाप से सारा जीवन शुरू होता है। फिर ये बच्चे पैदा होते हैं, फिर ये बच्चे जन्मते हैं।

और स्मरण रहे, जो पत्नी अपने पति को प्रेम की है, उसके लिए पति परमात्मा हो जाता है। शास्त्रों के समझाने से नहीं होती यह बात। जो पति अपनी पत्नी को प्रेम किया है, उसके लिए पत्नी भी परमात्मा हो जाती है। क्योंकि प्रेम किसी को भी परमात्मा बना देता है। जिसकी तरफ मेरी आंखें प्रेम से उठती हैं, वही परमात्मा हो जाता है। परमात्मा का कोई और अर्थ नहीं है।

प्रेम की आंख सारे जगत में धीरे-धीरे परमात्मा को देखने लगती है।

लेकिन जो एक में ही नहीं देख पाता वह सारे जगत में देखने की बातें करता हो, तो वे बातें झूठी हैं, उन बातों का कोई आधार और अर्थ नहीं है।

रामानुज एक गांव में गए थे। और उस गांव में एक युवक उनके पास आया और कहने लगा, मुझे परमात्मा को पाना है।

रामानुज ने उसे नीचे से ऊपर तक देखा और कहा, तूने कभी प्रेम किया है?

वह युवक कहने लगा, प्रेम! ऐसी सांसारिक बातों से मैं हमेशा दूर रहा हूं। मैंने कभी कोई प्रेम नहीं किया। मुझे तो परमात्मा को पाना है। रामानुज ने कहा, थोड़ा सोच कर देख! कभी किसी को प्रेम किया हो। किसी को भी!
उसने कहा, आप क्यों प्रेम की बातें कर रहे हैं? मैंने कभी किसी को प्रेम नहीं किया। मुझे तो परमात्मा को पाने का रास्ता बताइए।

रामानुज की आंखों में आंसू आ गए और उन्होंने कहा, मेरे बेटे, तू किसी और के पास जा, मैं तुझे परमात्मा का रास्ता न बता सकूंगा।

क्योंकि जिसने कभी एक को भी प्रेम नहीं किया, उसके जीवन में परमात्मा की कोई शुरुआत ही नहीं हो सकती। क्योंकि प्रेम के ही क्षण में पहली दफा कोई व्यक्ति परमात्मा हो जाता है; वह पहली झलक है प्रभु की। फिर उसी झलक को आदमी बढ़ाता है, बढ़ाता है, बढ़ाता है। एक दिन वह झलक पूरी हो जाती है, सारा जगत उसी रूप में रूपांतरित हो जाता है। लेकिन जिसने पानी की बूंद नहीं देखी, वह कहता है, मुझे सागर चाहिए! वह कहता है, पानी की बूंद से मुझको कोई मतलब नहीं। पानी की बूंद का मैं क्या करूंगा? मुझे तो सागर चाहिए! उससे हम कहेंगे कि तूने पानी की बूंद भी नहीं देखी, पानी की बूंद भी नहीं पा सका और सागर पाने चल पड़ा है, तो तू पागल है। क्योंकि सागर क्या है? पानी की अनंत बूंदों का जोड़ है।

परमात्मा क्या है? प्रेम की अनंत बूंदों का जोड़ है।

तो प्रेम की एक बूंद अगर निंदित है तो हो गया पूरा परमात्मा निंदित। फिर हमारे झूठे परमात्मा खड़े होंगे, मूर्तियां खड़ी होंगी, पूजा-पाठ होगा, सब बकवास होगी; लेकिन हमारे प्राणों का कोई अंतर्संबंध उससे नहीं हो सकता है। और यह भी ध्यान में रख लेना जरूरी है कि जब कोई स्त्री अपने पति को प्रेम करती है, अपने प्रेमी को प्रेम करती है, और प्रेम के कारण उससे बंधती है, समाज के कारण नहीं; उनका विवाह, उनका सहवास प्रेम से निकलता है, तो ही वह मां बन पाती है ठीक अर्थों में। बच्चे पैदा कर लेने से कोई मां नहीं बनता। मां बनने का अर्थ बच्चे पैदा करना नहीं है। बच्चे पैदा कर लेने से कोई मां नहीं बन जाता। मां तो कोई तभी बनती है स्त्री और पिता तभी कोई पुरुष बनता है, जब उन्होंने एक-दूसरे को प्रेम किया हो।

जब पत्नी अपने पति को प्रेम करती है, अपने प्रेमी को, तो बच्चे उसे अपने पति का पुनर्जन्म मालूम पड़ते हैं। वे रि-बर्थ हैं उसके प्रेमी की, वे फिर वही शक्लें हैं, फिर वही रूप है, फिर वही निर्दोष आंखें हैं; जो उसके पति में छिपा था, वह फिर प्रकट हुआ है। उसने अगर अपने पति को प्रेम किया है तो ही वह अपने बच्चों को प्रेम करती है। बच्चों को किया गया प्रेम, पति को किए गए प्रेम की प्रतिध्वनि है। नहीं तो कोई बच्चों को प्रेम नहीं कर सकता।

मां बच्चों को प्रेम नहीं कर सकती, जब तक उसने अपने पति को न चाहा हो पूरे प्राणों से। क्योंकि वे बच्चे उसके पति की प्रतिकृतियां हैं, वे उसकी प्रतिध्वनियां हैं, वे उसकी ईकोज हैं। यह पति ही फिर वापस लौट आया है, फिर वापस लौट आया है। यह नया जन्म है उसके पति का। यह पति फिर पवित्र और नया होकर वापस लौट आया है।

लेकिन पति के प्रति अगर प्रेम ही नहीं है तो ये बच्चों के प्रति प्रेम कैसे होगा? ये बच्चे उपेक्षित होंगे।

बाप भी तभी कोई बनता है, जब वह अपनी पत्नी को इतना प्रेम करता है कि पत्नी में उसे परमात्मा दिखाई पड़ने लगता है। तब बच्चे फिर उसकी पत्नी का ही लौटता हुआ रूप हैं। पत्नी को जब उसने पहली दफे देखा था, तब वह जैसी निर्दोष थी, तब जैसी शांत थी, तब जैसी सुंदर थी, तब जैसी उसकी आंखें झील की तरह थीं, इन बच्चों में फिर वे आंखें वापस लौट आई हैं। इन बच्चों में फिर वही चेहरा वापस लौट आया है। ये बच्चे फिर उसी छवि को नया करके आ गए हैं। जैसे पिछले बसंत में फूल खिले थे, पिछले बसंत में पत्ते आए थे पौधों पर। फिर साल बीत गया। पुराने पत्ते गिर गए हैं। फिर नई कोंपलें निकल आई हैं। फिर नये पत्तों से वृक्ष भर गए

हैं। फिर लौट आया बसंत। फिर सब नया हो गया है। लेकिन जिसने पिछले बसंत को ही प्रेम नहीं किया था, वह इस बसंत को कैसे प्रेम कर सकेगा?

जीवन निरंतर लौट रहा है। निरंतर जीवन का पुनर्जन्म चल रहा है। रोज नया होता चला जाता है, पुराने पत्ते गिर जाते हैं, नये आ जाते हैं। जीवन की यह सतत सृजनात्मकता, यह क्रिएटिविटी ही तो परमात्मा है, यही तो प्रभु है। जो इसको पहचानेगा, वही तो उसे पहचानेगा।

लेकिन न मां बच्चों को प्रेम कर पाती है, न पिता बच्चों को प्रेम कर पाता है। और जब मां और बाप बच्चों को प्रेम नहीं कर पाते, तो बच्चे जन्म से ही पागल होने के रास्ते पर संलग्न हो जाते हैं। उनको दूध मिलता है, कपड़े मिलते हैं, मकान मिलते हैं, लेकिन प्रेम नहीं मिलता। और प्रेम के बिना उनको परमात्मा नहीं मिल सकता, और सब मिल सकता है।

अभी रूस का एक वैज्ञानिक बंदरों के ऊपर कुछ प्रयोग करता था। उसने कुछ नकली बंदरियां बनाईं, झूठी मदर्स बनाईं--नकली, बिजली के यंत्र, हाथ-पैर उनके बिजली के, तारों का उनका ढांचा। जो बंदर पैदा हुए, उनको नकली माताओं के पास...तो वे नकली माताओं से चिपक गए। वे पहले दिन के बच्चे थे, उनको कुछ पता नहीं कि कौन असली है, कौन नकली है। वे नकली मां के पास ले जाए गए उसकी छाती से चिपक गए। नकली दूध है, वह दूध उनके मुंह में जा रहा है। वे पी लेते हैं दूध, वे चिपके रहते हैं। वह बंदरिया नकली है, वह हिलती रहती है। बच्चे समझते हैं कि मां हिल-हिल कर उनको झुला रही है। ऐसे बीस बंदर के बच्चों को नकली मां के पास पाला गया। उनको अच्छा दूध दिया गया। मां ने उनको पूरी तरह हिलाया-डुलाया। मां कूदती है, फांदती है, सब करती है। वे बच्चे स्वस्थ दिखाई पड़ते थे। फिर वे बड़े भी हो गए। लेकिन वे सब बंदर पागल निकले। वे सब पागल हो गए, वे सब एबनार्मल साबित हुए! उनको दूध मिला, उनका शरीर ठीक हो गया, सब ठीक था; लेकिन उनका विक्षिप्त व्यवहार हो गया!

वैज्ञानिक बड़े हैरान हुए कि इनको क्या हुआ? इनको सब तो मिला, फिर ये विक्षिप्त कैसे हो गए?

एक चीज जो वैज्ञानिक की लेबोरेटरी में नहीं पकड़ी जा सकती, वह उनको नहीं मिली--प्रेम उनको नहीं मिला। और जो उन बीस बंदरों की हालत हुई, वह साढ़े तीन करोड़ मनुष्यों की हो रही है। झूठी मां मिलती है, झूठा बाप मिलता है। नकली मां हिलाती रहती है, नकली बाप हिलाता रहता है। और ये बच्चे विक्षिप्त हो जाते हैं।

संभोग से समाधि की ओर

फिर इनको हम कहते हैं कि ये शांत नहीं होते, ये अशांत होते चले जा रहे हैं। ये छुरेबाजी करते हैं, ये लड़कियों पर एसिड फेंकते हैं, ये कालेज में आग लगाते हैं, ये बस पर पत्थर फेंकते हैं, ये मास्टर को मारते हैं। मारेंगे! मारे बिना इनका कोई रास्ता नहीं। अभी थोड़ा-थोड़ा मारते हैं, कल और ज्यादा मारेंगे।

और तुम्हारे कोई शिक्षक, और तुम्हारे कोई नेता, और तुम्हारे कोई धर्मगुरु इनको नहीं समझा सकेंगे। क्योंकि यह सवाल समझाने का नहीं है, यह आत्मा रुग्ण पैदा हो रही है। यह रुग्ण आत्मा केऑस पैदा करेगी, यह चीजों को तोड़ेगी, फोड़ेगी, मिटाएगी। तीन हजार साल से जो चलती थी बात, वह अब क्लाइमेक्स पर पहुंच रही है।

सौ डिग्री तक हम पानी को गरम करते हैं, पानी भाप बन कर उड़ जाता है। निन्यानबे डिग्री तक नहीं उड़ता। निन्यानबे डिग्री तक पानी बना रहता है, फिर सौ डिग्री पर भाप बनने लगता है। सौ डिग्री पर पहुंच गया है आदमियत का पागलपन। अब वह भाप बन कर उड़ना शुरू हो रहा है। मत चिल्लाइए, मत परेशान होइए। बनने दीजिए भाप! और आप उपदेश देते रहिए और आपके साधु-संत समझाते रहें अच्छी-अच्छी बातें और गीता की टीकाएं करते रहें और कुरान पर प्रवचन करते रहें। करते रहो प्रवचन और टीकाएं गीता पर, और दोहराते रहो पुराने शब्दों को। यह भाप बननी बंद नहीं होगी। यह भाप बननी तब बंद होगी, जब जीवन की पूरी प्रक्रिया को हम समझेंगे कि कहीं कोई भूल हो रही है, कहीं कोई बुनियादी भूल हो रही है।

और वह कोई आज की भूल नहीं है। चार हजार, पांच हजार साल की भूल है; क्लाइमेक्स पर पहुंच गई है, इसलिए मुश्किल खड़ी हुई जा रही है आज। ये प्रेम से रिक्त बच्चे जन्मते हैं और प्रेम से रिक्त हवा में पाले जाते हैं। फिर यही नाटक ये दोहराएंगे--दे विल प्ले मम्मी एंड डैडी। वे फिर बड़े हो जाएंगे, फिर वे यही नाटक दोहराएंगे। वे भी विवाह में बांधे जाएंगे; क्योंकि समाज प्रेम को आज्ञा नहीं देता। न मां पसंद करती है कि उसकी लड़की किसी को प्रेम करे। न बाप पसंद करता है कि उसका बेटा किसी को प्रेम करे। न समाज पसंद करता है कि कोई किसी को प्रेम करे। प्रेम तो होना ही नहीं चाहिए। प्रेम तो पाप है। प्रेम तो होना ही नहीं चाहिए। वह तो बिलकुल ही बात योग्य नहीं है। विवाह होना चाहिए। फिर प्रेम नहीं होगा; फिर विवाह होगा। फिर वही पहिया पूरा का पूरा घूम जाएगा।

आप कहेंगे कि जहां प्रेम होता है, वहां भी कोई बहुत अच्छी हालत तो नहीं मालूम होती। नहीं मालूम होगी! क्योंकि प्रेम, जिस भांति आप देते हैं मौका, प्रेम

एक चोरी की तरह होता है, प्रेम एक सीक्रेसी की तरह होता है, प्रेम एक अपराध की तरह होता है। प्रेम करने वाले डरते हुए प्रेम करते हैं, घबराए हुए प्रेम करते हैं, चोर की तरह प्रेम करते हैं, अपराधी की तरह प्रेम करते हैं। और सारा समाज उनके विरोध में है, सारे समाज की आंख उन पर लगी हुई है। सारे समाज के विद्रोह में वे प्रेम करते हैं। यह प्रेम भी स्वस्थ नहीं है। प्रेम के लिए स्वस्थ हवा नहीं है। इसके परिणाम भी अच्छे नहीं हो सकते।

प्रेम के लिए समाज को हवा पैदा करनी चाहिए, मौका पैदा करना चाहिए, अवसर पैदा करना चाहिए। प्रेम की शिक्षा दी जानी चाहिए, प्रेम की दीक्षा दी जानी चाहिए।

प्रेम की तरफ बच्चों को विकसित किया जाना चाहिए। क्योंकि वही उनके जीवन का आधार बनेगा, वही उनके पूरे जीवन का केंद्र बनेगा, उसी केंद्र से उनका जीवन विकसित होगा।

उसकी कोई बात नहीं, उससे हम दूर खड़े रहते हैं, आंख बंद किए खड़े रहते हैं। न मां बच्चों से प्रेम की बात करती है, न बाप। न कोई उन्हें सिखाता है कि प्रेम जीवन का आधार है। न उन्हें कोई निर्भय बनाता है कि तुम प्रेम के जगत में निर्भय होना। न कोई उनसे कहता है कि जब तक तुम्हारा किसी से प्रेम न हो, तब तक तुम विवाह मत करना। क्योंकि वह विवाह गलत होगा, झूठा होगा, पाप होगा। वह सारी कुरूपता की जड़ होगा और सारी मनुष्यता को पागल करने का कारण होगा।

तो एक बात आपसे कहना चाहता हूं: अगर मनुष्य-जाति को परमात्मा के निकट लाना है तो पहला काम--परमात्मा की बात मत करिए, मनुष्य-जाति को प्रेम के निकट ले आइए। जरूर जोखिम के काम हैं। न मालूम कितने खतरे हो सकते हैं। समाज की बनी-बनाई व्यवस्था में न मालूम कितने परिवर्तन करने पड़ सकते हैं। लेकिन मत करिए परिवर्तन, तो यह समाज अपने ही हाथ मौत के किनारे पहुंच गया है, यह मर जाएगा। यह बच नहीं सकता। प्रेम से रिक्त लोग ही युद्धों को पैदा करते हैं। प्रेम से रिक्त लोग ही अपराधी बनते हैं। प्रेम से रिक्तता ही क्रिमिनलिटी की जड़ है और सारी दुनिया में अपराधी फैलते चले जाते हैं।

जैसा मैंने आपसे कहा, जैसे मैंने यह कहा कि अगर किसी दिन जनन-विज्ञान पूरा विकसित होगा, तो हम शायद पता लगा पाएं कि कृष्ण का जन्म किन स्थितियों में हुआ। किस हार्मनी में कृष्ण के मां-बाप ने, किस प्रेम के क्षण में कंसेप्शन लिया इस बच्चे को। किस प्रेम के क्षण में यह बच्चा अवतरित हुआ। तो शायद हमें दूसरी

तरफ यह भी पता चल जाए कि हिटलर किस अप्रेम के क्षण में पैदा हुआ होगा। मुसोलिनी किस क्षण में पैदा हुआ होगा। तैमूरलंग, चंगेज खां किस अवसर पर पैदा हुए होंगे।

हो सकता है यह पता चले कि चंगेज खां दो संघर्ष, घृणा और क्रोध से भरे मां-बाप से पैदा हुआ हो। जिंदगी भर फिर वह क्रोध से भरा हुआ है। वह जो ओरिजिनल मोमेंटम है क्रोध का, वह उसको जिंदगी भर दौड़ाए चला जा रहा है। चंगीज खां जिस गांव में गया, लाखों लोगों को कटवा दिया।

तैमूरलंग जिस राजधानी में गया, दस-दस हजार बच्चों की गर्दनें कटवा देता, भालों में छिदवा देता। जुलूस निकलता तो दस हजार बच्चों की गर्दनें लटकी हुई हैं भालों के ऊपर, पीछे तैमूरलंग जा रहा है। लोग पूछते, यह तुम क्या करते हो? तो तैमूरलंग कहता, ताकि लोग याद रखें कि तैमूर कभी इस नगरी में आया था। इस पागल को याद रखवाने की और कोई बात समझ नहीं पड़ती थी!

हिटलर ने जर्मनी में साठ लाख यहूदियों की हत्या की! पांच सौ यहूदी रोज मारता रहा, रोज मारता रहा! स्टैलिन ने रूस में साठ लाख लोगों की हत्या की!

जरूर इनके जन्म के साथ कोई गड़बड़ हो गई। जरूर ये जन्म के साथ ही पागल पैदा हुए। न्यूरोसिस इनके जन्म के साथ इनके खून में आई और फिर वह इनको फैलाती चली गई।

और पागलों में बड़ी ताकत होती है! और पागल कब्जा कर लेते हैं, और पागल दौड़ कर हावी हो जाते हैं--धन पर, पद पर, यश पर, और सारी दुनिया को विकृत करते हैं। पागल ताकतवर होता है।

यह जो पागलों ने दुनिया बनाई है, यह दुनिया तीसरे महायुद्ध के करीब आ गई है। सारी दुनिया मरेगी। पहले महायुद्ध में साढ़े तीन करोड़ लोगों की हत्या की गई, दूसरे महायुद्ध में साढ़े सात करोड़ लोगों की हत्या की गई, अब तीसरे में कितनी की जाएगी?

मैंने सुना है, आइंस्टीन जब मर कर भगवान के घर पहुंच गया तो भगवान ने आइंस्टीन से पूछा कि मैं बहुत घबराया हुआ हूं, तीसरे महायुद्ध के संबंध में कुछ बताओ? क्या होगा? आइंस्टीन ने कहा, तीसरे के बाबत कहना मुश्किल है, मैं चौथे के संबंध में कुछ जरूर बता सकता हूं। भगवान ने कहा, तीसरे के बाबत नहीं बता सकते तो चौथे के बाबत कैसे बताओगे? आइंस्टीन ने कहा, एक बात बता सकता हूं चौथे के बाबत, कि चौथा महायुद्ध कभी नहीं होगा; क्योंकि तीसरे में सब

आदमी समाप्त हो जाएंगे। चौथे के होने की कोई संभावना नहीं है। और तीसरे के बाबत कुछ भी कहना मुश्किल है। साढ़े तीन अरब पागल आदमी क्या करेंगे तीसरे महायुद्ध में, कुछ नहीं कहा जा सकता कि क्या स्थिति होगी!

प्रेम से वियुक्त मनुष्य एकमात्र दुर्घटना है। तो मैं अंत में यह बात निवेदन करना चाहता हूं।

मेरी बातें बड़ी अजीब लगी होंगी; क्योंकि ऋषि-मुनि इस तरह की बातें करते ही नहीं। मेरी बात बहुत अजीब लगी होगी। क्योंकि आपने सोचा होगा कि मैं भजन-कीर्तन का कोई नुस्खा बताऊंगा। आपने सोचा होगा कि मैं कोई माला फेरने की तरकीब बताऊंगा। आपने सोचा होगा कि मैं कोई आपको ताबीज दे दूंगा, जिसको बांध कर आप परमात्मा से मिल जाएं। ऐसी कोई बात मैं आपको नहीं बता सकता हूं। ऐसे बताने वाले सब बेईमान, धोखेबाज हैं। समाज को उन्हीं ने बर्बाद किया है।

समाज की जिंदगी को समझने के लिए उसके मनुष्य के पूरे विज्ञान को समझना जरूरी है। परिवार को, दंपति को, समाज को, उसकी पूरी व्यवस्था को समझना जरूरी है कि कहां क्या गड़बड़ हो रहा है। वह गड़बड़ के बाबत एक ही बात मैंने आपसे कही, जान कर मैंने कही, क्योंकि यह स्त्रियों की सभा थी; जान कर मैंने यह कही, क्योंकि स्त्रियां परिवार का, समाज का केंद्र हैं। उनके हाथ में बड़ी ताकत है। उनके हाथ में पूरी जिंदगी है। वे पत्नियां भी हैं, वे मां भी हैं, वे बहन भी हैं। एक बहुत बड़े घेरे पर उनके प्रेम का प्रभाव पड़ेगा। अगर सारी दुनिया की स्त्रियां यह तय कर लें कि हम पृथ्वी को एक प्रेम का घर बनाएंगे, झूठे विवाह का नहीं--हां, प्रेम से विवाह निकले, वह सच्चा विवाह होगा--हम सारी दुनिया को प्रेम का एक घर बनाएंगे। कितनी ही कठिनाई होगी, मुश्किलें होंगी, अव्यवस्था होगी, उसको सम्हालने का हम कोई उपाय खोजेंगे, विचार करेंगे। लेकिन दुनिया से हम, यह अप्रेम का जो जाल है, इसको तोड़ देंगे और प्रेम की एक दुनिया बनाएंगे, तो शायद पूरी मनुष्य-जाति बच सकती है और स्वस्थ हो सकती है।

और मैं आपको यह कहता हूं कि अगर सारे जगत में प्रेम के केंद्र पर परिवार बन जाए, तो सुपरमैन की जो कल्पना हजारों वर्षों से रही है आदमी को, महामानव की--वह नीत्शे कल्पना करता है और अरविंद कल्पना करते हैं--वह कल्पना पूरी हो सकती है। लेकिन न तो अरविंद की प्रार्थनाओं से और न नीत्शे के द्वारा पैदा किए गए फासिज्म से। वह सपना पूरा हो सकता है, अगर पृथ्वी पर हम प्रेम की प्रतिष्ठा को वापस लौटा लाएं, अगर प्रेम जीवन में वापस लौट आए, सम्मानित हो जाए,

आदर से भर जाए। अगर प्रेम एक आध्यात्मिक मूल्य ले ले, तो नये मनुष्य का निर्माण हो सकता है--नई संतति का, नई पीढ़ियों का, नये आदमी का। और वह आदमी, वह बच्चा, वह भ्रूण, जिसका पहला अणु प्रेम से जन्मेगा, विश्वास किया जा सकता है, आश्वासन किया जा सकता है कि उसकी अंतिम श्वास परमात्मा में निकलेगी।

प्रेम है प्रारंभ। परमात्मा है अंत। वह अंतिम सीढ़ी है।

जो प्रेम को ही नहीं पाता है, वह परमात्मा को तो पा ही नहीं सकता। यह इंपासिबिलिटी है, यह असंभावना है।

लेकिन जो प्रेम में दीक्षित हो जाता है और प्रेम में विकसित होता है और प्रेम की श्वासों में पलता है और प्रेम के फूल जिसकी श्वास-श्वास बन जाते हैं और प्रेम जिसका अणु-अणु बन जाता है और जो प्रेम में बढ़ता जाता है, बढ़ता जाता है, एक दिन वह पाता है कि प्रेम की जिस गंगा में चला था, वह गंगा अब किनारे छोड़ रही है और सागर बन रही है। एक दिन वह पाता है कि गंगा के किनारे मिटते जाते हैं और अनंत सागर आ गया सामने। छोटी सी गंगा की धार थी गंगोत्री में--बड़ी छोटी सी प्रेम की धार होती है शुरू में--फिर वह बढ़ती है, फिर वह बड़ी होती है, फिर वह पहाड़ों और मैदानों को पार करती है, फिर एक वक्त आता है कि किनारे छूटने लगते हैं।

जिस दिन प्रेम के किनारे छूट जाते हैं, उसी दिन प्रेम परमात्मा बन जाता है। जब तक प्रेम के किनारे होते हैं, तब तक वह परमात्मा नहीं होता। गंगा नदी होती है, जब तक कि वह इस जमीन के किनारों से बंधी होती है। फिर किनारे छूटते हैं और सागर से मिल जाती है। फिर वह परमात्मा से मिल जाती है। प्रेम की सरिता और परमात्मा का सागर है।

लेकिन हम प्रेम की सरिता ही नहीं हैं, हम प्रेम की नदियां ही नहीं हैं। और हम बैठे हैं हाथ-पैर जोड़े और प्रार्थना कर रहे हैं कि हमको भगवान चाहिए। जो सरिता नहीं है, वह सागर को कैसे पाएगा?

सारी मनुष्य-जाति के लिए एक पूरा आंदोलन चाहिए। पूरी मनुष्य-जाति के आमूल परिवर्तन की जरूरत है। पूरा परिवार बदलने की जरूरत है। बहुत कुरूप है हमारा परिवार। वह बहुत सुंदर हो सकता है, लेकिन प्रेम के केंद्र पर। पूरे समाज को बदलने की जरूरत है। और तब एक धार्मिक मनुष्यता जरूर पैदा हो सकती है।

प्रेम प्रथम, परमात्मा अंतिम।

और क्यों प्रेम परमात्मा पर पहुंच जाता है ?

क्योंकि प्रेम है बीज और परमात्मा है वृक्ष। प्रेम का बीज ही फिर फूटता है और वृक्ष बन जाता है।

सारी दुनिया की स्त्रियों से मेरा कहने का यह मन होता है--और खासकर स्त्रियों से--क्योंकि पुरुष के लिए प्रेम और बहुत सी जीवन की दिशाओं में एक दिशा है। स्त्री के लिए प्रेम अकेली दिशा है। पुरुष के लिए प्रेम और बहुत से जीवन आयामों में एक आयाम है, एक डायमेंशन है। उसके और डायमेंशन भी हैं व्यक्तित्व के। लेकिन स्त्री का एक ही डायमेंशन है, एक ही दिशा है--वह प्रेम है। स्त्री पूरी प्रेम है। पुरुष प्रेम भी है, और दूसरी चीजें भी है।

तो अगर स्त्री का प्रेम विकसित हो और वह समझे प्रेम की कीमिया, प्रेम की केमिस्ट्री, और बच्चों को दीक्षा दे प्रेम की शिक्षा में और प्रेम के आकाश में उठने के लिए उनके पंखों को मजबूत करे...। अभी तो हम काट देते हैं पंख--जमीन पर सरको विवाह की, प्रेम के आकाश में मत उड़ना! जरूर आकाश में उड़ना जोखिम का होता है, जमीन पर चलना जोखिम का नहीं होता। लेकिन जो जोखिम नहीं उठाते हैं, वे जमीन पर रेंगने वाले कीड़े हो जाते हैं। और जो जोखिम उठाते हैं, वे दूर अनंत आकाश में उड़ने वाले बाज पक्षी सिद्ध होते हैं।

आदमी रेंगता हुआ कीड़ा हो गया है। कोई भी जोखिम मत उठाना, कोई रिस्क नहीं, कोई डेंजर नहीं, कोई खतरा मत उठाना। अपने घर का दरवाजा बंद करो और जमीन पर सरको। आकाश में मत उड़ना। प्रेम की जोखिम सिखाएं, प्रेम का खतरा सिखाएं, प्रेम का अभय सिखाएं और प्रेम के आकाश में उड़ने के लिए उनके पंखों को मजबूत करें छोटे बच्चों के। और चारों तरफ जहां भी प्रेम पर हमला होता हो, उसके खिलाफ खड़े हो जाएं। प्रेम को मजबूत करें, ताकत दें।

प्रेम के जितने दुश्मन खड़े हैं दुनिया में--नीतिशास्त्री खड़े हुए हैं। थोथे हैं वे नीतिशास्त्री, क्योंकि प्रेम के विरोध में जो हो वह क्या नीतिशास्त्री होगा? साधु-संन्यासी खड़े हैं। क्योंकि वे कहते हैं, यह सब पाप है, यह सब बंधन है। इसको छोड़ो, परमात्मा की तरफ चलो।

जो आदमी कहता है कि प्रेम को छोड़ कर परमात्मा की तरफ चलो, वह परमात्मा का शत्रु है, क्योंकि प्रेम के अतिरिक्त परमात्मा तक जाने का कोई रास्ता ही नहीं है।

बड़े-बूढ़े खड़े हैं, उनका अनुभव कहता है कि प्रेम खतरा है। अनुभवी लोगों से

जरा सावधान रहना, क्योंकि जिंदगी में कभी कोई नया रास्ता वे नहीं बनने देते हैं। वे कहते हैं, पुराने रास्ते का हमें अनुभव है, हम पुराने रास्ते पर चले हैं, उसी पर सबको चलना चाहिए।

लेकिन जिंदगी को रोज नया रास्ता चाहिए। जिंदगी कोई रेल की पटरियों पर दौड़ती हुई रेलगाड़ी नहीं है कि पटरियों पर, बंधी पटरियों पर दौड़ती रहे। और दौड़ेगी तो एक मशीन हो जाएगी। जिंदगी तो एक सरिता है, जो रोज नया रास्ता बना लेती है--पहाड़ों में, मैदानों में, जंगलों में। अनूठे रास्तों से निकलती है, अनजान जगत में प्रवेश करती है और सागर तक पहुंच जाती है।

तो नारियों के सामने एक ही काम है। वह काम यह नहीं है कि अनाथ बच्चों को पढ़ा रहे हैं बैठ कर। तुम्हारे बच्चे भी सब अनाथ हैं। नाम के लिए वे बच्चे हैं तुम्हारे। न उनकी मां है, न उनका बाप है। समाजसेवक स्त्रियां सोचती हैं कि अनाथ बच्चों का अनाथालय खोल दिया, बहुत बड़ा काम कर दिया। उनको पता नहीं कि तुम्हारे बच्चे भी अनाथ हैं। तुम दूसरों के अनाथ बच्चों को शिक्षा देने जा रही हो, तुम पागल हो। तुम्हारे बच्चे खुद अनाथ हैं, आरफंस हैं, कोई नहीं है उनका--न तुम हो, न तुम्हारे पति हैं। न उनकी मां है, न उनका बाप है, कोई भी नहीं है उनका। क्योंकि वह प्रेम ही नहीं है जो उनको सनाथ बनाता।

सोचते हैं हम कि आदिवासी बच्चों को जाकर शिक्षा दे रहे हैं। तुम आदिवासी बच्चों को शिक्षा दो, तुम्हारे बच्चे धीरे-धीरे आदिवासी हुए चले जा रहे हैं। बीटल हैं, बीटनिक हैं; फलां हैं, ढिकां हैं; ये फिर से आदमी के आदिवासी होने की शक्लें हैं। तुम सोचती होओ, स्त्रियां सोचती हों कि जाएं और सेवा करें, और फलां करें, ढिकां करें।

जिस समाज में प्रेम नहीं है, उस समाज में सेवा कैसे हो सकती है?

सेवा तो प्रेम की सुगंध है।

इसलिए मैं तो एक ही बात आज कहना चाहता हूं। और इस संबंध में बहुत से प्रश्न आपके मन में जरूर उठे होंगे, उठने चाहिए, तो अगर आपने चाहा तो मैं दुबारा आपके सारे प्रश्नों के उत्तर देना चाहूंगा। आज तो सिर्फ एक धक्का आपको दे देना चाहता हूं, कि आपके भीतर चिंतन शुरू हो जाए।

हो सकता है मेरी बातें आपको बुरी लगें। लगें तो बहुत अच्छा है। हो सकता है मेरी बातों से आपको चोट लगे, तिलमिलाहट पैदा हो। भगवान करे जितनी ज्यादा हो जाए, उतना अच्छा है, क्योंकि कुछ सोच-विचार पैदा होगा। हो सकता है मेरी

सब बातें गलत हों, इसलिए मेरी बात मान लेने की कोई भी जरूरत नहीं है। लेकिन मैंने जो कहा है, उस पर आप सोचना। मैं फिर दोहरा देता हूं दो-चार सूत्रों में मैंने क्या कहा और अपनी बात पूरी किए देता हूं।

आज तक का मनुष्य का समाज प्रेम के केंद्र पर निर्मित नहीं है, इसीलिए विक्षिप्तता है, इसीलिए पागलपन है, इसीलिए युद्ध हैं, इसीलिए आत्महत्याएं हैं, इसीलिए अपराध हैं। प्रेम की जगह आदमी ने एक झूठा सब्स्टीटयूट विवाह का ईजाद कर लिया है। विवाह के कारण वेश्याएं हैं, गुंडे हैं। विवाह के कारण शराब है; विवाह के कारण बेहोशियां हैं; विवाह के कारण भागे हुए संन्यासी हैं; विवाह के कारण मंदिरों में भजन करने वाले झूठे लोग हैं। और जब तक विवाह है, तब तक यह रहेगा।

मैं यह नहीं कह रहा हूं कि विवाह मिट जाए, मैं यह कह रहा हूं कि विवाह प्रेम से निकले। विवाह से प्रेम नहीं निकलता है। प्रेम से विवाह निकले तो शुभ है। और विवाह से प्रेम को निकालने की कोशिश की जाए तो यह प्रेम झूठा होगा, क्योंकि जबरदस्ती कभी भी कोई प्रेम नहीं निकाला जा सकता है। प्रेम या तो निकलता है या नहीं निकलता, जबरदस्ती नहीं निकाला जा सकता है।

तीसरी बात मैंने यह कही कि जो मां-बाप प्रेम से भरे हुए नहीं हैं, उनके बच्चे जन्म से ही विकृत, परवर्टेड, एबनार्मल, रुग्ण और बीमार पैदा होंगे। मैंने यह कहा कि जो मां-बाप, जो पति-पत्नी, जो प्रेमी युगल प्रेम के संभोग में लीन नहीं होते हैं, वे केवल उन बच्चों को पैदा करेंगे जो शरीरवादी होंगे, भौतिकवादी होंगे; जिनके जीवन की आंख पदार्थ के ऊपर कभी नहीं उठेगी, जो परमात्मा को देखने के लिए अंधे पैदा होंगे। आध्यात्मिक रूप से अंधे बच्चे हम पैदा कर रहे हैं।

मैंने आपसे यह कहा चौथी बात कि मां-बाप अगर एक-दूसरे को प्रेम करते हैं, तो ही वे बच्चों के मां बनेंगे, बाप बनेंगे; क्योंकि बच्चे उनकी ही प्रतिध्वनियां हैं। वे आया हुआ नया बसंत हैं। वे फिर से जीवन के दरख्त पर लगी हुई कोंपलें हैं। लेकिन जिसने पुराने बसंत को प्रेम नहीं किया, वह नये बसंत को कैसे प्रेम करेगा?

और मैंने अंतिम बात आपसे यह कही कि प्रेम शुरुआत है और परमात्मा अंतिम विकास है। प्रेम में जीवन शुरू हो तो परमात्मा पर पूर्ण होता है। प्रेम बीज बने तो परमात्मा अंतिम वृक्ष की छाया बनता है। प्रेम गंगोत्री हो तो परमात्मा का सागर उपलब्ध होता है।

इसलिए जिसके मन की भी कामना हो कि परमात्मा तक जाए, वह अपने

जीवन को प्रेम के गीत से भर ले। और जिसकी भी आकांक्षा हो कि पूरी मनुष्यता परमात्मा के जीवन से भर जाए, वह सारी मनुष्यता को प्रेम की तरफ ले जाने के मार्ग पर जितनी बाधाएं हों, उनको तोड़े, मिटाए और प्रेम को उन्मुक्त आकाश दे, ताकि एक दिन एक नये मनुष्य का जन्म हो सके।

पुराना मनुष्य रुग्ण था, कुरूप था, अशुभ था। पुराने मनुष्य ने अपनी स्युसाइड का इंतजाम कर लिया है। वह विश्वघात कर रहा है। सारे जगत में एक साथ आत्मघात कर लेगा। यूनिवर्सल स्युसाइड का इंतजाम कर लिया है। अगर इसे बचाना है, तो प्रेम की वर्षा और प्रेम की भूमि और प्रेम के आकाश को निर्मित कर लेना जरूरी है।

ये थोड़ी सी बातें मैंने कहीं। मेरी बातों को इतने प्रेम और शांति से सुना, उससे मैं बहुत-बहुत आनंदित हूं। अगर मेरी बात से किसी के मन को जरा भी चोट और ठेस पहुंची हो, तो वह मुझे क्षमा कर दे। उसे चोट और ठेस पहुंचाने की मेरी कोई इच्छा नहीं। लेकिन मेरे हृदय में बड़ी पीड़ा जरूर है, क्योंकि आदमी के साथ जो हुआ है वह बहुत पीड़ादायी है। और मेरी पीड़ा के कारण ही मुझे लगता है कि यह सब कुछ तोड़ दिया जाए एकबारगी, तो शायद सब कुछ नया हो, जीवन ठीक दिशा में गतिमान हो सके।

अंत में सबको फिर से धन्यवाद देता हूं मेरी बातें सुनने के लिए। और मेरी बातें सोचेंगे, इसका आग्रह करता हूं।

और सबसे अंत में सबके भीतर बैठे परमात्मा को प्रणाम करता हूं, मेरे प्रणाम स्वीकार करें।

9

जनसंख्या विस्फोट

पृथ्वी के नीचे दबे हुए, पहाड़ों की कंदराओं में छिपे हुए, समुद्र की तलहटी में खोजे गए ऐसे बहुत से पशुओं के अस्थिपंजर मिले हैं जिनका अब कोई भी निशान शेष नहीं रह गया। वे कभी थे। आज से दस लाख साल पहले पृथ्वी बहुत से सरीसृपों से भरी थी, सरकने वाले जानवरों से भरी थी। लेकिन आज हमारे घर में छिपकली के अतिरिक्त उनका कोई प्रतिनिधि नहीं रह गया है। छिपकली भी बहुत छोटा प्रतिनिधि है। दस लाख साल पहले उसके पूर्वज हाथियों से भी पांच गुने और दस गुने बड़े थे। वे सब कहां खो गए? इतने शक्तिशाली पशु पृथ्वी से कैसे विनष्ट हो गए? किसी ने उन पर हमला किया? किसी ने एटम बम, हाइड्रोजन बम गिराया? नहीं; उनके खत्म हो जाने की बड़ी अदभुत कथा है।

उन्होंने कभी सोचा भी न होगा कि वे समाप्त हो जाएंगे। वे समाप्त हो गए अपनी संतति के बढ़ जाने के कारण! वे इतने ज्यादा हो गए कि पृथ्वी पर जीना उनके लिए असंभव हो गया। भोजन कम हुआ; पानी कम हुआ; लिविंग स्पेस कम हुई; जीने के लिए जितनी जगह चाहिए, वह कम हो गई। उन पशुओं को बिलकुल आमूल मिट जाना पड़ा!

ऐसी दुर्घटना आज तक मनुष्य-जाति के जीवन में नहीं आई है, लेकिन भविष्य में आ सकती है। आज तक न आई उसका कारण यह था कि प्रकृति ने निरंतर मृत्यु

को और जन्म को संतुलित रखा है। दस आदमी पैदा होते थे बुद्ध के जमाने में, तो सात या आठ व्यक्ति उसमें जन्म के बाद मर जाते थे। दुनिया की आबादी कभी इतनी नहीं बढ़ी थी कि भोजन की कमी पड़ जाए, स्थान की कमी पड़ जाए।फिर विज्ञान और आदमी की निरंतर खोज ने, और मृत्यु से लड़ाई लेने ने, वह स्थिति पैदा कर दी कि आज दस बच्चे पैदा होते हैं सुसंस्कृत, सभ्य मुल्क में, तो मुश्किल से एक बच्चा मर पाता है।

स्थिति बिलकुल उलटी हो गई है। उम्र भी लंबी हुई। आज रूस में डेढ़ सौ वर्ष की उम्र के भी हजारों लोग हैं। औसत उम्र अस्सी और बयासी वर्ष तक कुछ मुल्कों में पहुंच गई है। स्वाभाविक परिणाम जो होना था वह यह हुआ कि जन्म की दर तो पुरानी रही, मृत्यु की दर हमने कम कर दी। अकाल होते थे, अकाल बंद कर दिए। महामारियां आती थीं, प्लेग होता था, मलेरिया होता था, हैजा होता था, वे हमने कम कर दिए। हमने मृत्यु के बहुत से द्वार रोक दिए और जन्म के सब द्वार खुले छोड़ दिए। मृत्यु और जन्म के बीच जो संतुलन था वह विनष्ट हो गया।

उन्नीस सौ पैंतालीस में हिरोशिमा में एटम बम गिरा, एक लाख आदमी एटम बम से मरे। उस समय लोगों को लगा कि बहुत बड़ा खतरा है, अगर एटम बनता चला गया तो सारी दुनिया नष्ट हो सकती है। लेकिन आज जो लोग समझते हैं, वे यह कहते हैं कि दुनिया के नष्ट होने की संभावना एटम से बहुत कम है, दुनिया के नष्ट होने की संभावना, लोगों के मरने की, नष्ट होने की जो नई संभावना है वह है लोगों के पैदा होने से! एक एटम बम गिरा कर हिरोशिमा में एक लाख आदमी हमने मारे। लेकिन हम प्रतिदिन डेढ़ लाख आदमी सारी दुनिया में बढ़ा लेते हैं।

एक हिरोशिमा, डेढ़ हिरोशिमा हम रोज पैदा कर लेते हैं। डेढ़ लाख आदमी प्रतिदिन बढ़ जाता है।

इसका डर है कि अगर इसी तरह संख्या बढ़ती चली गई तो इस सदी के पूरे होते-होते कोहनी हिलाने के लिए भी जगह पृथ्वी पर शेष नहीं रह जाएगी। और तब सभाएं करने की जरूरत न होगी, क्योंकि हम चौबीस घंटे सभाओं में ही होंगे। आज भी न्यूयार्क या बंबई में चौबीस घंटे कोहनी हिलाने की फुर्सत नहीं है, सुविधा नहीं है, अवकाश नहीं है।

ऐसी स्थिति सारी पृथ्वी की हो जानी सुनिश्चित है। इसलिए इस समय सबसे बड़ी चिंता, जो मनुष्य-जाति के हित के संबंध में सोचते हैं, उन लोगों के समक्ष एक्सप्लोजन ऑफ पापुलेशन है। यह जो जनसंख्या का विस्फोट है, यह है। हमने

मृत्यु को रोक दिया और जन्म को अगर हमने पुराने रास्ते पर चलने दिया, तो बहुत डर है कि पृथ्वी हमारी संख्या से ही डूब जाए और नष्ट हो जाए। हम इतने ज्यादा हो जाएं कि जीना असंभव हो जाए।इसलिए जो भी विचारशील हैं वे कहेंगे, जिस भांति हमने मृत्यु को रोका उस भांति हम जन्म को भी रोकें। और जन्म को रोकना बहुत हितकर हो सकता है, बहुत महत्वपूर्ण हो सकता है--बहुत दिशाओं से।

पहली बात तो यह ध्यान में रख लेनी है कि जीवन एक अवकाश चाहता है। जंगल में एक जानवर है, मुक्त, मीलों के घेरे में घूमता है, दौड़ता है। उसे कठघरे में बंद कर दें। और उसका विक्षिप्त होना शुरू हो जाता है। बंदर हैं, मीलों की यात्रा करते रहते हैं। पचास बंदरों को एक मकान में बंद कर दें। और उनका पागल होना शुरू हो जाता है। प्रत्येक बंदर को एक लिविंग स्पेस चाहिए, एक जगह चाहिए खुली, जहां वह जी सके।

अब बंबई में या न्यूयार्क में या वाशिंगटन में या मास्को में वह लिविंग स्पेस खो गई है। छोटे-छोटे कठघरों में आदमी बंद है। एक-एक घर में, एक-एक कमरे में दस-दस, बारह-बारह लोग बंद हैं। वहीं वे पैदा होते हैं, वहीं वे मरते हैं, वहीं वे जीते हैं, वहीं वे भोजन करते हैं, वहीं वे बीमार होते हैं। एक-एक छोटे कमरे में दस-दस, बारह-बारह, पंद्रह-पंद्रह लोग बंद हैं। अगर वे विक्षिप्त न हो जाएं तो कोई आश्चर्य नहीं है। अगर वे पागल न हो जाएं तो कोई आश्चर्य नहीं है। वे पागल होंगे ही; वे नहीं हो पा रहे हैं, यही आश्चर्य है! इतने कम हो पा रहे हैं, यही आश्चर्य है!

मनुष्य को एक खुला स्थान चाहिए जीने के लिए। लेकिन संख्या अगर ज्यादा हो जाए तो खुला स्थान समाप्त हो जाएगा। हमें खयाल नहीं है, जब आप अकेले एक कमरे में होते हैं, तब आप एक मुक्ति अनुभव करते हैं। दस लोग आकर कमरे में सिर्फ बैठ जाएं--कुछ करें न, आपसे बोलें भी न, आपको छुएं भी न, सिर्फ दस लोग कमरे में बैठ जाएं--और आपके मस्तिष्क पर एक अनजाना भार पड़ना शुरू हो जाता है।अभी मनोवैज्ञानिक कहते हैं कि चारों तरफ बढ़ती हुई भीड़, प्रत्येक व्यक्ति के मन पर एक अनजाना भार है। आप एक रास्ते पर चल रहे हैं अकेले में, कोई भी रास्ते पर नहीं है, तब आप दूसरे ढंग के आदमी होते हैं। और अगर उस रास्ते पर दो आदमी एक बगल की गली से निकल कर आ गए हैं, आप फौरन दूसरे आदमी हो जाते हैं, उनकी मौजूदगी आपके भीतर कोई तनाव पैदा कर देती है।

आप अपने बाथरूम में स्नान करते हैं, तब आपने खयाल किया, आप वही आदमी नहीं होते जो आप अपने बैठकघर में होते हैं। बाथरूम में आप बिलकुल

दूसरे आदमी होते हैं। बूढ़ा भी बाथरूम में बच्चे जैसा उन्मुक्त हो जाता है। बूढ़े भी बाथरूम के आईने में बच्चों जैसी जीभें दिखाते हैं, मुंह चिढ़ाते हैं, नाच भी लेते हैं। लेकिन अगर पता चल जाए कि की-होल से, कुंजी के छेद से कोई झांक रहा है, तो वे फिर एकदम बूढ़े हो जाएंगे। उनका बचपन खो जाएगा। फिर वे सख्त और मजबूत और बदल जाएंगे।

कुछ क्षण चाहिए जब हम बिलकुल अकेले हो सकें।

मनुष्य की आत्मा के जो भी श्रेष्ठतम फूल हैं, वे एकांत में और अकेले में ही खिलते हैं।

काव्य हो, संगीत हो, परमात्मा की प्रतिध्वनि मिले, वह सब एकांत और अकेले में ही मिलती है।

आज तक जगत में भीड़-भाड़ में कोई श्रेष्ठ काम नहीं हो सका। भीड़ ने अब तक कोई श्रेष्ठ काम किया ही नहीं।

जो भी जगत में श्रेष्ठ जन्मा है--कविता, चित्र, संगीत, परमात्मा, प्रार्थना, प्रेम--वे सब एकांत में और अकेले के फूल हैं।

लेकिन वे सब फूल मुरझा जाएंगे, मुरझा गए हैं, मुरझा रहे हैं, मिट जाएंगे; आदमी श्रेष्ठ से रिक्त हो जाएगा;

क्योंकि भीड़ चारों तरफ से अनजाना दबाव डाले चली जाती है। सब तरफ आदमी हैं, सब तरफ आदमी हैं। और एक बहुत बड़ी मजे की बात है, आदमी जितने बढ़ते हैं उतना व्यक्तित्व कम हो जाता है। भीड़ में कोई आदमी इंडिविज़ुअल नहीं होता, व्यक्ति नहीं होता।

भीड़ में नाम मिट जाता है, आइडेंटिटी मिट जाती है, तादात्म्य मिट जाता है।

आप कोई नहीं होते, भीड़ के एक अंग होते हैं। इसीलिए भीड़ बुरे काम कर सकती है। अकेला आदमी उतने बुरे काम नहीं कर पाता।

अगर किसी मस्जिद को जलाना हो, तो अकेला आदमी नहीं जला सकता, कितना ही पक्का हिंदू क्यों न हो। और अगर किसी मंदिर में राम की मूर्ति तोड़नी है, तो अकेला मुसलमान नहीं तोड़ सकता, कितना ही पक्का मुसलमान क्यों न हो। भीड़ चाहिए। अगर बच्चों की हत्या करनी हो और स्त्रियों के साथ बलात्कार करना हो और आग लगानी हो जिंदा आदमियों में, तो अकेला आदमी आग लगाने में बहुत कठिनाई अनुभव करता है। लेकिन भीड़ एकदम सरलता से कर पाती है। क्यों?

क्योंकि भीड़ में कोई व्यक्ति नहीं रह जाता। और जब व्यक्ति नहीं रह जाता तो

दायित्व, रिस्पांसबिलिटी भी विदा हो जाती है। तब हम कह सकते हैं--हमने नहीं किया, हम तो सिर्फ भीड़ में सम्मिलित थे।

कभी आपने देखा है, अगर भीड़ तेजी से चल रही हो, नारे लगा रही हो, तो आप भी नारे लगाने लगते हैं और आप भी तेजी से चलने लगते हैं। तेजी से चलती भीड़ में आपके पैर भी तेज हो जाते हैं। नारे लगाती भीड़ में आपका नारा भी लगने लगता है।

एडोल्फ हिटलर ने अपनी आत्मकथा में लिखा है कि शुरू-शुरू में मेरे पास बहुत थोड़े लोग थे, दस-पंद्रह लोग ही थे। और दस-पंद्रह लोगों से कैसे एडोल्फ हिटलर हुकूमत तक पहुंचा, वह बड़ी अजीब कथा है। उसने लिखा है कि मैं अपने पंद्रह लोगों को लेकर सभा में पहुंचता था। पंद्रह लोगों को अलग-अलग कोनों पर खड़ा कर देता था। और जब मैं बोलता था, तो उन पंद्रह लोगों को पता था कि कब ताली बजानी है। वे पंद्रह लोग ताली बजाते थे, बाकी भीड़ उनके साथ हो जाती थी, बाकी भीड़ भी ताली बजाती थी।

कभी आपने खयाल किया है कि जब आप ताली बजाते हैं भीड़ में, तो आप नहीं बजाते, भीड़ बजवा लेती है। जब आप हंसते हैं भीड़ में, तो आप नहीं हंसते, भीड़ हंसवा लेती है। भीड़ संक्रामक है, वह कुछ भी करवा लेती है, क्योंकि वह व्यक्ति को मिटा देती है। वह जो व्यक्ति की आत्मा है, वह जो उसका अपना होना है, उसे पोंछ डालती है।

अगर पृथ्वी पर भीड़ बढ़ती चली गई तो व्यक्ति विदा हो जाएंगे, भीड़ रह जाएगी। व्यक्तित्व क्षीण हो जाएगा। क्षीण हुआ है। खत्म हो जाएगा, मिट जाएगा। बुझा जा रहा है। यही सवाल नहीं है कि पृथ्वी आगे इतनी भीड़ को लेकर जीने में असमर्थ होगी। अगर हमने कोई उपाय भी कर लिया--समुद्र से खाना निकाल लिया। निकाल सकेंगे, क्योंकि मजबूरी होगी तो कोई उपाय खोजना पड़ेगा, समुद्र से खाना निकल सकेगा। हो सकता है हवाओं से भी खाना निकाला जा सके। और यह भी हो सकता है कि सूरज की किरणों से हम सीधा भोजन ग्रहण कर सकें। यह सब हो सकता है। सिंथेटिक फूड भी हो सकते हैं, सिर्फ गोलियां खाकर भी आदमी जिंदा रह सके। आखिर भीड़ बढ़ती जाएगी तो भोजन का तो हम कोई हल कर लेंगे। लेकिन आत्मा का हल नहीं हो सकेगा।

इसलिए मेरे सामने परिवार-नियोजन जैसी चीज केवल आर्थिक मामला नहीं है, बहुत गहरे अर्थों में धार्मिक मामला है।

संभोग से समाधि की ओर

भोजन तो जुटाया जा सकेगा, इसमें बहुत कठिनाई नहीं है। अगर भोजन की ही कठिनाई अगर लोग समझते हों तो बिलकुल गलत समझते हैं। अभी समुद्र खाली पड़े हैं, अभी समुद्रों में बहुत भोजन है। और वैज्ञानिक प्रयोग यह कह रहे हैं कि समुद्रों के पानी से बहुत भोजन निकाला जा सकता है। आखिर मछली समुद्र से भोजन ले रही है। लाखों तरह के जानवर समुद्र से भोजन ले रहे हैं, पानी से। तो पानी से हम भी भोजन निकाल सकते हैं। आखिर मछली को हम खा लेते हैं तो हमारा भोजन बन जाता है। और मछली ने जो भोजन लिया वह पानी से लिया। अगर हम एक मशीन बना सकें जो मछली का काम कर सके तो पानी से हम सीधा भोजन पैदा कर लेंगे। आखिर मछली भी एक मशीन का काम करती है।

घास खाती है गाय, फिर गाय का दूध पी लेते हैं हम। हम सीधा घास खाएं तो मुश्किल होती है, बीच में मध्यस्थ गाय चाहिए। गाय घास को इस हालत में बदल देती है कि हमारे भोजन के योग्य हो जाता है। आज नहीं कल हम मशीन की गाय भी बना लेंगे, जो घास को इस हालत में बदल दे कि हम उसको ले लें। सिंथेटिक दूध जल्दी ही बन सकेगा। आखिर वेजिटेबल घी बन सकता है तो वेजिटेबल दूध क्यों नहीं बन सकता है? कोई कठिनाई नहीं है। भोजन का मामला तो हल हो जाएगा। लेकिन असली सवाल भोजन का नहीं है, असली सवाल ज्यादा गहरे हैं।

अगर आदमी की भीड़ बढ़ती जाती है और पृथ्वी कीड़े-मकोड़ों की तरह आदमी से भर जाती है, तो आदमी की आत्मा खो जाएगी। और उस आत्मा को देने का विज्ञान के पास कोई उपाय नहीं है, वह आत्मा खो ही जाएगी। और अगर भीड़ बढ़ती चली जाती है तो एक-एक व्यक्ति पर चारों तरफ से इतना अनजाना दबाव पड़ेगा...। हमें अनजाने दबाव दिखाई नहीं पड़ते।

आप जमीन पर चलते हैं, आपने कभी सोचा है कि जमीन का ग्रेविटेशन आपको खींच रहा है? नहीं, हम बचपन से उसके आदी हो जाते हैं इसलिए पता नहीं चलता। लेकिन जमीन से बहुत बड़ा वजन हमें पूरे वक्त खींचे हुए है। वह तो अभी चांद पर जो यात्री गए उनको पता चला कि जमीन...अब लौट कर उनको जमीन वैसी कभी न लगेगी, जैसी पहले लगी थी। क्योंकि चांद पर वे सात फिट ऊंची छलांग भी लगा सकते हैं, चांद की पकड़ बहुत कम है, चांद बहुत नहीं खींचता है। जमीन बहुत जोर से खींच रही है। हवाएं चारों तरफ से दबा रही हैं। लेकिन उनका हमें पता नहीं चलता, क्योंकि हम उनके आदी हो गए हैं।

और अनजाने दबाव भी हैं मानसिक। ये तो भौतिक दबाव हैं। चारों तरफ लोगों

की मौजूदगी भी हमको दबा रही है। वे भी हमें भीतर की तरफ प्रेस कर रहे हैं। सिर्फ उनकी मौजूदगी भी हमें परेशान किए हुए है। अगर यह भीड़ बढ़ती चली जाती है तो एक सीमा पर पूरी मनुष्यता के न्यूरोटिक, विक्षिप्त हो जाने का डर है।

सच तो यह है कि आधुनिक मनोविज्ञान, मनोविषण यह कहता है कि जो लोग पागल हुए जा रहे हैं, उन पागल होने वालों में नब्बे प्रतिशत पागल ऐसे हैं, जो भीड़ के दबाव को नहीं सह पा रहे हैं। दबाव चारों तरफ से बढ़ता चला जा रहा है। और भीतर दबाव को सहना मुश्किल हुआ जा रहा है। उनके मस्तिष्क की नसें फटी जा रही हैं। इसलिए बहुत गहरे में सवाल सिर्फ मनुष्य के फिजिकल सरवाइवल, शारीरिक बचाव का नहीं, उसके आत्मिक बचाव का भी है।

इसलिए जो लोग यह कहते हों कि संतति-नियमन जैसी चीजें अधार्मिक हैं, उन्हें धर्म का कोई पता ही नहीं है। क्योंकि धर्म का पहला सूत्र है : व्यक्ति को व्यक्तित्व मिलना चाहिए और व्यक्ति के पास एक आत्मा होनी चाहिए; व्यक्ति भीड़ का हिस्सा न रह जाए।

लेकिन जितनी भीड़ बढ़ेगी, उतना हम व्यक्तियों की फिकर करने में असमर्थ हो जाएंगे। जितनी भीड़ ज्यादा हो जाएगी, उतनी हमें भीड़ की फिकर करनी पड़ेगी, व्यक्ति की फिकर नहीं करनी पड़ेगी। जितनी भीड़ बढ़ जाएगी, उतना हमें पूरे के पूरे जगत की इकट्ठी फिकर करनी पड़ेगी। फिर यह सवाल नहीं है कि आपको कौन सा भोजन प्रीतिकर है और कौन से कपड़े प्रीतिकर हैं और कैसा मकान प्रीतिकर है। यह सवाल नहीं है। कैसा मकान दिया जा सकता है भीड़ को, कैसे कपड़े दिए जा सकते हैं, कैसा भोजन दिया जा सकता है। व्यक्ति का सवाल विदा हो जाता है। तब भीड़ के एक अंश की तरह आपको कितना भोजन, कितना कपड़ा, कैसा उठना, कैसा बैठना, कैसा सोना दिया जा सकता है।

अब एक मित्र अभी जापान से लौटे। वे कह रहे थे कि जापान में घरों की इतनी तकलीफ है, भीड़ बढ़ती चली जा रही है, तो एक नये तरह के पलंग उन्होंने ईजाद किए हैं। आज नहीं कल हमें भी ईजाद करने पड़ेंगे। मल्टी स्टोरी पलंग! रात सो भी नहीं सकते अकेले, दस खाटें एक साथ जुड़ी हुई हैं एक के ऊपर एक। रात जब आप सोते हैं तो अपने नंबर की खाट पर चढ़ कर सो जाते हैं। बाकी नौ लोग भी अपनी-अपनी खाटों पर चढ़ कर सो जाते हैं। रात सोने में भी हम भीड़ के बाहर नहीं रह सकेंगे बहुत देर तक। क्योंकि भीड़ घुसती चली आ रही है, बढ़ती चली जा रही है। वह आपके सोने के कमरे में भी मौजूद हो जाएगी। अब दस आदमी एक ही खाट पर

सो रहे हों, तो वह घर कम रह गया, रेलवे कंपार्टमेंट ज्यादा हो गया। रेलवे कंपार्टमेंट में भी दस, टेन टायर सीटें अभी वहां भी नहीं हैं। लेकिन दस से ही मामला हल न हो जाएगा।

अगर यह भीड़ बढ़ती जाती है तो सब तरह व्यक्ति का एनक्रोचमेंट करेगी। वह जो व्यक्ति है उसको सब तरफ से घेरेगी, सब तरफ से बंद करेगी। और हमें ऐसा कुछ करना पड़ेगा कि जिसमें धीरे-धीरे व्यक्ति खोता ही चला जाए, उसकी चिंता ही बंद कर देनी पड़े।

मेरी दृष्टि में, मनुष्य की संख्या का विस्फोट, जनसंख्या का विस्फोट बहुत गहरे अर्थों में धार्मिक सवाल है, सिर्फ भोजन का आर्थिक सवाल नहीं है।

दूसरी बात ध्यान देने जैसी है, और वह यह सोचने जैसा है कि आदमी ने अब तक जो भी जीवन की व्यवस्था की थी, समाज की जो व्यवस्था की थी, वे सारी परिस्थितियां बदल गई हैं। लेकिन हम पुरानी व्यवस्था से चिपटे चले जाते हैं; जब कि परिस्थितियां सारी बदल गई हैं। अब कोई परिस्थिति वही नहीं रह गई है जो आज से पांच हजार साल पहले मनु के जमाने की थी।

जब परिस्थितियां बदल जाती हैं तब भी नियम पुराने ही चलते चले जाते हैं।

आज भी घर में एक बच्चा पैदा होता है, तो हम बैंड-बाजा बजाते हैं, झंडी लगाते हैं, संगीत का इंतजाम करते हैं, शोरगुल करते हैं, प्रसाद बांटते हैं। यह पांच हजार साल पहले बिलकुल ही ठीक बात थी, क्योंकि पांच हजार साल पहले दस बच्चे पैदा होते थे तो सात और आठ बच्चे तो मर जाते थे। और पांच हजार साल पहले एक बच्चे का पैदा होना बड़ी घटना थी, समाज के लिए उसकी बड़ी जरूरत थी। क्योंकि समाज में बहुत थोड़े लोग थे। लोग ज्यादा होने चाहिए, नहीं तो पड़ोसी के हमले में जीतना मुश्किल हो जाएगा। एक व्यक्ति का बढ़ जाना बड़ी ताकत थी, क्योंकि व्यक्ति की अकेली ताकत थी, व्यक्ति से लड़ना था, पास के कबीले से हारना संभव हो जाता अगर संख्या कम हो जाती। इसलिए प्रत्येक कबीला संख्या को बढ़ाने की कोशिश करता था। संख्या जितनी बढ़ जाए उतना कबीला मजबूत हो जाता था। इसलिए संख्या का बड़ा गौरव था।

हम कहते थे--हम इतने करोड़ हैं! उसमें बड़ी अकड़ थी, उसमें बड़ा अहंकार था। लेकिन वक्त बदल गया, हालतें बिलकुल उलटी हो गईं। लेकिन नियम पुराना चल रहा है। हालतें बिलकुल उलटी हो गई हैं।

अब जो जितनी ज्यादा संख्या में है, उतने जल्दी पृथ्वी पर मरने के उसके उपाय

हैं। तब जो जितनी ज्यादा संख्या में था, उतना ज्यादा उसके जीतने की संभावना थी, बचने की संभावना थी। आज संख्या जितनी ज्यादा होगी, उतने मरने का हम अपने हाथ से उपाय कर रहे हैं।

आज संख्या का बढ़ना सुसाइडल है, आत्मघाती है।

आज कोई समझदार मुल्क अपनी संख्या नहीं बढ़ा रहा है। बल्कि समझदार मुल्कों में संख्या गिरने तक की संभावना पैदा हो गई है, जैसे फ्रांस में। फ्रांस की सरकार थोड़ी चिंतित हो गई है। क्योंकि संख्या कहीं ज्यादा न गिर जाए, यह भी डर पैदा हो गया है। लेकिन कोई समझदार मुल्क अपनी संख्या नहीं बढ़ा रहा है। संख्या न बढ़ाने की समझदारी के पीछे बहुत कारण हैं। पहला कारण तो यह है कि अगर जीवन में सुख चाहिए, अधिकतम सुख चाहिए, तो न्यूनतम लोग चाहिए। अगर दीनता चाहिए, दुख चाहिए, गरीबी चाहिए, बीमारी चाहिए, पागलपन चाहिए, तो अधिकतम लोग पैदा करना उचित है।

जब एक बाप अपने पांचवें या छठवें बच्चे के बाद भी बच्चा पैदा कर रहा है, तो वह अपने बेटे का बाप नहीं है, दुश्मन है! क्योंकि वह उसे एक ऐसी दुनिया में धक्का दे रहा है जहां सिर्फ गरीबी बांट सकेगा वह; दुख बांट सकेगा; दुख बढ़ा सकेगा; गरीबी बढ़ा सकेगा। वह बेटे के प्रति प्रेम जाहिर नहीं कर रहा है। क्योंकि अगर बेटे के प्रति प्रेम जाहिर हो तो वह यह सोचेगा--इस बेटे को मिल क्या सकता है? इसको पैदा करना अब प्रेम नहीं है, अब सिर्फ नासमझी है और दुश्मनी है।

आज दुनिया के समझदार मां-बाप तो बच्चे इतने पैदा करेंगे, इस बात को सोच कर कि आने वाली दुनिया में संख्या सुख की दुश्मन हो सकती है। कभी संख्या सुख की मित्र थी। कभी संख्या बढ़ने से सुख बढ़ता था। आज संख्या बढ़ने से दुख बढ़ता है। स्थितियां बिलकुल बदल गई हैं।

आज जिन लोगों को भी इस जगत में सुख की, मंगल की कामना है, उन्हें यह चिंता करनी ही पड़ेगी कि संख्या निरंतर कम होती चली जाए।

लेकिन हमारा एक देश है, हम अपने को अभागा मान सकते हैं। हमें उसका कोई भी बोध नहीं है। हमें उसका कोई भी खयाल नहीं है। उन्नीस सौ सैंतालीस में हिंदुस्तान-पाकिस्तान का बंटवारा हुआ था, तब तो किसी ने सोचा भी न होगा कि बीस साल में हम, पाकिस्तान में जितने लोग गए थे, उनसे ज्यादा लोग पैदा कर लेंगे।

हमने एक पाकिस्तान फिर पैदा कर लिया।

उन्नीस सौ सैंतालीस में जितनी हमारी संख्या थी पूरे हिंदुस्तान-पाकिस्तान की मिल कर, आज अकेले हिंदुस्तान की उससे ज्यादा है। यह संख्या अगर इसी अनुपात में बढ़ी चली जाती है!

और फिर दुख बढ़ता है, दारिद्र्य बढ़ता है, दीनता बढ़ती है, बेकारी बढ़ती है, बीमारी बढ़ंती है, तो हम परेशान होते हैं, उससे हम लड़ते हैं। और हम कहते हैं कि बेकारी नहीं चाहिए, और हम कहते हैं कि गरीबी नहीं चाहिए, और हम कहते हैं कि हर आदमी को जीवन की सब सुविधाएं मिलनी चाहिए। और हम यह सोचते ही नहीं कि जो हम कर रहे हैं उससे हर आदमी को जीवन की सारी सुविधाएं कभी भी नहीं मिल सकती हैं। और जो हम कर रहे हैं उससे हमारे बेटे बेकार रहेंगे। और जो हम कर रहे हैं उससे भिखमंगी बढ़ेगी, गरीबी बढ़ेगी। लेकिन धर्मगुरु हैं इस मुल्क में, जो समझाते हैं कि यह ईश्वर के विरोध में है यह बात, संतति-नियमन की बात ईश्वर के विरोध में है।

इसका यह मतलब हुआ कि ईश्वर चाहता है कि लोग दीन रहें, दरिद्र रहें, भीख मांगें, गरीब हों, भूखे मरें सड़कों पर। अगर ईश्वर यही चाहता है तो ऐसे ईश्वर की चाह को भी इनकार करना पड़ेगा। लेकिन ईश्वर ऐसा कैसे चाह सकता है?

लेकिन धर्मगुरु चाह सकते हैं। क्योंकि एक बड़े मजे की बात है, दुनिया में जितना दुख हो, धर्मगुरु की दुकान उतनी ही ठीक से चलती है। दुनिया में सुख हो तो उसकी दुकान चलनी बंद हो जाती है। धर्मगुरु की दुकान दुनिया के दुख पर निर्भर है।

सुखी और आनंदित आदमी धर्मगुरु की तरफ नहीं जाता। स्वस्थ और प्रसन्न आदमी धर्मगुरु की तरफ नहीं जाता। दुखी, बीमार, परेशान धर्मगुरु की तलाश करता है।

हां, सुखी और आनंदित आदमी धर्म की खोज कर सकता है, लेकिन धर्मगुरु की नहीं। सुखी और आनंदित व्यक्ति अपनी तरफ से सीधा परमात्मा की खोज पर जा सकता है, लेकिन किसी का सहारा मांगने नहीं जाता।

दुखी और परेशान आदमी आत्मविश्वास खो देता है। वह किसी का सहारा चाहता है, किसी गुरु के चरण चाहता है, किसी का हाथ चाहता है, किसी का मार्गदर्शन चाहता है।

दुनिया में जब तक दुख है तभी तक धर्मगुरु टिक सकता है। धर्म तो टिकेगा सुखी हो जाने के बाद भी, लेकिन धर्मगुरु के टिकने का कोई उपाय नहीं है। इसलिए धर्मगुरु चाहेगा कि दुख खत्म न हो जाए, दुख समाप्त न हो जाए। अजीब-अजीब

धंधे हैं!

मैंने सुना है, एक रात एक होटल में बहुत देर तक कुछ मित्र आकर शराब पीते रहे, भोजन करते रहे। आधी रात वे विदा होने लगे तो मैनेजर ने होटल के अपनी पत्नी से कहा कि ऐसे भले लोग, ऐसे प्यारे लोग, ऐसे दिलफेंक लोग, ऐसे खर्च करने वाले लोग अगर रोज आएं तो हमारी जिंदगी में आनंद ही आनंद हो जाए। चलते वक्त मेहमानों से उसने कहा कि आप कभी-कभी आया करें! बड़ी कृपा रही कि आप आए, हम बड़े आनंदित हुए। जिस आदमी ने पैसे चुकाए थे उसने कहा, भगवान से प्रार्थना करना, हमारा धंधा ठीक चले, हम रोज आते रहेंगे।
मैनेजर ने पूछा, लेकिन आपका धंधा क्या है? उसने कहा, यह मत पूछो! तुम तो सिर्फ प्रार्थना करना कि हमारा धंधा ठीक चलता रहे। फिर भी उसने कहा, कृपा कर बता तो दें कि धंधा आपका क्या है?

उसने कहा, मैं मरघट पर लकड़ी बेचने का काम करता हूं। हमारा धंधा रोज चलता रहे, हम बराबर आते रहें। कभी-कभी ऐसा होता है, धंधा बिलकुल ही नहीं चलता, कोई गांव में मरता ही नहीं, लकड़ी नहीं बिकती। जिस दिन गांव में ज्यादा लोग मरते हैं, उस दिन लकड़ी ज्यादा बिक जाती है, धंधा ठीक चल जाता है, हम चले आते हैं।

आपने सुना होगा न, डाक्टर भी कहते हैं, जब मरीज ज्यादा होते हैं तो वे कहते हैं--सीजन चल रहा है। आश्चर्य की बात है! अगर किन्हीं लोगों का धंधा लोगों के बीमार होने से चलता हो, तो फिर बीमारी मिटानी बहुत मुश्किल हो जाएगी।

अब यह डाक्टर को हमने उलटा काम सौंपा हुआ है। उसको हमने काम सौंपा हुआ है कि वह लोगों की बीमारी मिटाए; और उसकी पूरी आकांक्षा भीतर यह है कि लोग बीमार हों, क्योंकि उसका व्यवसाय बीमारी पर खड़ा है।

इसलिए रूस में क्रांति के बाद उन्होंने जो बड़े काम किए उनमें एक काम यह था कि डाक्टर के काम को उन्होंने नेशनेलाइज कर दिया। उन्होंने कहा, डाक्टर का काम व्यक्तिगत कभी भी करना खतरनाक है। क्योंकि डाक्टर का काम कंट्राडिक्ट्री हो जाएगा, विरोधी हो जाएगा। ऊपर से बीमार को चाहेगा कि ठीक करे और भीतर से आकांक्षा रखेगा कि बीमार बीमार रहे, क्योंकि उसका धंधा तो बीमार के बीमार रहने पर चलेगा। इसलिए उन्होंने डाक्टर का धंधा, प्राइवेट प्रैक्टिस, बिलकुल रूस में बंद कर दी। अब डाक्टर को तनख्वाह मिलती है। बल्कि उन्होंने एक नया प्रयोग किया, और वह यह प्रयोग किया कि अगर एक डाक्टर को जो एरिया दिया गया है,

संभोग से समाधि की ओर

जो क्षेत्र दिया गया है, उसमें लोग ज्यादा बीमार होते हैं, तो डाक्टर से एक्सप्लेनेशन पूछा जा सकता है कि इस इलाके में इतने लोग ज्यादा क्यों बीमार हुए? अब डाक्टर को इसकी फिकर रखनी पड़ती है कि कोई बीमार न पड़े। तो रूस के स्वास्थ्य में बुनियादी फर्क पड़े।

चीन में माओ ने आते से ही वकील के धंधे को नेशनेलाइज कर दिया। उसने कहा, वकील का धंधा खतरनाक है। क्योंकि वकील का धंधा भी कंट्राडिक्ट्री है। है तो वह इसलिए कि न्याय उपलब्ध हो, और उसकी सारी चेष्टा यह रहती है कि उपद्रव हों, चोरियां हों, हत्याएं हों। क्योंकि उस पर उसका धंधा निर्भर करता है, अगर वे न हों तो उसके तो जीवन का आधार टूट जाए।

धर्मगुरु का धंधा भी बड़ा विरोधी है। वह चेष्टा तो यह करता है कि लोग शांत हों, आनंदित हों, सुखी हों। लेकिन उसका धंधा इस पर निर्भर है कि लोग अशांत रहें, दुखी हों, बेचैन हों, परेशान हों। क्योंकि अशांत लोग ही उसके पास पूछने आते हैं कि हम शांत कैसे हों? दुखी आदमी उसके पास आता है कि हमारा दुख कैसे मिटे? दीन-दरिद्र उसके पास आता है कि हमारी दीनता-दरिद्रता का अंत कैसे हो?

धर्मगुरु का धंधा निर्भर है लोगों के बढ़ते हुए दुख पर।

इसलिए जब भी दुनिया में दुख बढ़ जाता है तब धर्मगुरु एकदम प्रभावी हो जाता है। अनैतिकता बढ़ जाए तो धर्मगुरु प्रभावी हो जाता है, क्योंकि वह नीति का उपदेश देने लगता है। धर्मगुरु निर्भर ही इस बात पर है।

इसलिए धर्मगुरु तो विरोध करेगा। वह कहेगा कि नहीं; अगर लोग कम होंगे, सुखी हो सकेंगे, तो बड़ी मुश्किल हो जाएगी।

और भी एक ध्यान रखने की बात है कि धर्मगुरु सारी बातों को ईश्वर पर थोप देता है।

और सारी दुनिया के सब धर्मगुरुओं ने सब बातें ईश्वर पर थोप दी हैं। और ईश्वर कभी गवाही देने आता नहीं कि उसकी मर्जी क्या है! तो वह क्या चाहता है! उसकी क्या इच्छा है! इंग्लैंड और जर्मनी अगर युद्ध में हों, तो इंग्लैंड का धर्मगुरु समझाता है कि ईश्वर की इच्छा है इंग्लैंड को जिताना और जर्मनी का धर्मगुरु समझाता है कि ईश्वर की इच्छा है जर्मनी को जिताना। जर्मनी में उसी भगवान से प्रार्थनाएं की जाती हैं कि अपने देश को जिताओ! और इंग्लैंड में पादरी और पुरोहित प्रार्थना करता है कि हे भगवान, अपने देश को जिताओ!

ईश्वर की इच्छा पर हम अपनी इच्छा थोपते रहे हैं। ईश्वर बेचारा बिलकुल चुप

है, उसका कुछ पता नहीं चलता कि उसकी इच्छा क्या है। अच्छा हो कि हम ईश्वर पर अपनी इच्छाएं न थोपें, बल्कि हम जीवन को सोचें, समझें और वैज्ञानिक रास्ता निकालें।

यह भी ध्यान में रखने योग्य है कि जितना समाज समृद्ध होता है उतने कम बच्चे पैदा करता है। गरीब समाज ज्यादा बच्चे पैदा करता है। दीन और दरिद्र और भिखारी समाज और ज्यादा बच्चे पैदा करता है। कुछ कारण हैं। जितना कोई समृद्ध होता जाता है...आपने कभी न सुना होगा, अक्सर तो यह होता है, हिंदुस्तान में अक्सर होता है कि बड़े आदमी को अक्सर बेटे गोद लेने पड़ते हैं। जितना समृद्ध कोई होता चला जाता है उतने बच्चे कम पैदा होते हैं। जितना दुखी, दीन, दरिद्र होता है उतने ज्यादा बच्चे पैदा होते हैं। कुछ कारण है। कारण यह है कि दुखी, दीन, दरिद्र जीवन में और किसी मनोरंजन, और किसी सुख की सुविधा न होने से आदमी सिर्फ सेक्स और यौन में ही सुख लेने लगता है, और कोई उपाय नहीं है।

एक अमीर संगीत भी सुनता है, साहित्य भी पढ़ता है, चित्र भी देखता है, टेलीविजन भी देखता है, घूमने भी जाता है, पहाड़ की यात्रा भी करता है, उसकी शक्ति बहुत दिशाओं में बह जाती है। एक गरीब आदमी के पास शक्ति बहने का कोई उपाय नहीं रहता, उसके मनोरंजन का कोई उपाय नहीं। क्योंकि सब मनोरंजन खर्चीले हैं, सिर्फ एक सेक्स ऐसा मनोरंजन है जो मुफ्त उपलब्ध है। इसलिए गरीब आदमी बच्चे इकट्ठे करता चला जाता है, वह बच्चे पैदा करता चला जाता है।

गरीब आदमी इतने बच्चे इकट्ठा कर लेता है कि और गरीबी बढ़ती चली जाती है, एक विसियस सर्किल पैदा हो जाता है। गरीब ज्यादा बच्चे पैदा करता है। गरीब के बच्चे और गरीब होते हैं, वे और बच्चे पैदा करते जाते हैं। और देश गरीब से गरीब होता चला जाता है। किसी न किसी तरह गरीब आदमी की इस भ्रामक स्थिति को तोड़ना जरूरी है। इसे तोड़ना ही पड़ेगा, अन्यथा गरीबी का कोई पारावार न रहेगा, गरीबी इतनी बढ़ जाएगी कि जीना असंभव हो जाएगा।

इस देश में तो बढ़ ही गई है और जीना करीब-करीब असंभव है। कोई मान ही नहीं सकता कि हम जी रहे हैं। अच्छा हो कि कहा जाए कि हम धीरे-धीरे मर रहे हैं।

जीने का क्या अर्थ है?

जीने का इतना ही अर्थ है कि हम एक्झिस्ट करते हैं, हमारा अस्तित्व है। हम दो रोटी खा लेते हैं, पानी पी लेते हैं और कल तक के लिए और जी जाते हैं। लेकिन जीना ठीक अर्थों में तभी उपलब्ध होता है, जब एफ्लुएंस, समृद्धि उपलब्ध हो।

जीने का अर्थ है, ओवर फ्लोइंग; जीने का अर्थ यह है, जब कोई चीज हमारे ऊपर से बहने लगे।

एक फूल है। आपने कभी खयाल किया कि फूल कैसे खिलता है पौधे पर? अगर पौधे को ठीक खाद न मिले, ठीक पानी न मिले, तो पौधा जिंदा रहेगा, लेकिन फूल नहीं खिलेगा। फूल ओवर फ्लोइंग है। जब पौधे में इतनी शक्ति इकट्ठी हो जाती है कि अब पत्तों को, जड़ों को, शाखाओं को कोई जरूरत नहीं रह जाती, कुछ अतिरिक्त जब पौधे के पास इकट्ठा हो जाता है, तब फूल खिलता है। फूल जो है वह अतिरिक्त है। इसीलिए फूल सुंदर है। वह अतिरेक है, वह बहाव है, वह किसी चीज का बहुत हो जाने से बहाव है।

जीवन में सभी सौंदर्य अतिरेक है, सभी सौंदर्य ओवर फ्लोइंग है, ऊपर से बह जाना है।

जीवन का सब आनंद भी अतिरेक है। जीवन में जो भी श्रेष्ठ है वह सब ऊपर से बहा हुआ है।

महावीर और बुद्ध राजाओं के बेटे हैं, कृष्ण और राम भी राजाओं के बेटे हैं। यह ओवर फ्लोइंग है। ये फूल जो खिले ये गरीब के घर में नहीं खिल सकते थे। कोई महावीर गरीब के घर में पैदा नहीं होता, और कोई बुद्ध भी गरीब के घर में पैदा नहीं होता, और कोई राम भी नहीं, और कोई कृष्ण भी नहीं।

गरीब के घर में ये फूल नहीं खिल सकते; गरीब सिर्फ जी सकता है। उसका जीना इतना न्यूनतम है कि उसमें फूल खिलने का उपाय नहीं। वह गरीब पौधा है। वह किसी तरह जी लेता है, किसी तरह उसके पत्ते भी हो जाते हैं, किसी तरह शाखाएं भी निकल आती हैं। न तो वह पूरी ऊंचाई ग्रहण कर पाता है, न सूरज को छू पाता है, न आकाश की तरफ उठ पाता है, न उसमें फूल खिल पाते हैं। क्योंकि फूल तो तभी खिल सकते हैं जब पौधे के पास जीने से अतिरिक्त शक्ति इकट्ठी हो जाए। जीने से जो अतिरिक्त इकट्ठा होता है तभी फूल खिलते हैं।

ताजमहल भी वैसा ही फूल है, वह अतिरेक से निकला हुआ फूल है।

जगत में जो भी सुंदर है, साहित्य है, काव्य है, संगीत है, वह सब अतिरेक से निकले हुए फूल हैं।

गरीब की जिंदगी में फूल कैसे खिल सकते हैं?

लेकिन हम रोज अपने को गरीब करने का उपाय करते चले जाएं। और ध्यान रहे, जीवन में जो सबसे बड़ा फूल है परमात्मा का, वह संगीत, साहित्य, और

काव्य, और चित्र, और जीवन के छोटे आनंद से भी ज्यादा जब शक्ति ऊपर इकट्ठी होंती है तब वह परम फूल खिलता है परमात्मा का।

लेकिन गरीब समाज उस फूल के लिए कैसे उपाय बना सकता है? गरीब समाज रोज दीन होता है, रोज हीन होता चला जाता है। गरीब बाप दो बेटे पैदा करता है तो अपने से दुगने गरीब पैदा कर जाता है, उसकी गरीबी भी बंट जाती है।

हिंदुस्तान कई सैकड़ों सालों से अमीरी नहीं बांट रहा है, सिर्फ गरीबी बांट रहा है।

जब एक बाप अपने चार बेटों में विभाजन करता है तो बाप की संपत्ति नहीं बंटती--संपत्ति तो है ही नहीं; बाप ही गरीब था, बाप के पास ही कुछ न था, वह खुद ही कभी नहीं जी पाया कि अतिरेक का फूल खिल पाए--बाप सिर्फ अपनी गरीबी बांट देता है और चार और चौगुने गरीब समाज में खड़ा कर जाता है। और विसियस सर्किल, दुष्टचक्र यह है कि वे चार बेटे गरीब होने की वजह से सेक्स में ही रस खोजेंगे और बच्चे पैदा करते चले जाएंगे।

हां, धर्मगुरु सिखाते हैं ब्रह्मचर्य। वे कहते हैं कि गरीब को भी अगर बच्चे नहीं पैदा करना है तो वह ब्रह्मचर्य का पालन करे। मैंने कहा कि मनोरंजन के सब साधन उसे बंद हैं। और धर्मगुरु कहते हैं कि यह एक साधन और मनोरंजन का उसके जीवन में थोड़े रस का है, वह इसको भी ब्रह्मचर्य से बंद कर दे। तब तो गरीब आदमी मर गया! वह चित्र देखने जाता है तो रुपया खर्च होता है, वह संगीत सुनने जाता है तो रुपया खर्च होता है, वह किताब पढ़ने जाता है तो रुपया खर्च होता है। एक सस्ता और मुफ्त मिला साधन था, धर्मगुरु कहता है, ब्रह्मचर्य से वह उसे भी बंद कर दे। इसलिए धर्मगुरु समझाते रहते हैं ब्रह्मचर्य की बात, कोई उनकी सुनता नहीं। खुद धर्मगुरु ही नहीं सुनते हैं अपनी बात। कोई नहीं सुनता; वह बकवास बहुत लंबी चल चुकी, उससे कोई परिणाम नहीं हुआ, उससे कोई हित भी नहीं हुआ।

विज्ञान ने ब्रह्मचर्य की जगह एक नया उपाय दिया जो सर्वसुलभ हो सकता है। वह है : संतति-नियमन के कृत्रिम साधन। जिनसे व्यक्ति को ब्रह्मचर्य में बंधने की कोई जरूरत नहीं। जीवन के द्वार खुले रह सकते हैं, अपने को सप्रेस करने की और दमन करने की भी कोई जरूरत नहीं।

और यह भी ध्यान रहे, जो व्यक्ति एक बार अपनी यौन की प्रवृत्ति को जोर से दबा कर दबा दे अपने भीतर, वह व्यक्ति सदा के लिए किन्हीं गहरे अर्थों में रुग्ण हो जाता है। यौन की वृत्ति से मुक्त हुआ जा सकता है, लेकिन यौन की वृत्ति को दबा कर

कोई कभी मुक्त नहीं होता। यौन की वृत्ति से मुक्त हुआ जा सकता है। अगर यौन में निकलने वाली शक्ति किसी और आयाम में, किसी और दिशा में प्रवाहित हो जाए, तो मुक्त हुआ जा सकता है।एक वैज्ञानिक मुक्त हो जाता है बिना किसी ब्रह्मचर्य के। बिना राम-राम का पाठ किए, हनुमान चालीसा पढ़े, एक वैज्ञानिक मुक्त हो जाता है। क्योंकि सारी शक्ति की ऊर्जा, सारी ऊर्जा विज्ञान की खोज में लग जाती है। एक चित्रकार भी मुक्त हो सकता है, एक संगीतज्ञ भी मुक्त हो सकता है, एक परमात्मा का खोजी भी मुक्त हो सकता है।

ध्यान रहे, लोग कहते हैं--ब्रह्मचर्य शर्त है परमात्मा की खोज की। मैं कहता हूं, यह बात गलत है। हां, परमात्मा की खोज में जाने वाला ब्रह्मचर्य को उपलब्ध हो जाता है। यह परिणाम है। अगर कोई परमात्मा की खोज में पूरी तरह चला गया, तो उसकी सारी शक्तियां इतनी लीन हो जाती हैं कि उसके पास यौन की दिशा में जाने के लिए शक्ति का न बहाव बचता है, न आकांक्षा बचती है।

ब्रह्मचर्य से कोई परमात्मा की तरफ नहीं जाता, लेकिन परमात्मा की तरफ जाने वाला ब्रह्मचर्य को उपलब्ध हो जाता है।

लेकिन अगर हम किसी को कहें कि वह बच्चे रोकने के लिए ब्रह्मचर्य का उपयोग करे...।

गांधी जी निरंतर वही कहते रहे। और भी इस मुल्क के महात्मा यही कहते हैं कि ब्रह्मचर्य का उपयोग करो। लेकिन गांधी जी जैसे बढ़िया आदमी भी ठीक-ठीक अर्थों में ब्रह्मचर्य को कभी उपलब्ध नहीं हो सके। वे भी कहते हैं कि मेरे स्वप्नों में भी कामवासना उतर आती है। वे भी कहते हैं कि दिन तो मैं किसी तरह संयम रख पाता हूं, लेकिन सपनों में सब संयम टूट जाता है। और जीवन के अंतिम दिनों में एक स्त्री को बिस्तर पर लेकर सोकर वे प्रयोग करते थे कि कहीं अभी भी तो कामवासना शेष नहीं रह गई? सत्तर वर्ष की उम्र में एक युवती को रात बिस्तर पर सोते थे लेकर, यह जानने के लिए कि कहीं कामवासना शेष रह गई कि नहीं? मुझे पता नहीं कि क्या परिणाम हुआ, क्या वे जान पाए। लेकिन एक बात तो पक्की है कि उन्हें शक रहा होगा सत्तर वर्ष की उम्र तक कि ब्रह्मचर्य उपलब्ध नहीं हुआ। अन्यथा इस परीक्षा की कोई जरूरत न थी।

ब्रह्मचर्य की बात एकदम अवैज्ञानिक, अव्यावहारिक है। कृत्रिम साधन का उपयोग किया जा सकता है। और मनुष्य के चित्त पर बिना कोई दबाव दिए उसका उपयोग किया जा सकता है।

कुछ प्रश्न हैं जो उठाए जाते हैं, उनके भी मैं उत्तर देना पसंद करूंगा।

एक प्रश्न अभी-अभी मैं आया तो एक मित्र ने कहा कि अगर यह बात समझाई जाए, तो जो समझदार हैं, बुद्धिजीवी हैं, इंटेलिजेंसिया है, मुल्क का जो अभिजात वर्ग है, बुद्धिमान, समझदार, वह तो रोक लेगा, वह तो संतति-नियमन कर देगा, परिवार-नियोजन कर लेगा। लेकिन जो दीन-हीन है, गरीब है, बेपढ़ा-लिखा है, गांव का है, ग्राम्य है, जो सुनता ही नहीं किसी की, समझता भी नहीं, वह बच्चे पैदा करता चला जाएगा। तो लंबे अरसे में परिणाम यह होगा कि बुद्धिमानों के बच्चे कम हो जाएंगे और गैर-बुद्धिमानों के बच्चों की संख्या बढ़ जाएगी, जो कि अहितकर हो सकता है।

यह प्रश्न उचित ही है उठाना। इसे एक तरह से और भी धर्मगुरु उठाते हैं। वे यह कहते हैं कि मुसलमान तो सुनते नहीं; ईसाई सुनते नहीं; कैथलिक मानते नहीं कि संतति-नियमन करना चाहिए, वे कहते हैं हमारे धर्म के विरोध में है; मुसलमान फिक्र नहीं करता। हिंदू अगर फिक्र करेगा, तो हिंदू धर्मगुरु कहते हैं कि हिंदू सिकुड़ते चले जाएंगे, मुसलमान और ईसाई बढ़ते चले जाएंगे; पचास साल में मुश्किल हो जाएगी, हिंदू ना-कुछ हो जाएंगे और मुसलमान और ईसाई बढ़ जाएंगे। इस बात में भी थोड़ा अर्थ है।

इन दोनों के संबंध में मैं यह कहना चाहूंगा कि

पहली तो बात यह है कि संतति-नियमन अनिवार्य होना चाहिए, कंपल्सरी; वालेंटरी नहीं।

जब तक हम एक-एक आदमी को समझाने की कोशिश करेंगे कि तुम्हें संतति-नियमन करवाना चाहिए, तब तक इतनी देर हो चुकी होगी कि संतति-नियमन का कोई अर्थ नहीं रह जाएगा।

मैं अभी एक घटना पढ़ रहा था। एक अमेरिकी विचारक ने लिखा है कि इस वक्त सारी दुनिया में जितने डाक्टर परिवार-नियोजन में सहयोगी हो सकते हैं, अगर वे सब के सब लाकर भी एशिया में लगा दिए जाएं और वे बिलकुल न सोएं, सुबह से लेकर दूसरी सुबह तक आपरेशंस करते रहें, तो भी एशिया को उस स्थिति में लाने के लिए, जहां जनसंख्या सीमा में आ जाए, पांच सौ वर्ष लगेंगे। और पांच सौ वर्षों में तो हमने इतने पैदा कर दिए होंगे बच्चे कि जिसका कोई हिसाब नहीं रह जाएगा। ये दोनों ही संभावनाएं नहीं हैं। सारी दुनिया के डाक्टर एशिया में लाकर लगाए नहीं जा सकते। और लगा भी दिए जाएं तो पांच सौ वर्षों में यह संभावना अगर हो पाए,

तो पांच सौ वर्षों में हम खाली थोड़े ही बैठे रहेंगे, हम प्रतीक्षा थोड़े ही करते रहेंगे पांच सौ वर्षों तक कि जब आपके पांच सौ वर्ष पूरे हो जाएं तब तक हम चुप बैठे रहें। पांच सौ वर्षों में हम क्या कर डालेंगे! नहीं, यह संभव नहीं मालूम होता। समझाने-बुझाने के प्रयोग से तो रास्ता दिखाई नहीं पड़ता।

संतति-नियमन अनिवार्य करना होगा। और यह अलोकतांत्रिक नहीं है। हम हत्या को अनिवार्य किए हुए हैं कि कोई हत्या नहीं कर सकता। यह अलोकतांत्रिक नहीं है।

हम कहते हैं कि कोई किसी आदमी को हत्या का हक नहीं है। लेकिन यह डेमोक्रेसी के खिलाफ नहीं है।

अभी मैं अहमदाबाद में बोल रहा था तो मुझे कई पत्र आए कि आप कहते हैं अनिवार्य कर दें संतति-नियमन! तो यह तो लोकतंत्र का विरोध है।

मैंने उनको कहा कि एक आदमी की हत्या करने से जितना नुकसान होता है, आज उससे हजार गुना ज्यादा नुकसान एक बच्चे को पैदा करने से होता है। एक आदमी आत्महत्या कर लेता है उससे जितना नुकसान होता है, उतना एक आदमी एक बच्चे को पैदा करता है उससे हजार गुना नुकसान होता है।

संतति-नियमन अनिवार्य होना चाहिए।

तब गरीब और अमीर और बुद्धिमान और गैर-बुद्धिमान का सवाल नहीं रह जाता। अनिवार्य होना चाहिए। तब हिंदू, मुसलमान और ईसाई का सवाल नहीं रह जाता।

यह देश बड़ा अजीब है। हम कहते हैं कि हम धर्म-निरपेक्ष हैं, और फिर भी सब चीजों में धर्म का विचार करते हैं। सरकार भी विचार रखती है! हिंदू कोड बिल बना हुआ है, वह सिर्फ हिंदू स्त्रियों पर ही लागू होता है! यह बड़ी अजीब बात है। सरकार जब धर्म-निरपेक्ष है तो मुसलमान स्त्रियों को अलग करके सोचे, यह बात ही गलत है। सरकार को सोचना चाहिए स्त्रियों के संबंध में।

मुसलमान को हक है कि वह चार शादियां करे, किंतु हिंदू को हक नहीं! तो मानना क्या होगा? यह धर्म-निरपेक्ष राज्य कैसे हुआ?

हिंदुओं के लिए अलग नियम और मुसलमान के लिए अलग नियम नहीं होना चाहिए।

नहीं; सरकार को सोचना चाहिए--स्त्री के लिए क्या उचित है? क्या यह उचित है कि चार स्त्रियां एक आदमी की पत्नी बनें? वह हिंदू हो या मुसलमान, यह

इररेलेवेंट है, यह असंगत है, इससे कोई संबंध नहीं है। चार स्त्रियां एक आदमी की पत्नियां बनें, यह बात ही अमानवीय है।

इसमें सवाल नहीं है कि कौन हिंदू है, कौन मुसलमान है। यह अपनी-अपनी इच्छा की बात है। फिर तो कल हम यह भी कह सकते हैं कि मुसलमान को हत्या करने में थोड़ी सुविधा देनी चाहिए। ईसाई को थोड़ी या हिंदू को थोड़ी सुविधा देनी चाहिए हत्या करने में। नहीं; हमें व्यक्ति और आदमी को सोच कर विचार करने की जरूरत है। अनिवार्य होना चाहिए। यह सवाल मुल्क का है, पूरे मुल्क का है। उसमें हिंदू, मुसलमान और ईसाई अलग नहीं किए जा सकते। उसमें अमीर और गरीब अलग नहीं किए जा सकते।

दूसरी बात विचारणीय है कि हमारे मुल्क में, इस देश में हमारी प्रतिभा निरंतर क्षीण होती चली गई है। अगर हम आगे भी ऐसे ही बच्चे पैदा करना जारी रखते हैं तो संभावना है कि हम सारे जगत में प्रतिभा में धीरे-धीरे और पिछड़ते चले जाएं।

अगर इस जाति को ऊंचा उठना हो--स्वास्थ्य में, सौंदर्य में, चिंतना में, प्रतिभा में, मेधा में--तो हमें प्रत्येक आदमी को बच्चे पैदा करने का हक नहीं देना चाहिए।

पहली तो बात मैं यह मानता हूं कि संतति-नियमन अनिवार्य होना चाहिए। दूसरी बात मैं यह मानता हूं कि प्रत्येक व्यक्ति को बच्चे पैदा करने का हक जब तक विशेषज्ञ न दे दें, तब तक बच्चे पैदा करने का हक किसी को भी नहीं रह जाना चाहिए। बच्चे पैदा करने के हक के बाद दो बच्चे कोई पैदा कर सकता है, लेकिन हक उसे मिलना चाहिए। उसके लिए हमें वैसे ही लाइसेंस देने चाहिए जो मेडिकल बोर्ड जब तक लाइसेंस न दे, कोई आदमी बच्चे पैदा नहीं कर सकेगा।

कितने कोढ़ी बच्चे पैदा किए जाते हैं, कितने ईडियट बच्चे पैदा किए जाते हैं, कितने संक्रामक रोगों से भरे हुए लोग बच्चे पैदा किए जाते हैं। और उनके बच्चे पैदा होते चले जाते हैं और बढ़ते चले जाते हैं। और इस देश में दया और दान करने वाले लोग हैं कि अगर वे खुद अपने बच्चे न पाल सकते हों तो हम उनके लिए अनाथालय खोल कर उनके बच्चों को पालने का भी इंतजाम करते हैं। यह ऊपर-ऊपर तो दान और दया दिखाई पड़ रही है, लेकिन ये बड़े खतरनाक लोग हैं जो ऐसे इंतजाम कर रहे हैं। इंतजाम तो यह होना चाहिए कि स्वस्थ, सुंदर, बुद्धिमान, प्रतिभाशाली, संक्रामक रोगों से ग्रसित नहीं, ऐसे स्त्री और पुरुष को ही बच्चा पैदा करने का हक होना चाहिए।

असल में शादी के पहले ही हर गांव में, हर नगर में सलाहकार समिति होनी

चाहिए डाक्टर्स की, विचारशील मनोवैज्ञानिकों की, साइकोएनालिस्ट्स की, जो प्रत्येक व्यक्ति को यह हक दे कि तुम अगर दोनों शादी करते हो तो तुम बच्चे पैदा कर सकोगे या नहीं कर सकोगे, यह बता दे। शादी करने का हक प्रत्येक को है। ऐसे दो लोग शादी कर सकते हैं जिनको कि सलाह न दी जाए। वे शादी कर सकते हैं, लेकिन बच्चे पैदा नहीं कर सकते।

हम जानते हैं भलीभांति कि पौधों पर क्रास ब्रीडिंग से कितना लाभ उठाया जा सकता है। एक माली अच्छी तरह जानता है कि नये बीज कैसे विकसित किए जा सकते हैं; गलत बीजों को कैसे हटाया जा सकता है। छोटे बीज कैसे अलग किए जा सकते हैं; बड़े बीज कैसे बचाए जा सकते हैं। एक माली सभी बीज नहीं बो देता है; बीजों को छांटता है।

लेकिन हम अब तक मनुष्य-जाति के साथ उतनी समझदारी नहीं कर सके जो एक साधारण सा माली अपने बगीचे में करता है। यह भी आपको खयाल हो कि जब माली को एक बड़ा फूल पैदा करना होता है तो वह छोटे फूलों को पहले ही काट देता है। अगर आपने देखा हो, कभी प्रदर्शनी फूलों की देखी हो, तो जो फूल जीत जाते हैं उनके जीतने का कारण क्या है ?

उनका कारण यह है कि माली ने होशियारी की; एक पौधे पर एक ही फूल पैदा किया, बाकी फूल पैदा ही नहीं होने दिए; बाकी फूलों को उसने जड़ से ही अलग कर दिया। तो फूल की, पौधे की सारी शक्ति एक ही फूल में प्रवेश कर गई।

एक आदमी बारह बच्चे पैदा करता है तो कभी भी बहुत प्रतिभाशाली बच्चे पैदा नहीं कर सकता। अगर एक ही बच्चा पैदा करे तो उसके बारह बच्चों की सारी प्रतिभा एक में भी प्रवेश कर सकती है।

और प्रकृति के बड़े अदभुत नियम हैं। प्रकृति के नियम बहुत हैरानी के हैं। प्रकृति बड़े अजीब ढंग से काम करती है। जब युद्ध होता है दुनिया में, तो युद्ध के बाद लोगों की संतति पैदा करने की क्षमता बढ़ जाती है। यह बड़ी हैरानी की बात है! युद्ध से क्या लेना-देना ? जब भी युद्ध होता है तब जन्म-दर बढ़ जाती है। पहले महायुद्ध के बाद जन्म-दर एकदम ऊपर उठ गई, क्योंकि पहले महायुद्ध में कोई साढ़े तीन करोड़ लोग मर गए। प्रकृति कैसे इंतजाम रखती है, यह भी हैरानी की बात है! प्रकृति को कैसे पता चला कि युद्ध हो गया और अब बच्चों की जन्म-दर बढ़ जानी चाहिए! दूसरे महायुद्ध में भी कोई साढ़े सात करोड़ लोग मरे और जन्म-दर एकदम से बढ़ गई। महामारी के बाद, हैजे के बाद, प्लेग के बाद लोगों की जन्म-दर बढ़ जाती है।

प्रकृति का अपना आंतरिक इंतजाम है।

अगर एक आदमी पचास बच्चे पैदा करे तो उसकी शक्ति पचास पर बिखर जाती है। अगर वह एक ही बच्चे पर केंद्रित करे तो उसकी शक्ति, उसकी प्रतिभा प्रकृति एक ही बच्चे में भी डाल देती है। मैं देख रहा था तो बहुत हैरान हुआ! जब बच्चे पैदा होते हैं तो सौ लड़कियां पैदा होती हैं, एक सौ सोलह लड़के पैदा होते हैं। यह अनुपात है सारी दुनिया में। अब यह बड़े मजे की बात है कि एक सौ सोलह लड़के किसलिए पैदा करना? सोलह लड़के बेकार रह जाएंगे, इनको कौन लड़की मिलेगी! सौ लड़कियां पैदा होती हैं, एक सौ सोलह लड़के पैदा होते हैं। लेकिन प्रकृति का इंतजाम बहुत ही अदभुत है और बहुत गहरा है। वह लड़कियों को कम पैदा करती है और लड़कों को ज्यादा, क्योंकि उम्र पाते-पाते, मैच्योर होते-होते, प्रौढ़ होते-होते सोलह लड़के मर जाएंगे और संख्या बराबर हो जाएगी। असल में लड़कियों की जिंदगी में जीने का रेसिस्टेंस लड़कों से ज्यादा है। इसलिए सोलह लड़के ज्यादा पैदा करती है प्रकृति, ताकि भूल-चूक न हो। सोलह लड़के मर जाएंगे। सौ लड़कियां रह जाएंगी, सौ लड़के रह जाएंगे। चौदह साल के बाद संख्या बराबर हो जाएगी। सारी दुनिया में चौदह साल के बाद संख्या बराबर हो जाएगी। वे सोलह लड़के भूल-चूक से बचने के लिए कि कोई लड़कियां खाली न रह जाएं, बिना लड़कों के न रह जाएं, इतना इंतजाम किया हुआ है वह एक सौ सोलह। लड़कियों की जिंदा रहने की शक्ति लड़कों से ज्यादा है।

आमतौर पर पुरुष सोचता है कि वह सब तरह से शक्तिमान है। इस भूल में कभी मत पड़ना। कुछ बातों को छोड़ कर स्त्रियां पुरुषों से कई अर्थों में ज्यादा शक्तिमान हैं। जैसे उनका रेसिस्टेंस, उनकी प्रतिरोध की शक्ति ज्यादा है। इसलिए तो हम शादी करते हैं तो हम चार-पांच साल उम्र बड़ा लड़का खोजते हैं। आपने कभी खयाल किया, क्यों खोजते हैं? वह इसीलिए खोजते हैं कि अगर लड़कियां और लड़के बराबर उम्र के खोजे जाएं तो दुनिया में विधवाएं छूट जाएंगी, लड़के पहले मर जाएंगे। सत्तर साल में लड़के मर जाएंगे और स्त्रियां पचहत्तर और छिहत्तर साल तक जिंदा रह जाएंगी। तो सारी स्त्रियां विधवा रह जाएंगी पृथ्वी पर। वे विधवा न रह जाएं इसलिए हम पांच साल का फर्क रखते हैं।

पुरुष की जीने की क्षमता स्त्री से कम है; बीमारी सहने की क्षमता भी स्त्री से कम है। जिंदगी में मुसीबतों में से गुजर जाने की क्षमता भी पुरुष की कम है। शायद प्रकृति ने स्त्री को यह सारी क्षमता इसीलिए दी है कि वह बच्चे को पैदा करने की, बच्चे को

झेलने की, बच्चे को बड़ा करने की इतनी तकलीफदेय प्रक्रिया है, उस सबको वह झेल सके।

प्रकृति इंतजाम कर लेती है। अगर हम बच्चे कम पैदा करेंगे, तो प्रकृति जो अनेक बच्चों पर प्रतिभा देती थी, वह एक बच्चे पर ही डाल देगी।

लेकिन वैज्ञानिक चिंतन हमारा नहीं है। आदमी इसलिए पिछड़ा हुआ है कि हम दूसरी चीजों के संबंध में वैज्ञानिक चिंतन कर लेते हैं, लेकिन आदमी के संबंध में नहीं कर पाते। आदमी के संबंध में हम बड़े अवैज्ञानिक हैं। हम कहते हैं, हम कुंडली मिलाएंगे। हम कहते हैं कि हम ब्राह्मण हैं तो हम ब्राह्मण से ही शादी करेंगे।

विज्ञान तो कहता है कि शादी जितनी दूर हो उतने अच्छे बच्चे पैदा होंगे। अगर अंतर्जातीय हो तो बहुत अच्छा; अगर अंतर्देशीय हो तो और अच्छा; अगर अंतर्राष्ट्रीय हो तो और अच्छा; और अगर आज नहीं कल, मंगल या कहीं आदमी मिल जाए तो अंतर्ग्रहीय, इंटरप्लेनेटरी हो तो और अच्छा है। क्योंकि हम जानते हैं भलीभांति कि अगर अंग्रेज सांड लाया जाए और हिंदुस्तानी गाय हो तो जो बच्चे पैदा होते हैं उनका मुकाबला नहीं। वह क्रास ब्रीडिंग जो बच्चे पैदा करती है उनका मुकाबला नहीं।

कब हम आदमी के संबंध में समझ का उपयोग करेंगे!

अगर हम समझ का उपयोग करेंगे, तो जो हम जानवर के साथ कर रहे हैं, वही समझ जो फूल के साथ कर रहे हैं, आदमी के साथ भी करनी जरूरी है।
ज्यादा अच्छे बच्चे पैदा किए जा सकते हैं, ज्यादा स्वस्थ, ज्यादा उम्र तक जीने वाले, ज्यादा शक्तिशाली, ज्यादा प्रतिभाशाली। लेकिन उसके लिए कोई व्यवस्थापन देने की जरूरत है।

परिवार-नियोजन मनुष्य के वैज्ञानिक संतति-नियोजन का पहला कदम है।

अभी और कदम उठाने पड़ेंगे, यह तो सिर्फ पहला कदम है। लेकिन इस पहले कदम से एक क्रांति हो जाती है। वह क्रांति आपके खयाल में नहीं है। वह मैं आपको कहना चाहता हूं। बड़ी जो क्रांति हो जाती है परिवार-नियोजन की व्यवस्था से वह यह है, वह क्रांति यह है कि हम पहली दफे सेक्स को, यौन को संतति से तोड़ देते हैं। अब तक यौन, संभोग का अर्थ था संतति का पैदा होना। अब हम दोनों को तोड़ देते हैं। अब हम कहते हैं कि संभोग हो सकता है, संतति के पैदा होने की कोई अनिवार्यता नहीं है।

यौन और संतति को हम दो हिस्सों में तोड़ रहे हैं। यह बहुत बड़ी क्रांति है।

इसका मतलब अंततः यह होगा कि अगर यौन से संतति के पैदा होने की संभावना नहीं है, यौन से हम संतति को अलग कर देते हैं, तो कल हम ऐसी संतति को भी पैदा करने की व्यवस्था करेंगे जिसका हमारे यौन से कोई संबंध न हो। वह दूसरा कदम होगा।

आप अपने बेटे के लिए अच्छे शिक्षक की व्यवस्था करते हैं; आप ही पढ़ाने नहीं बैठ जाते, क्योंकि मैं इसका बाप हूं तो मैं ही इसको पढ़ाऊंगा। आप अपने बेटे के लिए अच्छा टेलर खोजते हैं; आप ही कमीज बनाने नहीं बैठ जाते कि मैं इसका बाप हूं। आप अपने बेटे के लिए अच्छा डाक्टर खोजते हैं; आप ही आपरेशन नहीं करने लगते, क्योंकि मैं इसका बाप हूं। तो आप अपने बेटे के लिए पहले दिन से ही अच्छा वीर्यकण क्यों न खोजें ? संतति-नियमन का अंतिम परिणाम यह होने वाला है कि हम वीर्यकणों के बाबत व्यवस्था कर सकेंगे। आइंस्टीन का वीर्यकण उपलब्ध हो सकता हो...।

और एक आदमी के पास कितने वीर्यकण हैं, कभी आपने सोचा ? एक संभोग में एक आदमी इतने वीर्यकण खोता है कि उससे एक करोड़ बच्चे पैदा हो सकते हैं। और एक आदमी जिंदगी में अंदाजन चार हजार बार संभोग करता है। यानी चार हजार करोड़ बच्चों का बाप एक आदमी बन सकता है।

एक आदमी के वीर्यकण अगर संरक्षित हो सकें तो एक आदमी चार हजार करोड़ बच्चों का बाप बन सकता है। एक आइंस्टीन चार हजार करोड़ बच्चों को जन्म दे सकता है। एक बुद्ध चार हजार करोड़ बच्चों को जन्म दे सकता है।

क्या उचित न होगा कि हम आदमी के बाबत विचार करें और हम इस बात की खोज करें ? लेकिन संतति-नियमन ने पहली घटना पूरी कर दी है, हमने सेक्स को तोड़ दिया। अब हम कहते हैं कि बच्चे की फिक्र छोड़ दो। संभोग किया जा सकता है, संभोग का सुख लिया जा सकता है, बच्चे की चिंता की कोई जरूरत नहीं। जैसे ही यह बात स्थापित हो जाएगी, दूसरा कदम भी उठाया जा सकेगा।

और वह यह कि अब तुम संभोग करते हो जिससे, उससे ही बच्चा पैदा हो, तुम्हारे ही संभोग से बच्चा पैदा हो, यह भी अवैज्ञानिक है।

अब और अच्छी व्यवस्था की जा सकती है, और अच्छा वीर्यकण उपलब्ध किया जा सकता है, वैज्ञानिक व्यवस्था की जा सकती है और तुम्हें वीर्यकण मिल सकता है। चूंकि अब तक हम उसको सुरक्षित नहीं रख सकते थे, अब तो सुरक्षित रखा जा सकता है। अब जरूरी नहीं है कि आप जिंदा हों तभी आपका बेटा पैदा हो।

आपके मरने के दस हजार साल बाद भी आपका बेटा पैदा हो सकता है। इसलिए अब जल्दी करने की जरूरत नहीं है कि मेरा बेटा मेरे जिंदा रहने में पैदा हो जाए। वह बाद में दस हजार साल बाद भी पैदा हो सकता है। अगर मनुष्यता ने समझा कि आपका बेटा पैदा करना है तो वह आपके लिए सुरक्षा कर सकती है। आपका बच्चा कभी भी पैदा हो सकता है। अब बाप और बेटे का अनिवार्य संबंध, उस हालत में नहीं रह जाएगा जिस हालत में अब तक था, वह टूट जाएगा।

एक क्रांति हो रही है। लेकिन इस देश में हमारे पास समझ बहुत कम है। अभी तो हम संतति-नियमन को ही नहीं समझ पा रहे हैं। वह पहला कदम है, वह सेक्स मारेलिटी के संबंध में पहला कदम है। और एक दफा सेक्स की पुरानी मारेलिटी, पुरानी नीति टूट जाए, तो इतनी क्रांति होगी जिसका हिसाब लगाना मुश्किल है। क्योंकि हमें पता ही नहीं है कि जो भी हमारी नीति है, वह किसी पुरानी यौन-व्यवस्था से संबंधित है। वह यौन-व्यवस्था पूरी टूट जाए तो पूरी नीति बदल जाएगी।

धर्मगुरु इसलिए भी डरा हुआ है। गांधी जी और विनोबा जी इसलिए भी डरे हुए हैं। वे डरे हुए हैं इसलिए कि अगर यह कदम उठाया गया तो यह पुरानी पूरी नैतिक व्यवस्था को तोड़ देगा। नई नीति विकसित हो जाएगी अपने आप। अपने आप नई नीति विकसित हो जाएगी, क्योंकि पुरानी नीति का कोई अर्थ नहीं रह जाएगा।

अब तक पुरुष के दबाव में थी स्त्री और स्त्री को निरंतर दबाया जा सकता था। पुरुष अपने सेक्स के संबंध में स्वतंत्रता बरत सकता था, क्योंकि उसको पकड़ना मुश्किल था।

इसलिए पुरुष ने एक ऐसी व्यवस्था बनाई थी जिसमें स्त्री की पवित्रता का पूरा इंतजाम रखा था और अपनी स्वतंत्रता का पूरा इंतजाम रखा था। इसलिए स्त्री को सती होना पड़ता था, पुरुष को नहीं।

इसलिए स्त्री के कुंवारे होने पर भारी बल था, पुरुष के कुंवारे होने की कोई चिंता न थी। इसलिए अभी भी माताएं और स्त्रियां कहती हैं कि लड़के तो लड़के हैं। लेकिन लड़कियों के संबंध में हिसाब अलग है।

अगर संतति-नियमन की बात पूरी होगी--और होनी ही पड़ेगी--तो लड़कियां भी लड़कों जैसी ही हो जाएंगी, मुक्त! उनको फिर बांधने और दबाने का उपाय नहीं है। लड़कियां उपद्रव में पड़ जा सकती थीं, क्योंकि उनको गर्भ रह जा सकता था। पुरुष उपद्रव में नहीं पड़ता था, क्योंकि उसको गर्भ का कोई डर न था।

नई व्यवस्था ने लड़कियों को भी लड़कों की स्थिति में खड़ा कर दिया है।

पहली दफे स्त्री और पुरुष की समानता सिद्ध हो सकेगी। जो अब तक नहीं हो सकती थी। चाहे हम कितना ही चिल्लाते कि स्त्री और पुरुष समान हैं, वे समान नहीं हो सकते थे। क्योंकि पुरुष स्वतंत्रता बरत सकता था बिना पकड़े जाने के डर के, स्त्री स्वतंत्रता नहीं बरत सकती थी।

विज्ञान की व्यवस्था ने स्त्री को पुरुष के निकट खड़ा कर दिया। अब वे दोनों बराबर स्वतंत्र हैं। अगर पवित्रता निश्चित करनी है तो दोनों को समान निश्चित करनी पड़ेगी और अगर स्वतंत्रता तय करनी है तो दोनों समान रूप से स्वतंत्र होंगे।

बर्थ-कंट्रोल, संतति-नियमन के कृत्रिम साधन स्त्री को पहली बार पुरुष के समकक्ष बिठाते हैं। बुद्ध नहीं बिठा सके, महावीर नहीं बिठा सके, अब तक दुनिया का कोई महापुरुष नहीं बिठा सका स्त्री को बराबर।

कहा उन्होंने कि दोनों बराबर हैं। लेकिन वे बराबर हो नहीं सके, क्योंकि उनकी एनाटामी, उनकी शरीर की व्यवस्था, खास कर गर्भ की व्यवस्था कठिनाई में डाल देती थी। स्त्री कभी भी पुरुष की तरह स्वतंत्र नहीं हो सकी। आज पहली दफे स्त्री भी स्वतंत्र हो सकती है। अब इसके दो ही अर्थ होंगे : या तो स्त्री स्वतंत्र की जाए या पुरुष की अब तक की जो स्वतंत्रता थी उस पर पुनर्विचार किया जाए।

सारी नीति को बदलना पड़ेगा। इसलिए धर्मगुरु परेशान हैं। अब मनु की नीति नहीं चल सकेगी, क्योंकि सारी व्यवस्था बदल जाएगी। और इसलिए उनकी घबराहट स्वाभाविक है।

लेकिन बुद्धिमान लोगों को समझ लेना चाहिए कि उनकी घबराहट, उनकी नीति को बचाने के लिए मनुष्यता की हत्या नहीं की जा सकती। उनकी नीति जाती हो कल तो आज चली जाए, लेकिन मनुष्यता का बचना ज्यादा महत्वपूर्ण और ज्यादा जरूरी है। मनुष्य रहेगा तो हम नई नीति खोज लेंगे। और मनुष्य न रहा तो मनु की और याज्ञवल्क्य की किताबें सड़ जाएंगी और गल जाएंगी और नष्ट हो जाएंगी, उनको कोई बचा भी नहीं सकता है।

परिवार-नियोजन में मैं मनुष्य के भविष्य के लिए बड़ी क्रांति की संभावनाएं देखता हूं।

इतना ही नहीं कि आप दो बच्चों पर रोक लेंगे अपने को, बल्कि अगर परिवार-नियोजन की फिलासफी, उसका पूरा दर्शन हमारे खयाल में आ जाए तो हमें मनुष्य की पूरी नीति, पूरा धर्म, अंततः परिवार की पूरी व्यवस्था और अंतिम रूप से समाज का पूरा ढांचा बदल जाएगा। कभी छोटी चीजें सब बदल देती हैं जिनका हमें खयाल

संभोग से समाधि की ओर

नहीं होता। मैं परिवार-नियोजन और कृत्रिम साधनों के पक्ष में हूं, क्योंकि मैं अंततः जीवन को चारों तरफ से क्रांति से गुजरा हुआ देखना चाहता हूं। एक छोटी सी कहानी, अपनी बात मैं पूरी कर दूं।

चीन से एक आदमी ने, जर्मनी में एक विचारक था, उसको एक छोटी सी पेटी भेजी, लकड़ी की पेटी। बहुत खूबसूरत खुदाव था उस पेटी पर। अपने मित्र को उसने वह पेटी भेजी, एक लेखक को, और कहा कि एक ही शर्त है मेरी उसको ध्यान में रखना, इस पेटी का मुंह हमेशा पूर्व की तरफ रखना। क्योंकि यह पेटी हजार वर्ष पुरानी है और जिन-जिन लोगों के हाथ में गई है, यह शर्त उनके साथ रही है कि इसका मुंह पूर्व की तरफ रहे, यह इसे बनाने वाले की इच्छा है। अब तक पूरी की गई है, इसका ध्यान रखना।

उसके मित्र ने लिख भेजा कि चाहे कुछ भी हो, वह पेटी का मुंह पूर्व की तरफ रखेगा। इसमें कठिनाई क्या है! लेकिन पेटी इतनी खूबसूरत थी कि जब उसने अपने बैठकखाने में पेटी का मुंह पूर्व की ओर करके रखा तो देखा कि पूरा बैठकखाना बेमेल हो गया। उसे पूरे बैठकखाने को बदलना पड़ा, फिर से आयोजित करना पड़ा, सोफे बदलने पड़े, टेबलें बदलनी पड़ीं, फोटो बदलने पड़े। जब उसने सब बदल दिया तो उसे हैरानी हुई कि कमरे के जो दरवाजे-खिड़कियां थीं, वे बेमेल हो गईं। पर उसने पक्का आश्वासन दिया था, तो उसने खिड़की-दरवाजे भी बदल डाले। लेकिन वह कमरा अब पूरे मकान में बेमेल हो गया। तो उसने पूरा मकान बदल दिया। आश्वासन दिया था तो उसे पूरा करना था। तब उसने पाया कि उसका बगीचा, बाहर का दृश्य, फूल, सब बेमेल हो गए। तब उसको उन सबको बदलना पड़ा।

फिर भी उसने अपने मित्र को लिखा कि मेरा घर मेरी बस्ती में बेमेल हुआ जा रहा है, इसलिए मैं बड़ी मुश्किल में पड़ गया हूं, अपने घर तक को बदल सकता हूं, लेकिन पूरे गांव को कैसे बदलूंगा? और गांव को बदलूंगा तो शायद वह सारी दुनिया में बेमेल हो जाए, तो बड़ी मुश्किल हो जाएगी।

यह घटना बताती है कि एक छोटी सी बदलाहट अंततः सब चीजों को बदल देती है।

धर्मगुरु का डरना ठीक है, वह डरा हुआ है। वह डरा हुआ है, उसके कारण हैं। उसे अचेतन में यह बोध हो रहा है कि अगर संतति-नियमन और परिवार-नियोजन की व्यवस्था आ गई तो अब तक की परिवार की धारणा, नीति, सब बदल जाएगी।

और मैं क्यों पक्ष में हूं? क्योंकि मैं चाहता हूं कि वह जितनी जल्दी बदले, उतना अच्छा है। आदमी ने बहुत दुख झेल लिया पुरानी व्यवस्था से, उसे नई व्यवस्था खोजनी चाहिए। जरूरी नहीं कि नई व्यवस्था सुख ही लाएगी, लेकिन कम से कम पुराना दुख तो न होगा। दुख भी होंगे तो नये होंगे। और जो नये दुख खोज सकता है, वह नये सुख भी खोज सकेगा।

असल में, नये की खोज की हिम्मत जुटानी जरूरी है। पूरे मनुष्य को नया करना है। और परिवार-नियोजन और संतति-नियमन केंद्रीय बन सकता है, क्योंकि सेक्स मनुष्य के जीवन में केंद्रीय है। हम उसकी बात करें या न करें, हम उसकी चर्चा करें या न करें, सेक्स मनुष्य के जीवन में केंद्रीय तत्व है। अगर उसमें कोई भी बदलाहट होती है, तो हमारा पूरा धर्म, पूरी नीति, सब बदल जाएगी। वे बदल जानी ही चाहिए।

मनुष्य के भोजन, निवास, भविष्य की समस्याएं ही इससे बंधी नहीं हैं, मनुष्य की आत्मा, मनुष्य की नैतिकता, मनुष्य के भविष्य का धर्म, मनुष्य के भविष्य का परमात्मा भी इस बात पर निर्भर है कि हम अपने यौन के संबंध में क्या दृष्टिकोण अख्तियार करते हैं।

प्रश्न : परिवार-नियोजन के बारे में अनेक लोग प्रश्न करते हैं कि परिवार-नियोजन द्वारा अपने बच्चों की संख्या कम करना धर्म के खिलाफ है। क्योंकि उनका कहना है कि बच्चे तो ईश्वर की देन हैं, और खिलाने वाला परमात्मा है। हम कौन हैं? हम तो सिर्फ जरिया हैं, इंस्ट्रूमेंट हैं। हम तो सिर्फ बीच में इंस्ट्रूमेंट हैं, जिसके जरिए ईश्वर खिलाता है। देने वाला वह, करने वाला वह, कराने वाला वह, फिर हम क्यों रोक डालें? अगर हमको ईश्वर.ने दस बच्चे दिए तो दसों को खिलाने का प्रबंध भी वही करेगा। इस संबंध में आपके क्या विचार हैं?

सबसे पहले तो धर्म क्या है, इस संबंध में थोड़ी सी बात समझ लेनी चाहिए।

धर्म है मनुष्य को अधिकतम आनंद, मंगल और सुख देने की कला।मनुष्य कैसे अधिकतम रूप से मंगल को उपलब्ध हो, इसका विज्ञान ही धर्म है।

तो धर्म ऐसी किसी बात की सलाह नहीं दे सकता, जिससे मनुष्य के जीवन में सुख की कमी हो। परमात्मा भी वह नहीं चाह सकता जिससे कि मनुष्य का दुख बढ़े। परमात्मा भी चाहेगा कि मनुष्य का आनंद बढ़े। लेकिन परमात्मा मनुष्य को परतंत्र भी नहीं करता। क्यों? क्योंकि परतंत्रता भी दुख है। इसलिए परमात्मा ने मनुष्य को पूरी तरह स्वतंत्र छोड़ा है। और स्वतंत्रता में अनिवार्य रूप से यह भी

सम्मिलित है कि मनुष्य चाहे तो अपने लिए दुख निर्माण कर ले, तो भी परमात्मा रोकेगा नहीं।

हम अपना दुख भी बना सकते हैं और सुख भी। हम आनंदमय हो सकते हैं और परेशान भी। यह सारी स्वतंत्रता मनुष्य को है। इसलिए यदि हम दुखी होते हैं तो परमात्मा जिम्मेवार नहीं है। उस दुख के कारण हमें खोजने पड़ेंगे और बदलने पड़ेंगे।

मनुष्य ने दुख के कारण बदलने में बहुत विकास किया है। एक बड़ा दुख था जगत में कि मृत्यु की दर बहुत ज्यादा थी। दस बच्चे पैदा होते थे तो नौ बच्चे मर जाते थे। यह इतने दुख की घटना थी जिसका कोई हिसाब नहीं था। शायद मां-बाप के लिए इससे दुखद कोई घटना न थी। खुद का मरना भी शायद इतना दुखद न होगा जितना दस बच्चे पैदा हों और नौ बच्चे मर जाएं। तो मां-बाप बच्चों के जन्म की करीब-करीब खुशी ही नहीं मना पाते थे, मरने का दुख मनाते ही जिंदगी बीत जाती थी।

तो मनुष्य ने निरंतर खोज की और अब यह हालत आ गई है कि दस बच्चों में से नौ बच्चे बच सकते हैं; और कल दस बच्चे भी बचाए जा सकेंगे। दस बच्चों में से नौ बच्चे मरते थे, तो एक आदमी को अगर तीन बच्चे बचाना हो तो कम से कम औसतन तीस बच्चे पैदा करने होते थे। जब तीस बच्चे पैदा होते थे तो तीन बच्चे बचते थे। अब मनुष्य ने खोज कर ली है नियमों की और वह इस जगह पहुंच गया कि दस बच्चों में से नौ जिंदा रहेंगे, दस भी जिंदा रह सकते हैं। लेकिन आदत उसकी पुरानी पड़ी हुई है--तीस बच्चे पैदा करने की।

आज परिवार-नियोजन जो कह रहा है ः दो या तीन बच्चे बस! यह कोई नई बात नहीं है। इतने बच्चे तब भी थे। इससे ज्यादा तो कभी होते ही नहीं थे। औसत तो यही था, तीन बच्चों का। और सत्ताइस बच्चे मरते थे। फिर सत्ताइस बच्चों के मरने पर तीन बच्चों के होने का सुख भी समाप्त हो जाता था। तो हमने व्यवस्था कर ली कि हमने मृत्यु-दर को कम कर लिया। वह भी हमने परमात्मा के नियमों को खोज कर किया। वे नियम भी कोई आदमी के बनाए नियम नहीं हैं। अगर बच्चे मर जाते थे तो वे भी हमारे नियम की नासमझी के कारण मरते थे। हमने नियम खोज लिए हैं, बच्चे ज्यादा बचा लेते हैं। बच्चे जब हम ज्यादा बचा लेते हैं तो सवाल खड़ा हुआ कि इतने बच्चों के लिए इस पृथ्वी पर सुख की व्यवस्था हम कर पाएंगे? इतने बच्चों के लिए सुख की व्यवस्था इस पृथ्वी पर नहीं की जा सकती।

बुद्ध के समय में हिंदुस्तान की आबादी दो करोड़ थी, आज हिंदुस्तान की आबादी

पचास करोड़ के ऊपर है। जहां दो करोड़ लोग खुशहाल हो सकते थे, वहां पचास करोड़ लोग कीड़े-मकोड़ों की तरह मरने लगेंगे और परेशान होने लगेंगे; क्योंकि जमीन नहीं बढ़ती, जमीन के उत्पादन की क्षमता नहीं बढ़ती। आज पृथ्वी पर साढ़े तीन अरब लोग हैं। यह संख्या इतनी ज्यादा है कि पृथ्वी संपन्न नहीं हो सकती। इतनी संख्या के होते हुए भी हमने मृत्यु-दर रोक ली है। उस वक्त हमने न कहा कि भगवान चाहता है कि दस बच्चे पैदा हों और नौ मर जाएं। अगर हम उस वक्त कहते तो भी बात ठीक थी। उस वक्त हम राजी हो गए। लेकिन अब हम कहते हैं कि हम बच्चे पैदा करेंगे, क्योंकि भगवान दस बच्चे देता है। यह तर्क बेईमान तर्क है। इसका भगवान से, धर्म से कोई संबंध नहीं है। जब हम दस बच्चे पैदा करते थे और नौ बच्चे मरते थे, तब भी हमें यही कहना चाहिए था कि भगवान नौ बच्चे मारता है, हम न बचाएंगे। हम दवा न करेंगे, हम इलाज न करेंगे, हम चिकित्सा की व्यवस्था न करेंगे।

चिकित्सा की व्यवस्था, इलाज, दवाएं, सबकी खोज हमने की, जो कि बिलकुल उचित ही है और इसको निश्चित ही भगवान आशीर्वाद देगा। क्योंकि भगवान बीमारी का आशीर्वाद देता हो, और इतने बच्चे पैदा हों और उनमें अधिकतम मर जाएं, इसके लिए उसका आशीर्वाद हो, ऐसी बात जो लोग करते हैं, वे धार्मिक नहीं हो सकते। वे तो भगवान को भी क्रूर, हत्यारा और बुरा सिद्ध कर देते हैं।

अगर बच्चे मरते थे तो हमारी नासमझी थी। अब हमने समझ बढ़ा ली, अब बच्चे बचेंगे। अब हमें दूसरी समझ बढ़ानी पड़ेगी कि कितने बच्चे पैदा करें। मृत्यु-दर जब हमने कम कर ली तो हमें जन्म-दर भी कम करनी पड़ेगी। अन्यथा नौ बच्चों के मरने से जितना दुख होता था, दस बच्चों के बचने से उससे कई गुना ज्यादा दुख जमीन पर पैदा हो जाएगा।

आदमी स्वतंत्र है अपने दुख और सुख की खोज में।

यह आदमी की बुद्धिमत्ता पर निर्भर है कि वह कितना सुख अर्जित करे या कितना दुख अर्जित करे।

तो अब जरूरी हो गया है कि हम बच्चे कम पैदा करें, ताकि अनुपात वही रहे जो कि पृथ्वी सम्हाल सकती है।

और बड़े मजे की बात यह है कि हम भगवान का नाम लेते हैं तो यह भूल जाते हैं कि अगर भगवान बच्चे पैदा कर रहा है तो बच्चों को रोकने की जो कल्पना, जो

संभोग से समाधि की ओर

तो हमें इन दो में से कुछ एक तय करना होगा कि बीमारी भी भगवान की भेजी हुई है--मलेरिया भी, महामारी भी, प्लेग भी, अकाल भी--तब हमें इनमें मरने के लिए तैयार होना चाहिए। और अगर हम कहते हैं कि ये भगवान के भेजे नहीं हैं, हम इनसे लड़ेंगे। तो फिर हमें निर्णय लेना होगा कि फिर बच्चे भी जो हम कहते हैं, भगवान के भेजे हैं, उन पर हमें नियंत्रण करना जरूरी है।

मुझे एक घटना याद आती है।

इथोपिया में बड़ी संख्या में बच्चे मर जाते हैं। तो इथोपिया के सम्राट ने एक अमेरिकन डाक्टरों के मिशन को बुलाया और जांच-पड़ताल करवाई कि क्या कारण है। तो पता चला कि इथोपिया में जो पानी पीने की व्यवस्था है वह गंदी है। और पानी जो है वह रोगाणुओं से भरा है। और लोग सड़क के किनारे के गंदे डबरों का ही पानी पीते रहते हैं। उसी में सब मल-मूत्र भी बहता रहता है और उसका पानी पीते हैं! वही उनकी बीमारियों और मृत्यु का बड़ा कारण है। साल भर की मेहनत के बाद उनके मिशन ने रिपोर्ट दी और सम्राट को कहा कि पानी पीने की यह व्यवस्था बंद करवाइए, सड़क के किनारों के गों का पानी पीना बंद करवाइए और पानी की कोई नई वैज्ञानिक व्यवस्था करवाइए।

तो इथोपिया के सम्राट ने कहा कि मैंने समझ ली आपकी बातें और कारण भी समझ लिया; लेकिन मैं यह नहीं करूंगा। क्योंकि आज अगर हम यह इंतजाम कर लें आदमियों को बीमारी से बचाने का, तो फिर कल इन्हीं लोगों को समझाना मुश्किल होगा कि परिवार-नियोजन करो। इथोपिया के सम्राट ने कहा, यह दोहरी झंझट हम न लेंगे। पहले हम इनको यह समझाएं कि तुम गंदा पानी मत पीयो, इसमें झंझट-झगड़ा होगा। बामुश्किल बहुत खर्च करके हम इनको राजी कर पाएंगे। तब जनसंख्या बढ़ेगी। तब हम इन्हें समझाएंगे दुबारा कि तुम बच्चे कम पैदा करो। तो उसने कहा, इससे यह जो हो रहा है, वही ठीक हो रहा है।

मैं भी समझता हूं कि यदि भगवान पर छोड़ना है तो फिर इथोपिया का सम्राट ठीक कहता था, तो फिर हमें भी इसी के लिए राजी होना चाहिए। अस्पताल बंद, लोग गंदा पानी पीएं, बीमारी में रहें--फिर हम सब भगवान पर छोड़ दें--जितने जीएं, जीएं। इतना जरूर कहे देता हूं कि भगवान के हाथ में छोड़ कर इतने आदमी दुनिया में कभी न बचे थे, जितने आदमी ने अपने हाथ में लेकर बचाए। इतने आदमी भगवान के हाथ में छोड़ कर कभी न बचते।

इसलिए जब हमने विध्वंस की शक्तियों पर रोक लगा दी तो हमें सृजन की

शक्तियों पर भी रोक लगाने की तैयारी दिखानी चाहिए। और इस तैयारी में परमात्मा का कोई विरोध नहीं हो रहा है और न इसमें कोई धर्म का विरोध हो रहा है। क्योंकि धर्म है ही इसलिए कि मनुष्य अधिकतम सुखी कैसे हो, इसका इंतजाम, इसकी व्यवस्था करनी है।

प्रश्न ः एक और प्रश्न है कि परिवार-नियोजन जैसा अभी चल रहा है उसमें हम देखते हैं कि हिंदू ही उसका प्रयोग कर रहे हैं, और बाकी और धर्मों के लोग ईसाई, मुस्लिम, ये इसका कम उपयोग कर रहे हैं। तो ऐसा हो सकता है कि उनकी संख्या थोड़े वर्षों के बाद इतनी बढ़ जाए कि एक और पाकिस्तान मांग लें, और तुर्किस्तान मांग लें, और कुछ ऐसी मुश्किलें खड़ी हो जाएं। फिर पाकिस्तान या चीन है, वहां जनसंख्या पर रुकावट नहीं है, तो उसमें अधिक लोग हो जाएंगे और वे हम पर हमला करने की चेष्टा रखते हैं, तो हमारी जनसंख्या कम होने से हमारी ताकत कम हो जाए। तो इसके बारे में आपके क्या खयाल हैं ?

इस संबंध में दो-तीन बातें खयाल में रखने की हैं।

पहली बात तो यह कि आज के वैज्ञानिक युग में जनसंख्या का कम होना, शक्ति का कम होना नहीं है। हालतें उलटी हैं। हालत तो यह है कि जिस मुल्क की जनसंख्या जितनी ज्यादा है, वह टेक्नॉलाजिकल दृष्टि से कमजोर है; क्योंकि इतनी बड़ी जनसंख्या के पालन-पोषण में, व्यवस्था में उसके पास अतिरिक्त संपत्ति बचने वाली नहीं है, जिससे वह एटम बम बनाए, हाइड्रोजन बम बनाए, सुपर बम बनाए, और चांद पर जाए। जितना गरीब देश होगा, आज वह उतना ही वैज्ञानिक दृष्टि से शक्तिहीन देश होगा।

आज तो वही देश शक्ति-संपन्न होगा, जिसके पास ज्यादा संपत्ति है, ज्यादा व्यक्ति नहीं।

वह जमाना गया जब आदमी ताकतवर था, अब मशीन ताकतवर है। और मशीन उसी देश के पास अच्छी से अच्छी हो सकेगी, जिस देश के पास जितनी संपन्नता होगी। और संपन्नता उसी देश के पास ज्यादा होगी, जिसके पास प्राकृतिक साधन ज्यादा और जनसंख्या कम होगी।

तो पहली बात यह है कि आज जनसंख्या शक्ति नहीं है। और इसलिए भ्रांति में पड़ने का कोई कारण नहीं है। चीन के पास चाहे जितनी जनसंख्या हो, तो भी शक्तिशाली अमेरिका होगा। चीन के पास जितनी भी जनसंख्या हो, तो भी छोटा सा मुल्क इंग्लैंड शक्तिशाली है, और जापान जैसा मुल्क भी शक्तिशाली है। शक्ति का

संभोग से समाधि की ओर

जाओगे, हिंदू ज्यादा हो जाएंगे। वही ईसाई पादरी भी सोच रहा है, वही हिंदू पंडित भी सोच रहा है। ये सब जो सोच रहे हैं, इनकी सोचने की वजह भी अनिवार्य परिवार-नियोजन से मिट जाएगी। यदि हम परिवार-नियोजन अनिवार्य कर देते हैं, तो कोई हिंदू, मुसलमान, ईसाई का सवाल नहीं रह जाता है। मेरे लिए तो सवाल यह है कि सैकड़ों वर्षों में कुछ लोग विकसित हो गए हैं और कुछ लोग अविकसित रह गए हैं। जो अविकसित वर्ग है, वह बच्चे ज्यादा छोड़ जाए तो देश की प्रतिभा और बुद्धिमत्ता को भारी नुकसान पहुंच सकता है। बुद्धिमत्ता को भारी नुकसान पहुंच सकता है। और वह नुकसान खतरनाक सिद्ध हो सकता है। इसलिए उस दृष्टि से मैं सारे सवाल को सोचता हूं कि केवल परिवार-नियोजन ही न हो, बल्कि ऐसा लगता है कि वह अनिवार्य हो। एक भी व्यक्ति सिर्फ इसलिए न छोड़ा जा सके कि वह राजी नहीं है। और यह हमें करना ही पड़ेगा। इसे बिना किए हम इन आने वाले पचास वर्षों में जिंदा नहीं रह सकते।

शक्ति के सारे मापदंड बदल गए हैं, यह हमें ठीक से समझ लेना चाहिए।

आज शक्तिशाली वह है जो संपन्न है। और संपन्न वह है जिसके पास जनसंख्या कम है और उत्पादन के साधन ज्यादा हैं। आज मनुष्य न तो उत्पादन का साधन है, न शक्ति का साधन है। आज मनुष्य सिर्फ भोक्ता है, कंज्यूमर है। मशीन पैदा करती है, जमीन पैदा करती है, मनुष्य खा रहा है।

और धीरे-धीरे जैसे-जैसे टेक्नॉलाजी विकसित होती है, आदमी की शक्ति का सारा मूल्य समाप्त हुआ जा रहा है। आदमी न हो तो भी चल सकता है। एक लाख आदमी जिस फैक्टरी में काम करते हों, उसे एक आदमी चला सकेगा। और हिरोशिमा में एक लाख आदमी मारना हो तो उन्हें एक आदमी मार सकेगा। पुराने जमाने में तो कम से कम एक लाख आदमी ले जाने पड़ते। अब तो कोई एक आदमी जाता है और एटम बम गिरा कर उनको समाप्त कर देता है। कल यह भी हो सकता है कि एक आदमी को भी न जाना पड़े। कंप्यूटराइज्ड आदेश एक आदमी भर देगा मशीन में और काम हो जाएगा। आदमी की संख्या बिलकुल महत्वहीन हो गई है।

यह जरूरी नहीं है कि मेरी सारी बातें मान ली जाएं। इतना ही काफी है कि आप मेरी बात पर सोचें, विचार करें। अगर इस देश में सोच-विचार आ जाए तो शेष चीजें अपने आप छाया की तरह पीछे चली आएंगी।

मेरी बातें खयाल में लें और उस पर सूक्ष्मता से विचार करें, तो हो सकता है कि आपको यह बोध आ जाए कि परिवार-नियोजन की अनिवार्यता कोई साधारण बात

नहीं है जिसकी उपेक्षा की जा सके। वह जीवन की अनेक-अनेक समस्याओं की गहनतम जड़ों से संबंधित है। और उसे क्रियान्वित करने की देरी पूरी मनुष्य-जाति के लिए आत्मघात सिद्ध हो सकती है।

उन्नीस सौ सत्रह में रूस में पुराने वाद समाप्त हुए, पुराने देवी-देवता विदा हुए, तो नये देवी-देवता पैदा हो गए, नया धर्म पैदा हो गया। क्रेमलिन अब मक्का और मदीना से कम नहीं है। वह नई काशी है, जहां पूजा के फूल चढ़ाने सारी दुनिया के कम्युनिस्ट इकट्ठे होते हैं। मूर्तियां हट गईं, जीसस क्राइस्ट के चर्च मिट गए, लेकिन लेनिन की मृत देह क्रेमलिन के चौराहे पर रख दी गई है। उसकी भी पूजा चलती है!

वाद बदल जाता है, लेकिन नया वाद उसकी जगह ले लेता है।

हिप्पी समस्त वादों से विरोध है। हिप्पी के नाम से जिन युवकों को आज जाना जाता है, उनकी धारणा यह है कि मनुष्य बिना वाद के जी सकता है। न किसी धर्म की जरूरत है, न किसी शास्त्र की, न किसी सिद्धांत की, न किसी विचार-संप्रदाय, आइडियालॉजी की। क्योंकि उनकी समझ यह है कि जितना ज्यादा विचार की पकड़ होती है, जीवन उतना ही कम हो जाता है। हिप्पियों की इस बात से मैं भी अपनी सहमति जाहिर करना चाहता हूं। इन अर्थों में वे बहुत सांकेतिक हैं, सिंबालिक हैं और आने वाले भविष्य की एक सूचना देते हैं।

आज से सौ वर्ष बाद दुनिया में जो मनुष्य होगा, वह मनुष्य वादों के बाहर तो निश्चित ही चला जाएगा। वाद का इतना विरोध होने का कारण क्या है?

हिप्पियों के मन में, उन युवकों के मन में, जो समस्त वादों के विरोध में चले गए हैं, समस्त मंदिरों, समस्त चर्चों के विरोध में चले गए हैं--जाने का कारण है। और कारण है इतने दिनों का निरंतर का अनुभव। वह अनुभव यह है कि जितना ही हम मनुष्य के ऊपर वाद थोपते हैं, उतनी ही मनुष्य की आत्मा मर जाती है।

जितना बड़ा ढांचा होगा वाद का, उतनी ही भीतर की स्वतंत्रता समाप्त हो जाती है।

इसलिए यह कहा जा सकता है कि हममें से बहुत से लोग मर तो बहुत पहले जाते हैं, दफनाए बहुत बाद में जाते हैं। कोई तीस साल में मर जाता है और सत्तर साल में दफनाया जाता है। हम उसी दिन अपनी स्वतंत्रता, अपना व्यक्तित्व, अपनी आत्मा खो देते हैं, जिस दिन कोई विचार का कोई ढांचा हमें सब तरफ से पकड़ लेता है।

सींकचे तो दिखाई पड़ते हैं लोहे के, कारागृह दिखाई पड़ते हैं लोहे के, लेकिन विचार के कारागृह दिखाई नहीं पड़ते! और जो कारागृह जितना कम दिखाई पड़ता है, उतना ही खतरनाक है।

अभी मैं एक नगर से विदा हुआ; बहुत से मित्र छोड़ने आए थे।जिस कंपार्टमेंट

में मैं था उसमें एक और साथी थे। उन्होंने देखा कि बहुत मित्र मुझे छोड़ने आए हैं। तो जैसे ही मैं अंदर प्रविष्ट हुआ, गाड़ी चली, उन्होंने जल्दी से मेरे पैर छुए और कहा कि महात्मा जी, नमस्कार करता हूं। बड़ा आनंद हुआ कि आप मेरे साथ होंगे। मैंने उनसे कहा कि ठीक से पता लगा लेना था कि मैं महात्मा हूं या नहीं। आपने तो जल्दी पैर छू लिए। अब अगर मैं महात्मा सिद्ध न हुआ तो पैर छूने को वापस कैसे लेंगे?

उन्होंने कहा, नहीं-नहीं, ऐसा कैसे हो सकता है, आपके कपड़े कहते हैं! मैंने कहा, अगर कपड़ों से कोई महात्मा होता तो तब तो पृथ्वी सारी की सारी कभी की महात्मा हो गई होती। उन्होंने कहा कि नहीं, इतने लोग छोड़ने आए थे! तो मैंने कहा कि किराए के आदमी इतने लोगों को छोड़ने आते हैं कि उसका कोई मतलब नहीं रहा है। वे कहने लगे, कम से कम आप हिंदू तो हैं?

उन्होंने सोचा कि न सही कोई महात्मा हों, हिंदू होंगे तो भी चलेगा। कोई ज्यादा गुनाह नहीं हुआ, पैर छू लिए। तो मैंने कहा, नहीं, हिंदू भी नहीं हूं। तो उन्होंने कहा, आप आदमी कैसे हैं? कुछ तो होंगे, मुसलमान होंगे, ईसाई होंगे! मैंने उनसे पूछा कि क्या मेरे सिर्फ आदमी होने से आपको कोई एतराज है? क्या सिर्फ आदमी होकर मैं नहीं हो सकता हूं, मुझे कुछ और होना ही पड़ेगा? उनकी बेचैनी देखने जैसी थी। कंडक्टर को बुला कर वे दूसरे कंपार्टमेंट में अपना सामान ले गए।

मैं थोड़ी देर बाद उनके पास गया और मैंने उनको कहा, आप तो कहते थे सत्संग होगा, बड़ा आनंद होगा। आप तो चले गए! क्या एक आदमी के साथ सफर करना उचित नहीं मालूम पड़ा? हिंदू के साथ सफर हो सकता था। आदमी के साथ सफर बहुत मुश्किल है।

आज पश्चिम में जिन युवकों ने हिप्पियों का नाम ले रखा है, उनकी पहली बगावत यह है कि वे कहते हैं कि हम सीधे आदमी की तरह जीएंगे। न हम हिंदू होंगे, न हम कम्युनिस्ट होंगे, न हम सोशलिस्ट होंगे, न हम ईसाई होंगे। हम सीधे निपट आदमी की तरह जीने की कोशिश करेंगे। निपट आदमी की तरह जीने की जो भी कोशिश है, वह मुझे तो बहुत प्रीतिकर है।

और मेरी समझ में जीसस भी निपट आदमी की तरह जीए--बुद्ध भी, महावीर भी। इसलिए अभी एक वक्तव्य में जब मैंने कहा कि जीसस, बुद्ध, महावीर और कृष्ण, इन सबको हिप्पियों के लंबे इतिहास में जोड़ लिया जाना चाहिए, तो कुछ लोगों को बहुत हैरानी हुई।

हिप्पी नाम तो नया है, लेकिन घटना बहुत पुरानी है। मनुष्य के इतिहास में

संभोग से समाधि की ओर

और गाली देने का मन होता है, तो वह आपसे आकर कहेगा पास में बैठ कर कि मुझे आप पर बहुत क्रोध आ रहा है और मैं आपको दो गाली देना चाहता हूं।

मैं समझता हूं कि यह बड़ा मानवीय गुण है। और वह क्षमा मांगने नहीं आएगा पीछे, जब तक उसे लगे न। क्योंकि वह कहेगा, गाली देने का मेरा मन था, मैंने गाली दी; और अब जो भी फल हो उसे लेने के लिए मैं तैयार हूं। लेकिन गाली भीतर, ऊपर मुस्कुराहट, इस बात को वह इनकार कर रहा है।लेकिन हमारी स्थिति यह है कि भीतर कुछ है, बाहर कुछ। भीतर एक नरक छिपाए हुए हैं हम, बाहर हम कुछ और हो गए हैं। एक-एक आदमी एक जीता-जागता झूठ है।

हिप्पी का दूसरा सूत्र यह है कि हम जैसे हैं, वैसे हैं। हम कुछ भी रुकावट न करेंगे, छिपावट न करेंगे।

मेरे एक मित्र हिप्पियों के एक छोटे से गांव में जाकर कुछ दिन तक रहे, तो मुझसे बोले कि बहुत बेचैनी होती है वहां। क्योंकि वहां सारे मुखौटे उखड़ जाते हैं। वहां बजाय एक युवक एक युवती के पास आकर कविताएं कहे, प्रेम की और बातें करे हजार तरह की, वह उससे सीधा ही आकर निवेदन कर देगा कि मैं आपको भोगना चाहता हूं। वह कहेगा कि इतने सारे जाल के पीछे इरादा तो वही है, तो उस इरादे को हम सीधा कह देते हैं। उस इरादे के लिए इतने जाल बनाने की कोई जरूरत नहीं है। वह कह सकता है एक लड़की को जाकर कि मैं तुम्हारे साथ बिस्तर पर सोना चाहता हूं।

बहुत घबराने वाली बात लगेगी! लेकिन सारी बातचीत और सारी कविता और सारे संगीत और सारी प्रेम-चर्चा के बाद यही घटना अगर घटने वाली है, तो हिप्पी कहता है कि इसे सीधा ही निवेदन कर देना उचित है। किसी को धोखा तो न हो! वह लड़की अगर न चाहती हो सोना, तो कह तो सकती है कि क्षमा करो।

एक जाल सभ्यता ने खड़ा किया है, जिसने आदमी को बिलकुल ही झूठी इकाई बना दिया है।

अब एक पति है, वह अपनी पत्नी से रोज कहे जा रहा है कि मैं तुम्हें प्रेम करता हूं। और भीतर जानता है कि यह मैं क्यों कह रहा हूं। एक पत्नी है, वह अपने पति से रोज कहे जा रही है कि मैं तुम्हारे बिना एक क्षण नहीं जी सकती। और उसी पति के साथ एक क्षण जीना मुश्किल हुआ जा रहा है।

बाप बेटे से कुछ कह रहा है। बाप बेटे से कह रहा है कि मैं तुम्हें इसलिए पढ़ा रहा हूं कि मैं तुझे बहुत प्रेम करता हूं। और वह पढ़ा इसलिए रहा है कि बाप अपढ़ रह

गया है। और उसके अहंकार की चोट घाव बन गई है। वह अपने बेटे को पढ़ा कर अपने अहंकार की पूर्ति कर लेना चाहता है। बेटे के कंधे पर रख कर अहंकार की बंदूक चलाना चाह रहा है। लेकिन वह कह यह रहा है कि मैं तुझे प्रेम करता हूं इसलिए पढ़ा रहा हूं! बाप नहीं पहुंच पाया मिनिस्टरी तक, वह बेटे को पहुंचाना चाहता है। पर वह कहता है, बेटे को मैं बहुत प्रेम करता हूं इसलिए। लेकिन उसे पता नहीं है कि बेटे को मिनिस्टरी तक पहुंचाना बेटे को नरक तक पहुंचा देना है। अगर प्रेम है तो कम से कम बाप एक बात तो न चाहेगा कि बेटा राजनीतिज्ञ हो जाए।

सब माताएं कह रही हैं कि बेटों से प्रेम करती हैं, लेकिन प्रेम का कुछ पता नहीं। सब बाप कह रहे हैं कि बेटों से प्रेम करते हैं! सब पति कह रहे हैं, सब पत्नियां कह रही हैं! सारी पृथ्वी पर साढ़े तीन अरब आदमी एक-दूसरे से कह रहे हैं कि हम तुम्हें प्रेम करते हैं और हर दस वर्ष में युद्ध की जरूरत पड़ती है जिसमें दस-पांच करोड़ लोगों को मारना पड़ता है! और रोज कहीं वियतनाम, कहीं कोरिया, कहीं कश्मीर में युद्ध जारी है।

सारी दुनिया प्रेम कर रही है, लेकिन प्रेम का कोई विस्फोट कभी नहीं होता है! सारी दुनिया प्रेम कर रही है और जब भी विस्फोट होता है तो घृणा का होता है।हिप्पी कहता है, जरूर हमारा प्रेम कहीं धोखे का है। कर रहे हैं घृणा, कह रहे हैं प्रेम।

मैं एक स्त्री को कहता हूं कि मैं तुझे प्रेम करता हूं और मेरी स्त्री जरा पड़ोस के आदमी की तरफ गौर से देख ले तो सारा प्रेम विदा हो गया और तलवार खिंच गई। कैसा प्रेम है! अगर मैं इस स्त्री को प्रेम करता हूं तो ईर्ष्यालु नहीं हो सकता। प्रेम में ईर्ष्या की कहां जगह है? लेकिन जिनको भी हम प्रेम करते हैं, वे सिर्फ एक-दूसरे के पहरेदार बन जाते हैं, और कुछ भी नहीं; और एक-दूसरे के लिए ईर्ष्या का आधार खोज लेते हैं; जलते हैं, जलाते हैं, परेशान करते हैं।

हिप्पी यह कह रहा है कि बहुत हो चुकी यह बेईमानी। अब हम तो जैसे हैं, वैसे हैं। अगर प्रेम है तो कह देंगे कि प्रेम है और जिस दिन प्रेम चुक जाएगा उस दिन निवेदन कर देंगे कि प्रेम चुक गया। अब झूठी बातों में पड़ने की कोई जरूरत नहीं है, मैं जाता हूं।

लेकिन पुराने प्रेम की धारणा कहती है कि प्रेम होता है तो फिर कभी नहीं मिटता, शाश्वत होता है। हिप्पी कहता है, होता होगा। अगर होगा तो कह दूंगा कि शाश्वत है, टिका है। नहीं होगा तो कह दूंगा कि नहीं है।

एक जाल है जो सभ्यता ने विकसित किया था। उस जाल में आदमी की गर्दन

ऐसे फंस गई है, जैसे फांसी लग गई हो। उस जाल से बगावत है हिप्पी की।

दूसरा सूत्र है हिप्पी का : सहज जीवन। जैसे हैं, हैं।

लेकिन सहज होना बहुत कठिन बात है। सहज होना सच में ही बहुत कठिन बात है, क्योंकि हम इतने असहज हो गए हैं और इतनी हमने यात्रा कर ली है अभिनय की, कि वहां लौट जाना जहां हमारी सच्चाई प्रकट हो जाए, बहुत मुश्किल है।

डाक्टर पर्ल्स एक मनोवैज्ञानिक है, जो हिप्पियों का गुरु कहा जा सकता है। एक महिला गई थी वहां। मैंने उससे कहा था कि जरूर उस पहाड़ी पर हो आना, दो-चार दिन रुक आना। तो जब वह पर्ल्स के पास गई और वहां का सारा हिसाब देखा, वह तो बहुत घबड़ा गई। बहुत घबड़ा गई, क्योंकि वहां सहज जीवन सूत्र है। सारे लोग बैठे हैं और एक आदमी नंगा चला आएगा हॉल में और आकर बैठ जाएगा। अगर उसको नंगा होना ठीक लग रहा है तो यह उसकी मर्जी है। इसमें किसी को कुछ लेना-देना नहीं है। न कोई हॉल में चीखेगा, न कोई चिल्लाएगा, न कोई गौर से देखेगा। उसे जैसा ठीक लग रहा है, उसे वैसा करने देना है।

और जो लोग पर्ल्स के पास महीने भर रह आते हैं, उनकी जिंदगी में कुछ नये फूल खिल जाते हैं। क्योंकि पहली दफा वे हलके, पक्षियों की तरह जी पाते हैं--पौधों की तरह, या जैसे आकाश में कभी चील को उड़ते देखा हो--पंख भी नहीं चलाती, पंख भी बंद हो जाते हैं, बस हवा में तैरती रहती है। उस पहाड़ी पर पर्ल्स के पास भी व्यक्ति हवा में तैर रहे हैं। एक आदमी बाहर नाच रहा है। कोई गीत गा रहा है तो गीत गा रहा है। कोई रो रहा है तो रो रहा है। कोई रुकावट नहीं है।

लेकिन हमने तो आदमी को सब तरह से रोक रखा है। बच्चे को निर्देश देने से शुरू हो जाती है कहानी। हमारी सारी शिक्षा 'डू नाट' से शुरू हो जाती है। और हर बच्चे के दिमाग में हम ज्यादा से ज्यादा 'यह मत करो', थोपते चले जाते हैं। अंततः करने की सारी क्षमता, सृजन की सारी क्षमता, 'न करने' के इस जाल में लुप्त हो जाती है। या तो वह आदमी चोरी से शुरू कर देता है जो-जो हमने रोका था कि मत करो। और या फिर भीतर परेशानी में पड़ जाता है।

दो ही रास्ते हैं : या तो पाखंडी हो जाए, या पागल हो जाए।

अगर भीतर लड़ा और अगर सिंसियर होगा, ईमानदार होगा, तो पागल हो जाएगा। अगर होशियार हुआ, चालाक हुआ, कनिंग हुआ, तो पाखंडी हो जाएगा। एक दरवाजा मकान के पीछे से बना लेगा, जहां से करने की दुनिया रहेगी, एक

दरवाजा बाहर का रहेगा जहां 'न करने' के सारे टेन कमांडमेंट्स लिखे हुए हैं। वहां वह सदा ऐसा खड़ा होगा कि यह मैं नहीं करता हूं। और करने की अलग दुनिया बना लेगा।

मनुष्य को खंडित, स्कीजोफ्रेनिक बनाने में, मनुष्य के मन को खंड-खंड करने में सभ्यता की 'न करने' की शिक्षा ने बड़ा काम किया है।

हिप्पी कह रहा है कि जो हमें करना है, वह हम करेंगे। और उसके लिए जो भी हमें भोगना है, हम भोग लेंगे। लेकिन एक बात हम न करेंगे कि करें कुछ और दिखाएं कुछ। यह बड़ी गहरी बगावत है।

हालांकि सदा से साधु-संतों ने कहा था कि बाहर और भीतर एक जैसा होना चाहिए। हिप्पी भी यही कहते हैं। लेकिन एक बुनियादी फर्क है। साधु-संत कहते हैं कि बाहर और भीतर एक होना चाहिए, तब उनका मतलब है : बाहर जैसे हो वैसे ही भीतर होना चाहिए। हिप्पी जब कहता है कि बाहर-भीतर एक होना चाहिए, तो वह कहता है कि भीतर जैसे हो वैसे ही बाहर भी होना चाहिए। इन दोनों में फर्क है।

साधु-संत जब कहते हैं कि बाहर जैसे हो वैसे ही भीतर होना चाहिए, तो वे कहते हैं कि वह भीतर का दरवाजा बंद करो। हिप्पी जब कहता है कि बाहर-भीतर एक होना चाहिए, तो वह कहता है, बाहर जो दस निषेध आज्ञाओं, टेन कमांडमेंट्स की तख्ती लगी है, उसको उखाड़ कर फेंक दो। और जैसे भी हो, वैसे हो जाओ। अगर चोर हो तो चोर, अगर बेईमान हो तो बेईमान, क्रोधी हो तो क्रोधी। बड़ा खतरा तो यह है कि क्रोधी अभिनय कर रहा है अक्रोध का, हिंसक अभिनय कर रहा है अहिंसक का, कामी अभिनय कर रहा है ब्रह्मचर्य का। और पुरानी सारी संस्कृतियां अभिनय को बड़ी कीमत देती हैं और कुशल अभिनेता की बड़ी पूजा करती हैं।

हिप्पी कह रहा है कि हम अभिनय की पूजा नहीं करते, हम जीवन के पूजक हैं। हिप्पी यह कह रहा है कि झूठे ब्रह्मचर्य से सच्चा यौन भी अर्थपूर्ण है। झूठे ब्रह्मचर्य में भी वह सुगंध नहीं है, जो सच्चे यौन में हो सकती है। सच्चे ब्रह्मचर्य की तो बात ही दूसरी है। उसकी सुगंध का हमें क्या पता है? लेकिन सच्चा यौन न हो तो सच्चे ब्रह्मचर्य की कोई संभावना ही नहीं है। अभी हिप्पी यह नहीं कह रहे हैं; लेकिन शीघ्र ही जानेंगे तो कहेंगे। अभी तो वे यही कह रहे हैं कि जो जैसा है, वैसा प्रकट करेंगे। हम अगर पशु हैं तो स्वीकृत है कि हम पशु हैं और हम पशु की भांति ही जीएंगे।

तीसरी बात, जब मैं सोचता हूं तो मुझे लगता है कि अगर खोज की जाए तो ईसाइयों की कहानी के अदम और ईव हिप्पियों के आदि पुरुष कहे जाने चाहिए।

क्योंकि अदम और ईव को ईश्वर ने कहा था कि तुम ज्ञान के वृक्ष का फल मत चखना। उन्होंने बगावत कर दी और जिस वृक्ष का फल नहीं चखने को कहा था, उसी का फल चख लिया और वे ईडन के बगीचे से बहिष्कृत कर दिए गए।

तीसरा सूत्र है हिप्पी का : विद्रोह, इनकार का साहस। एक तो कनफरमिस्ट की जिंदगी है, हां-हुजूर की, यस सर की। वह जो भी कह रहा है, हां कह रहा है। वह सदा हां-हुजूर कहने के लिए तैयार है। उसने चाहे बात भी ठीक से नहीं सुनी है, लेकिन हां-हुजूर कहे जा रहा है। उसे पता भी नहीं कि वह किस चीज में हां भर रहा है, लेकिन वह हां भरे चला जा रहा है। एक गुर, एक सीक्रेट उसे पता चल गया है कि जिंदगी में जीना हो तो सब चीज में हां कहे चले जाओ।

हिप्पी कह रहा है, जब तक हम समाज की हर चीज में हां कह रहे हैं, तब तक व्यक्तित्व का जन्म नहीं होता। व्यक्तित्व का जन्म होता है नो सेइंग से, न कहना शुरू करने से।

असल में, मनुष्य की आत्मा ही तब पैदा होती है, जब कोई आदमी नो, 'नहीं' कहने की हिम्मत जुटा लेता है--

जब कोई कह सकता है 'नहीं', चाहे दांव पर पूरी जिंदगी लग जाती हो। और जब एक बार आदमी 'नहीं' कहना शुरू कर दे, 'नहीं' कहना सीख ले, तब पहली दफा उसके भीतर इस 'नहीं' कहने के कारण, डिनायल के कारण व्यक्तित्व का जन्म शुरू होता है। यह 'न' की जो रेखा है, उसको व्यक्ति बनाती है। 'हां' की रेखा उसको समूह का अंग बना देती है। इसलिए समूह सदा से आज्ञाकारिता पर जोर देता है।

बाप अपने गोबर-गणेश बेटे को कहेगा कि आज्ञाकारी है। क्योंकि गोबर-गणेश बेटे से 'न' निकलती ही नहीं। असल में, 'न' निकलने के लिए थोड़ी बुद्धि चाहिए। 'हां' निकलने के लिए बुद्धि की कोई जरूरत नहीं है। 'हां' तो कंप्यूटराइज्ड है, वह तो बुद्धि जितनी कम होगी उतनी जल्दी निकलती है। 'न' तो सोच-विचार मांगता है। 'न' तो तर्क, आर्ग्युमेंट मांगता है। 'न' जब कहेंगे तो पच्चीस बार सोचना पड़ता है। क्योंकि 'न' कहने पर बात खतम नहीं होती, शुरू होती है। 'हां' कहने पर बात खतम हो जाती है, शुरू नहीं होती।

बुद्धिमान बेटा होगा तो बाप को ठीक नहीं लगेगा, क्योंकि बुद्धिमान बेटा बहुत बार बाप को भी निर्बुद्धि सिद्ध कर देगा। बहुत क्षणों में बाप को भी लगेगा कि मैं भी निर्बुद्धि मालूम पड़ रहा हूं। बड़ी चोट है अहंकार को। वह कठिनाई में डाल देगी।

इसलिए हजारों साल से बाप, पीढ़ी, समाज 'हां' कहने की आदत डलवा रहा

है। उसको वह अनुशासन कहे, आज्ञाकारिता कहे, और कुछ नाम दे, लेकिन प्रयोजन एक है, और वह यह है कि विद्रोह नहीं होना चाहिए, बगावती चित्त नहीं होना चाहिए।

हिप्पियों का तीसरा सूत्र है कि अगर चित्त ही चाहिए हो तो सिर्फ बगावती ही हो सकता है। अगर चित्त ही न चाहिए हो, तब बात दूसरी। अगर आत्मा चाहिए हो तो वह रिबेलियस ही होगी। अगर आत्मा ही न चाहिए हो, तो बात दूसरी।

कनफरमिस्ट के पास कोई आत्मा नहीं होती।

यह ऐसा ही है, जैसे एक पत्थर पड़ा है सड़क के किनारे। सड़क के किनारे पड़ा हुआ पत्थर मूर्ति नहीं बनता है। मूर्ति तो तब बनता है, जब छैनी और हथौड़ी उस पर चोट करती और काटती है। जब कोई आदमी 'न' कहता है और बगावत करता है, तो सारे प्राणों पर छैनी और हथौड़ियां पड़ने लगती हैं। सब तरफ से मूर्ति निखरनी शुरू होती है। लेकिन जब कोई पत्थर कह देता है 'हां', तो छैनी-हथौड़ी नहीं होती वहां पैदा। वह फिर पत्थर ही रह जाता है सड़क के किनारे पड़ा हुआ।

लेकिन समस्त सत्ताधिकारियों को--चाहे वे पिता हों, चाहे शिक्षक हों, चाहे मां-बाप हों, चाहे बड़े भाई हों, चाहे राजनेता हों--समस्त सत्ताधिकारियों को हां-हुजूरों की जमात चाहिए।

हिप्पी कहते हैं, इससे हम इनकार करेंगे। हमें जो ठीक लगेगा, वैसा हम जीएंगे। निश्चित ही तकलीफ है। और इसलिए हिप्पी भी एक तरह का संन्यासी है। असल में, संन्यासी कभी एक दिन एक तरह का हिप्पी ही था, उसने भी इनकार किया था, अ-नागरिक था, समाज छोड़ कर भाग रहा था।

जैसे महावीर नग्न खड़े हो गए। महावीर जिस दिन बिहार में नग्न खड़े हुए होंगे, उस दिन मैं नहीं समझता कि पुरानी जमात ने स्वीकार किया हो इस आदमी को। यहां तक बात चली कि अब महावीर को मानने वालों के दो हिस्से हैं। एक तो कहता है कि वस्त्र पहनते थे, लेकिन वे अदृश्य वस्त्र थे, दिखाई नहीं पड़ते थे! यह पुराना कनफरमिस्ट जो होगा, उसने आखिर महावीर को भी वस्त्र पहना दिए, लेकिन ऐसे वस्त्र जो दिखाई नहीं पड़ते! इसलिए कुछ लोगों को भूल हुई कि वे नंगे थे। वे नंगे नहीं थे, वस्त्र पहनते थे।

जीसस, बुद्ध या महावीर जैसे लोग सभी बगावती हैं। असल में, मनुष्य-जाति के इतिहास में जिनके नाम भी गौरव से लिए जा सकें, वे सब बगावती हैं।

और कृष्ण से बड़ा महा-हिप्पी खोजना तो असंभव ही है। इसलिए कृष्ण को

संभोग से समाधि की ओर

मानने वाला कृष्ण को काट-काट कर स्वीकार करता है। अगर सूरदास के पास जाएं तो वे कृष्ण को बच्चे से ऊपर बढ़ने ही नहीं देते। क्योंकि बच्चे के ऊपर बढ़ कर वह जो उपद्रव करेगा, वह सूरदास की पकड़ के बाहर है। तो बाल कृष्ण को ही वे स्वीकार कर सकते हैं, छोटे बच्चे को! तब उसकी चोरी भी निर्दोष हो जाती है। लेकिन सूरदास सोच ही नहीं सकते कि उनका कृष्ण रास रचा रहा है, गोपियों से प्रेम कर रहा है और नहाती हुई स्त्रियों के कपड़े लेकर वृक्ष पर चढ़ गया है। फिर पुराना कनफरमिस्ट जब आएगा व्याख्या करने, तो वह कहेगा, वे गोपियां नहीं हैं। गोपी का मतलब होता है इंद्रियां। तो इंद्रियों को निरावरण करके वे वृक्ष पर चढ़ गए हैं, किसी स्त्री को निरावरण करके नहीं।

कनफरमिस्ट बार-बार लौट कर विद्रोही को भी अपने कैंप में खड़ा कर लेता है। इसलिए जीसस को सूली देनी पड़ती है, लेकिन दो-चार सौ वर्ष बाद जीसस भी उसी कतार में सम्मिलित हो जाते हैं। अब कभी हमने नहीं सोचा कि जीसस को सूली देने का कारण क्या था?

जीसस को सूली देने के कारण बड़े अजीब थे। बड़े से बड़े कारणों में से एक तो यह था कि वे गैर-पारंपरिक, नॉन-कनफरमिस्ट थे। वे अंध-स्वीकारी नहीं थे। वे इनकार करने वाले व्यक्ति थे। लोगों ने कहा, वह मेग्दलीन वेश्या है, उसके घर में मत ठहरो। तो जीसस ने कहा, मैं भी अगर वेश्या के घर में नहीं ठहरूंगा तो फिर कौन ठहरेगा?

इसलिए जान कर हैरानी होगी कि जिस दिन जीसस को सूली हुई, उस सूली के पास न तो जीसस का कोई अनुयायी था, न कोई शिष्य था। उस सूली के पास जीसस के बुद्धिमान शिष्यों में से कोई भी न था। जीसस के पास सिर्फ दो औरतें थीं। एक तो वही वेश्या थी, जो उनकी फांसी का भी एक कारण थी। सूली से जिसने लाश को उतारा है, वह मेग्दलीन थी।

तो जीसस को स्वीकार करना, उस समाज के लिए असंभव रहा होगा। इसलिए जीसस को जब सूली दी तो दो चोरों के बीच में सूली दी। दो तरफ दो चोर लटकाए, बीच में जीसस को लटकाया। और जनता में से लोगों ने यह भी चिल्ला कर कहा कि इन चोरों को क्यों मार रहे हो, लेकिन किसी ने यह न कहा कि जीसस को क्यों मार रहे हो!

यह आदमी फिर करोड़ों लोगों का मसीहा हो गया! फिर हम व्याख्या कर लेते हैं। फिर हम इंतजाम कर लेते हैं। फिर हम सब साफ-सुथरा कर लेते हैं।

बगावत आत्मा का जन्म है।

हिप्पी विद्रोह को जी रहा है।

इस संबंध में एक बात और मुझे कह देने जैसी है कि हिप्पी क्रांतिकारी, रेवोल्यूशनरी नहीं है; विद्रोही, रिबेलियस है। क्रांतिकारी नहीं है; बगावती है, विद्रोही है।

और क्रांति और बगावत के फर्क को थोड़ा समझ लेना उपयोगी है। असल में, हजारों साल में कितनी ही क्रांतियां हो चुकीं, लेकिन सब क्रांतियां असफल हो गईं। हिप्पी का कहना है, सब क्रांतियां असफल हो गईं, क्योंकि क्रांति सफल हो ही नहीं सकती है। सफल हो सकता है केवल अनियोजित विद्रोह। उन्नीस सौ सत्रह की क्रांति असफल हो गई, क्योंकि एक ज़ार को मारा और दूसरा ज़ार उसकी जगह पर बैठ गया। सिर्फ नाम बदल गया है। स्टैलिन हो गया उसका नाम। वह दूसरा ज़ार है। किसी ज़ार ने इतने आदमी न मारे थे।

स्टैलिन ने अपनी जिंदगी में एक करोड़ लोगों की हत्या की। किसी ज़ार ने अथवा सब ज़ारों ने मिल कर भी इतने आदमी नहीं मारे थे! तो बड़ी कठिन बात है कि क्रांति भी होती है तो फिर उसके ऊपर एक ज़ार बैठ जाता है। नाम बदल जाता है, झंडा बदल जाता है, बैठने वाले नहीं बदलते। वही चंगीज, वही तैमूर फिर वापस बैठ जाता है।

हिटलर सोशलिस्ट था। उसकी पार्टी का नाम था: नेशनलिस्ट सोशलिस्ट पार्टी, राष्ट्रीयवादी समाजवादी दल! किसने सोचा था कि हिटलर यह करेगा जो उसने किया।

क्रांतियां जब सफल होती हैं, तब पता चलता है कि सब व्यर्थ हो गया। जब तक सफल नहीं होतीं, तब तक तो लगता है बहुत कुछ हो रहा है। फिर एकदम व्यर्थ हो जाती हैं।

हमारे ही देश में क्रांति हुई और उन्नीस सौ सैंतालीस के बाद हमने सोचा आजादी आ जाएगी। फिर उन्नीस सौ सैंतालीस के बाद भी हम सोच ही रहे हैं कि बाइस साल हो गए, अभी तक आई नहीं? कब आएगी? हां, एक फर्क हो गया है। सफेद चमड़ी के मालिक बदल गए, उनकी जगह काली चमड़ी के लोग बैठ गए। काली चमड़ी वालों को भी लगा कि सफेद चमड़ी होनी चाहिए। चमड़ी तो सफेद करना बहुत मुश्किल थी, कपड़े उन्होंने सफेद कर लिए। बस इतना फर्क हो गया। अंग्रेजों ने जितनी गोलियां नहीं चलाईं इस देश में, इतनी जिनको हम अपने ही आदमी कहें,

उन्होंने चलाईं। कभी अगर इतिहास पूछेगा तो वह पूछ सकेगा कि गुलाम कौम पर इतनी गोलियां नहीं चलानी पड़ीं, आजाद होने के बाद इतनी गोलियां अपने ही लोगों पर चलानी पड़ीं, यह बात क्या है ? हो क्या गया है ?

कोई क्रांति सफल नहीं हो पाई। न होने का कारण है। एक तो यह कि क्रांति के उपकरण बड़े गैर-क्रांतिकारी होते हैं, बड़े दकियानूसी होते हैं। दूसरा यह कि क्रांति वस्तुतः प्रतिक्रियात्मक, रिएक्शनरी होती है। उसके प्राण उसी में होते हैं, जिससे कि वह लड़ती है। फिर इसलिए शत्रु के मरते ही उसके होने का भी कोई कारण नहीं रह जाता है। क्रांति की सफलता ही मृत्यु बन जाती है।

हिप्पी का खयाल यह है कि क्रांति इसलिए भी सफल नहीं होती कि क्रांति पुनः समाज को ही केंद्र मान कर चलती है। वह कहती है, समाज बदले।

विद्रोह व्यक्ति को केंद्र मानता है, क्रांति समाज को केंद्र मानती है।
क्रांति कहती है, समाज बदले।

हिप्पी कहता है, भाड़ में जाए तुम्हारा पूरा समाज, मैं बदलता हूं। मैं तुम्हारे समाज के लिए नहीं रुकूंगा। मैं अकेला बदल जाता हूं। इसलिए हिप्पी व्यक्तिगत विद्रोही है।

और मेरी समझ में यह बात भी बड़ी कीमती है। क्योंकि सब क्रांतियां असफल हो गईं, फिर भी हम नई क्रांतियों की बात सोचते चले जाते हैं। असल में, क्रांति करने में जो इंतजाम करना पड़ता है, वह क्रांति की ही हत्या कर देता है।

पहले तो क्रांति करने के लिए संगठन बनाना पड़ता है। और जैसे ही संगठन बनता है तो संगठन के अपने नियम हैं। वह संगठन किसी का भी हो--जब संगठन बनता है और कोई विचार इंस्टीटयूशन बनता है, तब सब रोग वापस लौट आते हैं। जो रोग पुराने संगठन में थे, वे पुराने संगठन की वजह से न थे। संगठन के कारण कुछ रोग अनिवार्य हैं।

संगठन होगा तो कोई पद पर होगा, मालिक होगा; कोई अधिनायक, डिक्टेटर होगा, कोई आज्ञा चलाएगा। संगठन होगा तो कुछ थोड़े से लोग शक्तिशाली हो जाएंगे। संगठन होगा तो धन इकट्ठा होगा। संगठन होगा तो भीड़ इकट्ठी होगी। और ध्यान रहे, भीड़ सदा परंपरानुगत, कनफरमिस्ट है। भीड़ सदा हां-हुजूर है।

हिप्पी यह कहता है कि अब क्रांति से नहीं होगा, अब तो विद्रोह करना पड़ेगा।

विद्रोह का मतलब है कि जिसे लगता है गलत है, वह तत्काल गलत से विदा हो जाए।

उनका एक शब्द है : ड्रापिंग आउट। वे कहते हैं, रास्ते पर भीड़ चली जा रही है, हम कोई आग्रह नहीं करते कि सारी भीड़ को बदलेंगे। हमें लगता है कि गलत है यह भीड़, गलत है यह रास्ता, वी जस्ट ड्राप आउट, हम रास्ता छोड़ कर नीचे उतर जाते हैं। हम कहते हैं, नमस्कार, तुम जाओ!

यह धारणा बड़ी नई है, व्यक्तिगत विद्रोह की। बड़ी सबल भी है, क्योंकि शायद किसी क्रांतिकारी ने इतना दांव नहीं लगाया। वे कहते हैं, सब बदलेंगे। तो एक कम्युनिस्ट भी करोड़पति हो सकता है। कोई कठिनाई नहीं है। वह कहता है, जब समाज बदलेगा, जब सबकी संपत्ति बंटेगी, तो मेरी भी बंट जाएगी। लेकिन जब तक सबकी नहीं बंटी, तब तक मुझे क्यों बांटने की फिकर करना है! लेकिन हिप्पी कहता है, संपत्ति अगर रोग है, तो मैं तो बाहर हुआ जाता हूं। फिर जब समाज बदलेगा, बदलेगा। लेकिन फिर तुम मुझे जिम्मेवार न ठहरा सकोगे।

अगर वियतनाम में गलत युद्ध हो रहा है, तो क्रांतिकारी कहेगा कि आंदोलन चलाओ, हड़ताल करो, घेराव करो। हिप्पी कहता है, सब घेराव करो, सब हड़ताल करो, सब आंदोलन चलाओ। लेकिन चलाने में हिंसा चाहिए, घेराव करने में हिंसा चाहिए। और अगर जीत गए तुम किसी दिन, तो जीतते-जीतते इतने हिंसक हो जाओगे कि वियतनाम की जगह दूसरा वियतनाम तुम चला दोगे। हिप्पी कहता है कि हमको लगता है कि गलत है वियतनाम, हम युद्ध पर जाने से इनकार करते हैं। तुम हमें गोली मार दो, हम ये बैठे हैं, हम नहीं जाएंगे।

व्यक्तिगत विद्रोह! पहली दफा निपट एक व्यक्ति साहस कर रहा है कि सारा समाज गलत लगता है तो हम बाहर हो जाएं। वह यह नहीं कह रहा है कि समाज के विवाह के नियम बदलेंगे, तब हम सुधरेंगे। वह यह कह रहा है, हमने बदल दिए हैं नियम अपने लिए। अब जो तकलीफ होगी, वह हम सह लेंगे।

अब हिप्पी ऐसी लड़कियों के साथ रह रहा है जिनसे वह विवाहित नहीं है। हिप्पी लड़कियां ऐसे युवकों के साथ रह रही हैं जिनसे उनका कोई विवाह नहीं हुआ।

क्योंकि हिप्पी कहता है कि विवाह जो है, वह लीगलाइज्ड प्रॉस्टीटयूशन है। समाज के द्वारा आदेशित, लाइसेंस्ड वेश्यागिरी है।

समाज लाइसेंस देता है दो आदमियों के लिए कि अब हम तुम्हारे बीच में बाधा नहीं बनेंगे। लाइसेंस देने की कई तरकीबें हैं। कहीं सात चक्कर लगा कर लाइसेंस देता है, कहीं माला पहनवा कर देता है, कहीं दफ्तर में रजिस्टर पर दस्तखत करवा कर देता है। वे विधियां तो गैर-महत्वपूर्ण हैं, नॉन-एसेंशियल हैं। महत्वपूर्ण यह है

कि समाज एक लाइसेंस देता है कि अब इन दो आदमियों के बीच जो यौन संबंध होंगे, उनमें हम बाधा न देंगे।

हिप्पी यह कहता है कि मेरा प्रेम मेरी निजी बात है। और जिससे मेरा प्रेम है, यह दो व्यक्तियों की बात है, इसमें हमें समाज से स्वीकृति का सवाल कहां है? इसमें पूरे समाज का संबंध कहां है? यह पूरा समाज हमारे प्रेम तक पर भी काबू रखने की कोशिश क्यों करता है? यह हमें स्वतंत्र व्यक्ति बिलकुल नहीं रहने देना चाहता। प्रेम पर भी इसका काबू होना चाहिए!

लेकिन वह तकलीफें झेल रहा है। क्योंकि बच्चा हो जाएगा हिप्पी लड़की को, स्कूल में भरती करने जाएगी, तो वहां शिक्षक पूछता है, इसके बाप का नाम? तो हिप्पी लड़की लिखवाती है कि नहीं, इसका कोई बाप नहीं है, मां ही है। बड़ी तकलीफ है! जिस गांव में एक लड़की यह कह सकती हो कि इसका बाप नहीं है, सिर्फ मां है, आप अगर बिना बाप के नाम लिख सकते हों तो ठीक।

मुझे उपनिषद की एक कहानी याद आती है, सत्यकाम जाबाल की। वक्त बदल जाता है इसलिए हम कहानी को बढ़िया रूप दे देते हैं। सत्यकाम गुरु के आश्रम गया, तो पूछा, तेरे पिता का नाम क्या है? तो वह वापस लौटा, उसने अपनी मां को कहा कि मेरे पिता का नाम क्या है? तो उसकी मां ने कहा, जब मैं युवा थी और तेरा जन्म हुआ, तो बहुत लोगों की मैं सेवा करती थी। कौन तेरा पिता है, मुझे पता नहीं। तो तू जा वापस। अपने गुरु को कह देना--सत्यकाम मेरा नाम है, जाबाल मेरी मां का नाम है, इसलिए सत्यकाम जाबाल आप मुझे कह सकते हैं। और मेरी मां ने कहा है कि जब वह युवा थी तो बहुत लोगों के संपर्क में आई, पता नहीं पिता कौन है।

सत्यकाम वापस गया। उसने गुरु से कहा कि मेरी मां ने कहा है कि जब मैं युवा थी तब बहुत लोगों के संपर्क में आई, पता नहीं कि तेरा पिता कौन है। इतना ही उसने कहा कि मेरा नाम सत्यकाम है और मां का नाम जाबाल है, इसलिए आप मुझे सत्यकाम जाबाल कह सकते हैं।

मैंने तो सुना है, कोई कह रहा था कि जबलपुर जाबाल के नाम पर ही निर्मित है। पता नहीं मुझे, मुझे कोई कह रहा था, हो सकता है।

लेकिन गुरु ने कहा कि तब तुझे मैं ले लेता हूं, क्योंकि मैं मान लेता हूं कि तू निश्चित ही ब्राह्मण है। क्योंकि इतना सत्य सिर्फ ब्राह्मण ही बोल सकता है। इतना सत्य तेरी मां ने बोला कि मुझे पता नहीं, बहुत लोगों के संपर्क में आई, पता नहीं कौन पिता था। इतना सत्य सिर्फ ब्राह्मण ही बोल सकता है।

हिप्पी एक अर्थ में ब्राह्मण है। इस अर्थ में ब्राह्मण है कि जीवन का जो सत्य है, जैसा है, वह वैसा बोल रहा है, कह रहा है। ये तीन बातें।

और चौथी अंतिम बात। फिर मेरी दृष्टि क्या है हिप्पी के बाबत, वह मैं आपको कहूं। चौथी बात।

मनुष्य ने इतनी संपत्ति, इतनी सुविधा, इतनी सामग्री पैदा की है, लेकिन किसी गहरे अर्थ में मनुष्य भीतर दरिद्र हो गया है, चेतना संकुचित हो गई है।

तो हिप्पी का चौथा सूत्र है : चेतना का विस्तार, एक्सपांशन ऑफ कांशसनेस। वह यह कह रहा है कि हम अपनी चेतना को कैसे फैलाएं। तो चेतना फैलाने के लिए वह सब तरह के प्रयोग कर रहा है। गांजा, अफीम, भांग, हशीश, एल एस डी, मेस्कलीन, मारिजुआना, योग-ध्यान, वह यह सब कर रहा है कि चेतना कैसे फैले, संकुचित चेतना का विस्तार कैसे उपलब्ध हो जाए। तो केमिकल ड्रग्स का भी उपयोग कर रहा है, एल एस डी, मेस्कलीन, जिनके द्वारा थोड़ी देर के लिए चित्त नये लोक में प्रवेश कर जाता है।

कानून विरोध में है, क्योंकि कानून तो हर नई चीज के विरोध में है। क्योंकि कानून तो बनता है कभी और युग बदल जाता है। कानून तो विरोध में है। कानून तो एल एस डी को पाप मानता है। मैं नहीं समझ पा रहा हूं। एल एस डी और मेस्कलीन में बड़ी संभावनाएं हैं। इस बात की बहुत संभावनाएं हैं कि ये दोनों चीजें मनुष्य की चेतना को नये दर्शन कराने में सफल रूप से प्रयुक्त की जा सकती हैं। ऐसा मैं नहीं मानता हूं कि इनके द्वारा कोई समाधि को उपलब्ध हो जाएगा, लेकिन समाधि की एक झलक मिल सकती है। और झलक मिल जाए तो समाधि की प्यास पैदा हो जाती है। आज जो पश्चिम में योग और ध्यान के लिए इतना आकर्षण है, उसके बहुत गहरे में एल एस डी है। लाखों लोग एल एस डी लेकर देख रहे हैं।

जब कोई आदमी एल एस डी की एक टिकिया लेता है तो कई घंटों के लिए उसकी सारी दुनिया बदल जाती है। जैसे ब्लैक की कविता हम पढ़ें तो ऐसा लगता है कि ब्लैक कुछ ऐसे रंग जानता है, जो हम नहीं जानते। उसे फूल कुछ ऐसा दिखाई पड़ता है, जैसा हमें दिखाई नहीं पड़ता।

लेकिन एल एस डी लेकर हम भी वही जान पाते हैं। पत्ते-पत्ते रंगीन हो जाते हैं, फूल-फूल अदभुत हो जाता है। एक आदमी की आंख में इतनी गहराई दिखाई पड़ने लगती है, जितनी कभी नहीं दिखाई पड़ी। एक साधारण सी कुर्सी भी एक जीवंत अर्थ ले लेती है। थोड़ी देर के लिए जगत और ढंग का दिखाई पड़ने लगता है। जैसे

संभोग से समाधि की ओर

कि बिजली चमक जाए अंधेरी रात में, और एक सेकेंड को वृक्ष दिखाई पड़े, फूल दिखाई पड़े, रास्ता दिखाई पड़े। बिजली तो गई तो फिर अंधेरा भर गया, लेकिन अब हम वही आदमी नहीं हो सकते जो बिजली के पहले थे।

इन साइकेडेलिक ड्रग्स का, इन रासायनिक तत्वों का हिप्पी बड़े पैमाने पर प्रयोग कर रहे हैं। मेरी समझ में सोमरस इससे भिन्न बात न थी। अल्डुअस हक्सले ने तो एक किताब लिखी है। तो उसमें सन दो हजार वर्ष के बाद जो विकसित साइकेडेलिक ड्रग, रासायनिक द्रव्य होगा उसका नाम ही सोमा दिया है, सोमरस के आधार पर ही।

और एल एस डी और मेस्कलीन जिन्होंने लिया है तो पहली दफा उनको खयाल आया कि वैदिक ऋषियों को देवी-देवता एकदम जमीन पर चलते-फिरते नजर क्यों आते थे। वे हमको भी आ सकते हैं। भांग में कुछ थोड़ी सी बात है, बहुत ज्यादा नहीं, बहुत थोड़ी। लेकिन भांग के पीछे थोड़ा सा हैंग ओवर होता है। एल एस डी का कोई हैंग ओवर नहीं है। गांजे में कुछ थोड़ी बात है, लेकिन बहुत ज्यादा नहीं। हजारों साल से साधु भांग, गांजा, अफीम का उपयोग करते रहे हैं। वह अकारण नहीं है। और इधर जितनी खोज होती है, उससे कुछ हैरानी के तथ्य सामने आते हैं।

अगर एक आदमी बहुत देर तक उपवास करे, तो भी शरीर में जो फर्क होते हैं वे केमिकल हैं। अब ऊपर से देखने में लगता है कि महावीर तो गांजे के बिलकुल खिलाफ हैं। लेकिन उपवास के बहुत पक्ष में हैं। हालांकि उपवास से भी तीस दिन भूखा रहने से शरीर में जो फर्क होंगे वे केमिकल हैं। कोई फर्क नहीं है।

प्राणायाम से भी जो फर्क होते हैं वे केमिकल हैं। अगर एक आदमी विशेष विधि से श्वास लेता है तो आक्सीजन की मात्रा के अंतर पड़ने शुरू हो जाते हैं। ज्यादा आक्सीजन कुछ तत्वों को जला देती है, कुछ तत्वों को बचा लेती है। भीतर जो फर्क होते हैं वे केमिकल हैं।

हिप्पी यह कह रहा है कि अब तक की जितनी साधना पद्धतियां हैं, वे किसी न किसी रूप में केमिकल फर्क ही ला रही हैं। तो केमिकल फर्क एक गोली से भी लाया जा सकता है।

चौथा जो हिप्पी का जोर है, जिसकी वजह से वह परेशानी में पड़ा हुआ है, वह इन ड्रग्स के कारण है। कानून इनके खिलाफ है। कानून उन्होंने बनाया था जिनको एल एस डी का कुछ भी पता नहीं था।

डाक्टर लियरी एक अदभुत आदमी हैं इस दिशा में, जिस आदमी ने इधर बहुत

काम किया कि ड्रग्स कैसे मनुष्य को समाधि तक पहुंचा सकते हैं।

और जिन लोगों ने एक बार इस तरह का प्रयोग किया है, वे आदमी और ही तरह के हो गए, उनकी जिंदगी और ही तरह की हो जाती है। जैसे हम जीते हैं एक तनाव में, जैसे ही कोई इस तरह के ड्रग्स लेता है तो सारा मन रिलैक्स्ड, विश्रामपूर्ण हो जाता है। जीते हैं फिर आप-- तनाव में नहीं, अभी और यहां। हिप्पीज का जो शब्द है उसके लिए, वह है: टघनग ऑन। कोई एक टर्न है, मोड़ है, दरवाजा है, जो एक गोली देने से आपके लिए खुल जाता है। जैसे ड्रापिंग ऑफ, रास्ते के किनारे उतर जाना; ऐसे ही टघनग ऑन, जहां हम हैं वहां से कहीं और मुड़ जाना--उस दुनिया में, उस आयाम, उस डायमेंशन में जिसका हमें कोई पता नहीं है। रासायनिक प्रयोग के द्वारा मनुष्य की चेतना विस्तीर्ण हो सकती है और सौंदर्यबोध, एस्थेटिक से भर सकती है।

इस दिशा में डाक्टर लियरी बड़े गहरे प्रयोग कर रहे हैं। छोटी-छोटी उनकी जमातें बनी हुई हैं--जंगलों में, पहाड़ों में, गांवों के बाहर। पुलिस उनका पीछा कर रही है, उन्हें उखाड़ रही है।

केवल अमेरिका में दो लाख हिप्पी हैं। और यह तो ठीक गणना की संख्या है। लेकिन बहुत से लोग जो पीरियाडिकल, सावधिक हिप्पी हो जाते हैं--कोई दो-चार महीने के लिए--फिर वापस दुनिया में लौट आते हैं, उनकी संख्या भी बड़ी है। बहुत से सेंटर्स हैं, जहां बैठ कर इन सबका प्रयोग चल रहा है। जहां बिलकुल ही ठीक साइंटिफिक निरीक्षण में लोग एल एस डी और ये सारी चीजें ले रहे हैं।

अल्डुअस हक्सले ने एक किताब लिखी है: डोर्स ऑफ परसेप्शन। उस किताब में उसने कहा है कि कबीर और नानक को जो हुआ, मैं अब जानता हूं कि क्या हुआ।

एल एस डी लेने के बाद हक्सले को लगता है कि क्या हुआ! क्योंकि जिस तरह की बातें वे कह रहे हैं कि अनहद नाद बज रहा है और अमृत की वर्षा हो रही है और आकाश में बादल ही बादल घिरे हैं और अमृत ही अमृत बरस रहा है और कबीर नाच रहे हैं। अब यह जो हम कविता में पढ़ कर समझने की कोशिश करते हैं, लेकिन न तो कभी कोई बादल दिखाई पड़ते हैं जिनमें अमृत भरा हो, न कभी अमृत बरसता दिखाई पड़ता है, न कोई अनहद नाद सुनाई पड़ता है।

लेकिन एल एस डी लेने पर ऐसी ध्वनियां सुनाई पड़नी शुरू होती हैं, जो कभी नहीं सुनी गईं। और ऐसी बरखा शुरू हो जाती है, जो कभी नहीं हुई। और इतना मन

हलका और नया हो जाता है, जैसा कभी न था।

चौथी बात हिप्पीज को जो नवीनतम है वह है : एक्सपांशन ऑफ कांशसनेस थ्रू ड्रग्स, रासायनिक द्रव्यों द्वारा चेतना का विस्तार। ये चार सूत्र मैं मौलिक मानता हूं।

मेरी क्या प्रतिक्रिया है, वह मैं संक्षेप में कहूं।

हिप्पियों ने छोटी-छोटी कम्यून बना रखी हैं। वे कम्यून वैकल्पिक समाज, आल्टरनेट सोसायटी हैं। वे कहते हैं, एक समाज तुम्हारा है हां-हुजूरों का, वियतनाम में लड़ने वालों का, कश्मीर किसका है यह दावा करने वालों का। और एक हमारा है, जिनका कोई दावा नहीं है, जिनका वियतनाम में किसी से कोई संघर्ष नहीं, कश्मीर में जिनका कोई झगड़ा नहीं, राजधानियों में जाने की जिनकी कोई इच्छा नहीं।

एक समाज तुम्हारा है, जिसमें तुम कहते हो कि भविष्य में सब कुछ होगा। एक हमारा है जो कहते हैं, अभी और यहीं जो होना है वह हो। एक आल्टरनेट सोसायटी, एक वैकल्पिक समाज है हिप्पियों का। तो इस समाज से जो ऊब गए, घबड़ा गए, परेशान हो गए, वे उस समाज में प्रवेश कर जाते हैं।

हिप्पी अभी और यहीं--सदा आनंद में है। जो कहता है इसी वक्त आनंद में हूं और कल की चिंता नहीं करता।

हिप्पियों के विद्रोह के संबंध में मेरी पहली दृष्टि तो यह है--पीछे से शुरू करूं, साइकेडेलिक ड्रग्स से--निश्चय ही रासायनिक तत्वों के द्वारा झलक पाई जा सकती है, लेकिन सिर्फ झलक, अवस्था नहीं।

महावीर या कबीर या बुद्ध के पास जो है, वह अवस्था है, झलक नहीं।

लेकिन झलक भी कीमती चीज है। झलक को अवस्था समझ लेना भूल है। तो हिप्पियों से यहां मेरा फर्क है। वे झलक को अवस्था समझ रहे हैं! झलक सिर्फ झलक है। और झलक किसी गोली पर निर्भर है। वह व्यक्ति को रूपांतरित, ट्रांसफार्म नहीं कर पाती। गोली के असर के बाद आदमी वही का वही होता है।

लेकिन बुद्ध दूसरे आदमी हैं। उस अनुभव के बाद वे दूसरे आदमी हैं। सत्य की, ब्रह्म की, आत्मा की, मोक्ष की, निर्वाण की प्रतीति के बाद आदमी दूसरा आदमी है, पहला आदमी मर गया। यह दूसरा जन्म हुआ उसका, वह द्विज हुआ। यह दूसरा ही आदमी है। यह वही आदमी नहीं है।

लेकिन ड्रग्स के द्वारा जो झलक मिलती है, वह झलक ही है, अवस्था नहीं है। हिप्पी इतना तो ठीक कहते हैं कि यह झलक कीमती है। और जिन्हें नहीं मिली उन्हें

मिल जाए तो शायद वे अनुभव, अवस्था की भी तलाश करें।

जैसे यहां मैं बैठा हूं। लंदन मैं नहीं गया हूं, न्यूयार्क मैं नहीं गया हूं। लेकिन एक फिल्म यहां बनाई जा सकती है, जिसमें मैं लंदन को देख लूं। लेकिन यह मेरा लंदन में होना नहीं है। हालांकि फिल्म को देख कर लंदन में होने का खयाल पैदा हो सकता है। एक यात्रा शुरू हो सकती है।

ड्रग्स यात्रा के पहले बिंदु पर उपयोगी हो सकते हैं, इससे मैं हिप्पियों से राजी हूं। और हिप्पी विरोधियों के विरोध में हूं, जो कहते हैं कि ड्रग्स का कोई उपयोग नहीं, कोई अर्थ नहीं। दूसरी बात में मैं हिप्पी विरोधियों से राजी हूं, क्योंकि यह अवस्था नहीं है। और हिप्पियों के विरोध में हूं, क्योंकि उन्होंने अगर झलक को अवस्था समझा और बाहर से आरोपित, फोर्स्ड केमिकल प्रभाव को उन्होंने समझा कि मेरी आत्मा नई हो गई, तो वे निश्चित ही भूल में पड़े जा रहे हैं। शराबी सदा से इसी भूल में है। इस भूल के मैं विरोध में हूं। लेकिन यह मुझे लगता है कि आने वाले मनुष्य के लिए साइकेडेलिक ड्रग्स का बहुत कीमती उपयोग किया जा सकता है।

दूसरी बात। हिप्पी क्रांति के विरोध में हैं, विद्रोह के पक्ष में हैं। लेकिन मजा यह है कि जितने हिप्पी गए छोड़ कर समाज को, उनका भी पैटर्न, ढांचा बन गया है। अगर आप बाल काट कर हिप्पियों में पहुंच जाएं, तो हिप्पी आपको ऐसे गुस्से से देखेंगे, जैसे गुस्से से बाल बढ़े आदमी को समाज देखता है! अगर आप हिप्पी समाज में कहें कि मैं रोज स्नान करूंगा, तो आप उसी क्रोध से देखे जाएंगे, जिस तरह से किसी ब्राह्मण के घर में ठहरा हूं और कहूं कि आज स्नान न करूंगा। ऐसा यह जो विद्रोह है, वह विद्रोह रिएक्शनरी, प्रतिक्रियात्मक है।

हिप्पी स्नान नहीं करता। महावीर को मानने वाले मुनियों को बड़ा प्रसन्न हो जाना चाहिए। वे भी स्नान नहीं करते। हिप्पी गंदगी को ओढ़ता है। क्योंकि वह कहता है, जैसा मैं हूं, हूं। अगर मेरे पसीने में बदबू आती है, तो मैं सुगंध, परफ्यूम न डालूंगा। आने दो पसीने में बदबू। पसीने में बदबू है, यह बिलकुल ठीक है। लेकिन यह प्रतिक्रिया अगर है तो खतरनाक है। माना कि पसीने में बदबू है, लेकिन परफ्यूम से बदबू मिटाई जा सकती है। और दूसरे आदमी को बदबू झेलने के लिए मजबूर करना, दूसरे की सीमाओं का अनधिकृत अतिक्रमण, ट्रेसपास है। मेरे पसीने में बदबू है, मैं मजे से अपने पसीने में रहूं। लेकिन जब भी दूसरा आदमी मेरे पड़ोस में है, तो उसको भी मेरी बदबू झेलने के लिए मजबूर करना, तो हिंसा शुरू हो गई। यानी उसकी स्वतंत्रता में बाधा डालना शुरू हो गया।

एक घटना मैंने कहीं सुनी है कि रवींद्रनाथ के पास गांधीजी मेहमान थे। सांझ को जा रहे थे दोनों घूमने। तो रवींद्रनाथ ने कहा, मैं जरा तैयार हो लूं। पर उन्हें तैयार होने में बहुत देर लगी। गांधीजी को तैयार होने की बात में ही हैरानी थी। फिर देर होते देख उन्होंने झांक कर भीतर देखा, तो पाया कि रवींद्रनाथ आदमकद आईने के सामने खड़े स्वयं को सजाने में लीन हैं! गांधीजी ने कहा, यह क्या कर रहे हैं? और इस उम्र में! तो कवि ने कहा, जब उम्र कम थी, तब तो बिना सजे भी चल जाता था, अब नहीं चलता है। और मैं किसी को कुरूप दिखूं तो लगता है कि उसके साथ हिंसा कर रहा हूं।

मैं मानता हूं कि रिएक्शनरी कभी भी ठीक अर्थों में रिबेलियस नहीं हो पाता है। प्रतिक्रियावादी, जो सिर्फ प्रतिक्रिया कर रहा है, वह समाज से उलटा हो जाता है। तुम ऐसे कपड़े पहनते हो, हम ऐसे पहनेंगे। तुम स्वच्छता से रहते हो, हम गंदगी से रहेंगे। तुम ऐसे हो, हम उलटे चले जाएंगे। लेकिन उलटा जाना विद्रोह नहीं है, प्रतिक्रिया है। मैं मानता हूं, विद्रोह की बड़ी कीमत है। लेकिन हिप्पी प्रतिक्रिया में पड़ गया है। प्रतिक्रिया की कोई कीमत नहीं है।

विद्रोह तो एक मूल्य है, लेकिन प्रतिक्रिया एक रोग है।

और ध्यान रहे, प्रतिक्रियावादी हमेशा उससे बंधा रहता है, जिसकी वह प्रतिक्रिया कर रहा है। अब ऐसा जरूरी नहीं है कि एक आदमी नंगा आकर इस कमरे में बैठे तो वह सहज ही हो। यह भी हो सकता है कि वह सिर्फ कपड़े पहनने वाले लोगों की प्रतिक्रिया में इधर नंगा आकर बैठ गया हो, सहज बिलकुल न हो। सहजता का तो मूल्य है, लेकिन सहजता कपड़े पहनने में हो ही नहीं सकती, ऐसा कौन कह सकता है? प्रतिक्रिया पकड़ रही है।

प्रतिक्रिया के परिणाम खतरनाक हैं। और प्रतिक्रिया ज्यादा स्थायी नहीं होती, सिर्फ संक्रमण की बात होती है। इसलिए धीरे-धीरे प्रतिक्रिया भी सेटल, व्यवस्थित होती जा रही है। हिप्पियों का भी एक समाज बन गया, उसके भी नियम और कानून बन गए। उनकी भी आर्थोडाक्सी बन गई है! उनका भी पुरोहित, पंडित, नेता, सब हो गया है! वहां भी आप जाएं तो आप जैसे हैं, वे आपको बेचैनी देना शुरू कर देंगे।

अभी मैं एक घटना पढ़ रहा था। एक अमेरिकन पत्रकार महिला हिप्पियों का अध्ययन करने बहुत से समाजों में गई। वह एक समाज में गई है, वहां भोजन चल रहा है हिप्पियों का, तो उन्होंने चम्मचें नहीं ली हैं। हिंदुस्तान में क्या करेंगे? अगर हिप्पी आएं तो बड़ा मुश्किल पड़ेगा। अमेरिका में तो हाथ से खाना बगावत है।

हिंदुस्तान में चम्मच से खाना भी बगावत हो सकता है।

हाथ से ही भोजन खा रहे हैं वे! हाथ से खाने की आदत भी नहीं है, तो सब गंदे हाथ हो गए हैं। और इकट्ठा भोजन रखा हुआ है, वह सब गंदा हो गया है! और इस तरह भोजन खा रहे हैं! अब यह जो महिला पत्रकार है यह अपनी चम्मच उठाती है, तो किसी ने उसकी चम्मच छीन ली और उसका हाथ भोजन में डाल दिया है। अब वह बहुत घबड़ा गई है। लेकिन वहां यही नियम है! अगर वह महिला हां भरती है, तो मैं कहता हूं, अब वह महिला फिर कनफरमिस्ट हो गई है। उसे इनकार करना चाहिए। लेकिन वहां इनकार करना मुश्किल है।

वहां एक हिप्पी ने एक स्त्री का ब्लाउज फाड़ डाला है। उसके ऊपर उसने सब खाना डाल दिया है और उसके शरीर से चाट रहा है।

अब ये सब प्रतिक्रियाएं हो गईं। यह पागलपन हो गया। हां, किसी प्रेम के क्षण में किसी स्त्री के शरीर का स्वाद भी अर्थपूर्ण हो सकता है। वह अनिवार्यतः अनर्थ नहीं है। लेकिन बस किसी क्षण में। लेकिन किसी स्त्री के शरीर पर शोरबा डाल कर उसे चाट कर तो वे सिर्फ मुंह दिखा रहे हैं तुम्हारे समाज को। वे यह कह रहे हैं कि क्या तुम समझते हो हमें!

गिंसबर्ग हिप्पी कवि है। एक छोटी सी पोएट्स गैदरिंग, कवि-सम्मेलन में बोल रहा है। साहस पर कोई कविता बोल रहा है। और उसमें अश्लील शब्दों का प्रयोग कर रहा है। एक आदमी ने खड़े होकर कहा कि इसमें कौन सा साहस है--इस गाली-गलौज का उपयोग करने में? तो गिंसबर्ग ने उत्तर में कहा, फिर साहस देखोगे? असली साहस दिखलाएं? उस आदमी ने कहा, दिखलाओ! तो उसने पैंट खोल दिया और वह नंगा खड़ा हो गया! और उसने उस आदमी से कहा कि तुम भी नंगे खड़े हो जाओ, अगर साहसी हो तो। लेकिन नंगे खड़े होने में कौन सा साहस है? नंगे खड़े होने में साहस है, ऐसा कहने वाला आदमी नंगा खड़ा होने से डरा हुआ होना चाहिए। अन्यथा साहस दिखाना न पड़े!

मेरे एक शिक्षक थे हाईस्कूल में। उनको जब भी मौका मिल जाए, वे अपनी बहादुरी की बात कहे बिना नहीं रहते थे--कि मैं अकेला ही मरघट चला जाता हूं! अंधेरी रात में, और बिलकुल अकेले! मैंने एक दिन उनसे कहा कि आप ऐसी बातें न किया करें। लड़कों को शक होता है कि आप कुछ डरपोक आदमी हैं। इन बातों को क्या बहादुर आदमी कभी कहेगा? मैं अकेला ही अंधेरी रात में चला जाता हूं! यह तो सिर्फ भयभीत आदमी ही कह सकता है। जिसको भय नहीं है, उसको पता ही

नहीं चलता कि कब अंधेरी रात है और कब सूरज निकला। वह बस चला जाता है और हिसाब नहीं रखता!

पीछे गिंसबर्ग मुझे कभी मिले तो उससे मैं कहना चाहूंगा कि तुमने बहादुरी नहीं बताई, तुमने सिर्फ मुंह बिचकाया। वह आदमी कपड़े पहने हुए है, तुमने कपड़े निकाल दिए, कुछ बहादुरी न हो गई। और इससे उलटा भी हो सकता है कि कल पांच सौ आदमी नंगे बैठे हों और मैं कपड़े पहने पहुंच जाऊं। और मैं कहूं कि मैं बहादुर हूं, क्योंकि मैं कपड़े पहने हूं। तब भी कोई कठिनाई नहीं है।

मैंने एक घटना सुनी है--नैतिक साहस, मॉरल करेज की। मैंने सुना है, एक स्कूल में एक पादरी नैतिक साहस, मॉरल करेज क्या है, यह समझा रहा है। उसने कहा कि तीस बच्चे पिकनिक पर गए हैं। वे दिन भर में थक गए, फिर सांझ को आकर उन्होंने भोजन किया। उनतीस बच्चे तो तत्काल अपने बिस्तर में चले गए। एक बच्चा ठंडी रात, थका-मांदा, उसके बाद भी घुटने टेक कर उसने प्रार्थना की। उस पादरी ने कहा, इस बच्चे में मॉरल करेज है, इसमें नैतिक साहस है। रात कह रही है सो जाओ, ठंड कह रही है सो जाओ, थकान कह रही है सो जाओ। उनतीस लड़के कंबलों के भीतर हो गए हैं और एक लड़का बैठ कर रात की आखिरी प्रार्थना कर रहा है।

महीने भर बाद वह वापस लौटा। उसने कहा, नैतिक साहस पर मैंने तुम्हें कुछ सिखाया था। तुम्हें कुछ याद हो तो मुझे तुम कुछ घटना बताओ। एक लड़के ने कहा, मैं भी आपको एक काल्पनिक घटना बताता हूं। आप जैसे तीस पादरी पिकनिक पर गए। दिन भर के थके, भूखे-प्यासे वापस लौटे। उनतीस पादरी प्रार्थना करने लगे, एक पादरी कंबल ओढ़ कर सो गया। तो हम उसको नैतिक साहस कहते हैं। जहां उनतीस पादरी प्रार्थना कर रहे हों और एक-एक की आंखें कह रही हों कि नरक जाओगे, अगर प्रार्थना न की! वहां एक पादरी कंबल ओढ़ कर सो जाता है।

लेकिन नैतिक साहस का क्या मतलब इतना ही है कि जो सब कर रहे हों, उससे विपरीत करना नैतिक साहस हो जाएगा? सिर्फ विपरीत होना साहस हो जाएगा? नहीं, विपरीत होने से साहस नहीं हो जाता। विपरीत होना जरूरी रूप से सही होना नहीं है।

और अक्सर तो यह होता है कि गलत के विपरीत जब कोई होता है, तब दूसरी गलती करता है, और कुछ भी नहीं करता। अक्सर दो गलतियों के बीच में वह जगह होती है जहां सही होता है। एक गलती से आदमी पेंडुलम की तरह दूसरी गलती पर

चला जाता है। बीच में ठहरना बड़ा मुश्किल होता है।

मुझे लगता है, हिप्पी जिसे विद्रोह कह रहे हैं वह विद्रोह तो है, होना चाहिए वैसा विद्रोह, लेकिन वह प्रतिक्रिया ज्यादा है। और प्रतिक्रिया से मेरा विरोध है।

एक रिबेलियस, विद्रोही आदमी बहुत और तरह का आदमी है। एक विद्रोही आदमी इसलिए 'नहीं' नहीं कहता कि 'नहीं' कहना चाहिए। अगर 'नहीं' कहना चाहिए, इसलिए कोई 'नहीं' कहता है, तो यह हां-हुजूरी है। इसमें कोई फर्क न हुआ। वह 'नहीं' इसलिए कहता है कि उसे लगता है कि 'नहीं' कहना उचित है। और अगर उसे लगता है कि 'हां' कहना उचित है, तो दस हजार 'नहीं' कहने वालों के बीच में भी वह 'हां' कहेगा। यानी वह सोचेगा।

मेरा कहना यह है कि विद्रोह अनिवार्य रूप से विवेक है और प्रतिक्रिया अविवेक है।

तो हिप्पी विद्रोह की बात करके प्रतिक्रिया की तरफ चला जाता है। वहां सब बातें व्यर्थ हो जाती हैं।

दूसरी बात मैंने कही कि हिप्पी कह रहा है : सहज जीवन। लेकिन सहज जीवन क्या है ? जो मेरे लिए सहज है, वह जरूरी नहीं है कि आपके लिए भी सहज हो। जो आपके लिए सहज है, वह मेरे लिए जरूरी नहीं है कि सहज हो। जो एक के लिए जहर हो, वह दूसरे के लिए अमृत हो सकता है। असल में, एक-एक व्यक्ति का अपना-अपना होने का यही अर्थ है। लेकिन हिप्पी कह रहा है कि सहज जीवन, और सहज जीवन के भी नियम बनाए ले रहा है! वह कह रहा है कि सहज जीवन यही है--जहां पाखाना किया है, उसी के बगल में बैठ कर खाना खा लो!

हमारे मुल्क ने भी परमहंस पैदा किए हैं। उनका भी सहज जीवन यही था कि पाखाना पड़ा है, वहीं बैठ कर खाना खा लेते। लेकिन एक के लिए यह सहज हो सकता है। और दूसरे के लिए यह बहुत असहज हो सकता है कि पाखाना पड़ा हो वहां और वह खाना खाए।

सहज जीवन का कोई नियम नहीं हो सकता।

लेकिन हिप्पियों ने भी नियम बना लिए हैं--कितने लंबे बाल होना चाहिए! किस कट का कोट होना चाहिए! किस छींट की कमीज होनी चाहिए! पैंट की मोहरी कितनी संकरी होनी चाहिए! जूते कैसे होने चाहिए, चाल कैसी होनी चाहिए! गले में हिंदुस्तान की एक रुद्राक्ष की माला भी होनी चाहिए! उसके भी नियम, उसकी भी सारी व्यवस्था हो गई है! असल में, आदमी कुछ ऐसा है कि वह व्यवस्था के बाहर

हो ही नहीं पाता। इधर से व्यवस्था तोड़ता है, उधर से व्यवस्था बना लेता है। यहां मैं हिप्पियों से राजी नहीं हूं।

मैं मानता हूं कि एक सहज दुनिया सब तरह के लोगों को स्वीकार करेगी। यानी वह इस आदमी को भी स्वीकार करेगी, जिसको हम समझते हों कि सहज नहीं है। लेकिन उसके लिए वह सहज होना हो सकता है। सबका स्वीकार ही सहजता का आधार बन सकता है।

लेकिन हिप्पी के लिए सब स्वीकार नहीं है। वह दूसरों को ऐसे ही देखता है, जैसे कि दूसरे उसको देखते हैं--कंडेमनेशन से, निंदा की नजर से। दूसरे लोगों को वह कहता है ः स्कायर, चौखटे लोग। वह स्वयं भर स्कायर नहीं है। बाकी जितने लोग हैं वे चौखटे हैं--जो दफ्तर जा रहे हैं, स्कूल में पढ़ा रहे हैं, दुकान कर रहे हैं, पति हैं, पिता हैं। लेकिन किसी के लिए पति होना उतना ही सहज हो सकता है, जितना किसी के लिए प्रेमी होना। और किसी के लिए एक ही स्त्री जीवन भर के लिए सहज हो सकती है, जितना किसी अन्य का स्त्री को बदल लेना। लेकिन हिप्पी यदि कहे कि स्त्री का बदलना ही सहज है, तब फिर दूसरी अति पर वही भूल शुरू हो गई। इसलिए मैं इस सूत्र में भी उनसे राजी नहीं हूं। मैं राजी हूं कि प्रत्येक व्यक्ति का अंगीकार होना जरूरी है।

और अंतिम बात। जब कोई वादों को भी जान कर और चेष्टा से विरोध करता है, तब चाहे वह कितना ही कहे कि वाद नहीं है, वाद बनना शुरू हो जाता है। जिसको हम अ-कविता कहते हैं, वह भी कविता ही बन जाती है। जिसको जापान में अ-नाटक, नो ड्रामा कहा जाता है, वह भी ड्रामा है। और जिसको हम अ-वाद कहते हैं, वह भी नये तरह का वाद हो जाता है। असल में, मनुष्य जब तक वाद का विरोध भी करेगा तो भी वाद निर्मित हो जाएगा। अगर अ-वादी किसी को होना है तो उसे तो मौन ही होना पड़ेगा। उसे वाद के विरोध का भी उपाय नहीं है। इसलिए अ-वादी तो दुनिया में सिर्फ वे ही लोग थे, जो चुप ही रह गए। क्योंकि बोले तो वाद बन जाए।

अब नागार्जुन है, वह सारे वादों का खंडन करता है। कोई उससे पूछे कि तुम्हारा वाद क्या है? तो वह कहता है, मेरा कोई वाद नहीं है। वह सबका खंडन करता है और उसका अपना कोई वाद नहीं है। लेकिन तब सबका खंडन करना भी वाद बन सकता है।

असल में, एंटी-फिलासफी भी फिलासफी ही है। नॉन-फिलासफिक होना

बहुत मुश्किल है; एंटी-फिलासफिक होना बहुत आसान है। दर्शन के विरोध में होने में कठिनाई नहीं है; क्योंकि एक दर्शन फिर विकसित हो जाएगा जो दर्शन का विरोध करेगा। लेकिन नॉन-फिलासफिक होना--दर्शन के ऊपर चले जाना, बियांड, पार चले जाना--तो सिर्फ मिस्टिक के लिए संभव है, रहस्यवादी के लिए संभव है, संत के लिए संभव है। जो कहता है : सत्य के, सिद्धांत के, वाद के पार। इतना ही नहीं, वह कहता है : बुद्धि के पार, विचार के पार, मन के पार, जहां मैं ही नहीं हूं वहां। जब सबके पार जो शेष रह जाता है, वही है। लेकिन उसे तो कैसे कहें? अभी हिप्पी वहां नहीं पहुंचा, लेकिन कभी पहुंच सकता है।

फिर हिप्पी बड़ी जमात है। उसमें वर्ग भी हैं। अगर हमें रास्ते में एक पीत वस्त्रधारी भिक्षु मिल जाए तो उसे देख कर बुद्ध को नहीं तौलना चाहिए। काशी में जो हिप्पी भीख मांग रहा है सड़क पर, उसे देख कर डाक्टर तिमोती लियरी को या डाक्टर पर्ल्स को नहीं तौलना चाहिए। वे बड़े अदभुत लोग हैं। लेकिन सभी वर्ग के लोग इकट्ठे हो जाते हैं।

हिप्पियों का एक श्रेष्ठ वर्ग निश्चित ही पार जा रहा है। और इस बात की संभावना है कि पश्चिम में मिस्टिसिज्म का जन्म, हिप्पियों का जो श्रेष्ठतम वर्ग है, उससे पैदा होगा। एक नये वैज्ञानिक युग में भी, बुद्धि को आग्रह करने वाले युग में भी, बुद्धि-अतीत की ओर इशारा करने वाला एक वर्ग पैदा होगा।

लेकिन यह दो-चार हिप्पियों की बात है। बाकी जो बड़ा समूह है, वह भीड़-भाड़ है। वह सिर्फ घर से भागे हुए छोकरों का समूह है। कोई पढ़ना नहीं चाहता है। कोई बाप से क्रोध में है। कोई किसी लड़की से विवाह करना चाहता है। कोई गांजा पीना चाहता है। कोई कैसे भी रहना चाहता है। कोई सुबह दस बजे तक सोना चाहता है। इन सारे लोगों का समूह है। इसलिए मैं दो बातें अंत में कह दूं।

एक यह कि हिप्पी में जो श्रेष्ठतम फूल हैं, उनसे तो मुझे आशा बंधती है कि उनसे एक नये तरह के मिस्टिसिज्म, एक नये तरह के रहस्य का जन्म होगा।

लेकिन हिप्पियों में जो नीचे का वर्ग है, उनसे कोई आशा नहीं बंधती। वे सिर्फ घर-भगोड़े हैं। हिप्पी शब्द भी हिप से ही बनता है, अर्थात पीठ दिखा कर भाग जाने वाले। ऐसे भगोड़े थोड़े दिन में वापस भी लौट जाते हैं। वे घर लौट जाएंगे ही।

इसलिए आपको पैंतीस साल से ऊपर का हिप्पी मुश्किल से मिलेगा, नीचे का ही मिलेगा। अधिकतर तो टीन एजर्स, उन्नीस वर्ष के भीतर के हैं। क्योंकि जैसे ही उनको एक बच्चा हुआ और प्रेम हो गया एक स्त्री से कि घर बनाने का सवाल शुरू

हो जाता है। फिर उन्हें नौकरी चाहिए। फिर वे वापस लौट आते हैं स्कायर लोगों की दुनिया में, चौखटे लोगों की दुनिया में वे फिर वापस आ जाते हैं। फिर किसी दफ्तर में नौकरी। फिर घर है, फिर गृहस्थी है, फिर सब चलने लगता है।

लेकिन ऐसा मैं जरूर सोचता हूं कि हिप्पियों ने एक सवाल खड़ा किया है सारी मनुष्य संस्कृति पर और उस सवाल के उत्तर में भविष्य के लिए बड़े संकेत हो सकते हैं। इसलिए सोचने योग्य है हमारे लिए बहुत। हिंदुस्तान तो अभी हिप्पी नहीं पैदा कर सकता।

गरीब कौम हिप्पी पैदा नहीं करती। समृद्धि ही हिप्पी पैदा करती है।

गौतम बुद्ध राजा के बेटे हैं। महावीर राजा के बेटे हैं। जैनियों के सब तीर्थंकर राजाओं के बेटे हैं। राम, कृष्ण, सब राजाओं के बेटे हैं। जहां सब मिल जाता है, वहां से बगावती और आगे जाने वाला आदमी पैदा होता है।

हिप्पी का अभी यहां भारत में सवाल नहीं है। अभी हम हिप्पी भी पैदा करेंगे तो वह सिर्फ बाल बढ़ाने वाला आदमी होगा और कुछ भी नहीं। उसको कहो कि एक आदमी दस हजार रुपये दे रहा है लड़की की शादी के लिए, तो वह कहेगा, फिर घोड़ा कहां है?

गरीब कौम हिप्पी पैदा नहीं कर सकती, समृद्ध कौम ही कर सकती है। असल में, इसका मतलब यह हुआ कि वी कैन नाट अफोर्ड--यह हमारे लिए महंगा सौदा है। यह दुखद है। यह सुखद नहीं है। हम अभी हिप्पी पैदा नहीं कर सकते, यह बड़े दुख की बात है। हम गरीब हैं बहुत। अभी हम उस जगह नहीं हैं, जहां कि हमारे लड़के कुछ भी न करें, तो जी सकें।

अगर दो लाख आदमी बिना कुछ किए जी रहे हैं, तो उसका मतलब है कि समाज समृद्ध, एफल्युएंट है, समाज में बहुत पैसा है। एक हिप्पी है, वह दो दिन काम कर आता है गांव में, और महीने भर के लिए कमा लेता है। वह अट्ठाइस दिन पड़ा रहता है एक वृक्ष के नीचे, ढोल बजाता रहता है, हरि-भजन करता रहता है, हरि-कीर्तन करता रहता है।

गरीब कौम ऐसा विद्रोह नहीं पैदा कर सकती। लेकिन सदा के लिए तो हम गरीब नहीं रहेंगे। इसलिए जब छात्रों ने आकर कहा कि हिप्पियों पर कुछ कहें, तो मैंने कहा अच्छा है, आज नहीं कल हिप्पी हम भी तो पैदा करेंगे ही। तो उसके पहले साफ हो जाना चाहिए कि हिप्पी यानी क्या?

वैसे इस देश ने अपनी समृद्धि के दिनों में बहुत तरह के हिप्पी पैदा किए,

जिनका पश्चिम को कुछ पता भी नहीं। गिंसबर्ग जब काशी आया तो एक संन्यासी से उसको मिलाने ले गए। उस संन्यासी से जब कहा गया कि गिंसबर्ग हिप्पी है, तो वह संन्यासी खूब हंसा और उसने कहा, तुम तो सिर्फ हिप्पी हो, हम महा हिप्पी हैं। हम काशीवासी हैं। और काशी है नामी महा हिप्पी भगवान शंकर की भूमि। शंकर जैसे परम स्वतंत्र व्यक्तित्व भारत ने कभी पैदा किए थे। लेकिन वह समृद्ध दिनों की पुरानी याददाश्त है। भविष्य में हम फिर कभी हिप्पी पैदा कर सकते हैं।

लेकिन सोचना तो बहुत जरूरी है। और सोच कर यह देखना जरूरी है कि हिप्पियों की इस घटना में क्या मूल्यवान घटित हो रहा है मनुष्य की चेतना के लिए।

मनुष्य-चेतना क्रांति के एक कगार पर खड़ी है और एक निर्णायक छलांग अति निकट है।

बाह्य विस्तार अब सार्थक नहीं है। अंतस विस्तार की खोज बेचैनी से चल रही है अनेक आयामों में। आदमी स्वयं की भावी चेतना को खोज रहा है। सुबह होने के पहले अंधेरा भी निश्चय ही गहन हो गया है, लेकिन उससे स्वर्ण-प्रभात की योजना भी मिल रही है।

11

युवक कौन

मेरे प्रिय आत्मन् !

युवकों के लिए कुछ भी बोलने के पहले यह ठीक से समझ लेना जरूरी है कि युवक का अर्थ क्या है ?

युवक का कोई भी संबंध शरीर की अवस्था से नहीं है। उम्र से युवा होने का कोई भी संबंध नहीं है। बूढ़े भी युवा हो सकते हैं, और युवा भी बूढ़े हो सकते हैं। ऐसा कभी-कभी होता है कि बूढ़े युवा हों, ऐसा अक्सर होता है कि युवा बूढ़े होते हैं। और इस देश में तो युवक पैदा भी होते हैं, यह भी संदिग्ध बात है।

युवा होने का अर्थ है--चित्त की एक दशा, चित्त की एक जीवंत दशा, एक लिविंग स्टेट ऑफ माइंड।

बूढ़े होने का अर्थ है--चित्त की मरी हुई दशा।

इस देश में युवक पैदा ही शायद नहीं होते हैं, जब ऐसा मैं कहता हूं, तो मेरा अर्थ यही है कि हमारा चित्त जीवंत नहीं है। वह जो जीवन का उत्साह, वह जो जीवन का आनंद और जीवन का संगीत हमारी हृदय की वीणा पर होना चाहिए, वह नहीं है। आंखों में, प्राणों में, रोएं-रोएं में, वह जो जीवन को जीने की उद्दाम लालसा होनी चाहिए, वह हममें नहीं है। जीवन को जीएं, इसके पहले ही हम जीवन से उदास हो जाते हैं। जीवन को जानें, इसके पहले ही हम जीवन को जानने की जिज्ञासा की हत्या कर देते हैं।

मैंने सुना है, स्वर्ग के एक रेस्तरां में एक दिन सुबह एक छोटी सी घटना घट गई। उस रेस्तरां में तीन अदभुत लोग एक टेबल के आस-पास बैठे हुए थे--गौतम बुद्ध, कनफ्यूशियस और लाओत्से। वे तीनों स्वर्ग के रेस्तरां में बैठ कर गपशप करते थे। फिर एक अप्सरा जीवन का रस लेकर आई और उस अप्सरा ने कहा, जीवन का रस पीएंगे?

बुद्ध ने सुनते ही आंख बंद कर लीं और कहा, जीवन व्यर्थ है, असार है, कोई सार नहीं।

कनफ्यूशियस ने आधी आंखें बंद रखीं और आधी खुली--वह गोल्डन मीन को मानता था हमेशा, मध्य-मार्ग--उसने थोड़ी सी खुली आंखों से देखा और कहा, एक घूंट लेकर चखूंगा। अगर आगे भी पीने योग्य लगा तो विचार करूंगा। उसने थोड़ा सा जीवन-रस लेकर चखा और कहा, न पीने योग्य है, न छोड़ देने योग्य है; कोई सार भी नहीं, कोई असार भी नहीं। उसने मध्य की बात कही।

लाओत्से ने पूरी की पूरी सुराही हाथ में ले ली जीवन-रस की और कुछ कहे बिना पूरा पी गया। और तब नाचने लगा और कहने लगा, आश्चर्य कि गौतम बुद्ध तुमने बिना पीए ही इनकार कर दिया! और आश्चर्य कि कनफ्यूशियस तुमने थोड़ा सा चखा! लेकिन कुछ चीजें ऐसी हैं जो पूरी ही जानी जाएं तो ही जानी जा सकती हैं। थोड़े चखने से उनका कोई भी पता नहीं चलता।

अगर किसी कविता का एक छोटा सा टुकड़ा किसी को दे दिया जाए दो पंक्तियों का, तो उससे पूरी कविता के संबंध में कुछ भी पता नहीं चलता। एक उपन्यास का एक पन्ना फाड़ कर किसी को दे दिया जाए, तो उससे पूरे उपन्यास के संबंध में कोई भी पता नहीं चलता। कोई वीणा पर संगीत बजाता हो, उसका एक स्वर किसी को मिल जाए, तो उससे उस वीणाकार ने क्या बजाया था, इसका कुछ भी पता नहीं चलता। एक बड़े चित्र का छोटा सा टुकड़ा काट कर किसी को दे दिया जाए, तो उस बड़े चित्र में क्या है, उस छोटे से टुकड़े से कुछ भी पता नहीं चलता।

कुछ चीजें हैं, जिनके स्वाद से कुछ पता नहीं चलता, जिन्हें तो उनकी समग्रता में, उनकी होलनेस में, उनकी टोटैलिटी में, उनकी समग्रता में ही जीना पड़ता है, तभी पता चलता है।

लाओत्से कहने लगा, नाच उठा हूं मैं। अदभुत था जीवन का रस।

और अगर जीवन का रस भी अदभुत नहीं है, तो फिर और अदभुत क्या होगा? जिनके लिए जीवन का रस भी व्यर्थ है, उनके लिए फिर सार्थकता कहां मिलेगी?

फिर वे खोजें और खोजें। वे जितना खोजेंगे, उतना ही खोते चले जाएंगे। क्योंकि जीवन ही है एक सारभूत, जीवन ही है एक रस, जीवन ही है एक सत्य। उसमें ही छिपा है सारा सौंदर्य, सारा आनंद, सारा संगीत।

लेकिन भारत में युवक उस जीवन के उद्दाम वेग से आपूरित नहीं मालूम होते। और न ऐसा लगता है कि उनके जीवन में, उनके प्राणों में उन शिखरों को छूने की कोई आकांक्षा है, जो जीवन के शिखर हैं। न ऐसा लगता है कि उन अज्ञात सागरों को खोजने के लिए प्राणों में कोई उद्दाम पीड़ा है--उन सागरों को जो जीवन के सागर हैं। न जीवन के अंधेरे को, न जीवन के प्रकाश को, न जीवन की गहराई को, न जीवन की ऊंचाई को, न जीवन की हार को, न जीवन की जीत को, कुछ भी जानने का जो उद्दाम वेग, जो गति, जो ऊर्जा होनी चाहिए, वह युवक के पास नहीं है। इसलिए युवक भारत में है--ऐसा कहना केवल औपचारिकता है, फार्मेलिटी है।

भारत में युवक नहीं है, भारत हजारों साल से बूढ़ा देश है। उसमें बूढ़े ही पैदा होते हैं, बूढ़े ही जीते हैं और बूढ़े ही मरते हैं। न बच्चे पैदा होते हैं, न जवान पैदा होते हैं।

हम इतने बूढ़े हो गए हैं कि अब हमारी जड़ें जीवन के रस को नहीं खींचतीं और न हमारी शाखाएं जीवन के आकाश में फैलती हैं और न हमारी शाखाओं में जीवन के पक्षी बसेरा करते हैं और न हमारी शाखाओं पर जीवन का सूरज ऊगता है और न जीवन का चांद चांदनी बरसाता है। सिर्फ धूल जमती जाती है, जड़ें सूखती जाती हैं, पत्ते कुम्हलाते जाते हैं; फूल पैदा नहीं होते, फल आते नहीं हैं। बस है, वृक्ष है। न उसमें पत्ते हैं, न फूल हैं; सूखी शाखाएं खड़ी रह गई हैं। ऐसा अभागा हो गया है देश!

जब युवकों के संबंध में कुछ बोलना हो तो पहली तो बात यही जान लेनी जरूरी है। युवक! युवक कोई शारीरिक अवस्था है, तब तो हमारे पास भी युवक हैं। युवक अगर कोई मानसिक दशा है, स्टेट ऑफ माइंड है, तो युवक हमारे पास नहीं हैं।

अगर युवक हमारे पास होते तो देश में इतनी गंदगी, इतनी सड़ांध, इतना सड़ा हुआ समाज जीवित रह सकता था? कभी की उन्होंने आग लगा दी होती।

अगर युवक हमारे पास होते, एक हजार साल तक हम गुलाम रहते? कभी का गुलामी को उन्होंने उखाड़ फेंका होता।

अगर युवक हमारे पास होते तो हम हजारों-हजारों साल तक दरिद्रता और दीनता और दुख में बिताते? हमने कभी की दरिद्रता मिटा दी होती या खुद मिट गए

संभोग से समाधि की ओर

होते।

लेकिन नहीं, युवक शायद नहीं हैं। युवक हमारे पास होते तो इतना पाखंड, इतना अंधविश्वास, इतना सुपरस्टीशन चलता इस देश में? युवक बरदाश्त करते? एक-एक करोड़ रुपया यज्ञों में जलाने देते, युवक अगर मुल्क के पास होते?

और अब मैं सुनता हूं कि और भी करोड़ों रुपयों को जलाने का इंतजाम करने के लिए साधु-संन्यासी लालायित हैं। और युवक ही जाकर चंदा इकट्ठा करेंगे और वालंटियर बन कर उस यज्ञ को करवाएंगे, जहां देश की संपत्ति जलेगी निपट गंवारी में!

अगर युवक मुल्क में होते तो ऐसे लोगों को क्रिमिनल्स कह कर, पकड़ कर अदालतों में खड़ा किया होता, जो मुल्क की संपत्ति को इस भांति बर्बाद करते हों।

एक करोड़ रुपये की संपत्ति जलाने में जो आदमी जितना अपराधी हो जाता है, उससे भी ज्यादा अपराधी एक करोड़ रुपया यज्ञ में जलाने से होता है। क्योंकि एक करोड़ रुपये की संपत्ति को जलाने वाला थोड़ा-बहुत अपराध भी अनुभव करेगा। यज्ञ में जलाने वाला पॉयस क्रिमिनल है, पवित्र अपराधी है! उसको अपराध भी मालूम नहीं पड़ता है।

लेकिन युवक मुल्क में नहीं हैं, इसलिए किसी भी तरह की मूढ़ता चलती है, इसलिए मुल्क में किसी भी तरह का अंधकार चलता है। युवकों के होने का सबूत नहीं मिलता देश को देख कर! क्या चल रहा है देश में? युवक किसी भी चीज पर राजी हो जाते हुए मालूम पड़ते हैं!

वह युवक कैसा जिसके भीतर विद्रोह न हो, रिबेलियन न हो? युवक होने का मतलब क्या हुआ उसके भीतर? जो गलत के सामने झुक जाता हो, उसको युवक कैसे कहें?

जो टूट जाता हो लेकिन झुकता न हो, जो मिट जाता हो लेकिन गलत को बरदाश्त न करता हो, वैसी स्प्रिट, वैसी चेतना का नाम ही युवक होना है।

टु बी यंग--युवा होने का एक ही मतलब है--

वैसी आत्मा विद्रोही की, जो झुकना नहीं जानती, टूटना जानती है; जो बदलना चाहती है, जो जिंदगी को नई दिशाओं में, नये आयामों में ले जाना चाहती है, जो जिंदगी को परिवर्तन करना चाहती है। क्रांति की यह उद्दाम आकांक्षा ही युवा होने का लक्षण है।

कहां है क्रांति की उद्दाम आकांक्षा?

एक विचारक भारत आया था, काउंट कैसरलेन। लौट कर उसने एक किताब लिखी है। उस किताब को मैं पढ़ता था तो मुझे बहुत हैरानी होने लगी। उसने एक वाक्य लिखा है, जो मेरी समझ के बाहर हो गया; क्योंकि वाक्य कुछ ऐसा मालूम पड़ता था जो कि कंट्राडिक्टरी है, विरोधाभासी है।

फिर मैंने सोचा, छापेखाने की कोई भूल हो गई होगी। तो खयाल आया कि किताब जर्मनी में छपी है। जर्मनी में छापेखाने की भूलें तो होती नहीं। वह तो हमारे ही देश में होती हैं। यहां तो किताब छपती है, उसके ऊपर पांच-छह पन्ने की भूल-सुधार वह छपा रहता है। और उन पांच-छह पन्नों को भी गौर से पढ़िए तो उसमें भी भूलें मिल जाएंगी! वह किताब जर्मनी में छपी है, भूल नहीं हो सकती।

फिर मैंने गौर से पढ़ा, फिर बार-बार सोचा, फिर खयाल में आया--भूल नहीं की है, उस आदमी ने मजाक की है। उसने लिखा है कि मैं हिंदुस्तान गया। मैं एक नतीजा लेकर वापस आया हूं: इंडिया इज़ ए रिच कंट्री, व्हेअर पुअर पीपुल लिव। हिंदुस्तान एक अमीर देश है, जहां गरीब आदमी रहते हैं!

मैं बहुत हैरान हुआ, यह कैसी बात है! अगर देश अमीर है तो गरीब आदमी क्यों रहते हैं वहां? और देश अगर अमीर है तो वहां के लोग गरीब क्यों हैं? लेकिन वह मजाक कर रहा है। वह यह कह रहा है कि हिंदुस्तान के पास जवानी नहीं है, जो कि देश के छिपे हुए धन को प्रकट कर दे और देश को धनवान बना दे। देश में धन छिपा हुआ है, लेकिन देश बूढ़ा है।

बूढ़ा कुछ कर नहीं सकता। धन खदानों में पड़ा रह जाता है, बूढ़ा भूखा मरता रहता है। धन जमीन में दबा रह जाता है, बूढ़ा भूखा मरता रहता है! देश बूढ़ा है, इसलिए गरीब है। देश जवान हो तो गरीब होने का कोई कारण नहीं है। देश के पास क्या कमी है?

लेकिन अगर हमें कुछ सूझता है तो हमें एक ही बात सूझती है कि जाओ दुनिया में भीख मांगो। जाओ अमेरिका, जाओ रूस, हाथ फैलाओ सारी दुनिया में। भिखारी होने में हमें शर्म भी नहीं आती, हम जवान हैं?

रास्ते पर एक जवान आदमी, स्वस्थ आदमी भीख मांगता हो तो हम उससे कहते हैं कि जवान होकर भीख मांगते हो? और हम कभी नहीं सोचते कि हमारा पूरा मुल्क सारी दुनिया में भीख मांग रहा है तो हमें जवान होने का हक रह जाता है?

सड़क पर भीख मांगते आदमी से कोई भी कह देता है: जवान होकर भीख मांगते हो? हम जानते हैं कि जवान होकर भीख मांगना लज्जा से भरी हुई बात है,

अपमानजनक है। जवान को पैदा करना चाहिए। हां, बूढ़ा भीख मांगता हो तो हम क्षमा कर सकते हैं, अब उससे आशा नहीं पैदा करने की।

सारी दुनिया में हम भीख मांग रहे हैं! उन्नीस सौ सैंतालीस के बाद अगर हमने कोई महान कार्य किया है तो वह यही कि हमने सारी दुनिया में भीख मांगने में सफलता पाई है। शर्म भी नहीं आती हमें! दुनिया क्या सोचती होगी कि कितना बूढ़ा देश है, कुछ कर नहीं सकता, सिर्फ भीख मांग सकता है!

लेकिन उन्हें पता नहीं है कि हम पहले से ही पैदा करने की बजाय भीख मांगने को आदर देते रहे हैं। हिंदुस्तान में जो भीख मांगता है, वह आदृत है उससे, जो पैदा करता है। ब्राह्मण हजारों साल तक देश में आदृत रहे हैं सिर्फ इसलिए कि वे पैदा नहीं करते और भीख मांगते हैं।

और हिंदुस्तान ने बड़े-बड़े भिखारी पैदा किए हैं, महापुरुष--बुद्ध से लेकर विनोबा तक--सब भीख मांगने वाले महापुरुष! और अगर सारा मुल्क भीख मांगने लगा तो हर्ज क्या है? हम सब महापुरुष हो गए हैं! महापुरुषों का देश है, सारा देश महापुरुष हो गया है। हम सारी दुनिया में भीख मांग रहे हैं। भिक्षावृत्ति बड़ी धार्मिक वृत्ति है!

पैदा करने में हिंसा भी होती है, पैदा करने में श्रम भी उठाना पड़ता है। और फिर हम पैदा क्यों करें? जब भगवान ने हमें पैदा कर दिया है तो भगवान इंतजाम करे! जिसने चोंच दी है, वह चून भी देता है, देगा! हम अपनी चोंच को हिलाते फिरेंगे सारी दुनिया में कि चून दो, क्योंकि क्यों हमें पैदा किया है? और जो हमें भीख देंगे, उनको हम गालियां देंगे कि तुम भौतिकवादी हो--यू मैटीरियलिस्ट! तुम भौतिकवाद में मरे जा रहे हो, हम आध्यात्मिक लोग हैं! हम इतने आध्यात्मिक हैं कि हम पैदा भी नहीं करते; सिर्फ खाते हैं। खाना आध्यात्मिक काम है, पैदा करना भौतिक काम है। भोगना आध्यात्मिक काम है। श्रम करना? श्रम आध्यात्मिक लोग कभी नहीं करते। महात्मा कभी श्रम करते हैं? महात्मा कभी श्रम नहीं करते, हीन आत्माएं श्रम करती हैं। महात्मा भोग करते हैं। पूरा देश महात्मा हो गया है!

उन्नीस सौ बासठ में चीन में अकाल की हालत थी। ब्रिटेन के कुछ भलेमानुसों ने एक बड़े जहाज पर बहुत सा सामान, बहुत सा भोजन, कपड़े, दवाइयां भर कर वहां भेजे। हम अगर होते तो चंदन-तिलक लगा कर, फूलमालाएं पहना कर उस जहाज की पूजा करते। लेकिन चीन ने उसको वापस भेज दिया और जहाज पर बड़े-बड़े अक्षरों में लिख दिया: हम मर जाना पसंद करेंगे, लेकिन भीख स्वीकार नहीं कर

सकते।

शक होता है कि यहां कुछ जवान लोग होंगे!

जवान ही यह हिम्मत कर सकता है कि भूखे मरते देश में, आया हो भोजन बाहर से, और लिख दे जहाज पर कि हम भूखों मर सकते हैं, लेकिन भीख नहीं मांग सकते।

भूखा मरना इतना बुरा नहीं है, भीख मांगना बहुत बुरा है।

लेकिन जवानी हो तो बुरा लगे, भीतर जवान खून हो तो चोट लगे, अपमान हो। हमारा अपमान ही नहीं होता! हम तो शांति से अपमान को झेलते चले जाते हैं। हम बड़े तटस्थ हैं अपमान को झेलने में, कुछ भी हो जाए, हम आंख बंद करके झेल लेते हैं। यही तो संतोष का, शांति का लक्षण है कि जो भी हो, उसको झेलते रहो, बैठे रहो चुपचाप और झेलते रहो।

हजारों साल से देश झेल-झेल कर मर गया है। तो कैसे हम स्वीकार कर लें कि देश के पास जवान आदमी हैं, युवक हैं? युवक देश के पास नहीं हैं।

और इसलिए पहला काम तथाकथित युवकों के लिए--जो उम्र से युवक दिखाई पड़ते हैं--वह यह है कि वे मानसिक यौवन को पैदा करने की देश में चेष्टा करें। वे शरीर के यौवन को मान कर तृप्त न हो जाएं। आत्मिक यौवन, वह स्प्रिचुअल यंगनेस पैदा करने का एक आंदोलन सारे देश में चलना चाहिए। हम इससे राजी नहीं होंगे कि एक आदमी शक्ल-सूरत से जवान दिखाई पड़ता है तो हम उसे जवान मान लें। हम इसकी फिक्र करेंगे कि हिंदुस्तान के पास जवान आत्मा हो।

स्वामी राम भारत के बाहर यात्रा को पहली दफा गए थे। जिस जहाज पर वे यात्रा कर रहे थे, उस पर एक बूढ़ा जर्मन था, जिसकी उम्र कोई नब्बे वर्ष होगी। उसके सारे बाल सफेद हो चुके थे, उसकी आंखों में नब्बे साल की स्मृतियों ने गहराइयां भर दी थीं, उसके चेहरे पर झुर्रियां थीं लंबे अनुभवों की। लेकिन वह जहाज के डेक पर बैठ कर चीनी भाषा सीख रहा था!

चीनी भाषा सीखनी साधारण मामला नहीं है, क्योंकि चीनी भाषा के पास कोई वर्णमाला नहीं है, कोई अ ब स नहीं होता चीनी भाषा के पास। वह पिक्टोरियल लैंग्वेज है, उसके पास तो चित्र हैं। साधारण आदमी को साधारण ज्ञान के लिए भी कम से कम पांच हजार चित्रों का ज्ञान चाहिए। और विशेष ज्ञान के लिए तो एक लाख चित्रों का ज्ञान हो, तब कोई आदमी चीनी भाषा का पंडित हो सकता है। दस वर्ष, पंद्रह वर्ष का श्रम मांगती है वह भाषा। नब्बे साल का बूढ़ा सुबह से बैठ कर

संभोग से समाधि की ओर

सांझ तक चीनी भाषा सीख रहा है!

रामतीर्थ बेचैन हो गए। यह आदमी पागल है! नब्बे साल की उम्र में चीनी भाषा सीखने बैठे हो, कब सीख पाओगे? आशा नहीं है कि मरने के पहले सीख जाओ। और अगर कोई दूर की कल्पना भी करे कि यह आदमी जी जाएगा दस-पंद्रह साल, सौ साल पार कर जाएगा, जो कि भारतीय कभी कल्पना नहीं कर सकता कि सौ कैसे पार कर जाओगे। पैंतीस साल पार करना तो मुश्किल हो जाता है, सौ कैसे पार करोगे? लेकिन समझ लें भूल-चूक से भगवान की, यह सौ साल के पार निकल जाए, तो भी फायदा क्या है? जिस भाषा को सीखने में पंद्रह वर्ष खर्च हों, उसका उपयोग भी तो दस-पच्चीस वर्ष करने का मौका मिलना चाहिए। सीख कर भी फायदा क्या होगा?

दो-तीन दिन देख कर रामतीर्थ की बेचैनी बढ़ गई। वह बूढ़ा तो आंख उठा कर भी नहीं देखता था कि कहां क्या हो रहा है, वह तो अपना सीखने में लगा था। तीसरे दिन उन्होंने जाकर उसे हिलाया और कहा कि महाशय, क्षमा करिए, मैं यह पूछना चाहता हूं कि आप यह क्या कर रहे हैं? इस उम्र में चीनी भाषा सीखने बैठे हैं? कब सीख पाइएगा? और सीख भी लिया तो इसका उपयोग कब करिएगा? आपकी उम्र क्या है?

तो उस बूढ़े ने कहा, उम्र? मैं काम में इतना व्यस्त रहा कि उम्र का हिसाब रखने का मुझे मौका नहीं मिला। उम्र अपना हिसाब रखती होगी। हमें फुर्सत कहां है कि हम उम्र का हिसाब रखें! और फायदा क्या है उम्र का हिसाब रखने में? मौत जब आनी है, तब आनी है। तुम चाहे कितना ही हिसाब रखो, कि कितने हो गए, कितने हो गए, उससे कोई फर्क पड़ने वाला नहीं है। मुझे फुर्सत नहीं मिली उम्र का हिसाब रखने की। लेकिन जरूर नब्बे तो पार कर गया हूं।

रामतीर्थ ने कहा, फिर यह सीख कर क्या फायदा? बूढ़े हो गए हो। अब कब सीख पाओगे? उस बूढ़े आदमी ने क्या कहा? उस बूढ़े आदमी ने कहा, मरने का मुझे खयाल नहीं आता जब तक मैं सीख रहा हूं; जब सीखना खत्म हो जाएगा तब सोचूंगा मरने की बात। अभी तो सीखने में जिंदगी लगी है। अभी तो मैं बच्चा हूं, क्योंकि मैं सीख रहा हूं। बच्चे सीखते हैं। लेकिन उस बूढ़े ने कहा कि मैं चूंकि सीख रहा हूं, इसलिए बच्चा हूं।

यह आध्यात्मिक जगत में परिवर्तन हो गया।

उसने कहा कि चूंकि अभी मैं सीख रहा हूं और अभी सीख नहीं पाया, अभी तो

जिंदगी की पाठशाला में प्रवेश किया है, अभी तो बच्चा हूं, अभी मरने का कैसे सोचूं? जब सब सीख लूंगा, तो सोचूंगा मरने की बात।

फिर उस बूढ़े ने कहा, मौत तो हर रोज सामने खड़ी है। जिस दिन पैदा हुआ था, उस दिन भी इतनी ही सामने खड़ी थी, जितनी अभी खड़ी है। अगर मौत से डर जाता तो उसी दिन सीखना बंद कर देता। सीखने का क्या फायदा था, मौत आ सकती थी कल। लेकिन नब्बे साल का अनुभव मेरा कहता है कि मैं नब्बे साल मौत को जीता हूं। रोज मौत का डर रहा है कि कल आ जाएगी, लेकिन आई नहीं। नब्बे साल तक मौत नहीं आई तो मुझे विश्वास पड़ता है कि नब्बे साल के अनुभव को मानूं, कल भी कैसे आ पाएगी? नब्बे साल का अनुभव कहता है कि अब तक नहीं आई तो कल भी कैसे आ पाएगी? अनुभव को मानता हूं। नब्बे साल तक डर फिजूल था। वह बूढ़ा पूछने लगा रामतीर्थ से कि आपकी उम्र क्या है?

रामतीर्थ तो घबरा ही गए थे उसकी बात सुन कर। उनकी उम्र केवल तीस वर्ष थी।

उस बूढ़े ने कहा, तुम्हें देख कर, तुम्हारे भय को देख कर मैं कह सकता हूं कि भारत बूढ़ा क्यों हो गया है। तीस साल का आदमी मौत की सोच रहा है! मर गया। मौत की सोचता ही कोई तब है, जब मर जाता है। तीस साल का आदमी सोचता है कि सीखने से क्या फायदा, मौत करीब आ रही है! यह आदमी जवान नहीं रहा। उस बूढ़े ने कहा, मैं समझ गया कि भारत बूढ़ा क्यों हो गया है। इन्हीं गलत धारणाओं के कारण।

भारत को एक युवा अध्यात्म चाहिए। युवा अध्यात्म! बूढ़ा अध्यात्म हमारे पास बहुत है। हमारे पास ऐसा अध्यात्म है, जो बूढ़ा करने की कीमिया है, केमिस्ट्री है। हमारे पास ऐसी आध्यात्मिक तरकीबें हैं कि किसी भी जवान के आस-पास उन तरकीबों का उपयोग करो, वह फौरन बूढ़ा हो जाएगा। हमने बूढ़े होने का राज खोज लिया हैं, सीक्रेट खोज लिया है। बूढ़े होने के राज क्या हैं?

बूढ़े होने का राज है: जीवन पर ध्यान मत रखो, मौत पर ध्यान रखो। पहला सीक्रेट। जिंदगी पर ध्यान मत देना, ध्यान रखना मौत का। जिंदगी की खोज मत करना, खोज करना मोक्ष की। इस पृथ्वी की फिक्र मत करना, फ़िक्र करना परलोक की, स्वर्ग की। यह बूढ़े होने का पहला सीक्रेट है। जिन-जिन को बूढ़ा होना हो, इसको नोट कर लें। कभी जिंदगी की तरफ मत देखना। अगर फूल खिल रहा हो, तो तुम खिलते फूल की तरफ मत देखना, तुम बैठ कर सोचना कि जल्दी ही यह मुरझा

जाएगा। यह तरकीब है।

अगर एक गुलाब के पौधे के पास खड़े हो, तो फूलों की गिनती मत करना, कांटों की गिनती कर लेना--कि सब असार है, कांटे ही कांटे पैदा होते हैं। एक फूल खिलता है मुश्किल से हजार कांटों में। हजार कांटों की गिनती कर लेना। उससे जिंदगी असार सिद्ध करने में बड़ी आसानी मिलेगी।

अगर दिन और रात को देखो, तो ऐसा कभी मत देखना कि दो दिनों के बीच में एक रात है; हमेशा ऐसा देखना कि दो रातों के बीच में एक छोटा सा दिन है।

बूढ़े होने की तरकीब कह रहा हूं। जिंदगी में जहां-जहां अंधेरा हो, उसको मैग्नीफाई करना। बड़ा दिखाने वाला कांच अपने पास रखना, जहां अंधेरा दिखाई पड़े, फौरन मैग्नीफाई ग्लास लगा देना, बड़ा भारी अंधेरा देखना। और जहां रोशनी दिखाई पड़े, वहां छोटा कर देने वाला ग्लास अपने पास रखना, जो जल्दी से रोशनी को छोटा कर दे। जहां फूल दिखाई पड़ें, गिनती मत करना, फौरन सोच लेना कि फूल! क्या रखा है फूल में? क्षणभंगुर है, अभी खिला है, अभी मुरझा जाएगा। कांटा! कांटा स्थायी है, शाश्वत है, सनातन है; न कभी खिलता है, न कभी मुरझाता है। हमेशा है, इन बातों पर ध्यान देने से आदमी बड़ी जल्दी बूढ़ा हो जाता है।

मैंने सुना है कि न्यूयार्क की एक सौवीं मंजिल से एक आदमी गिर रहा था। सौवीं मंजिल से वह आदमी गिर रहा था, जब वह पचासवीं मंजिल के पास से गुजर रहा था खिड़की के, तो एक आदमी ने झांक कर उससे चिल्ला कर पूछा कि दोस्त क्या हाल हैं? उसने कहा, अभी तक तो सब ठीक है। यह आदमी गड़बड़ आदमी है। यह आदमी जवान होने का ढंग जानता है। लेकिन यह ठीक नहीं है। उस आदमी ने कहा, अभी तक सब ठीक है। अभी जमीन तक पहुंचे नहीं हैं, जब पहुंचेंगे तब देखेंगे। अभी पचासवीं खिड़की तक सब ठीक चल रहा है--ओ के! यह आदमी जवान होने की तरकीब जानता है।

लेकिन हमको ऐसी तरकीबें कभी नहीं सीखनी चाहिए। हमें तो बूढ़े होने के रास्ते पर चलना चाहिए। बूढ़े होने का रास्ता--पहली बात, कभी जिंदगी में जो सुंदर हो उसकी तरफ ध्यान मत देना, जो असुंदर हो उसको खोजबीन करना। अगर किसी गांव में आप जाएं और कोई आदमी आकर कहे कि फलां आदमी बहुत बड़ा संगीतज्ञ है, इतनी अदभुत बांसुरी बजाता है! तो फौरन उससे कहना कि वह बांसुरी क्या खाक बजाएगा। वह आदमी चोर है, बेईमान है, बांसुरी कैसे बजा सकता है!

आप धोखे में पड़ गए होंगे, वह आदमी पक्का चोर-बेईमान है, वह बांसुरी नहीं बजा सकता। यह बूढ़े होने की तरकीब है।

अगर जवान आदमी उस गांव में जाएगा और कोई उससे कहेगा, उस आदमी को जानते हैं? वह बड़ा चोर-बेईमान है। तो वह जवान आदमी कहेगा, यह कैसे हो सकता है कि वह चोर और बेईमान हो! मैंने उसे बड़ी सुंदर बांसुरी बजाते देखा है। इतनी अदभुत जो बांसुरी बजाता है, वह चोर नहीं हो सकता।

बूढ़े के जिंदगी को देखने का ढंग है--दुखद को देखना, अंधेरे को देखना, मौत को देखना, कांटे को देखना।

हिंदुस्तान हजारों साल से दुखद को देख रहा है। जन्म भी दुख है, जीवन भी दुख है, मरण भी दुख है! प्रियजन का बिछुड़ना दुख है, अप्रियजन का मिलना दुख है, सब दुख है! मां के पेट में दुख झेलो, फिर जन्म का दुख झेलो, फिर बड़े होने का दुख झेलो, फिर जिंदगी के गृहस्थी के चक्कर झेलो, फिर बुढ़ापे की बीमारियां झेलो, फिर मौत झेलो, फिर जलने की आग में अंतिम पीड़ा झेलो! ऐसा जीवन एक दुख की लंबी कथा है। बूढ़ा होना है तो इसका स्मरण करना चाहिए।

बूढ़ा होना है तो बगीचों में कभी नहीं जाना चाहिए, हमेशा मरघट पर बैठ कर ध्यान करना चाहिए, जहां आदमी जलाए जाते हों। सुंदर से बचना चाहिए, असुंदर को देखना चाहिए। विकृत को देखना चाहिए, स्वस्थ को छोड़ना चाहिए। सुख मिले तो कहना चाहिए--क्षणभंगुर है; अभी है, अभी खत्म हो जाएगा। दुख मिले तो छाती से लगा कर बैठ जाना चाहिए। और सदा आंखें रखनी चाहिए जीवन के उस पार, कभी इस जीवन पर नहीं।

इस जीवन को समझना चाहिए एक वेटिंग रूम है।

जैसे बड़ौदा के स्टेशन पर वेटिंग रूम हो, उसमें बैठे हैं आप थोड़ी देर। वहीं छिलके फेंक रहे हैं, वहीं पान थूक रहे हैं। क्योंकि हमको क्या करना है, अभी थोड़ी देर में हमारी ट्रेन आएगी और हम चले जाएंगे! तुमसे पहले जो बैठा था, वह भी वेटिंग रूम के साथ यही सदव्यवहार कर रहा था, तुम भी वही सदव्यवहार करो, तुम्हारे बाद वाला भी वही करेगा।

वेटिंग रूम गंदगी का एक घर बन जाएगा। क्योंकि किसी को क्या मतलब है! हमको तो थोड़ी देर रुकना है तो आंख बंद करके राम-राम जप कर गुजार देंगे। अभी ट्रेन आती है, चले जाएंगे।

जिंदगी के साथ जिन लोगों की आंखें मौत के पार लगी हैं, उनका व्यवहार

वेटिंग रूम का व्यवहार है। वे कहते हैं, क्षण भर की जिंदगी है; अभी जाना है। क्या करना है हमें! हिंदुस्तान के संत-महात्मा यही समझा रहे हैं लोगों को--क्षणभंगुर है जिंदगी, इसके माया-मोह में मत पड़ना। ध्यान वहां रखना--मौत पर, आगे, मौत के बाद। इस छाया में सारा देश बूढ़ा हो गया है।

अगर जवान होना है तो जिंदगी को देखना, मौत को लात मार देना। मौत से क्या प्रयोजन है? जब तक जिंदा हैं, तब तक जिंदा हैं। तब तक मौत नहीं है।

सुकरात मर रहा था। ठीक मरते वक्त, जब उसके लिए बाहर जहर घोला जा रहा है। वह जहर घोलने वाला जो है वह धीरे-धीरे घोल रहा है। वह यह सोचता है कि जितनी देर सुकरात और जिंदा रह ले तो अच्छा, जितनी देर लग जाए।

वक्त हो गया है, जहर आना चाहिए। सुकरात उठ-उठ कर बाहर जाता है और उससे पूछता है, मित्र, कितनी देर और है?

उस आदमी ने कहा, तुम पागल हो गए हो सुकरात? मैं देर लगा रहा हूं इसलिए कि थोड़ी देर तुम और जिंदा रह लो, थोड़ी देर सांस तुम्हारे भीतर और जाए, थोड़ी देर सूरज की रोशनी और देख लो, थोड़ी देर खिलते फूलों को, आकाश को, मित्रों की आंखों में झांक लो, बस थोड़ी देर और। नदी भी समुद्र में गिरने के पहले पीछे लौट कर देख लेती है। तुम थोड़ी देर लौट कर देख लो। मैं थोड़ी देर लगाता हूं। तुम जल्दी क्यों कर रहे हो? तुम इतने दीवाने क्यों हुए जा रहे हो?

सुकरात ने कहा कि मैं जल्दी क्यों कर रहा हूं! मेरे प्राण तड़पे जा रहे हैं मौत को जानने को। नई चीज को जानने की मेरी हमेशा से इच्छा रही है। मौत बड़ी नई चीज है; सोचता हूं, देखूं क्या है!

यह आदमी जवान है, यह आदमी बूढ़ा नहीं है। यह मौत को भी देखने के लिए इसकी आतुरता--नये को!

मित्र कहने लगे कि थोड़ी देर और जी लो।

सुकरात ने कहा, जब तक मैं जिंदा हूं जिंदा हूं। मैं यह देखना चाहता हूं कि जहर पीने पर मरता हूं कि जिंदा ही रहता हूं!

लोगों ने कहा, अगर मर गए?

तो उसने कहा, जब मर ही गए तो फिक्र ही खत्म हो गई। क्योंकि हम हैं ही नहीं, चिंता का कोई कारण न रहा। और जब तक जिंदा हैं, तब तक जिंदा हैं। जब मर गए तो मर ही गए, चिंता की कोई बात नहीं है, खत्म हो गई बात। लेकिन जब तक मैं जिंदा हूं, जिंदा हूं! तब तक मैं मरा हुआ नहीं हूं! और तब मैं पहले से क्यों मर जाऊं?

मित्र सब मरे हुए बैठे हैं पास, रो रहे हैं, जहर की घबराहट पकड़ रही है।

वह सुकरात प्रसन्न है! वह कहता है, जब तक मैं जिंदा हूं, तब तक मैं जिंदा हूं, तब तक जिंदगी को जानूं। और मैं सोचता हूं कि शायद मौत भी जिंदगी में एक घटना होगी तो उसको भी जानूं।

सुकरात को बूढ़ा नहीं किया जा सकता। मौत सामने खड़ी हो जाए तो भी वह बूढ़ा नहीं होता।

और हम? जिंदगी सामने खड़ी रहती है और बूढ़े हो जाते हैं। यह रुख भारत में युवा मस्तिष्क को पैदा नहीं होने देता है। जीवन का दुखद, जीवन का विषादपूर्ण चित्र फाड़ कर फेंक दो! आग लगा दो उसमें! और जो भी जिंदगी के दुख और जिंदगी के विषाद को बढ़ा-चढ़ा कर बतलाते हैं, जिंदगी के दुश्मन हैं, देश में युवा को पैदा होने देने में दुश्मन हैं। वे युवक को पैदा होने के पहले बूढ़ा बना देते हैं।

अभी मैं कुछ दिन पहले भावनगर था। एक छोटी सी लड़की ने, तेरह-चौदह साल की उम्र उसकी, उसने मुझे आकर कहा कि मुझे आवागमन से छुटकारे का रास्ता बताइए! तेरह-चौदह साल की लड़की कहती है कि मैं आवागमन से कैसे छूटूं! फिर इस मुल्क में कैसे जवानी पैदा होगी? तेरह-चौदह साल की लड़की बूढ़ी हो गई! वह कहती है कि मैं मुक्त कैसे होऊं? जीवन से छूटने का विचार करने लगी है!

अभी जीवन के द्वार पर उसने थपकी भी नहीं दी, अभी जीवन की खिड़की भी नहीं खुली, अभी जीवन की वीणा भी नहीं बजी, अभी जीवन के फूल भी नहीं खिले। वह द्वार के बाहर ही पूछने लगी--छुटकारा, मुक्ति, मोक्ष कैसे मिलेगा?

जहर डाल दिया होगा किसी ने उसके दिमाग में। मां-बाप ने, गुरुओं ने, शिक्षकों ने उसको पायज़नस किया। उसकी जवानी पैदा नहीं होगी अब। अब वह बूढ़ी ही जीएगी। उसका विवाह भी होगा तो वह एक बूढ़ी औरत का विवाह है, एक जवान लड़की का नहीं। उसके घर के द्वार पर शहनाइयां बजेंगी तो एक बूढ़ी औरत सुनेगी उन शहनाइयों को, एक जवान लड़की नहीं। उन शहनाइयों से भी मौत की आवाज सुनाई पड़ेगी, जीवन का संगीत नहीं। वह बूढ़ी हो गई!

पहली बात, अगर बूढ़े होना है तो मौत पर ध्यान रखना, जीवन पर नहीं।

और अगर जवान होना है तो मौत को लात मार देना। वह जब आएगी, तब मुकाबला कर लेंगे उससे। जब तक जीते हैं, तब तक पूरी तरह से जीएंगे, उसकी टोटैलिटी में जीवन के रस को खोजेंगे, जीवन के आनंद को खोजेंगे।

रवींद्रनाथ मर रहे थे। एक मित्र, बूढ़े मित्र आए और उन्होंने कहा कि अब मरते वक्त तो भगवान से प्रार्थना कर लो कि अब दुबारा जीवन में न भेजे। अब आखिरी वक्त प्रार्थना कर लो कि अब आवागमन से छुटकारा हो जाए। अब इस पाप, इस गंदगी में चक्कर में न आना पड़े।

रवींद्रनाथ ने कहा, क्या कहते हैं आप? मैं और यह प्रार्थना करूं? मैं तो मन ही मन यह कह रहा हूं कि हे प्रभु, अगर तूने मुझे योग्य पाया हो, तो बार-बार तेरी पृथ्वी पर भेज देना। बड़ी रंगीन थी, बड़ी सुंदर थी! ऐसे फूल मैंने देखे, ऐसे चांद, ऐसे तारे, ऐसी आंखें, ऐसे सुंदर चेहरे--कि मैं दंग रह गया हूं, मैं हैरान हो गया हूं, मैं आनंद से भर गया हूं। अगर तूने मुझे योग्य पाया हो, तो हे परमात्मा, बार-बार इस दुनिया में मुझे भेज देना। मैं तो यह प्रार्थना कर रहा हूं! मैं तो डरा हुआ हूं कि कहीं मैं अपात्र न सिद्ध हो जाऊं कि मुझे दोबारा न भेजा जाए।

रवींद्रनाथ को बूढ़ा बनाना बहुत मुश्किल है। शरीर बूढ़ा हो जाएगा, लेकिन इस आदमी के भीतर जो आत्मा है वह जवान है, वह जीवन की मांग कर रही है।

रवींद्रनाथ ने मरने के कुछ ही घड़ी पहले कुछ कड़ियां लिखवाईं। उनमें दो कड़ियां हैं। देखा तो मैं नाचने लगा! क्या प्यारी बात कही है!

किसी मित्र ने रवींद्रनाथ को कहा कि तुम तो महाकवि हो, तुमने छह हजार गीत लिखे जो संगीत में बांधे जा सकते हैं! शेली को लोग पश्चिम में कहते हैं महाकवि, उसके तो सिर्फ दो हजार गीत संगीत में बंध सकते हैं। तुम्हारे तो छह हजार गीत! तुमसे बड़ा कोई कवि दुनिया में कभी नहीं हुआ।

रवींद्रनाथ की आंखों से आंसू बहने लगे। और रवींद्रनाथ ने कहा, क्या कहते हो? मैं तो भगवान से कह रहा हूं कि अभी मैंने गीत गाया कहां था, अभी तो साज बिठा पाया था और विदा का क्षण आ गया! अभी तो ठोंक-पीट कर तंबूरा ठीक किया था सिर्फ, अभी मैंने गीत गाया कहां था! अभी तो तंबूरे की तैयारी की थी। अब ठोंक-पीट कर तैयार हो गया था, साज बैठ गया था, अब मैं गाने की चेष्टा करता, और यह तो विदा का क्षण आ गया! और मेरे तंबूरे के ठोंकने-पीटने को लोगों ने समझ लिया कि यह महाकवि हो गया है। भगवान से कह रहा हूं कि संगीत का साज तैयार हो गया और मुझे विदा कर रहे हो? अब तो मौका आया था कि मैं गीत गाऊं। मरता हुआ रवींद्रनाथ कहता है कि अभी तो मौका आया था कि मैं गीत गाऊं।

वह यह कह रहा है कि अभी तो मौका आया था कि मैं जवान हुआ था। वह यह

कह रहा है कि अब तो मौका आया था कि वीणा तैयार हो गई थी और मुझे विदा कर रहे हो ! बूढ़ा आदमी यह कह सकता है ? तो फिर वह आदमी बूढ़ा नहीं है।

अगर जवान होना है, तो जिंदगी को उसको सामने से पकड़ लेना पड़ेगा। एक-एक क्षण जिंदगी भागी चली जा रही है, उसे मुट्ठी में पकड़ लेना पड़ेगा, उसे जीने की पूरी चेष्टा करनी पड़ेगी। और जी केवल वे ही सकते हैं, जो उसमें रस का दर्शन करते हैं। और वहां दोनों चीजें हैं जिंदगी के रास्ते पर--कांटे भी हैं और फूल भी। जिन्हें बूढ़ा होना हो वे कांटों की गिनती कर लें। जिन्हें जवान होना हो वे फूलों को गिन लें।

और मैं कहता हूं कि करोड़-करोड़ कांटे भी फूल की एक पंखुड़ी के मुकाबले क्या हैं ? एक गुलाब के फूल की छोटी सी पंखुड़ी इतना बड़ा मिरेकल है, इतना बड़ा चमत्कार है कि करोड़ों कांटे भी इकट्ठे कर लो, उससे क्या सिद्ध होता है ? उससे कुछ भी सिद्ध नहीं होता। उससे सिर्फ इतना ही सिद्ध होता है कि बड़ी अदभुत है यह दुनिया, जहां इतने कांटे हैं वहां भी मखमल जैसा गुलाब का फूल पैदा हो सकता है। उससे सिर्फ इतना सिद्ध होता है, और कुछ भी सिद्ध नहीं होता। लेकिन यह देखने की दृष्टि पर निर्भर है कि हम कैसे देखते हैं।

पहली बात, जिंदगी पर ध्यान चाहिए--मेडिटेशन ऑन लाइफ--मौत पर नहीं। तो आदमी जवान से जवान होता चला जाता है। बुढ़ापे के अंतिम क्षण तक मौत के द्वार पर खड़ा होकर भी वैसा आदमी जवान होता है।

दूसरी बात, जो आदमी जीवन में सुंदर को देखता है, जो आदमी जवान है, वह आदमी असुंदर को मिटाने के लिए लड़ता भी है। जवानी फिर देखती नहीं, जवानी लड़ती भी है। जवानी स्पेक्टेटर नहीं है, जवानी तमाशबीन नहीं है कि तमाशा देख रहे हैं खड़े होकर।

जवानी का मतलब है जीना, तमाशगिरी नहीं।

जवानी का मतलब है सृजन।

जवानी का मतलब है सम्मिलित होना। तो पार्टिसिपेशन दूसरा सूत्र है।

खड़े होकर रास्ते के किनारे अगर देखते हो जवानी की यात्रा को, जीवन की यात्रा को, तो तुम तमाशबीन हो, तुम जवान नहीं हो; पैसिव ऑनलुकर, एक निष्क्रिय देखने वाले। निष्क्रिय देखने वाला आदमी जवान नहीं हो सकता। जवान सम्मिलित होता है जीवन में।

और जिस आदमी को सौंदर्य से प्रेम है, जिस आदमी को जीवन के रस और आनंद से प्रेम है, जिस आदमी को जीवन का आह्लाद है, वह जीवन को आह्लादित

बनाने के लिए श्रम करता है, सुंदर बनाने के लिए श्रम करता है। वह जीवन की कुरूपता से लड़ता है, वह जीवन को कुरूप करने वालों के खिलाफ विद्रोह करता है। कितनी अग्लीनेस है! कितनी कुरूपता है समाज में और जिंदगी में!

अगर तुम्हें प्रेम है सौंदर्य से, तो एक युवक एक सुंदर लड़की की तस्वीर लेकर बैठ जाए और पूजा करने लगे, एक युवती एक सुंदर युवक की तस्वीर लेकर बैठ जाए और कविताएं करने लगे, इतने से जवानी का काम पूरा नहीं हो जाता।

सौंदर्य के प्रेम का मतलब है : सौंदर्य को पैदा करो, क्रिएट करो; जिंदगी को सुंदर बनाओ। आनंद की उपलब्धि और आनंद की आकांक्षा का अर्थ है : आनंद को बिखराओ। फूलों को चाहते हो तो फूलों को पैदा करने की चेष्टा में संलग्न हो जाओ। जैसा तुम चाहते हो जिंदगी को वैसा जिंदगी को बनाओ।

जवानी मांग करती है कि तुम कुछ करो, खड़े होकर देखते मत रहो।

हिंदुस्तान की जवानी तमाशबीन है। हम देखते रहते हैं खड़े होकर, जीवन का जैसे कोई जुलूस जा रहा है। पैसिव, रुके हैं, देख रहे हैं; कुछ भी हो रहा है! सारे मुल्क में कुछ भी हो रहा है। शोषण हो रहा है, जवान खड़ा हुआ देख रहा है! अन्याय हो रहा है, जवान खड़ा हुआ देख रहा है! बेवकूफियां हो रही हैं, जवान खड़ा देख रहा है! बुद्धिहीन लोग देश को नेतृत्व दे रहे हैं, जवान खड़ा हुआ देख रहा है! जड़ता धर्मगुरु बन कर बैठी है, जवान खड़ा हुआ देख रहा है! सारे मुल्क के हितों को नष्ट किया जा रहा है, और जवान खड़ा हुआ देख रहा है! यह कैसी जवानी है?

कुरूपता से लड़ना पड़ेगा, असौंदर्य से लड़ना पड़ेगा, शोषण से लड़ना पड़ेगा, जिंदगी को विकृत करने वाले तत्वों से लड़ना पड़ेगा, जिंदगी के खून को पीने वाले तत्वों से लड़ना पड़ेगा। तो आदमी जवान होता है। वह सागर की लहरों पर जीता है फिर। फिर तूफानों में जीता है। फिर आकाश में उसकी उड़ान होनी शुरू होती है। लेकिन क्या लड़ोगे तुम? व्यक्तिगत लड़ाई ही नहीं है कोई, सामूहिक लड़ाई की तो बात अलग है। कोई फाइट नहीं है!

और बिना फाइट के, बिना लड़ाई के जवानी निखरती नहीं। जवानी सदा लड़ती है और निखरती है। जितना लड़ती है, उतना निखरती है। सुंदर के लिए, सत्य के लिए, शिव के लिए जवानी जितनी लड़ती है, उतनी निखरती है। लेकिन क्या लड़ोगे?

तुम्हारे पिता आ जाएंगे, तुम्हारी गर्दन में रस्सी डाल कर कहेंगे--इस लड़की से विवाह कर लो! और तुम घोड़े पर बैठ जाओगे। तुम जवान हो? और तुम्हारे बाप

जाकर कहेंगे कि दस हजार रुपया लेंगे इस लड़की से! और तुम मजे से मन में गिनती करोगे कि दस हजार में स्कूटर खरीदें कि क्या करें? तुम जवान हो? ऐसी जवानी दो कौड़ी की जवानी है।

जिस लड़की को तुमने कभी चाहा नहीं, जिस लड़की को तुमने कभी प्रेम नहीं किया, जिस लड़के को तुमने कभी नहीं चाहा और जिस लड़के को तुमने कभी छुआ नहीं, उस लड़के से विवाह करने के लिए या उस लड़की से विवाह करने के लिए तुम पैसे के लिए राजी हो रहे हो? समाज की व्यवस्था के लिए राजी हो रहे हो? तो तुम जवान नहीं हो। तुम्हारी जिंदगी में कभी भी वे फूल नहीं खिलेंगे जो युवा मस्तिष्क जानता है। तुम कभी उन आकाश को नहीं छुओगे जो युवा मस्तिष्क छूता है। तुम हो ही नहीं; तुम एक मिट्टी के लोंदे हो, जिसको कहीं भी सरकाया जा रहा है और कहीं भी लिया जा रहा है। तुम चुपचाप मानते चले जा रहे हो कुछ भी! न तुम्हारे मन में संदेह है, न जिज्ञासा है, न संघर्ष है, न पुकार है, न पूछ है, न इंक्वायरी है--कि यह क्या हो रहा है? कुछ भी हो रहा है, हम देख रहे हैं खड़े होकर! नहीं, ऐसे नहीं जवानी पैदा होती है।

इसलिए दूसरा सूत्र तुमसे कहता हूं और वह यह कि जवानी संघर्ष से पैदा होती है। जवानी संघर्ष से पैदा होती है। संघर्ष गलत के लिए भी हो सकता है, और तब जवानी कुरूप हो जाती है। संघर्ष बुरे के लिए भी हो सकता है, तब जवानी विकृत हो जाती है। संघर्ष अंधेरे के लिए भी हो सकता है, तब जवानी आत्मघात कर लेती है।

लेकिन संघर्ष जब सत्य के लिए, सुंदर के लिए, श्रेष्ठ के लिए होता है, संघर्ष जब परमात्मा के लिए होता है, संघर्ष जब जीवन के लिए होता है, तब जवानी सुंदर, स्वस्थ, सत्य होती चली जाती है।

हम जिसके लिए लड़ते हैं, वही हम हो जाते हैं। इसे ध्यान में रख लेना: हम जिसके लिए लड़ते हैं, अंततः हम वही हो जाते हैं।

लड़ो सुंदर के लिए, और तुम सुंदर हो जाओगे। लड़ो सत्य के लिए, और तुम सत्य हो जाओगे। लड़ो श्रेष्ठ के लिए, और तुम श्रेष्ठ हो जाओगे।

और मत लड़ो--तुम खड़े-खड़े सड़ोगे और मर जाओगे और कुछ भी नहीं होओगे।

जिंदगी संघर्ष है और जिंदगी संघर्ष से ही पैदा होती है। फिर जैसा हम संघर्ष करते हैं, हम वैसे ही हो जाते हैं।

हिंदुस्तान में कोई लड़ाई नहीं है, कोई फाइट नहीं है! हिंदुस्तान के मन में कोई

भी लड़ाई नहीं है! सब कुछ हो रहा है, अजीब हो रहा है। हम सब जानते हैं, देखते हैं--सब हो रहा है। और होने दे रहे हैं! अगर हिंदुस्तान की जवानी खड़ी हो जाए तो हिंदुस्तान में फिर ये सब नासमझियां नहीं हो सकतीं जो हो रही हैं। एक आवाज में टूट जाएंगी। चूंकि जवान नहीं है, इसलिए कुछ भी हो रहा है।

तो मैं यह दूसरी बात कहता हूं: लड़ाई के मौके खोजना--सत्य के लिए, सच्चाई के लिए, ईमानदारी के लिए। अगर अभी नहीं लड़ सकोगे तो बुढ़ापे में कभी नहीं लड़ सकोगे। अभी तो मौका है कि ताकत है, अभी मौका है कि शक्ति है, अभी मौका है कि अनुभव ने तुम्हें बेईमान नहीं बनाया है। अभी तुम निर्दोष हो, अभी तुम लड़ सकते हो, अभी तुम्हारे भीतर आवाज उठ सकती है कि यह गलत है। जैसे-जैसे उम्र बढ़ेगी, अनुभव बढ़ेगा, चालाकी बढ़ेगी।

अनुभव से ज्ञान नहीं बढ़ता, सिर्फ कनिंगनेस बढ़ती है, सिर्फ चालाकी बढ़ती है।

अनुभवी आदमी चालाक हो जाता है। उसकी लड़ाई कमजोर पड़ जाती है, वह अपना हित देखने लगता है--कि हमें क्या मतलब है! अपनी फिक्र करो, इतनी बड़ी दुनिया की झंझट में मत पड़ो। जवान आदमी जूझ सकता है, अभी उसे कुछ पता नहीं। अभी उसे अनुभव नहीं है चालाकियों का।

इसके पहले कि चालाकियों में तुम दीक्षित हो जाओ और तुम्हारे उपकुलपति और तुम्हारे शिक्षक और तुम्हारे मां-बाप दीक्षांत समारोह में तुम्हें चालाकियों का सर्टिफिकेट दे दें, उसके पहले लड़ना। शायद लड़ाई तुम्हारी जारी रहे, तो तुम चालाकियों में नहीं, जीवन के अनुभवों में दीक्षित हो जाओ। और शायद लड़ाई तुम्हारी जारी रहे, तो वह जो छिपी है भीतर आत्मा, वह निखर आए, वह प्रकट हो जाए, उसके दर्शन तुम्हें हो जाएं। और जिस दिन कोई आदमी अपने भीतर छिपे हुए जीवन का पूरा अनुभव करता है, उसी दिन पूरे अर्थों में जीवित होता है।

और मैं कहता हूं, जो आदमी एक दफे एक क्षण को भी पूरे अर्थों में जीवन का रस जान लेता है, उसकी फिर कोई मृत्यु कभी नहीं होती। वह अमृत से संबंधित हो जाता है।
युवा होना अमृत से संबंधित होने का मार्ग है। युवा होना आत्मा की खोज है। युवा होना परमात्मा के मंदिर पर प्रार्थना है।

ये थोड़ी सी बातें मैंने कहीं। मेरी बातों को इतने प्रेम से सुना, उससे बहुत

अनुगृहीत हूं। और अंत में तुम सबके भीतर बैठे परमात्मा के लिए प्रणाम करता हूं, मेरे प्रणाम स्वीकार करें।

12

युवा चित्त का जन्म

मेरे प्रिय आत्मन्!

सोरवान विश्वविद्यालय की दीवालों पर जगह-जगह एक नया ही वाक्य लिखा हुआ दिखाई पड़ता है। जगह-जगह दीवालों पर, द्वारों पर लिखा है: प्रोफेसर्स, यू आर ओल्ड! अध्यापकगण, आप बूढ़े हो गए हैं!

सोरवान विश्वविद्यालय की दीवालों पर जो लिखा है, वह मनुष्य की पूरी संस्कृति, पूरी सभ्यता की दीवालों पर लिखा जा सकता है। सब कुछ बूढ़ा हो गया है, अध्यापक ही नहीं। मनुष्य का मन भी बूढ़ा हो गया है।

मैंने सुना है कि लाओत्से के संबंध में एक कहानी है कि वह बूढ़ा ही पैदा हुआ। यह कहानी कैसे सच होगी, कहना मुश्किल है। सुना नहीं कि कभी कोई आदमी बूढ़ा ही पैदा हुआ हो। शरीर से तो कभी नहीं सुना है कि कोई आदमी बूढ़ा पैदा हुआ हो! लेकिन ऐसा हो सकता है कि मन से आदमी पैदा होते ही बूढ़ा हो जाए।

और लाओत्से भी अगर बूढ़ा पैदा हुआ होगा, तो इसी अर्थ में कि वह कभी बच्चा नहीं रहा होगा, कभी जवान नहीं हुआ होगा। चित्त के जो वार्धक्य के, ओल्डनेस के जो लक्षण हैं, वे पहले दिन से ही उसमें प्रविष्ट हो गए होंगे। लेकिन लाओत्से बूढ़ा पैदा हुआ हो या न हुआ हो, आज जो मनुष्यता हमारे सामने है, वह बूढ़ी ही पैदा होती है। हमने बूढ़े होने के सूत्र पकड़ रखे हैं।

और इसके पहले मैं कहूं कि युवा चित्त का जन्म कैसे हो, मैं इस बाबत में कहूंगा कि चित्त बूढ़ा कैसे हो जाता है। क्योंकि बहुत गहरे में चित्त का बूढ़ा होना, मनुष्य की चेष्टा से होता है।

चित्त अपने आप में सदा जवान है। शरीर की तो मजबूरी है कि वह बूढ़ा हो जाता है; लेकिन चेतना की कोई मजबूरी नहीं है कि वह बूढ़ी हो जाए। चेतना युवा ही है। माइंड तो यंग ही है, वह कभी बूढ़ा नहीं होता। लेकिन अगर हम व्यवस्था करें तो उसे भी बूढ़ा बना सकते हैं।

इसलिए जवान चित्त कैसे पैदा हो, यंग माइंड कैसे पैदा हो, यह सवाल उतना महत्वपूर्ण नहीं है, जितना गहरे में सवाल यह है कि चित्त को बूढ़ा बनाने की तरकीबों से कैसे बचा जाए। अगर हम चित्त को बूढ़ा बनाने की तरकीबों से बच जाते हैं, तो जवान चित्त अपने आप पैदा हो जाता है।

चित्त जवान है ही। चित्त कभी बूढ़ा होता ही नहीं। वह सदा ताजा है। चेतना सदा ताजी है। चेतना नई है, रोज नई है।

लेकिन हमने जो व्यवस्था की है, वह उसे रोज बूढ़ा और पुराना करती चली जाती है। तो पहले मैं समझाना चाहूंगा कि चित्त के बूढ़ा होने के सूत्र क्या हैं।

पहला सूत्र हैः फियर, भय। जिस चित्त में जितना ज्यादा भय प्रविष्ट हो जाएगा, वह उतना ही पैरालाइज्ड और क्रिपिल्ड हो जाएगा। वह उतना ही बूढ़ा हो जाएगा।

और हमारी पूरी संस्कृति--आज तक के मनुष्य की पूरी संस्कृति--भय पर खड़ी हुई है।

हमारा तथाकथित सारा धर्म भय पर खड़ा हुआ है। हमारे भगवान की मूर्तियां हमने भय के कारखाने में ढाली हैं। वहीं वे निर्मित हुई हैं। हमारी प्रार्थनाएं, हमारी पूजाएं--थोड़ा हम भीतर प्रवेश करें, तो भय की आधारशिलाओं पर खड़ी हुई मिल जाएंगी। हमारे संबंध, हमारा परिवार, हमारे राष्ट्र, बहुत गहरे में, भय पर खड़े हैं।

परिवार निर्मित हो गए हैं; लेकिन पति भयभीत है! पुरुष भयभीत है! स्त्री भयभीत है! बच्चे भयभीत हैं! साथ खड़े हो जाने से भय थोड़ा कम मालूम होता है।

संप्रदाय, संगठन खड़े हो गए हैं भय के कारण। राष्ट्र, देश खड़े हैं भय के कारण!

हमारी जो भी आज तक की व्यवस्था है, वह सारी व्यवस्था भय पर खड़ी है। एक-दूसरे से हम भयभीत हैं। दूसरे से ही नहीं, हम अपने से भी भयभीत हैं।

इस भय के कारण चित्त का युवा होना कभी संभव नहीं है। क्योंकि चित्त तभी युवा होता है जब अभय हो, खतरे और जोखिम उठाने में समर्थ हो। जो जितना ही भयभीत है, वह खतरे में उतना ही प्रवेश नहीं करता है। वह सुरक्षा का रास्ता लेता है, सिक्योरिटी का रास्ता लेता है। जहां कोई खतरे न हों, वह रास्ता लेता है।

और सिर्फ उन्हीं रास्तों पर खतरा नहीं मालूम होता है, जो हमारे परिचित हैं, जिन पर हम बहुत बार गुजर कर गए हैं। तो बूढ़ा मनुष्य, कोल्हू के बैल की तरह एक ही रास्ते पर घूमता रहता है। रोज सुबह वहीं उठता है जहां कल सांझ सोया था! रोज वही करता है जो कल किया था! रोज वही--जो कल था, उसी में जीने की कोशिश करता है। नये से डरता है। नये में खतरा भी हो सकता है। भयभीत चित्त बूढ़ा होता है। और भय हमारे पूरे प्राणों को किस बुरी तरह मार डालता है, यह हमें पता नहीं है।

मैंने सुना है, एक गांव के बाहर एक फकीर का झोपड़ा था। एक सांझ अंधेरा उतरता था, फकीर झोपड़े के बाहर बैठा है, एक काली छाया उसे गांव की तरफ भागती जाती मालूम पड़ी। रोका उसने उस छाया को। पूछा, तुम कौन हो और कहां जाती हो? उस छाया ने कहा, मुझे पहचाना नहीं! मैं मौत हूं, और गांव में जा रही हूं। प्लेग आने वाला है। गांव में मेरी जरूरत पड़ गई है।

उस फकीर ने पूछा, कितने लोग मर गए हैं? कितने लोगों के मरने का इंतजाम है? कितने की योजना है?

उस मौत की काली छाया ने कहा, बस हजार लोग ले जाने हैं।

मौत चली गई। महीना भर बीत गया। गांव में प्लेग फैल गया। कोई पचास हजार आदमी मरे। दस लाख की नगरी थी, कुल पचास हजार आदमी मर गए।

फकीर बहुत हैरान हुआ कि आदमी धोखा देता था, यह मौत भी धोखा देने लगी! मौत भी झूठ बोलने लगी! और मौत क्यों झूठ बोले? क्योंकि आदमी झूठ बोलता है डर के कारण। मौत किससे डरती होगी कि झूठ बोले। मौत को तो डरने का कोई कारण नहीं, क्योंकि मौत ही डरने का कारण है। तो मौत को क्या डर हो सकता है? फ

कीर बैठा रहा कि मौत वापस लौटे तो पूछ लूं। महीने भर के बाद मौत वापस लौटी। फिर रोका और कहा कि बड़ा धोखा दिया। कहा था, हजार लोग मरेंगे। पचास हजार लोग मर चुके हैं!

मौत ने कहा, मैंने हजार ही मारे हैं, बाकी भय से मर गए हैं। उनसे मेरा कोई संबंध नहीं है। वे अपने आप मर गए हैं।

और भय से कोई आदमी बिलकुल मर जाए, बड़ा खतरा नहीं है। लेकिन भय से हम भीतर मर जाते हैं, और बाहर जीते चले जाते हैं। भीतर लाश हो जाती है, बाहर ज़िंदा रह जाते हैं। भीतर सब डेड वेट हो जाता है--मुर्दा, मरा हुआ। और बाहर हमारी आंखें, हाथ-पैर चलते हुए मालूम पड़ते हैं।

बूढ़े होने का मतलब यह है कि जो आदमी भीतर से मर गया है, सिर्फ बाहर से जी रहा है। जिसकी जिंदगी सिर्फ बाहर है, भीतर जो मर चुका है, वह आदमी बूढ़ा है।

यह हो सकता है कि एक आदमी बाहर से बूढ़ा हो जाए--शरीर पर झुर्रियां पड़ गई हैं, और मृत्यु के चरण-चि दिखाई पड़ने लगे हैं, मृत्यु की पगध्वनियां सुनाई पड़ने लगी हैं--और भीतर से जिंदा हो, जवान हो। उस आदमी को बूढ़ा कहना गलत है। बूढ़ा, शारीरिक मापदंड से नहीं तौला जा सकता है। बुढ़ापा तौला जाता है, भीतर कितना मृत हो गया है, उससे। कुछ लोग बूढ़े ही जीते हैं, जन्मते हैं, और मरते हैं!

कुछ थोड़े से सौभाग्यशाली लोग युवा जीते हैं। और जो युवा होकर जी लेता है, वह युवा ही मरता है। वह मौत के आखिरी क्षण में भी युवा होता है। मृत्यु उसे छीन नहीं पाती। क्योंकि जिसे बुढ़ापा ही नहीं छू पाता है, उसे मृत्यु कैसे छू पाएगी!

लेकिन संस्कृति हमारी भय को ही प्रचारित करती है, हजार तरह के भय खड़े करती है।

सारे पुराने धर्मों ने ईश्वर का भय सिखाया है। और जिसने भी ईश्वर का भय सिखाया है, उसने पृथ्वी पर अधर्म के बीज बोए हैं। क्योंकि भयभीत आदमी धार्मिक हो ही नहीं सकता। भयभीत आदमी धार्मिक दिखाई पड़ सकता है।

भय से कभी किसी व्यक्ति के जीवन में क्रांति हुई है? रूपांतरण हुआ है?

पुलिसवाला चौरास्ते पर खड़ा है, इसलिए मैं चोरी न करूं, तो मैं अच्छा आदमी हूं। पुलिसवाला हट जाए, तो मेरी चोरी अभी शुरू हो जाए।

अगर पक्का पता चल जाए कि ईश्वर मर गया है--उसकी खबरें तो बहुत आती हैं, लेकिन पक्का नहीं हो पाता कि ईश्वर मर गया है--तो जिसको हम धार्मिक आदमी कहते हैं, वह एक क्षण में अधार्मिक हो जाए। अगर इसकी गारंटी हो जाए कि ईश्वर मर गया है, तो जिसको हम धार्मिक आदमी कहते हैं, मंदिर कभी न जाए। फिर सच्चाई, सत्य और गीता और कुरान और बाइबिल की बातें वह भूल कर भी न करे। वह फिर टूट पड़े जीवन पर पागल की तरह! उसने भगवान को एक बहुत बड़ा

सुप्रीम कांस्टेबल की तरह समझा हुआ है--हेड कांस्टेबल, सबके ऊपर बैठा हुआ पुलिसवाला--वह उसको डराए हुए है।

पुराना शब्द है : गॉड फियरिंग, ईश्वर-भीरु! धार्मिक आदमी को हम कहते हैं : ईश्वर-भीरु!

परसों मैं एक मित्र के घर था बड़ौदा में। उन्होंने कहा, मेरे पिता बहुत गॉड फियरिंग हैं, बड़े धार्मिक आदमी हैं।
सुन लिया मैंने। लेकिन गॉड फियरिंग धार्मिक कैसे हो सकता है? गॉड लविंग, ईश्वर को प्रेम करने वाला धार्मिक हो सकता है। ईश्वर से डरने वाला कैसे धार्मिक हो सकता है?

और ध्यान रहे, जो डरता है, वह प्रेम कभी नहीं कर सकता है। जिससे हम डरते हैं, उसको हम प्रेम कर सकते हैं? उसको हम घृणा कर सकते हैं, प्रेम नहीं कर सकते! हां, प्रेम दिखा सकते हैं। भीतर होगी घृणा, बाहर दिखाएंगे प्रेम! प्रेम एक्टिंग होगा, अभिनय होगा!

जो भगवान से डरा हुआ है, उसकी प्रार्थना झूठी है, उसके प्रेम की सब बातें झूठी हैं। क्योंकि जिससे हम डरे हैं, उससे प्रेम असंभव है, उससे प्रेम का संबंध पैदा ही नहीं होता है।

कभी आपको खयाल है, जिससे आप डरे हैं, उसे आपने प्रेम किया है? लेकिन यह भ्रांति गहरी है। वह ऊपर बैठा हुआ पिता भी इस तरह पेश किया गया है कि उससे हम डरे हैं। नीचे भी जिसको हम पिता कहते हैं, मां कहते हैं, गुरु कहते हैं, वे सब डरा रहे हैं। और सब सोचते हैं कि डर से प्रेम पैदा हो जाए।

बाप बेटे को डरा रहा है। डरा कर सोच रहा है कि प्रेम पैदा होता है। नहीं! दुश्मनी पैदा हो रही है। हर बेटा बाप का दुश्मन हो जाएगा। जो बाप भी बेटे को डराएगा, दुश्मनी पैदा हो जाना निश्चित है। और बेटा आज नहीं कल, बदले में बाप को डराएगा। थोड़ा वक्त लगेगा, थोड़ा समय लगेगा। बाप जब बूढ़ा हो जाएगा, बेटा जब जवान होगा, तो बाप ने जब जवान था और बेटा जब बच्चा था, जिस भांति डराया था, पहलू बदल जाएगा, अब बेटा बाप को डराएगा! और बाप चिल्लाएगा : बेटे बिलकुल बिगड़ गए हैं!

बेटे कभी नहीं बिगड़ते। पहले बाप को बिगड़ना पड़ता है। तब बेटे बिगड़ते हैं।
बाप पहले बिगड़ गया। उसने बचपन में बेटे के साथ वह सब कर लिया है, जो बेटे को बुढ़ापे में उसके साथ करना पड़ेगा। सब चक्के घूम कर अपनी जगह आ

जाते हैं। अगर भय हमने पैदा किया है, तो परिणाम में भय लौटेगा, घृणा लौटेगी, दुश्मनी लौटेगी। प्रेम नहीं लौटता।

और हमने जो ईश्वर बनाया था, वह भय का साकार रूप था। भय ही भगवान था। स्वाभाविक रूप से आदमी उससे डरा। डर कर धार्मिक बना, तो धार्मिकता झूठी ही थोपी! एकदम ऊपरी। भीतर भय था, भीतर डर था।

आज एक युवती ने मुझे आकर कहा कि बचपन से मुझे ऐसा लगता है कि ईश्वर मुझे मिल जाए तो उसे मार डालूं। मैंने कहा, यह सब खयाल है तेरे मन में? लेकिन जो भी डराने वाला है, उसको मारने का खयाल हमारे मन में पैदा होगा ही। उस युवती को ठीक ही खयाल पैदा हुआ है। हिम्मत है, उसने कह दिया है। हममें हिम्मत नहीं है, हम नहीं कहते। वैसे हर आदमी इस खोज में है कि ईश्वर को कैसे खत्म कर दें, कैसे मार डालें।

दोस्तोवस्की ने अपने उपन्यास में कहा है कि अगर ईश्वर न हो, देन एवरीथिंग इज़ परमिटेड। एक बार पक्का हो जाए, ईश्वर नहीं है, तो हर चीज की आज्ञा मिल जाए। फिर हमें जो करना है, हम कर सकते हैं। फिर कोई डर न रह जाए। वही तो निश्चित है। बाद में उसने कहा कि तुम छोड़ दो भय। खबर नहीं मिली तुम्हें--गॉड इज़ नाउ डेड, मैन इज़ फ्री! ईश्वर मर चुका है और आदमी मुक्त है!

ईश्वर बंधन था कि उसके मरने से आदमी मुक्त होगा? इसमें ईश्वर का कसूर नहीं है। इसमें धर्म के नाम पर जो परंपराएं बनीं, उन्होंने भय का बंधन बना दिया था। जरूरी हो गया था कि ईश्वर के बेटे किसी दिन उसे कत्ल कर दें।

आज दुनिया भर के बेटे ईश्वर का कत्ल कर दे रहे हैं। रूस ने कत्ल किया है, चीन ने कत्ल किया है; हिंदुस्तान में भी कत्ल करेंगे। बचाना बहुत मुश्किल है। नक्सलवादी ने शुरू किया है, बंगाल में शुरू किया है। गुजरात थोड़ा पीछे जाएगा। थोड़ा गणित बुद्धि का है, थोड़ी देर में; लेकिन आएगा, बच नहीं सकता।

ईश्वर पृथ्वी के कोने-कोने में कत्ल किया जाएगा। उसका जिम्मा नास्तिकों का नहीं होगा, गौर रखना। उसका जिम्मा उनका होगा, जिन्होंने ईश्वर के साथ भय को जोड़ा है, प्रेम को नहीं। इसके लिए जिम्मेवार तथाकथित धार्मिक लोग होंगे--वे चाहे हिंदू हों, चाहे मुसलमान हों, चाहे ईसाई हों; इससे कोई फर्क नहीं पड़ता। जिन्होंने भी मनुष्य-जाति के मन में ईश्वर और भय का एसोसिएशन करवा दिया है, दोनों को जुड़वा दिया है, उन्होंने इतनी खतरनाक बात पैदा की है कि आदमी के धार्मिक होने में सबसे बड़ी बाधा बन गई है। या तो ईश्वर को भय से मुक्त करो--या

ईश्वर आदमी को बूढ़ा करने और मारने का कारण हो गया है--क्योंकि भय बूढ़ा करता है और मारता है।

और ध्यान रहे, चीजें संयुक्त हो जाती हैं। विपरीत चीजें भी संयुक्त हो सकती हैं। मन के नियम हैं। अब भय से भगवान का कोई संबंध नहीं है। अगर इस पृथ्वी पर, इस जगत में, इस जीवन में कोई एक चीज है, जिससे निर्भय हुआ जा सकता है, तो वह भगवान है। कोई एक तत्व है, जिससे निर्भय हुआ जा सकता है पूरा, तो वह परमात्मा है। क्योंकि बहुत गहरे में हम उसकी ही किरणें हैं, उसके ही हिस्से हैं, उसके ही भाग हैं, उससे ही लगे हैं। उससे भय का सवाल क्या है? उससे भयभीत होना अपने से भयभीत होने का मतलब रखेगा। लेकिन हम जोड़ सकते हैं चीजों को।

पावलव ने रूस में बहुत प्रयोग किए हैं एसोसिएशन पर, संयोग पर। एक कुत्ते को पावलव रोज रोटी खिलाता है। रोटी सामने रखता है, कुत्ते की लार टपकने लगती है। फिर रोटी के साथ वह घंटी बजाता है। रोज रोटी देता है, घंटी बजाता है। रोटी देता है, घंटी बजाता है। पंद्रह दिन बाद रोटी नहीं देता है, सिर्फ घंटी बजाता है। और कुत्ते की लार टपकनी शुरू हो जाती है! अब घंटी से लार टपकने का कोई भी संबंध कभी सुना है? घंटी बजने से कुत्ते की लार टपकनें का क्या संबंध है?

कोई भी संबंध नहीं है। तीन काल में कोई संबंध नहीं है। लेकिन एसोसिएशन हो जाता है। रोटी के साथ घंटी जुड़ गई। जब रोटी मिली तब घंटी बजी, जब घंटी बजी तब रोटी मिली। रोटी और घंटी मन में कहीं एक साथ हो गईं। अब सिर्फ घंटी बज रही है, लेकिन रोटी का खयाल साथ में आ रहा है और तकलीफ शुरू हो गई है।

मनुष्य कुछ खतरनाक संयोग भी बना सकता है। भगवान और भय का संयोग ऐसा ही खतरनाक है। पावलव का प्रयोग बहुत खतरनाक नहीं है। घंटी और रोटी में संबंध हो जाए, हर्ज क्या है? लेकिन भगवान और भय में संबंध हो जाए तो मनुष्यता बूढ़ी हो जाएगी।

अतीत का मनुष्य बूढ़ा मनुष्य था। अतीत का इतिहास वृद्ध मनुष्यता का इतिहास है, ओल्ड माइंड का, बूढ़े मन का इतिहास है, क्योंकि वह भय पर खड़ा हुआ है।

धर्म...भय पर खड़े हुए मंदिर हैं, हाथ जोड़े हुए भयभीत लोग! यह फासला, भय, डर, कि भगवान मिटा देगा! वह तो तैयार बैठा हुआ है। भगवान तैयार बैठा हुआ है आदमियों को सताने को, डराने को। आदमी जरा ही इनकार करेगा, और

भगवान बर्बाद कर देगा, और नर्कों में सड़ा देगा।

नरक के कैसे-कैसे भय पैदा हमने किए हैं भगवान के साथ? कैसे अदभुत भय पैदा किए हैं? क्रिमिनल माइंड भी, अपराधी से अपराधी आदमी भी ऐसी योजना नहीं बना सकता है जैसी, जिन्हें हम ऋषि-मुनि कहते हैं, उन्होंने नरक की योजना बनाई है! नरक की योजना देखने लायक है।

और ध्यान रहे, नरक की योजना कोई बहुत सौंदर्य को, सत्य को, प्रेम को, परमात्मा को खयाल में रखने वाला बना नहीं सकता है। यह असंभव है कि अगर वास्तव में परमात्मा हो तो नरक भी हो सके। ये दोनों बातें एक साथ संभव नहीं हैं। या तो परमात्मा नहीं होगा, तो नरक हो सकता है। और अगर नरक है, तो फिर परमात्मा को विदा करो। वह नहीं हो सकता है। ये दोनों चीजें एक साथ संभव नहीं हैं। उनका को-एक्झिस्टेंस नहीं हो सकता है। उनका सह-अस्तित्व संभव नहीं है।

नरक की क्या-क्या योजना है, सोचा है आपने कभी? कितना डराया होगा आदमी को? और आदमी इतना कम जानता था कि डराया जा सकता है। इतना कम जानता था कि घबड़ाया जा सकता है। आदमी एक अर्थ में अबोध था। वह बहुत भयभीत किया जा सकता था।

हर मुल्क को नरक की अलग-अलग कल्पना करनी पड़ी। क्यों? क्योंकि हर मुल्क में भय का अलग-अलग उपाय खोजा गया है। स्वाभाविक था। कुछ चीजें, जिनसे हम भयभीत हैं, दूसरे लोग भयभीत नहीं हैं। जैसे तिब्बत में ठंड भय पैदा करती है, हिंदुस्तान में पैदा नहीं करती, ठंड अच्छी लगती है। तो हमारे नरक में ठंड का बिलकुल इंतजाम नहीं है। हमारे नरक में आग जल रही है। और धूप और गरमी हमें परेशान करती है, भयभीत करती है। और हमने नरक में आग के अखंड कुंड जला रखे हैं! यज्ञ ही यज्ञ हो रहे हैं नरक में! आग ही आग जल रही है। और अनंत काल से उसमें घी डाला जा रहा होगा! भड़कती ही चली जा रही है। और उस आग का कभी बुझना नहीं होगा। वह इटरनल फायर है। और वह कभी बुझती नहीं है, अनंत आग है। और उसमें पापियों को डाला जा रहा है, सड़ाया जा रहा है। मजा एक है कि कोई मरेगा नहीं उस आग में डालने से, क्योंकि मर गए तो दुख खत्म हो जाएगा। इंतजाम यह है, आग में डाले जाएंगे--जलेंगे, सड़ेंगे, गलेंगे--मरेंगे भर नहीं। जिंदा तो रहना ही पड़ेगा।

नरक में कोई मरता नहीं है, खयाल रखना!

क्योंकि मरना भी एक राहत हो सकती है किसी स्थिति में, मरना भी कंफर्टेबल

हो सकता है किसी हालात में। किसी क्षण में आदमी चाह सकता है, मर जाऊं।

वहां कोई आत्महत्या नहीं कर सकता है। पहाड़ से गिरो, गर्दन टूट जाएगी, आप बच जाओगे। फांसी लगाओ, गला कट जाएगा, आप बच जाओगे। छुरा मारो, छुरा घुप जाएगा, आप बच जाओगे। जहर पीओ, फोड़े-फुंसियां पैदा हो जाएंगी, जहर उगाने लगेगा शरीर, लेकिन आप नहीं मरोगे। नरक में आत्महत्या का उपाय नहीं है! आग जल रही है, जिसे हम जला रहे हैं।

तिब्बत में...और तिब्बत के नरक में आग नहीं जलती, क्योंकि तिब्बत में आग बड़ी सुखद है। तो तिब्बत में आग की जगह शाश्वत बर्फ जमा हुआ है, जो कभी नहीं पिघलता है! वह बर्फ में दबाए जाएंगे तिब्बत के पापी। वह बर्फ में दबाया जाएगा। तिब्बत के स्वर्ग में आग है। सूरज चमकता है, तेज धूप है, बर्फ बिलकुल नहीं जमती।

हिंदुस्तान के स्वर्ग बिलकुल एयरकंडीशंड हैं, वातानुकूलित हैं। शीतल मंद पवन हमेशा बहती रहती है। कभी ऐसा नहीं होता कि ठंडक में कमी आती हो। ठंडक ही बनी रहती है। सूरज भी निकलता है तो किरणें तपाने वाली नहीं हैं, बड़ी शीतल हैं।

दुख, भय, आदमी को नरक का, पापों का, पापों के कर्मों का...लंबे-लंबे भय हमने मनुष्य के मानस में निर्धारित किए हैं! और किसलिए? यह आदमी धार्मिक है? यह आदमी धार्मिक नहीं हुआ, सिर्फ बूढ़ा हो गया है, सिर्फ वृद्ध हो गया है। इतना भयभीत हो गया है कि वृद्ध हो गया है।

भय बड़ी तेजी से वार्धक्य लाता है।

यहां तक घटनाएं संगृहीत की गई हैं कि एक आदमी को कोई तीन सौ वर्ष पहले हालैंड में फांसी की सजा दी गई। वह आदमी जवान था। जिस दिन उसे फांसी की सजा सुनाई गई, सांझ वह जाकर अपनी कोठरी में सोया। सुबह उठ कर पहरेदार उसे पहचान न सके कि यह आदमी वही है। उसके सारे बाल सफेद हो गए हैं! उसके चेहरे पर झुर्रियां पड़ गई हैं! वह आदमी बूढ़ा हो गया है!

ऐसी कुछ घटनाएं इतिहास में संगृहीत हैं, जब आदमी क्षण भर में बूढ़ा हो गया हो। इतनी तेजी से! भयभीत अगर हो गया होगा, तो हो सकता है। जो रस-स्रोत तीस वर्ष में सूखते, वे भय के क्षण में, एक ही क्षण में सूख गए हों, कठिनाई क्या है? निश्चित, बाल सफेद होंगे ही। तीस-चालीस वर्ष, पचास वर्ष का समय लगता है उनके बाल सफेद होने में। यह हो सकता है कि इतनी तीव्रता से भय ने पकड़ा हो कि

भीतर के जिन रस-स्त्रोतों से बालों में कालिख आती हो, वे एक ही भय के धक्के में सूख गए हों। बाल सफेद हो गए हों।

आदमी एक क्षण में बूढ़ा हो सकता है, भय से।

और अगर दस हजार साल की पूरी संस्कृति भय पर ही खड़ी है, सिवाय भय के कोई आधार ही न हो, तो अगर आदमी का मन बूढ़ा हो जाए तो आश्चर्य नहीं है।

जिसे बूढ़ा होना हो, उसे भय में दीक्षा लेनी चाहिए, उसे भय सीखना चाहिए, उसे भयभीत होना चाहिए।

यूरोप में ईसाइयों के दो संप्रदाय थे। एक तो अब भी जिंदा है, क्वेकर। क्वेक का मतलब होता है--कंप जाना। जमीन कंप जाती है। क्वेकर का मतलब होता है--कंप जाना। क्वेकर संप्रदाय का जन्म ऐसे लोगों से हुआ है, जिन्होंने लोगों को इतना भयभीत कर दिया कि उनकी सभा में लोग कंपने लगते हैं, गिर जाते हैं और बेहोश हो जाते हैं। इसलिए इस संप्रदाय का नाम क्वेकर हो गया।

एक और संप्रदाय था, जिसका नाम था शेकर। वह भी कंपा देता था। जॉन बर्कले जब बोलता था तो स्त्रियां बेहोश हो जाती थीं, आदमी गिर पड़ते थे, लोग कंपने लगते थे, लोगों के नथुने फूल जाते थे। क्या बोलता था? नरक के चित्र खींचता था। साफ चित्र। और लोगों के मन में चित्र बिठा देता था। और डर बिठा देता था। वे सारे लोग हाथ जोड़ कर कहते थे कि हमें प्रभु ईसा के धर्म में दीक्षित कर दो। डर गए।

इसलिए जितने दुनिया में धर्म नये पैदा होते हैं, वे घबड़ाते हैं कि दुनिया का अंत जल्दी होने वाला है। बहुत शीघ्र दुनिया का अंत आने वाला है। सब नष्ट हो जाएगा। जो हमें मान लेंगे, वही बच जाएंगे। घबड़ाहट में लोग उन्हें मानने लगते हैं।

अभी भी इस मुल्क में कुछ संप्रदाय ऐसे चलते हैं, जो लोगों को घबड़ाते हैं कि जल्दी सब अंत होने वाला है। सब खतम हो जाएगा। और जो हमारे साथ होंगे वे बच जाएंगे, शेष सब नरक में पड़ जाएंगे।

सब धर्म यही कहते हैं कि जो हमारे साथ होंगे वे बच जाएंगे, बाकी सब नरक में पड़ जाएंगे। अगर उन सब की बातें सही हैं तो एक भी आदमी के बचने का उपाय नहीं दिखता है। जीसस को नरक में जाना पड़ेगा, क्योंकि जीसस हिंदू नहीं हैं, जैन नहीं हैं, बौद्ध नहीं हैं। महावीर को भी नरक में पड़ना पड़ेगा, क्योंकि महावीर ईसाई नहीं हैं, बौद्ध नहीं हैं, हिंदू नहीं हैं, मुसलमान नहीं हैं। बुद्ध को भी नरक में पड़ना पड़ेगा, क्योंकि वे हिंदू नहीं हैं, ईसाई नहीं हैं, जैन नहीं हैं। दुनिया के सब धर्म कहते हैं

कि हम सिर्फ बचा लेंगे, बाकी सब डुबा देंगे। उस घबड़ाहट में ठीक से--भय शोषण का उपाय बन गया है।

भयभीत करो, आदमी शोषित हो जाता है।

भयभीत कर दो आदमी को, फिर वह होश में नहीं रह जाता है। फिर वह कुछ भी स्वीकार कर लेता है। डर में वह इनकार नहीं करता। भयभीत आदमी कभी संदेह नहीं करता। और जो संदेह नहीं करता है, वह बूढ़ा हो जाता है।

जो आदमी संदेह कर सकता है, वह सदा जवान है।

जो आदमी भयभीत होता है, वह विश्वास कर लेता है, बिलीव कर लेता है, मान लेता है कि जो है वह ठीक है। क्योंकि इतनी हिम्मत जुटानी कठिन है कि गलत है। बूढ़ा आदमी विश्वासी होता है। युवा चित्त निरंतर संदेह करता है, खोजता है, पूछता है, प्रश्न करता है।

यह ध्यान रहे, युवा चित्त से विज्ञान का जन्म होता है और बूढ़े चित्त से विज्ञान का जन्म नहीं होता है।

जिन देशों में जितना भय और जितना वार्धक्य लादा गया है, उन देशों में विज्ञान का जन्म नहीं हो सका, क्योंकि विचार नहीं, संदेह नहीं, प्रश्न नहीं, जिज्ञासा नहीं!

क्या हम सब भयभीत नहीं हैं? क्या हम सब भयभीत होने के कारण सारी व्यवस्था को बांधे हुए, पकड़े हुए नहीं खड़े हैं? क्या हम सब डरे हुए नहीं हैं?

अगर हम डरे हुए हैं, तो यह संस्कृति और यह समाज सुंदर नहीं है, जिसने हमें डरा दिया है। संस्कृति और समाज तो तब सुंदर और स्वस्थ होगा, जब हमें भय से मुक्त करे, हमें अभय बनाए। अभय, फियरलेसनेस! निर्भय नहीं। निर्भय और अभय में बड़ा फर्क है। फर्क है, यह समझ लेना जरूरी है।

भयभीत आदमी, भीतर भयभीत है और बाहर से अकड़ कर अगर इनकार करने लगे, तो वह निर्भय होता है। भय शांत नहीं होता है उसके भीतर। वह बहादुरी दिखाएगा बाहर से, भीतर भय होगा। जिनके हाथ में भी तलवार है, वे कितने भी बहादुर हों, वे भयभीत जरूर रहे होंगे, क्योंकि बिना भय के हाथ में तलवार का कोई भी अर्थ नहीं है। जिनके भी हाथ में तलवार है--चाहे उनकी मूर्तियां चौरस्ते पर खड़ी कर दी गई हों, और चाहे घरों में चित्र लगाए गए हों--वे घोड़ों पर बैठे हुए, तलवारें हाथ में लिए हुए लोग भयभीत लोग हैं। भीतर भय है। तलवार उनकी सुरक्षा है-- भय की।

और ध्यान रहे, जो आदमी निर्भय हो जाएगा, वह दूसरे को भयभीत करने के

उपाय शुरू कर देगा। क्योंकि भीतर उसके भय है, वह डरा हुआ है। मैक्यावेली ने कहा है, डिफेंस का, सुरक्षा का एक सबसे अच्छा उपाय आक्रमण है, अटैक है। प्रतीक्षा मत करो कि दूसरा आक्रमण करेगा तब हम उत्तर देंगे। आक्रमण कर दो! ताकि दूसरे को आक्रमण का मौका न रहे।

जितने लोग आक्रामक हैं, एग्रेसिव हैं, सब भीतर से भय से भरे हुए हैं। भयभीत आदमी हमेशा आक्रामक होगा, क्योंकि वह डरता है। इसके पहले कि कोई मुझ पर हमला करे, मैं हमला कर दूं। पहला मौका मुझे मिल जाए। हमला हो जाने के बाद कहा नहीं जा सकता है क्या हो! इसलिए भयभीत आदमी हमेशा तलवार लिए हुए है। वह कवच बांधे हुए मिलेगा। कवच बहुत तरह के हो सकते हैं।

एक आदमी कह सकता है कि मैं तो भगवान में विश्वास करता हूं। मुझे कोई डर नहीं है। मैं तो भगवान का सहारा मांगता हूं। यह भी कवच बनाया है भगवान का, तलवार बना रहा है भगवान को। भगवान की तलवारें मत ढालो। भगवान कोई लोहा नहीं है कि तलवारें ढाली जा सकें और कवच बनाया जा सके।

वह आदमी कहता है, मुझे कोई डर नहीं है, रोज मैं हनुमान चालीसा पढ़ता हूं। वह हनुमान चालीसा को ढाल बना रहा है। और भीतर भयभीत है। और भयभीत आदमी कितना ही हनुमान चालीसा पढ़े...तो हनुमान फिर पूछते होंगे कि कई दिनों से यह पागल क्या कर रहा है? भयभीत आदमी कितने ही कवच उपलब्ध कर ले, भय नहीं मिटता है। निर्भय भी भय करने लगेगा और दिखाने की कोशिश करेगा कि मैं किसी से भयभीत नहीं हूं। जो भी आदमी दिखाने की कोशिश करे कि मैं किसी से भयभीत नहीं हूं, जान लेना कि दिखाने की कोशिश में भीतर भय उपस्थित है। अभय बिलकुल और बात है। अभय का मतलब है, भय का विसर्जित हो जाना। अभय का मतलब है, भय का विसर्जन। निर्भय नहीं हो जाना है।

अभय का मतलब है, भय का विसर्जित हो जाना।
सिर्फ अभय को जो उपलब्ध हुआ हो, वही व्यक्ति अहिंसक हो सकता है। निर्भय व्यक्ति अहिंसक नहीं हो सकता। भीतर भय काम करता ही रहेगा। और भय सदा हिंसा की मांग करता रहेगा। भय सदा सुरक्षा चाहेगा। सुरक्षा के लिए हिंसा का आयोजन करना पड़ेगा।

आज तक का पूरा समाज हमारा हिंसक समाज रहा है।
अच्छे लोग भी हिंसक रहे हैं, बुरे लोग भी हिंसक रहे हैं।
इस धर्म को मानने वाले भी हिंसक हैं, उस धर्म को मानने वाले भी हिंसक हैं।

इस देश के, उस देश के--सारी पृथ्वी हिंसक रही है। सारी पृथ्वी का पूरा इतिहास हिंसा और युद्धों का इतिहास है।

नाम हम कुछ भी देते हों, नाम गौण है। जैसे कोई आदमी अपने कोट को खूंटी पर टांग दे। खूंटी गौण है, असली सवाल कोट है। यह खूंटी न मिलेगी, दूसरी खूंटी पर टांगेगा। दूसरी न मिलेगी, तीसरी खूंटी पर टांगेगा। खूंटी से कोई मतलब नहीं है।

हजार खूंटियों पर आदमी अपनी हिंसा टांगता रहा है। धर्म की खूंटी पर भी हिंसा टांग देता है, आश्चर्य की बात है! हिंदू-मुसलमान लड़ पड़ते हैं, हिंसा हो जाती है। धर्म की खूंटी पर युद्ध टंगता है। धर्म की खूंटी पर युद्ध टंग सकता है। भाषा की खूंटी पर युद्ध टंगता रहता है। राष्ट्रों के चुनाव पर युद्ध टंग जाएगा।

कोई भी बहाना चाहिए आदमी को लड़ने का।

आदमी को लड़ने का बहाना चाहिए, क्योंकि आदमी भय से भरा है। और जब तक आदमी भय से भरा है, तब तक वह लड़ने से मुक्त नहीं हो सकता। लड़ना ही पड़ेगा। लड़ने से वह अपनी हिम्मत बढ़ाता है।

कभी देखा है, अंधेरी गली में कोई जाता हो तो जोर से गीत गाने लगता है! समझ मत रखना कि कोई गीत गा रहा है अंदर। सिर्फ गीत गाकर भुला रहा है अपने भय को। सीटी बजाने लगता है आदमी अंधेरे में! ऐसा लगता है कि सीटी से बहुत प्रेम है। सीटी बजा कर भुला रहा है भीतर के भय को। हजार उपाय हम उपयोग करते हैं भीतर के भय को भुलाने के, लेकिन भीतर का भय मिटता नहीं।

मैंने सुना है, चीन में एक बहुत बड़ा फकीर था। उसकी बड़ी ख्याति थी। दूर-दूर तक ख्याति थी कि वह अभय को उपलब्ध हो गया है, फियरलेसनेस को उपलब्ध हो गया है। वह भयभीत नहीं रहा है। यह सबसे बड़ी उपलब्धि है। क्योंकि जो आदमी अभय को उपलब्ध हो जाएगा, वह ताजा, जवान चित्त पा लेता है। और ताजा, जवान चित्त फौरन परमात्मा को जान लेता है, सत्य को जान लेता है।

सत्य को जानने के लिए चाहिए ताजगी, फ्रेशनेस, जैसे सुबह के फूल में होती है, जैसे सुबह की पहली किरण में होती है।

और बूढ़े चित्त में सिर्फ सड़ गए, गिर गए फूलों की दुर्गंध होती है और विदा हो गई किरणों के पीछे का अंधेरा होता है। ताजा चित्त चाहिए!

तो खबर मिली, दूर-दूर तक खबर फैल गई कि फकीर अभय को उपलब्ध हो गया है। एक युवक संन्यासी उस फकीर की खोज में गया जंगल में। घने जंगल में, जहां बहुत भय था, वह फकीर वहां रहता था। जहां शेर दहाड़ करते थे, जहां पागल

हाथी वृक्षों को उखाड़ देते थे, उनके ही बीच चट्टानों पर ही वह फकीर पड़ा रहता था। और रात जहां अजगर रेंगते थे, वहां वह सोया रहता था निश्चिंत। युवक संन्यासी उसके पास गया। उसी चट्टान के पास बैठ गया, उससे बात करने लगा। तभी एक पागल हाथी दौड़ता हुआ निकला पास से। उसकी चोटों से पत्थर हिल गए, वृक्ष नीचे गिर गए। वह युवक कंपने लगा खड़े होकर। उस बूढ़े संन्यासी के पीछे छिप गया, उसके हाथ-पैर कंप रहे हैं।

वह बूढ़ा संन्यासी खूब हंसने लगा और उसने कहा, तुम अभी डरते हो? तो संन्यासी कैसे हुए? क्योंकि जो डरता है, उसका संन्यास से क्या संबंध? हालांकि अधिक संन्यासी डर कर ही संन्यासी हो जाते हैं। पत्नी तक से डर कर आदमी संन्यासी हो जाते हैं। और डर की बात दूर है, बड़े डर तो दूर हैं, बड़े छोटे डरों से डर कर संन्यासी हो जाता है।

उस बूढ़े संन्यासी ने कहा, तुम डरते हो? संन्यासी हो तुम? कैसे संन्यासी हो? वह युवक कंप रहा है। उसने कहा, मुझे बहुत डर लग गया। सच में बहुत डर लग गया। अभी संन्यास वगैरह का कुछ खयाल नहीं आता। थोड़ा पानी मिल सकेगा? मेरे तो ओंठ सूख गए, बोलना मुश्किल है।

बूढ़ा उठा, वृक्ष के नीचे, जहां उसका पानी रखा था, पानी लेने गया। जब तक बूढ़ा लौटा, उस युवक संन्यासी ने एक पत्थर उठा कर उस चट्टान पर जिस पर बूढ़ा बैठा था, लेटता था, बुद्ध का नाम लिख दिया--नमो बुद्धाय! बूढ़ा लौटा, चट्टान पर पैर रखने को था, नीचे दिखाई पड़ा : नमो बुद्धाय! पैर कंप गया, चट्टान से नीचे उतर गया!

वह युवक खूब हंसने लगा। उसने कहा, डरते आप भी हैं। डर में कोई फर्क नहीं है। और मैं तो एक हाथी से डरा, जो बहुत वास्तविक था। और एक लकीर से मैंने लिख दिया नमो बुद्धाय, तो पैर रखने में डर लगता है कि भगवान के नाम पर पैर न पड़ जाए!

किसका डर ज्यादा है? वह युवा पूछने लगा। क्योंकि मैं खोजने आया था अभय। मैं पाता हूं, आप सिर्फ निर्भय हैं, अभय नहीं। निर्भय हैं सिर्फ। भय को मजबूत कर लिया है भीतर। चारों तरफ घेरा बना लिया है अभय का। सिंह नहीं डराता, पागल हाथी नहीं डराता, अजगर निकल जाते हैं; सख्त हैं बहुत आप। लेकिन जिसके आधार पर सख्ती होगी, वह आपका भय बना हुआ है। भगवान के आधार पर सख्त हो गए हैं। भगवान को सुरक्षा बना लिया है। तो भगवान के

खड़िया से लिखे नाम पर पैर रखने में डर लगता है !

उस युवक ने कहा, डरते आप भी हैं। डर में कोई फर्क नहीं पड़ा। और ध्यान रहे, हाथी से डर जाना--पागल से--बुद्धिमत्ता भी हो सकती है। जरूरी नहीं कि डर हो, बुद्धिमानी भी हो सकती है। लेकिन भगवान के नाम पर पैर रखने से डर जाना तो बुद्धिमानी नहीं कही जा सकती है। पहला डर बहुत स्वाभाविक हो सकता है। दूसरा डर बहुत साइकोलाजिकल, बहुत मानसिक और बहुत भीतरी है।

हम सब डरे हुए हैं। बहुत भीतरी डर है, सब तरफ से मन को पकड़े हुए है। और हमारे भीतरी डरों का आधार वही होगा जिसके आधार पर हमने दूसरे डरों को बाहर कर दिया है।

हम गाते हैं न कि निर्बल के बल राम ! गा रहे हैं सुबह से बैठ कर कि हे भगवान, निर्बल के बल तुम्हीं हो !

किसी निर्बल का कोई बल राम नहीं है। जिसकी निर्बलता गई, वह राम हो जाता है।

निर्बलता गई कि राम और श्याम में फासला ही नहीं रह जाता। निर्बलता ही फासला है, वही डिस्टेंस है। तो निर्बल के बल राम नहीं होते। निर्बलता राम होती ही नहीं। निर्बलता सिर्फ राम की कल्पना है और निर्बलता को बचाने के लिए ढाल है। और सारी प्रार्थना-पूजा भय को छिपाने का उपाय है, सिक्योरिटी मेजरमेंट है, और कुछ भी नहीं है। इंतजाम है सुरक्षा का।

कोई बैंक में इंतजाम करता है रुपये डाल कर, कोई राम-राम-राम जप कर इंतजाम करता है भगवान की पुकार करके। सब इंतजाम हैं।

लेकिन इंतजाम से भय कभी नहीं मिटता। ज्यादा से ज्यादा निर्भय हो सकते हैं आप, लेकिन भय कभी नहीं मिटता। निर्भय से कोई अंतर नहीं पड़ता, भय मौजूद रह जाता है। भय मौजूद ही रहता है, भीतर सरकता चला जाता है।

जिस व्यक्ति के भीतर भय की पर्त चलती रहती है, वह व्यक्ति कभी भी युवा चित्त का नहीं हो सकता। उसकी सारी आत्मा बूढ़ी हो जाती है। फियर जो है, वह क्रिपलिंग है, वह पंगु कर देता है, सब हाथ-पैर तोड़ डालता है, सब अपंग कर देता है।

और हम सब भयभीत हैं। क्या करें ? अभय कैसे हों ? फियरलेसनेस कैसे आए ?

निर्भयता तो हम सब जानते हैं, आ सकती है। दंड-बैठक लगाने से भी एक

तरह की निर्भयता आती है, क्योंकि आदमी जंगली जानवर की तरह हो जाता है। एक तरह की निर्भयता आती है। लोग ऊब जाते हैं दंड-बैठक लगाने से। एक तरह की निर्भयता आ जाती है। वह निर्भयता नहीं है अभय। तलवार रख ले कोई। खुद के हाथ में न रख कर, दूसरे के हाथों में रख दे।

पद पर पहुंच जाए कोई, तो एक तरह की निर्भयता आ जाती है। दुनिया भर के सब भयभीत लोग पदों की खोज करते हैं। पद एक सुरक्षा देता है। अगर मैं राष्ट्रपति हो जाऊं तो जितना सुरक्षित रहूंगा, बिना राष्ट्रपति हुए नहीं रह सकता। राष्ट्रपति के लिए, जितने भयभीत लोग हैं, सब दौड़ करते रहते हैं। डर गए हैं। भय है अकेले होने का। सुरक्षा चाहिए, इंतजाम चाहिए। जिनको हम बहुत बड़े-बड़े पदों पर देखते हैं, यह मत सोचना कि ये किसी निर्भयता के बल पर वहां पहुंच जाते हैं। वे निर्भयता के अभाव में ही पहुंचते हैं, भीतर भय है।

हिटलर के संबंध में मैंने सुना है कि हिटलर अपने कंधे पर हाथ किसी को भी नहीं छुआ सकता है। इसीलिए शादी भी नहीं की, कम से कम पत्नी को तो छुआना ही पड़ेगा। शादी से डरता रहा कि शादी की, तो पत्नी तो कम से कम कमरे में सोएगी। लेकिन भरोसा क्या है कि पत्नी रात में गर्दन न दबा दे! हिटलर दिखता होगा बहुत बहादुर आदमी।

ये बहादुर आदमी सब दिखते हैं। यह सब बहादुरी बिलकुल ऊपरी है, भीतर बहुत डरे हुए आदमी हैं।

हिटलर किसी से ज्यादा दोस्ती नहीं करता था। क्योंकि दोस्त के कारण, जो सुरक्षा है, जो व्यवस्था है, वह टूट जाती है। दोस्तों के पास बीच के फासले टूट जाते हैं। हिटलर के कंधे पर कोई हाथ नहीं रख सकता था--हिमलर या गोयबल्स भी नहीं। कंधे पर हाथ कोई भी नहीं रख सकता है। एक फासला चाहिए, एक दूरी चाहिए। कंधे पर हाथ रखने वाला आदमी खतरनाक हो सकता है। गर्दन पास ही है, कंधे से बहुत दूर नहीं है।

एक औरत हिटलर को बहुत प्रेम करती रही। लेकिन भयभीत लोग कहीं प्रेम कर सकते हैं? हिटलर उसे टालता रहा, टालता रहा, टालता रहा। आप जान कर हैरान होंगे, मरने के दो दिन पहले, जब मौत पक्की हो गई, जब बर्लिन पर बम गिरने लगे, तो हिटलर जिस तलघर में छिपा हुआ था, उसके सामने दुश्मन की गोलियां गिरने लगीं और दुश्मन के पैरों की आवाज बाहर सुनाई देने लगी, द्वार पर युद्ध होने लगा, और जब हिटलर को पक्का हो गया कि मौत निश्चित है, अब मरने से बचने

का कोई उपाय नहीं है, तो उसने पहला काम यह किया कि एक मित्र को भेजा और कहा कि जाओ आधी रात को उस औरत को ले आओ। कहीं कोई पादरी सोया-जगा मिल जाए, उसे उठा लाओ। शादी कर लूं। मित्रों ने कहा, यह कोई समय है शादी करने का? हिटलर ने कहा, अब कोई भय नहीं है, अब कोई भी मेरे निकट हो सकता है, अब मौत बहुत निकट है। अब मौत ही करीब आ गई है, तब किसी को भी निकट लिया जा सकता है।

दो घंटे पहले हिटलर ने शादी की तलघर में! सिर्फ मरने के दो घंटे पहले!

तो पुरोहित और सेक्रेटरी को बुलाया था। उनकी समझ के बाहर हो गया कि यह किसलिए शादी हो रही है? इसका प्रयोजन क्या है? हिटलर होश में नहीं है। पुरोहित ने किसी तरह शादी करवा दी है। और दो घंटे बाद उन्होंने जहर खाकर सुहागरात मना ली है और गोली मार ली है--दोनों ने! यह आदमी मरते वक्त तक विवाह भी नहीं कर सका, क्योंकि दूसरे आदमी का साथ रहना, पास लेना खतरनाक हो सकता है।

दुनिया के जिन बड़े बहादुरों की कहानियां हम इतिहास में पढ़ते हैं, बड़ी झूठी हैं। अगर दुनिया के बहादुरों के भीतरी मन में उतरा जा सके तो वहां भयभीत आदमी मिलेगा। चाहे नादिर हो, चाहे चंगीज हो, चाहे तैमूर हो, वहां भीतर भयभीत आदमी मिलेगा।

नादिर लौटता था आधी दुनिया जीत कर, और ठहरा है एक रेगिस्तान में। रात का वक्त है। रात को सो नहीं सकता था। कैसे सोता? डर सदा भीतर था। तंबू में सोया। चोर घुस गए तंबू में। नादिर को मारने नहीं आए हैं। कुछ संपत्ति मिल जाए, लेने को घुस गए हैं। नादिर घबड़ा कर बाहर निकला है। भागा है डर कर, तंबू की रस्सी में पैर फंस कर गिर पड़ा है और मर गया है।

वे जो बड़े पदों की खोज में, बड़े धन की खोज में, बड़े यश की खोज में लोग लगे हैं, वे सिर्फ सुरक्षा खोज रहे हैं। भीतर एक भय है। इंतजाम कर लेना चाहते हैं। भीतर एक दीवाल बना लेना चाहते हैं, कोई डर नहीं है। कल बीमारी आए, गरीबी आए, भिखमंगी आए, मृत्यु आए--कोई डर नहीं है। सब इंतजाम किए लेते हैं। कुछ लोग ऐसा इंतजाम करते हैं, कुछ लोग भीतरी इंतजाम करते हैं!

रोज भगवान की प्रार्थना कर रहे हैं--कि कुछ भी हो जाए, इतने दिन तक जो चिल्लाए हैं, वह वक्त पर काम पड़ेगा। इतने नारियल चढ़ाए, इतनी रिश्वत दी, वक्त पर धोखा दे गए हो?

भय में आदमी भगवान को भी रिश्वत देता रहा है !

और जिन देशों में भगवान को इतनी रिश्वत दी गई हो, उन देशों में मिनिस्टर रूपी भगवानों को रिश्वत दी जाने लगी हो तो कोई मुश्किल है, कोई हैरानी है ? और जब इतना बड़ा भगवान रिश्वत ले लेता हो, तो छोटे-मोटे मिनिस्टर ले लेते हों तो नाराजगी क्या है ?

भय है, भय की सुरक्षा के लिए हम सब उपाय कर रहे हैं। क्या ऐसे कोई आदमी अभय हो सकता है ? कभी भी नहीं। अभय होने का क्या रास्ता है ? सुरक्षा की व्यवस्था अभय होने का रास्ता नहीं है।

असुरक्षा की स्वीकृति अभय होने का रास्ता है, ए टोटल एक्सेप्टेंस ऑफ इनसिक्योरिटी। जीवन असुरक्षित है, इसकी परिपूर्ण स्वीकृति मनुष्य को अभय कर जाती है।

मृत्यु है, उससे बचने का कोई उपाय नहीं है, उससे भागने का कोई उपाय नहीं है; वह है। वह जीवन का ही एक तथ्य है। वह जीवन का ही एक हिस्सा है। वह जन्म के साथ ही जुड़ा है।

जैसे एक डंडे में एक ही छोर नहीं होता, दूसरा छोर भी होता है। और वह आदमी पागल है, जो एक छोर को स्वीकारे और दूसरे को इनकार कर लेता है। सिक्के में एक ही पहलू नहीं होता है, दूसरा भी होता है। और वह आदमी पागल है, जो एक को खीसे में रखना चाहे और दूसरे से छुटकारा पाना चाहे। यह कैसे हो सकेगा ?

जन्म के साथ मृत्यु का पहलू जुड़ा है। मृत्यु है, बीमारी है, असुरक्षा है; कुछ भी निश्चित नहीं है, सब अनसर्टेन है।

जिंदगी ही एक अनसर्टेनटी है, जिंदगी ही एक अनिश्चय है।

सिर्फ मौत एक निश्चय है। मरे हुए को कोई डर नहीं रह जाता। जिंदा में सब असुरक्षा है। कदम-कदम पर असुरक्षा है।

जो क्षण भर पहले मित्र था, क्षण भर बाद मित्र होगा, यह तय नहीं है। इसे जानना ही होगा, मानना ही होगा। क्षण भर पहले जो मित्र था, वह क्षण भर बाद मित्र होगा, यह तय नहीं है। क्षण भर पहले जो प्रेम कर रहा था, वह क्षण भर बाद फिर प्रेम करेगा, यह निश्चित नहीं है। क्षण भर पहले जो व्यवस्था थी, वह क्षण भर बाद नहीं खो जाएगी, यह निश्चित नहीं है। सब खो सकता है, सब जा सकता है, सब विदा हो सकता है। जो पत्ता अभी हरा है, वह थोड़ी देर बाद सूखेगा और गिरेगा। जो नदी वर्षा में भरी रहती है, थोड़ी देर बाद सूखेगी और रेत ही रह जाएगी।

जीवन जैसा है उसे जान लेना, और जीवन में जो अनिश्चय है, उसका परिपूर्ण बोध और स्वीकृति मनुष्य को अभय कर देती है। फिर कोई भय नहीं रह जाता।

मैं भावनगर से आया। एक चित्रकार को उसके मां-बाप मेरे पास ले आए। योग्य, प्रतिभाशाली चित्रकार है, लेकिन एक अजीब भय से सारी प्रतिभा कुंठित हो गई है। एक भय पकड़ गया है, जो जान लिए ले रहा है। अमेरिका भी गया था वह, वहां भी चिकित्सा चली। मनोवैज्ञानिकों ने मनोविषण किए, साइकोएनालिसिस की। कोई फल नहीं हुआ। सब समझाया जा चुका है, कोई फल नहीं हुआ। मेरे पास लाए हैं, कहा कि हम मुश्किल में पड़ गए हैं। कोई फल होता नहीं है। सब समझा चुके हैं, सब हो चुका है। इसे क्या हो गया है? यह एकदम भयभीत है!

मैंने पूछा, किस बात से भयभीत है? तो उन्होंने कहा कि रास्ते पर कोई लंगड़ा आदमी दिख जाए, तो यह इसको भय हो जाता है कि कहीं मैं लंगड़ा न हो जाऊं! अब बड़ी मुश्किल है। अंधा आदमी मिल जाए, तो घर आकर रोने लगता है कि कहीं मैं अंधा न हो जाऊं! हम समझाते हैं कि तू अंधा क्यों होगा? तू बिलकुल स्वस्थ है, तुझे कोई बीमारी नहीं है। कोई आदमी मरता है रास्ते पर, बस यह बैठ जाता है। यह कहता है, कहीं मैं मर न जाऊं! हम समझाते हैं, समझाते-समझाते हार गए। डाक्टरों ने समझाया, चिकित्सकों ने समझाया, इसकी समझ में नहीं पड़ता है।

मैंने कहा, तुम समझाते ही गलत हो। वह जो कहता है, ठीक ही कहता है। गलत कहां कहता है? जो आदमी आज अंधा है, कल उसके पास भी आंख थी। और जो आदमी आज लंगड़ा है, हो सकता है कि उसके पास भी पैर रहे हों। और आज जिसके पास पैर हैं, कल वह लंगड़ा हो सकता है। और आज जिसके पास आंख है, कल वह अंधा हो सकता है। इसमें यह युवक गलत नहीं कह रहा है। गलत तुम समझा रहे हो। और तुम्हारे समझाने से इसका भय बढ़ता जा रहा है। तुम कितना ही समझाओ कि तू अंधा नहीं हो सकता है। गारंटी कराओ। कौन कह सकता है कि मैं अंधा नहीं हो सकता। सारी दुनिया कहे तो भी निश्चित नहीं है कि मैं अंधा नहीं हो सकता। अंधा मैं हो सकता हूं, क्योंकि आंखें अंधी हो सकती हैं। मेरी आंखों ने कोई ठेका लिया है कि अंधी नहीं हों! पैर लंगड़े हुए हैं। मेरा पैर लंगड़ा हो सकता है। आदमी पागल हुए हैं। मैं पागल हो सकता हूं। जो किसी आदमी के साथ कभी भी घटा है, वह मेरे साथ भी घट सकता है, क्योंकि सारी संभावना सदा है।

मैंने कहा, इस युवक को तुम गलत समझा रहे हो। तुम्हारे गलत समझाने से, यह कितनी ही कोशिश करे कि मैं अंधा नहीं हो सकता, लेकिन इसे दिखाई पड़ता है

कि अंधे होने की संभावना--तुम कितना ही कहो कि नहीं हो सकता है--मिटती नहीं।

उस युवक ने कहा, यही मेरी तकलीफ है। ये जितना समझाते हैं, उतना मैं भयभीत हुए चला जा रहा हूं। मैंने उससे कहा कि ये बिलकुल ही गलत समझाते हैं। मैं तुमसे कहता हूं कि तुम अंधे हो सकते हो, तुम लंगड़े हो सकते हो, तुम कल सुबह मर सकते हो, तुम्हारी पत्नी तुम्हें कल छोड़ सकती है, मां तुम्हारी दुश्मन हो सकती है, मकान गिर सकता है, गांव नष्ट हो सकता है, सब हो सकता है। इसमें कुछ इनकार करने जैसा जरा भी नहीं है। इसे स्वीकार करो। मैंने कहा, तुम जाओ, इसे स्वीकार करो। सुबह मेरे पास आना।

वह युवक गया है, तभी मैंने जाना है कि वह कुछ और ही होकर जा रहा है। अब कोई लड़ाई नहीं है। जो हो सकता है, और जिससे बचाव का कोई उपाय नहीं है, और जिसके बचाव का कोई अर्थ नहीं है, और जिससे लड़ने की मानसिक तैयारी बेमानी है। वह हलका होकर गया है।

वह सुबह आया है और उसने कहा कि तीन साल में मैं पहली दफे सोया हूं। आश्चर्य, कि यह बात स्वीकार कर लेने से हल हो जाती है कि मैं अंधा हो सकता हूं। ठीक है, हो सकता हूं।

मैंने कहा, तुम डरते क्यों हो अंधे होने से? उसने कहा कि डरता इसलिए हूं कि फिर चित्र न बना पाऊंगा। तो मैंने कहा, जब तक अंधे नहीं हो, चित्र बनाओ, व्यर्थ में समय क्यों खोते हो? जब अंधे हो जाओगे, नहीं बना पाओगे, पक्का है। इसलिए बना लो, जब तक आंख हाथ है, बना लो। जब आंख विदा हो जाए, तब कुछ और करना।

लेकिन आंख विदा हो सकती है। सारा जीवन ही विदा होगा एक दिन, सब विदा हो सकता है। किसी की सब चीजें इकट्ठी विदा होती हैं, किसी की फुटकर-फुटकर विदा होती हैं, इसमें झंझट क्या है? एक आदमी होलसेल चला जाता है, एक आदमी पार्ट-पार्ट में जाता है, टुकड़े-टुकड़े में जाता है। किसी की आंख चली गई तो कुछ और, फिर कुछ और गया। कोई आदमी इकट्ठे ही चला गया।

इकट्ठे जाने वाले समझते हैं कि जिनके थोड़े-थोड़े हिस्से जा रहे हैं, वे अभागे हैं। बड़ी मुश्किल बात है। इतना ही क्या कम सौभाग्य है कि सिर्फ आंख गई है, अभी पैर नहीं गया, अभी पूरा नहीं गया। इतना ही क्या कम सौभाग्य है कि सिर्फ पैर गए हैं, अभी पूरा आदमी नहीं गया है।

बुद्ध का एक शिष्य था...उस युवक से मैंने यह कहानी कही थी, वह मैं आपको अभी कहता हूं। उस युवक से मैंने कहा कि अब तू भय के बाहर हो गया है।

इनसिक्योरिटी को जिसने स्वीकार कर लिया है, वह भय के बाहर हो जाता है, वह अभय हो जाता है।

बुद्ध का एक शिष्य है पूर्ण। और बुद्ध ने उसकी शिक्षा पूरी कर दी है और उससे कहा है, अब तू जा और खबर पहुंचा लोगों तक।

पूर्ण ने कहा, मैं जाना चाहता हूं सूखा नाम के एक इलाके में।

बुद्ध ने कहा, वहां मत जाना, वहां के लोग बहुत बुरे हैं। मैंने सुना है वहां कोई भिक्षु कभी भी गया तो अपमानित होकर लौटा है, भाग आया है डर कर। बड़े दुष्ट लोग हैं, वहां मत जाना।

उस पूर्ण ने कहा, लेकिन वहां कोई नहीं जाएगा, तो उन दुष्टों का क्या होगा? बड़े भले लोग हैं, सिर्फ गालियां ही देते हैं, अपमानित ही करते हैं, मारते नहीं। मार भी सकते थे। कितने भले लोग हैं, कितने सज्जन हैं!

बुद्ध ने कहा, समझा। यह भी हो सकता है कि वे तुझे मारें भी, पीटें भी। पीड़ा भी पहुंचाएं, कांटे भी छेदें, पत्थर भी मारें। फिर क्या होगा?

तो पूर्ण ने कहा, यही होगा भगवान कि कितने भले लोग हैं कि सिर्फ मारते हैं, मार ही नहीं डालते हैं। मार भी डाल सकते थे।

बुद्ध ने कहा, आखिरी सवाल। वे तुझे मार भी डाल सकते हैं, तो मरते क्षण में तुझे क्या होगा?

पूर्ण ने कहा, अंतिम क्षण में धन्यवाद देते विदा हो जाऊंगा कि कितने अच्छे लोग हैं कि इस जीवन से मुक्ति दिला दी, जिसमें भूल-चूक हो सकती थी।

बुद्ध ने कहा, अब तू जा। अब तू अभय हो गया। अब तुझे कोई भय न रहा। तूने जीवन की सारी असुरक्षा को, सारे भय को स्वीकार कर लिया। तूने निर्भय बनने की कोशिश ही छोड़ दी।

ध्यान रहे, भयभीत आदमी निर्भय बनने की कोशिश करता है। उस कोशिश से भय कभी नहीं मिटता है। अभय उसको उपलब्ध होता है--जो भय है, ऐसी जीवन की स्थिति है--इसे जानता है, स्वीकार कर लेता है। वह भय के बाहर हो जाता है। और युवा चित्त उसके भीतर पैदा होता है, जो भय के बाहर हो जाता है।

एक सूत्र युवा चित्त के जन्म के लिए, भय के बाहर हो जाने के लिए अभय है।

और दूसरा सूत्र...पहला सूत्र है, बूढ़े चित्त का मतलब है: क्रिपिल्ड विद

संभोग से समाधि की ओर

फियर, भय से पुंज।

और दूसरा सूत्र है, बूढ़े चित्त का अर्थ है ः बर्डन विद नालेज, ज्ञान से बोझिल।

जितना बूढ़ा चित्त होगा उतना ज्ञान से बोझिल होगा। उतने पांडित्य का भारी पत्थर उसके सिर पर होगा।

जितना युवा चित्त होगा, उतना ज्ञान से मुक्त होगा।

उसने स्वयं ही जो जाना है, जानते ही उसके बाहर हो जाएगा। और आगे बढ़ जाएगा। ए कांस्टेंट अवेयरनेस ऑफ नाट नोन। एक सतत भाव उसके मन में रहेगा--नहीं जानता हूं। कितना ही जान ले, उस जानने को किनारे हटाता हुआ, न जानने के भाव को सदा जिंदा रखेगा। वह अतीत में भी क्षमता रखेगा। रोज सब सीख सकेगा, प्रतिपल सीख सकेगा। कोई ऐसा क्षण नहीं होगा, जिस दिन वह कहेगा कि मैं पहले से ही जानता हूं, इसलिए सीखने की अब कोई जरूरत नहीं है। जिस आदमी ने ऐसा कहा, वह बूढ़ा हो गया।

युवा चित्त का अर्थ है ः सीखने की अनंत क्षमता।

बूढ़े चित्त का अर्थ है ः सीखने की क्षमता का अंत।

और जिसको यह खयाल हो गया, मैंने जान लिया है, उसकी सीखने की क्षमता का अंत हो जाता है।

और हम सब भी ज्ञान से बोझिल हो जाते हैं। हम ज्ञान इसीलिए इकट्ठा करते हैं कि बोझिल हो जाएं। ज्ञान को हम सिर पर लेकर चलते हैं। ज्ञान हमारा पंख नहीं बनता है, ज्ञान हमारा पत्थर बन जाता है।

ज्ञान बनना चाहिए पंख। ज्ञान बनता है पत्थर। और ज्ञान किनका पंख बनता है? जो निरंतर और-और-और जानने के लिए खुले हैं, मुक्त हैं, द्वार जिनके बंद नहीं हैं।

एक गांव में एक फकीर था। उस गांव के राजा को शिकायत की गई कि वह फकीर लोगों को भ्रष्ट कर रहा है।

असल में, अच्छे फकीरों ने दुनिया को सदा भ्रष्ट किया ही है। वे करेंगे ही। क्योंकि दुनिया भ्रष्ट है और इसको बदलने के लिए भ्रष्ट करना पड़ता है। दो भ्रष्टताएं मिल कर सुधार शुरू होता है। दुनिया भ्रष्ट है। इस दुनिया को ऐसा ही स्वीकार कर लेने के लिए कोई संन्यासी, कोई फकीर कभी राजी नहीं हुआ है।

गांव के लोगों ने खबर की, पंडितों ने खबर की कि यह आदमी भ्रष्ट कर रहा है। ऐसी बातें सिखा रहा है, जो किताबों में नहीं हैं। और ऐसी बातें कह रहा है कि लोगों

का संदेह जग जाए। और लोगों को ऐसे तर्क दे रहा है कि लोग भ्रमित हो जाएं, संदिग्ध हो जाएं।

राजा ने फकीर को बुलाया दरबार में, और कहा कि मेरे दरबार के पंडित कहते हैं कि तुम नास्तिक हो। तुम लोगों को भ्रष्ट कर रहे हो। तुम गलत रास्ता दे रहे हो। तुम लोगों में संदेह पैदा कर रहे हो।

उस फकीर ने कहा, मैं तो सिर्फ एक काम कर रहा हूं कि लोगों को युवक बनाने की कोशिश कर रहा हूं। लेकिन अगर तुम्हारे पंडित ऐसा कहते हैं तो मैं तुम्हारे पंडितों से कुछ पूछना चाहूंगा।

राजा के बड़े सात पंडित बैठ गए। उन्होंने सोचा, वे तैयार हो गए!

पंडित वैसे भी एवररेडी, हमेशा तैयार रहता है, क्योंकि रेडिमेड उत्तर से पंडित बनता है। पंडित के पास कोई बोध नहीं होता है। जिसके पास बोध हो, वह पंडित बनने को राजी नहीं हो सकता है। पंडित के पास तैयार उत्तर होते हैं।

वे तैयार होकर बैठ गए हैं। उनकी रीढ़ें सीधी हो गईं--जैसे छोटे बच्चे स्कूल में परीक्षाएं देने को तैयार हो जाते हैं। छोटे बच्चों में, बड़े पंडितों में बहुत फर्क नहीं। परीक्षाओं में फर्क हो सकता है। तैयार हो गया पंडितों का वर्ग। उन्होंने कहा, पूछो! सोचा कि शायद पूछेगा, ब्रह्म क्या है? मोक्ष क्या है? आत्मा क्या है? कठिन सवाल पूछेगा। तो सब उत्तर तैयार थे। उन्होंने मन में दुहरा लिए जल्दी से कि क्या उत्तर देने हैं।

जिस आदमी के पास उत्तर नहीं होता है, उसके पास बहुत उत्तर होते हैं। और जिसके पास उत्तर होता है, उसके पास तैयार कोई उत्तर नहीं होता है। प्रश्न आता है तो उत्तर पैदा होता है। उनके पास प्रश्न पहले से तैयार होते हैं, जिनके पास बोध नहीं होता है। क्योंकि बोध न हो तो प्रश्न तैयार, प्रश्न का उत्तर तैयार होना चाहिए, नहीं तो वक्त पर मुश्किल हो जाएगा।

उन पंडितों ने जल्दी से अपने सारे ज्ञान की खोजबीन कर ली होगी। उसने चार-पांच कागज के टुकड़े उन पंडितों के हाथ में पकड़ा दिए, एक-एक टुकड़ा; और कहा कि एक छोटा सा सवाल पूछता हूं, व्हाट इज़ ब्रेड? रोटी क्या है?

पंडित मुश्किल में पड़ गए, क्योंकि किसी किताब में नहीं लिखा हुआ है--किसी उपनिषद में नहीं, किसी वेद में नहीं, किसी पुराण में नहीं--व्हाट इज़ ब्रेड, रोटी क्या है? कहा कि कैसा नासमझ आदमी है! कैसा सरल सवाल पूछता है।

लेकिन वह फकीर समझदार रहा होगा। उसने कहा, आप लिख दें एक-एक

कागज पर। और ध्यान रहे, एक-दूसरे के कागज को मत देखना! क्योंकि पंडित सदा चोर होते हैं, वे सदा दूसरों के उत्तर सीख लेते हैं। आस-पास मत देखना। जरा दूर-दूर हट कर बैठ जाओ। अपना-अपना उत्तर लिख दो।

राजा भी बहुत हैरान हुआ। राजा ने कहा, क्या पूछते हो तुम? उसने कहा, इतना उत्तर दे दें तो गनीमत है। पंडितों से ज्यादा आशा नहीं करनी चाहिए। बड़ा सवाल बाद में पूछूंगा, अगर छोटे सवाल का उत्तर आ जाए।

पहले आदमी ने बहुत सोचा, रोटी यानी क्या? फिर उसने लिखा कि रोटी एक प्रकार का भोजन है। और क्या करता? दूसरे आदमी ने बहुत सोचा, रोटी यानी क्या? तो उसने लिखा, रोटी आटा, पानी और आग का जोड़ है। और क्या करता? तीसरे आदमी ने बहुत सोचा, रोटी यानी क्या? उसे उत्तर नहीं मिलता। तो उसने लिखा, रोटी भगवान का एक वरदान है। पांचवें ने लिखा कि रोटी एक रहस्य है, एक पहेली है, क्योंकि रोटी खून कैसे बन जाती है, यह भी पता नहीं। रोटी एक बड़ा रहस्य है, रोटी एक मिस्ट्री है। छठे ने लिखा, रोटी क्या है, यह सवाल ही गलत है। यह सवाल इसलिए गलत है कि इसका उत्तर ही पहले से कहीं लिखा हुआ नहीं है। गलत सवाल पूछता है यह आदमी। सवाल वे पूछने चाहिए, जिनके उत्तर लिखे हों। सातवें आदमी ने कहा कि मैं उत्तर देने से इनकार करता हूं, क्योंकि उत्तर तब दिया जा सकता है, जब मुझे पता चल जाए कि पूछने वाले ने किस दृष्टि से पूछा है। तो रोटी यानी क्या? हजार दृष्टिकोण हो सकते हैं, हजार उत्तर हो सकते हैं। स्यादवादी रहा होगा। कहा कि यह भी हो सकता है, वह भी हो सकता है।

सातों उत्तर लेकर राजा के हाथ में फकीर ने दे दिए और उससे कहा कि ये आपके पंडित हैं! इन्हें यह पता नहीं है कि रोटी क्या है! और इनको यह पता है कि नास्तिक क्या है, आस्तिक क्या है! लोग किससे भ्रष्ट होंगे, किससे बनेंगे, यह इनको पता हो सकता है!

राजा ने कहा, पंडितो, एकदम दरवाजे के बाहर हो जाओ! पंडित बाहर हो गए। उसने फकीर से पूछा कि तुमने बड़ी मुश्किल में डाल दिया है।

फकीर ने कहा, जिनकी खोपड़ी पर भी ज्ञान का बोझ है, उन्हें सरल सा सवाल मुश्किल में डाल सकता है। जितना ज्यादा बोझ, उतनी समझ कम हो जाती है। क्योंकि यह खयाल पैदा हो जाता है बोझ से कि समझ तो है। और समझ ऐसी चीज है कि कांस्टेंटली क्रिएट करनी पड़ती है, है नहीं। कोई ऐसी चीज नहीं है कि आपके भीतर रखी है समझ। उसे आप रोज पैदा करिए तो वह पैदा होती है, और बंद कर

दीजिए तो बंद हो जाती है।

समझ साइकिल चलाने जैसी है। जैसे एक आदमी साइकिल चला रहा है। अब साइकिल चल पड़ी है। अब वह कहता है, साइकिल तो चल पड़ी है, अब पैडल रोक लें। अब पैडल रोक लें, साइकिल चलेगी ? चार-छह कदम के बाद गिरेगा। हाथ-पैर तोड़ लेगा। साइकिल का चलना निरंतर चलाने के ऊपर निर्भर है।

प्रतिभा भी निरंतर गति है। जीनियस कोई डेड, स्टैटिक एंटाइटी नहीं है। प्रतिभा कोई ऐसी चीज नहीं है कि कहीं रखी है भीतर, कि आपके पास कितनी प्रतिभा है, सेर भर और किसी के पास दो सेर ! ऐसी कोई चीज नहीं है प्रतिभा।

प्रतिभा मूवमेंट है, गति है, निरंतर गति है।

इसलिए निरंतर जो सृजन करता है, उसके भीतर मस्तिष्क, बुद्धि और प्रतिभा, प्रज्ञा पैदा होती है। जो सृजन बंद कर देता है, उसके भीतर जंग लग जाती है और सब खत्म हो जाती है।

रोज चलिए। और चलेगा कौन ? जिसको यह खयाल नहीं है कि मैं पहुंच गया। जिसको यह खयाल हो गया कि पहुंच गया, वह चलेगा क्यों ? वह विश्राम करेगा, वह लेट जाएगा। ज्ञान का बोध पहुंच जाने का खयाल पैदा करवा देता है कि हम पहुंच गए, पा लिया, जान लिया, अब क्या है ? रुक गए।

ज्ञान कितना ही आए, और ज्ञान आने की क्षमता निरंतर शेष रहनी चाहिए। वह तभी रह सकती है, जब ज्ञान बोझ न बने। ज्ञान को हटाते चलें। रोज सीखें। और रोज जो सीख जाएं, राख की तरह झाड़ दें। और कचरे की तरह--जैसे सुबह फेंक दिया था घर के बाहर कचरा--ऐसे रोज सांझ, जो जाना, जो सीखा, उसे फेंक दें। ताकि कल आप फिर ताजे सुबह उठें, और फिर जान सकें, फिर सीख सकें, सीखना जारी रहे।

ध्यान रहे, क्या हम सीखते हैं, यह मूल्यवान नहीं है। कितना हम सीखते हैं-- उस सीखने की प्रक्रिया से गुजरने वाली आत्मा निरंतर जवान होती चली जाती है।

सुकरात जितना जवानी में रहा होगा, मरते वक्त उससे ज्यादा जवान है। क्योंकि मरते वक्त भी सीखने को तैयार है। मर रहा है, जहर दिया जा रहा है, जहर बाहर बांटा जा रहा है। सारे मित्र रो रहे हैं, और सुकरात उठ-उठ कर बाहर जाता है, और जहर घोंटने वाले से पूछता है, बड़ी देर लगाते हो ! समय तो हो गया, सूरज अब डूबा जाता है। वह जहर घोंटने वाला कहने लगा, पागल हो गए हो सुकरात ! मैं तुम्हारी वजह से धीरे-धीरे घोंटता हूं कि तुम थोड़ी देर और जिंदा रह लो। ताकि इतने अच्छे आदमी

का पृथ्वी पर और थोड़ी देर रहना हो जाए। तुम पागल हो, तुम खुद ही इतनी जल्दी मचा रहे हो! तुम्हें जल्दी क्या है? उसके मित्र पूछते हैं, इतनी जल्दी क्या है? क्यों इतनी मरने की आतुरता है?

सुकरात कहता है, मरने की आतुरता नहीं; जीवन को जाना, मौत भी जानने का बड़ा मन हो रहा है कि क्या है मौत? क्या है मौत? मरने के क्षण पर खड़ा हुआ आदमी जानना चाहता है कि क्या है मौत? यह आदमी जवान है। इसको मार सकते हो? इसका मारना बहुत मुश्किल है। इसको मौत भी नहीं मार सकती है। यह मौत को भी जान लेगा और पार हो जाएगा।

जो जान लेता है, वह पार हो जाता है। जिसे हम जान लेते हैं, उससे पार हो जाते हैं।

लेकिन हम मरने के पहले ही जानना बंद कर देते हैं। आमतौर से बीस साल के, इक्कीस साल के करीब आदमी की बुद्धि ठप हो जाती है। उसके बाद बुद्धि विकसित नहीं होती, सिर्फ संग्रह बढ़ता चला जाता है--सिर्फ संग्रह। दस पत्थर की जगह पंद्रह पत्थर हो जाते हैं, बीस पत्थर हो जाते हैं। दस किताबों की जगह पचास किताबें हो जाती हैं, लेकिन क्षमता जानने की फिर आगे नहीं बढ़ती। बस इक्कीस साल में आदमी बुद्धि के हिसाब से मर जाता है। बूढ़ा हो जाता है।

कुछ लोग और जल्दी मरना चाहते हैं--और जल्दी! और जो जितनी जल्दी मर जाता है, समाज उसको उतना ही आदर देता है। जो जितनी देर जिंदा रहेगा, उससे उतनी तकलीफ होती है समाज को। क्योंकि जिंदा आदमी, सोचने वाला आदमी, खोजने वाला आदमी नये पहलू देखता है, नये आयाम देखता है, डिस्टघबग होता है। बहुत सी जगह चीजों को तोड़ता-मरोड़ता मालूम होता है।

हम सब ज्ञान के बोझ से दब गए हैं।

मैंने सुना है, एक आदमी घोड़े पर सवार जा रहा है एक गांव को। गांव के लोगों ने उसे घेर लिया है, और कहा कि तुम बहुत अदभुत आदमी हो। वह आदमी अदभुत रहा होगा। वह अपना पेटी-बिस्तर सिर पर रखे हुए था और घोड़े के ऊपर बैठा हुआ था। गांव के लोगों ने पूछा, यह तुम क्या कर रहे हो? घोड़े पर पेटी-बिस्तर रख लो। उसने कहा, घोड़े पर बहुत ज्यादा वजन हो जाएगा, इसलिए मैं अपने सिर पर रखे हुए हूं!

उस आदमी ने सोचा कि घोड़े पर पेटी-बिस्तर रखने से बहुत वजन हो जाएगा, कुछ हिस्सा बंटा लें। खुद घोड़े पर बैठे हुए हैं और पेटी-बिस्तर अपने सिर पर रखे

हुए हैं, ताकि अपने पर कुछ वजन पड़े और घोड़े पर वजन कम हो जाए।

ज्ञान को अपने सिर पर मत रखिए। जिंदगी काफी समर्थ है। आप छोड़ दीजिए, आपकी जिंदगी की धारा उसे सम्हाल लेगी। उसे सिर पर रखने की जरूरत नहीं। और सिर पर रखने से कोई फायदा नहीं। आप तो छोड़िए। जो भी उसमें एसेंशियल है, जो भी सारभूत है, वह आपकी चेतना का हिस्सा होता चला जाएगा। उसे सिर पर मत रखिए। किताबों को सिर पर मत रखिए। रेडीमेड उत्तर सिर पर मत रखिए, बंधे हुए उत्तर से बचिए, बंधे हुए ज्ञान से बचिए--और भीतर एक युवा चित्त पैदा हो जाएगा।

जो व्यक्ति ज्ञान के बोझ से मुक्त हो जाता है, जो व्यक्ति भय से मुक्त हो जाता है, वह व्यक्ति युवा हो जाता है।

और जो व्यक्ति बूढ़ा होने की कोशिश में लगा है, अपने ही हाथों से, क्योंकि ध्यान रहे, मैं कहता हूं कि बुढ़ापा अर्जित है। बुढ़ापा है नहीं। हमारा अचीवमेंट है, हमारी चेष्टा से पाया हुआ फल है।

जवानी स्वाभाविक है, युवा चित्त होना स्वभाव है।

वृद्धावस्था हमारा अर्जन है।

अगर हम समझ जाएं, चित्त से कैसे वृद्ध होता है, तो हम तत्क्षण जवान हो जाएंगे।

बूढ़ा चित्त बोझ से भरा चित्त है, जवान चित्त निर्बोझ है। बोझिल है बूढ़ा चित्त।

जवान चित्त निर्बोझ है, वेटलेस है। जवान चित्त ताजा है। जैसे सुबह अंकुर खिला हो, निकला हो नये बीज से, ऐसा ताजा है। जैसे नया बच्चा पैदा हुआ हो, जैसे नया फूल खिला हो, जैसी नई ओस की बूंद गिरी हो, नई किरण उठी हो, नया तारा जगा हो, वैसा ताजा है।

बूढ़ा चित्त जैसे अंगारा बुझ गया, राख हो गया हो। पत्ता सड़ गया, गिर गया, मर गया। जैसे दुर्गंध इकट्ठी हो गई हो, सड़ गई हो लाश। इकट्ठी कर ली हैं लाशें, तो घर में रख दी हैं, तो बास फैल गई हो। ऐसा है बूढ़ा चित्त।

नया चित्त, ताजा चित्त, यंग माइंड नदी की धारा की तरह तेज, पत्थरों को काटता, जमीन को तोड़ता, सागर की तरफ भागता है--अनंत, अज्ञात की यात्रा पर।

और बूढ़ा चित्त? तालाब की तरह बंद। न कहीं जाता, न कहीं यात्रा करता है; न कोई सागर है आगे, न कोई पथ है, न कोई जमीन काटता, न पत्थर तोड़ता, न पहाड़

संभोग से समाधि की ओर

पार करता--कहीं जाता ही नहीं। बूढ़ा चित्त बंद, अपने में घूमता, सड़ता, गंदा होता। सूरज की धूप में पानी उड़ता और सूखता और कीचड़ होता चला जाता है। इसलिए जवान चित्त जीवन है, बूढ़ा चित्त मृत्यु है।

और अगर जीवन को जानना हो, परम जीवन को, जिसका नाम परमात्मा है, उस परम जीवन को, तो युवा चित्त चाहिए, यंग माइंड चाहिए।

और हमारे हाथ में है कि हम अपने को बूढ़ा करें या जवान। हमारे हाथ में है कि हम वृद्ध हो जाएं, सड़ जाएं या युवा हों, ताजे और नये। नये बीज की तरह हमारे भीतर कुछ फूटे या पुराने रिकार्ड की तरह कुछ बार-बार रिपीट होता रहे। हमारे हाथ में है सब।

आदमी के हाथ में है कि वह प्रभु के लिए द्वार बन जाए। तो जो युवा है भीतर, प्रभु के लिए द्वार बन गया।

और जो बूढ़ा हो गया उसकी दीवाल बंद है, द्वार बंद है। वह अपने में मरेगा, गलेगा, सड़ेगा। कब्र के अतिरिक्त उसका कहीं और पहुंचना नहीं होता।

लेकिन अब तक जो समाज निर्मित हुआ है, वह बूढ़े चित्त को पैदा करने वाला समाज है।

एक नया समाज चाहिए, जो नये चित्त को जन्म देता हो। एक नई शिक्षा चाहिए, जो बूढ़े चित्त को पैदा न करती हो और नये चित्त को पैदा करती हो। एक नई हवा, नया प्रशिक्षण, नई दीक्षा, नया जीवन, एक नया वातावरण चाहिए, जहां अधिकतम लोग जवान हो सकें। बूढ़ा आदमी अपवाद हो जाए, वृद्ध चित्त अपवाद हो जाए, जहां युवा चित्त हो।

अभी उलटी बात है। युवा चित्त अपवाद है। कभी कोई बुद्ध, कभी कोई कृष्ण, कभी कोई क्राइस्ट युवा होता है और परमात्मा की सुगंध और गीत और नृत्य से भर जाता है। हजारों साल तक उसकी सुगंध खबर लाती रहती है। इतनी ताजगी पैदा कर जाता है कि हजारों साल तक उसकी सुगंध आती है। उसके प्राणों से उठी हुई पुकार गूंजती रहती है। कभी ये मनुष्यता के लंबे इतिहास में दो-चार लोग युवा होते हैं। हम सब बूढ़े ही पैदा होते हैं और बूढ़े ही मर जाते हैं!

लेकिन हमारे अतिरिक्त और कोई जिम्मेवार नहीं है। ये मैंने दो बातें निवेदन कीं। इन पर सोचना। मेरी बात मान मत लेना। जो मानता है, वह बूढ़ा होना शुरू हो जाता है। सोचना, गलत हो सकता हो, सब गलत हो सकता हो। जो मैंने कहा, एक भी ठीक न हो। सोचना, खोजना, शायद कुछ ठीक हो तो वह आपके जीवन को युवा

करने में मित्र बन सकता है।

मेरी बातों को इतने प्रेम और शांति से सुना, उससे अनुगृहीत हूं। और अंत में सबके भीतर बैठे परमात्मा को प्रणाम करता हूं, मेरे प्रणाम स्वीकार करें।

13

नारी और क्रांति

मेरे प्रिय आत्मन्!

व्यक्तियों में ही, मनुष्यों में ही स्त्री और पुरुष नहीं होते हैं--पशुओं में भी, पक्षियों में भी। लेकिन एक और भी नई बात आपसे कहना चाहता हूं: देशों में भी स्त्री और पुरुष देश होते हैं।

भारत एक स्त्री देश है और स्त्री देश रहा है। भारत की पूरी मनःस्थिति स्त्रैण है। ठीक उसके उलटे जर्मनी या अमेरिका जैसे देशों को पुरुष देश कहा जा सकता है। भारत की पूरी आत्मा नारी है। और इसलिए ही भारत कभी भी आक्रामक नहीं हो पाया--पूरे इतिहास में आक्रामक नहीं बन पाया। इसीलिए भारत में हिंसा का कोई प्रभाव पैदा नहीं हो सका। भारत की पूरे विचार की कथा अहिंसा की कथा है। भारत के पूरे इतिहास को देखें तो एक बहुत आश्चर्यजनक घटना मालूम पड़ती है। दुनिया का कोई भी देश उस अर्थों में स्त्रैण, नारी नहीं है, जिस अर्थों में भारत है। यही भारत का दुर्भाग्य भी सिद्ध हुआ।

क्योंकि सारा जगत पुरुषों का, सारा जगत पुरुष-वृत्तियों का, सारा जगत आक्रामक, सारा जगत हिंसात्मक, भारत अकेला आक्रामक नहीं, हिंसात्मक नहीं!

तो भारत के पिछले तीन हजार वर्ष का इतिहास दुख, परेशानी और कष्ट का इतिहास रहा है। लेकिन यही तथ्य आने वाले भविष्य में सौभाग्य का कारण भी बन

सकता है। क्योंकि जिन देशों ने पुरुष के प्रभाव में विकास किया, वे अपनी मरण घड़ी के निकट पहुंच गए हैं।

पुरुष का चित्त आक्रमण का चित्त है, एग्रेशन। पुरुष का चित्त हिंसा का चित्त है, वायलेंस का। पश्चिम के जिन देशों ने पुरुष चित्त के अनुकूल विकास किया, वे सारे देश धीरे-धीरे युद्धों से गुजर कर अंतिम युद्ध, टोटल वार के करीब पहुंच गए हैं। अब कोई परिणति नहीं मालूम होती सिवाय इसके कि या तो वे टकराएं और टूट जाएं, नष्ट हो जाएं; और उनके साथ पुरुष ने जो सभ्यता खड़ी की है आज तक, वह सारी की सारी नष्ट हो जाए।

या दूसरा उपाय यह है कि इतिहास का चक्र घूमे और पुरुष की सभ्यता की कथा बंद हो, और एक नया अध्याय शुरू हो, जो अध्याय स्त्री चित्त की सभ्यता का अध्याय होगा।

इसे थोड़ा समझ लेना जरूरी है। इसे हम समझें तो हम मनुष्य चेतना के भीतर चलने वाले सबसे बड़े ऊहापोह से परिचित हो सकेंगे।

नीत्शे जैसा व्यक्ति भारत में हम लाख कोशिश करें तो पैदा नहीं हो सकता है। नीत्शे जर्मनी में ही पैदा हो सकता है। और जर्मनी लाख उपाय करे तो भी गांधी और बुद्ध जैसे आदमी को पैदा करना जर्मनी के लिए असंभव है। गांधी और बुद्ध जैसे व्यक्ति भारत में ही पैदा हो सकते हैं। यह पैदा हो जाना आकस्मिक नहीं है, यह एक्सीडेंटल नहीं है। कोई व्यक्ति पैदा होता है, कोई विचारधारा पैदा होती है, पूरे देश के प्राणों के हजारों वर्षों के मंथन का परिणाम होता है।

यह आश्चर्यजनक है कि भारत का आज तक का पूरा इतिहास भूल कर भी पुरुष का इतिहास नहीं रहा है। और इसीलिए भारत में विज्ञान का जन्म भी नहीं हो सका। विज्ञान एक पुरुष कर्म है। विज्ञान का अर्थ है : प्रकृति पर विजय। विज्ञान का अर्थ है : जो चारों तरफ फैला हुआ जगत है, उसको जीतना है। पुरुष का मन जीत में बहुत आतुर है।

भारत ने प्रकृति को जीतने की कोई कोशिश नहीं की। असल में, भारत ने कभी भी किसी को जीतने की कोई कोशिश नहीं की। जीतने की धारणा ही भारत के चित्त में बहुत गहरे नहीं जा सकी। कभी किन्हीं ने छोटे-मोटे प्रयास किए तो भारत की आत्मा उनके साथ खड़ी नहीं हो सकी।

स्वभावतः, जिस दुनिया में सारे लोग जीतने के लिए आतुर हों, उसमें भारत पिछड़ता चला गया। यह भी दिखाई पड़ेगा कि इस पिछड़ जाने में अब तक तो

दुर्भाग्य रहा। लेकिन आगे सौभाग्य हो सकता है। क्योंकि वे जो जीत की दौड़ में आगे गए थे, वे अपनी जीत के ही अंतिम परिणाम में वहां पहुंच गए हैं, जहां आत्मघात के सिवाय और कुछ भी नहीं हो सकता।

बुद्ध ने कहा था, वैर से वैर को नहीं जीता जा सकता और हिंसा से हिंसा भी नहीं जीती जा सकती।लेकिन यह किसी ने भी सुना नहीं। सुना नहीं जा सकता था, समय नहीं था परिपक्व सुनने के लिए। आज यह बात सुनी जा सकती है। आज यह समझ में आना शुरू हो गया कि आज तो हिंसा का अर्थ है सार्वजनिक विनाश!

पिछले महायुद्ध में हिरोशिमा और नागासाकी पर जो एटम गिराया गया था, उस समय विचारशील लोगों ने सोचा था, इससे खतरनाक अस्त्र अब पैदा नहीं हो सकेगा। लेकिन बीस ही वर्षों में उन विचारशीलों को पता चला कि आज हिरोशिमा और नागासाकी में गिराए गए एटम बम बच्चों के खिलौने मालूम पड़ते हैं। इतने बीस वर्षों में हमने बड़े अस्त्र पैदा कर लिए!

एक उदजन बम चालीस हजार वर्गमील में किसी तरह के जीवन को नहीं बचने देगा। और आज पृथ्वी पर पचास हजार उदजन बम तैयार हैं। ये पचास हजार उदजन बम जरूरत से ज्यादा हैं, सरप्लस हैं। अगर हम पूरी पृथ्वी को भी नष्ट करना चाहें तो थोड़े से बम से काम हो जाएगा, इतनों की जरूरत नहीं पड़ेगी।

लेकिन राजनैतिज्ञ बहुत होशियार हैं। वे सोचते हैं, कोई भूल-चूक न हो जाए, इसलिए पूरा--और पूरा जरूरत से ज्यादा--इंतजाम कर लेना उचित है। पचास हजार उदजन बम इस तरह की सात पृथ्वियों को नष्ट करने के लिए काफी हैं। यह पृथ्वी बहुत छोटी है। या हम ऐसा समझ सकते हैं कि अभी मनुष्य-जाति की कुल संख्या साढ़े तीन अरब है, पच्चीस अरब लोगों को मारने के लिए हमने इंतजाम कर लिया है। या हम ऐसा भी समझ सकते हैं कि अगर एक-एक आदमी को सात-सात बार मारना पड़े तो हमारे पास सुविधा और व्यवस्था है। हालांकि आदमी एक ही बार में मर जाता है, दुबारा मारने की जरूरत नहीं पड़ती है। लेकिन भूल-चूक न हो जाए, इसलिए इंतजाम कर लेना ठीक से उचित और जरूरी है।

एक-एक आदमी को सात-सात बार मारने के इंतजाम का अर्थ क्या है? प्रयोजन क्या है? यह क्या पागल दौड़ है? क्या मनुष्य-जाति का मन विक्षिप्त हो गया है? मनुष्य-जाति का मन निश्चित विक्षिप्त हो गया है, क्योंकि मनुष्य-जाति का पूरा का पूरा अब तक का विकास अकेले पुरुष का विकास है। पुरुष आधा है मनुष्य-जाति का। आधी स्त्री का उस विकास में कोई भी हाथ नहीं है! इसलिए

संतुलन खो गया है, बैलेंस खो गया है।

यह दुनिया करीब-करीब ऐसी है, जैसे एक देश में स्त्रियां बिलकुल न हों, सिर्फ पुरुष ही पुरुष रह जाएं, तो वह देश पागल हो जाएगा। ठीक इससे उलटा भी हो जाएगा। अगर किसी देश में सिर्फ स्त्रियां ही स्त्रियां हों और पुरुष न हों, तो भी वह देश पागल हो जाएगा। स्त्री और पुरुष परिपूरक हैं। वे दोनों साथ हैं, तभी पूरे हैं। लेकिन सभ्यता के मामले में जो सभ्यता आज तक निर्मित हुई है, वह अकेले पुरुष की सभ्यता है, उसमें स्त्री का कोई योगदान नहीं है। स्त्री से कोई मांग भी नहीं की गई। स्त्री ने आगे बढ़ कर योगदान किया भी नहीं। यह पुरुष की सभ्यता पागल होने के करीब आ गई है।

एक छोटी सी कहानी से मैं समझाने की कोशिश करूं, जो मुझे बहुत प्रीतिकर रही है।

एक झूठी कहानी है। मैंने सुना है कि ईश्वर दूसरे महायुद्ध के बाद बहुत परेशान हो गया। ईश्वर तो तभी से परेशान है, जब से उसने आदमी को बनाया। जब तक आदमी नहीं था, बड़ी शांति थी दुनिया में। जब से आदमी को बनाया, तब से ईश्वर बहुत परेशान है। सुना तो मैंने यह है कि तब से वह ठीक से सो नहीं सका है बिना नींद की दवा लिए। सो भी नहीं सकता है। आदमी सोने दे तब! न आदमी खुद सोता है, न किसी और को सोने देता है। और इतने आदमी मिल कर ईश्वर को तो सोने कैसे देंगे! इसीलिए आदमी को बनाने के बाद ईश्वर ने फिर और कुछ नहीं बनाया। बनाने का काम ही बंद कर दिया। इतना घबड़ा गया होगा कि अब बस क्षमा चाहते हैं, अब आगे बनाना ठीक नहीं। दूसरे महायुद्ध के बाद वह घबड़ा गया होगा।

ऐसे तो इतने युद्ध हुए हैं कि ईश्वर की छाती पर कितने घाव पड़े होंगे, कहना मुश्किल है। और सबसे बड़ा मजा तो यह है कि हर घाव पहुंचाने वाला ईश्वर की प्रार्थना करके ही घाव पहुंचाता है। और मजा तो यह है कि हर युद्ध करने वाला ईश्वर से प्रार्थना करता है कि हमें विजेता बनाना। चर्चों में घंटियां बजाई जाती हैं, मंदिरों में प्रार्थनाएं की जाती हैं--युद्धों में जीतने के लिए! पोप आशीर्वाद देते हैं--युद्धों में जीतने के लिए! ईश्वर की छाती पर जो घाव लगते होंगे, उन घावों का हिसाब लगाना मुश्किल है।

तीन हजार साल के इतिहास में पंद्रह हजार युद्ध हुए हैं। और आगे का पीछे का इतिहास तो पता नहीं है। हम यह मान नहीं सकते कि उसके पहले आदमी नहीं लड़ता रहा होगा। लड़ता ही रहा होगा। जब तीन हजार वर्षों में पंद्रह हजार युद्ध करता

है आदमी, प्रतिवर्ष पांच युद्ध करता है, तो ऐसा मानना बहुत मुश्किल है कि उसके पहले वह शांत रहा होगा। इतना ही है कि उसके पहले का इतिहास हमें ज्ञात नहीं। दूसरे महायुद्ध के बाद तो ईश्वर बहुत घबड़ा गया। क्योंकि पहले महायुद्ध में साढ़े तीन करोड़ लोगों की हत्या हुई थी। दूसरे महायुद्ध में हत्या की संख्या साढ़े सात करोड़ पहुंच गई! क्या हो गया आदमी को?

उसने दुनिया के तीन बड़े प्रतिनिधियों को अपने पास बुलाया--रूस को, अमेरिका को, ब्रिटेन को। और उनसे पूछा कि मैं तुम्हें वरदान देना चाहता हूं! तुम एक-एक वरदान मांग लो, ताकि यह दुनिया की पागल दौड़ बंद हो जाए। युद्ध बंद हो जाएं। आदमी बच सके। और फिर यह तो ठीक भी है, अगर आदमी यह तय करता हो कि हमें मरना है तो मर जाए। लेकिन अपने साथ सारे जीवन को नष्ट करने का तो कोई हक मनुष्य को नहीं है। मैं तुमसे प्रार्थना करता हूं!

ईश्वर से हमेशा प्रार्थना की गई थी, लेकिन समय बदल गया। कभी नाव नदी पर होती है, कभी नदी नाव पर हो जाती है!

ईश्वर ने हाथ जोड़ कर घुटने टेक दिए उन तीनों के सामने कि हम प्रार्थना करते हैं, एक-एक वरदान मांग लो। तुम जो भी चाहते हो, मैं पूरा कर दूं। अमेरिका के प्रतिनिधि ने कहा, हे महाप्रभु, एक ही इच्छा है हमारी, वह पूरी हो जाए, फिर दुनिया में कभी युद्ध नहीं होगा। रूस जमीन पर न बचे। उसका कोई निशान न रह जाए जमीन पर। इतना हम चाहते हैं। और हमारी कोई आकांक्षा नहीं।

ईश्वर ने घबड़ा कर रूस की तरफ देखा। जब अमेरिका यह कहता हो--धार्मिक देश! तो रूस क्या कहेगा? रूस ने कहा, महाशय! या हो सकता है कहा हो, कामरेड! क्षमा करें। पहले तो मैं विश्वास नहीं करता कि आप हैं। कैपिटल पढ़ी है कार्ल मार्क्स की? कम्युनिस्ट मेनिफेस्टो पढ़ा है एंजल्स और मार्क्स का? कितने जमाने पहले खबर कर दी उन्होंने कि भगवान नहीं है। और उन्नीस सौ सत्रह से रूस के गिरजों से आपको निकाल बाहर किया है। आप अब नहीं हैं। मुझे शक होता है कि या तो मैं वोदका शराब ज्यादा पी गया हूं, इसलिए आप दिखाई पड़ रहे हैं। और या यह भी हो सकता है कि मैं कोई सपना देख रहा हूं। लेकिन बड़ा आश्चर्यजनक कि सोवियत भूमि पर ऐसा धार्मिक सपना कैसे संभव हो पाता है! अगर सरकार को पता लग गया कि ऐसे धार्मिक सपने भी आदमी देखते हैं, तो सपने देखने पर भी पाबंदी हो जाएगी। सपने देखने की स्वतंत्रता नहीं दी जा सकती आदमी को। गलत सपने देखने की स्वतंत्रता दी जा सकती है? रूस में नहीं दी जा सकती। चीन में नहीं दी जा सकती।

लेकिन फिर भी मैं आपसे यह कहता हूं कि हो सकता है आप हों। एक सबूत दे दें अपने होने का, तो हम आपकी पूजा फिर शुरू कर देंगे--दीये जलेंगे, धूप जलेगी, मंदिरों में पूजा होगी, घंटियां बजेंगी--एक इच्छा पूरी कर दें। एक ही इच्छा है हमारी--दुनिया का नक्शा हो, लेकिन अमेरिका के लिए कोई रंग-रेखा उस नक्शे पर हम नहीं चाहते।

और घबड़ाएं मत--क्योंकि ईश्वर घबड़ा गया होगा--घबड़ाएं मत! अगर आप न कर सकें तो फिकर मत करें, हमने खुद यह काम करने का पूरा इंतजाम कर लिया है। हम खुद भी कर लेंगे। हम आपके भरोसे पर नहीं कर रहे हैं यह इंतजाम। यह इंतजाम अपने पैरों पर किया है। और हमें इसकी भी कोई चिंता नहीं है कि अमेरिका को मिटाने में हम मिट जाएंगे। हम मिट जाएं, उसकी फिकर नहीं, लेकिन अमेरिका नहीं रहना चाहिए--यह हमारा कस्द है।

ईश्वर ने बहुत घबड़ा कर ब्रिटेन की तरफ देखा। और ब्रिटेन ने जो कहा, वह ध्यान से सुन लेना! ब्रिटेन ने कहा, हे परम पिता--चरणों पर सिर रख दिया, और कहा--हमारी कोई आकांक्षा नहीं, इन दोनों की आकांक्षाएं एक साथ पूरी कर दी जाएं, हमारी आकांक्षा पूरी हो जाएगी।

यह हमें हंसने जैसा मालूम होता है। लेकिन किस पर हंसते हैं हम--ब्रिटेन पर, अमेरिका पर, रूस पर, भगवान पर--किस पर हंसते हैं? या कि अपने पर, या कि मनुष्य पर, या कि मनुष्यता पर? मनुष्य को क्या हुआ है? कौन सा रोग है उसके मन में? उसके प्राणों को कौन सी चीज खा रही है कि मिटाना, मिटाना, यही इसके प्राणों की पुकार बन गई है--मृत्यु और मृत्यु!

पुरुष जीतना चाहता है। और जीत उसको एक ही तरह सूझती है--मारने से, मृत्यु से, मिटाने से। पुरुष को सूझता ही नहीं कि मिटाने के अलावा भी कोई जीत होती है। उसे यह पता ही नहीं है कि मिटा कर कभी कोई जीता ही नहीं है।

एक और जीत भी होती है, जो मिटाने से नहीं आती! उसे यह पता ही नहीं है कि एक और जीत भी होती है, जो हार जाने से आती है। यह पुरुष को पता ही नहीं है!

एक ऐसी जीत भी हो सकती है, जो उसको मिलती है जो हार जाता है, जो लड़ता ही नहीं। इसका पुरुष को कोई भी पता नहीं।

उसे पता हो भी नहीं सकता। उसके चित्त की पूरी की पूरी प्रकृति एग्रेसिव है, आक्रामक है। उसका एक ही खयाल है : दबो या दबाओ, हारो या जीतो। और जीतने की दौड़ में चाहे कुछ भी हो जाए--खुद मिटो, चाहे कोई मिट जाए--लेकिन

जीतना जरूरी है। लेकिन जीतना किसलिए जरूरी है? जीतना जीने के लिए जरूरी है, और जीतने में मौत लानी पड़ती है और जीना मुश्किल हो जाता है। अजीब चक्कर है! जीतना जीने के लिए जरूरी मालूम पड़ता है, और जीतने में मौत आती है और जीना मुश्किल हो जाता है।

लेकिन इसी विसियस सर्किल में, इसी दुष्टचक्र में पिछले तीन-चार हजार वर्ष का इतिहास आदमी का घूमते-घूमते आखिरी ज़गह, क्लाइमेक्स पर आ गया है, जहां कि विश्वयुद्ध की पूरी संभावना खड़ी हो गई है।

या तो विश्वयुद्ध होगा और सारी मनुष्यता समाप्त होगी। और या फिर अब तक मनुष्य-जाति के दूसरे हिस्से ने कोई भी कंट्रीब्यूशन, कोई भी मनुष्य की सभ्यता को निर्माण करने में, मनुष्य को जीने में, सहयोग देने में, जो आधी दुनिया अब तक चुपचाप खड़ी रही है, उसे कुछ करना पड़ेगा। और एक नई सभ्यता को, जो पुरुष प्रधान न हो, एक नई सभ्यता को, जो स्त्री के हृदय और स्त्री के गुणों पर खड़ी होती हो, उसको जन्म देना पड़ेगा।

नीत्शे ने बहुत क्रोध से यह बात लिखी है कि मैं बुद्ध को और क्राइस्ट को स्त्रैण मानता हूं, वूमेनिश मानता हूं। यह उसने गाली दी है बुद्ध को और क्राइस्ट को। अगर वह गांधी को जानता होता तो वह गांधी के बाबत भी यही कहता कि ये तीनों के तीनों आदमी ठीक अर्थों में पुरुष नहीं हैं। और उसने यह सोचा होगा कि किसी पुरुष को स्त्री कह देने से और बड़ी गाली क्या हो सकती है?

लेकिन पुरुष होना ही आज--वह जो पुरुष की आज तक की प्रकृति रही है, उसमें होना आज--संकट, क्राइसिस पैदा कर दिया है। और आज खोजबीन करनी जरूरी है कि स्त्री के चित्त से क्या सभ्यता का आधार, मूल आधार रखा जा सकता है? क्या यह हो सकता है कि हम दूसरी तरफ भी देखें और ध्यान करें कि क्या उस तरफ से भी जीवन की नई दिशाएं, विकास के नये स्रोत, मनुष्यता का एक नया इतिहास रचा जा सकता है?

मुझे लगता है कि रचा जा सकता है। और अगर नहीं रचा जा सकता तो फिर पुरुष के हाथ में अब आगे कोई भविष्य नहीं है, वह अपने अंतिम चरण क्षण पर आ गया है।

लेकिन स्त्रियों को कोई खयाल नहीं है। या तो स्त्रियां गुलाम हैं पुरुष की और या स्त्रियां नंबर दो के पुरुष बनने की कोशिश में संलग्न हैं। दोनों ही हालतें बुरी हैं और स्लेवरी की हैं, गुलामी की हैं। भारत जैसे मुल्कों में स्त्रियों की अपनी कोई आवाज

नहीं, अपनी कोई आत्मा भी नहीं। भारत में स्त्री का अपना कोई व्यक्तित्व नहीं। उसकी कोई पुकार नहीं। उसका कोई होना नहीं। वह न होने के बराबर है। हालांकि पूरे देश का विचार कभी भी पुरुष चित्त के अनुकूल नहीं रहा, क्योंकि भारत को जिन लोगों ने प्रभावित किया, उन्होंने जीवन के बहुत कोमल गुणों पर जोर दिया--बुद्ध ने करुणा पर, महावीर ने अहिंसा पर। उन्होंने जोर दिया जीवन के प्रेम तत्व पर। लेकिन उनकी आवाज गूंज कर खोती रही। लेकिन यह किसी को खयाल नहीं आया कि यह आवाज अगर स्त्रियां पकड़ लेंगी तो ही सफल हो सकती है, अन्यथा यह आवाज सफल नहीं हो सकती।

अगर पुरुष प्रेम की बात भी करेगा तो अहिंसा से आगे नहीं जा सकता। और इसे थोड़ा समझ लेना। अहिंसा का मतलब होता है, हम हिंसा नहीं करेंगे। यह निगेटिव बात है। हम किसी को चोट नहीं पहुंचाएंगे। अहिंसा से आगे पुरुष का जाना मुश्किल है। वह या तो हिंसा कर सकता है या अहिंसा कर सकता है। लेकिन प्रेम का उसे सूझता ही नहीं! प्रेम पाजिटिव बात है। अहिंसा का मतलब है, हम दूसरे को दुख नहीं पहुंचाएंगे। एक बात है कि हम दूसरे को दुख पहुंचाएंगे, यही हमारे जीवन का सूत्र होगा। चाहे दूसरे को कितना ही दुख पहुंचे, हम अपना सुख पाएंगे, यही जीवन की आधारशिला होगी। एक सूत्र तो यह है पुरुष का।

फिर पुरुष अगर बहुत ही सोच-समझ और विचार का उपयोग करता है, तो वह इसके उलटे सूत्र पर पहुंचता है। वह कहता है, हम दूसरे को दुख नहीं पहुंचाएंगे।

लेकिन स्त्री का चित्त अहिंसा से राजी नहीं हो सकता। स्त्री का चित्त कहता है : प्रेम।

प्रेम का अर्थ है : हम दूसरे को सुख पहुंचाएंगे।

इसलिए अहिंसा ठीक अर्थों में हिंसा का विरोध नहीं है, सिर्फ हिंसा का अभाव है। हिंसा का ठीक विरोध प्रेम है। क्योंकि हिंसा कहती है : हम दूसरे को दुख पहुंचाएंगे, यही हमारे सुख का मार्ग है।

प्रेम कहता है : हम दूसरे को सुख पहुंचाएंगे, यही हमारे सुख का मार्ग है। और अहिंसा बीच में है, अहिंसा कहती है : हम दूसरे को दुख नहीं पहुंचाएंगे। अहिंसा बहुत इम्पोटेंट है। अहिंसा बीच में अटक जाती है, बहुत आगे नहीं जाती। वह पुरुष को हिंसा करने से रोक लेती है, लेकिन प्रेम करने तक नहीं पहुंचाती। तो हिंदुस्तान ने अहिंसा की तो बात की। लेकिन चूंकि पुरुषों ने बात की थी, वह भी बहुत थी कि वे अहिंसा तक की बात कर सके। पश्चिम के पुरुषों से उन्होंने एक

कदम बहुत आगे उठाया। स्त्री के हृदय की तरफ एक कदम आगे बढ़ाया। लेकिन आखिर पुरुष कितने दूर जा सकते हैं? वह बात अहिंसा पर आकर अटक गई।

और मैंने ऐसा अनुभव किया है कि अगर पुरुष अहिंसा की भी बात करे तो बहुत जल्दी उसकी अहिंसा में भी हिंसा शुरू हो जाती है। अगर पुरुष सत्याग्रह भी करेगा, अगर पुरुष अनशन भी करेगा, तो वह अनशन भी दूसरे की गर्दन दबाने के उपाय की तरह करेगा। वह भी प्रेशर, वह भी दबाव होगा, वह भी जबरदस्ती होगी। अगर दस आदमी अनशन करेंगे किसी काम के लिए, तो वे धमकी दे रहे हैं कि हम मर जाएंगे; नहीं तो हमारी बात मानो! यह धमकी बहुत हिंसापूर्ण है। यह धमकी अहिंसक नहीं है। यह बहुत हिंसापूर्ण है। अहिंसा का भी हिंसात्मक उपयोग है यह।

मैंने सुना है कि ऐसा ही एक युवक एक युवती को प्रेम करता था। उसने जाकर उसके घर के सामने अहिंसक अनशन कर दिया--कि मुझसे विवाह करो, अन्यथा मैं भूखा मर जाऊंगा! उस घर के लोग घबड़ा गए। क्योंकि अगर वह छुरा लेकर आता तो पुलिस में खबर कर देते। वह छुरा लेकर नहीं आया था। वह धमकी देकर आया था कि मैं मर जाऊंगा। उसने बोरिया-बिस्तर लगा कर द्वार के सामने बैठ गया। गांव में उसका प्रचार करने वाले लोग मिल गए।

बेवकूफों का प्रचार करने वालों की कोई कमी नहीं है। उन्होंने जाकर गांव भर में खबर कर दी कि एक अहिंसक आंदोलन हो रहा है! एक युवक ने अपने प्राण बाजी पर लगा दिए हैं! सारे गांव की सहानुभूति उस युवक के साथ होने लगी। जो भी मरता हो, उसके साथ सहानुभूति स्वाभाविक हो जाती है। घर के लोग बहुत घबड़ा गए। उन्होंने कहा, हम क्या करें? यह तो बड़ी मुसीबत हो गई!

तो घर के लोगों को किसी परिचित ने सलाह दी कि गांव में एक और भी अहिंसक सत्याग्रह करने वाला अनुभवी व्यक्ति है, तुम उससे जाकर पूछो। उन्होंने जाकर सलाह ली। उसने कहा, घबड़ाओ मत, हर चीज का उपाय है। अहिंसात्मक धमकी का उपाय अहिंसात्मक ढंग से दिया जा सकता है। मैं रात आ जाऊंगा। घबड़ाओ मत।

वह रात एक बूढ़ी औरत को लेकर वहां पहुंच गया। और उस बूढ़ी औरत ने जाकर अपना बिस्तर लगा दिया और उस युवक से कहा कि मेरे हृदय में तेरे लिए भारी प्रेम का उदय हुआ है। मैं मर जाऊंगी, अगर तूने मुझ से विवाह नहीं किया! मैं अनशन शुरू करती हूं। यह आमरण अनशन है।

उस युवक ने सुना और अपना पेटी-बिस्तर लेकर वह रात भाग गया। स्वाभाविक

संभोग से समाधि की ओर

है।

इस देश में यह हो रहा है। अहिंसा के नाम पर यही हो रहा है। हर आदमी अहिंसा के नाम पर हिंसा की धमकी देता है। आंध्र को अलग करो, नहीं तो आमरण अनशन करके मर जाएंगे! पंजाब को अलग करो, नहीं तो यह हो जाएगा! कोई भी आदमी धमकी दे रहा है।

यह बड़ी हैरानी की बात है कि गांधी ने अहिंसा की बात की और अहिंसा का पुरुष उपयोग बिलकुल हिंसात्मक ढंग से कर रहे हैं!

किसी को कल्पना भी नहीं हो सकती कि पुरुष का मन ऐसा है कि उसके हाथ में जो भी हथियार आ जाएगा--चाहे तलवार और चाहे सत्याग्रह--वह दोनों का उपयोग हिंसात्मक ढंग से करेगा।

पुरुष के चित्त की बनावट आक्रामक है, हिंसात्मक है। और अब तक चूंकि सारी संस्कृति उसके आधार पर निर्मित हुई है, इसलिए सारी संस्कृति हिंसात्मक है।

क्या यह नहीं हो सकता कि स्त्री के हृदय की आवाज को भी इस संस्कृति के निर्माण में पत्थर बनाया जाए?

लेकिन स्त्री तो चुप है! या तो वह गुलाम है, जैसा मैंने कहा, या वह पुरुष होने की दौड़ में है।

पूरब की स्त्री गुलाम है। उसने कभी यह घोषणा ही नहीं की कि मेरे पास भी आत्मा है। वह चुपचाप पुरुष के पीछे चल पड़ती है।

अगर राम को सीता को फेंक देना है, तो सीता की कोई आवाज नहीं है। अगर राम कहते हैं कि मुझे शक है तेरे चरित्र पर, तो उसे आग में डाला जा सकता है। यह बड़े मजे की बात है। यह किसी के खयाल में कभी नहीं आती कि सीता लंका में बंद थी, अकेली थी, तो राम को उसके चरित्र पर शक होता है। लेकिन सीता को राम के चरित्र पर शक नहीं होता--वे इतने दिन अकेले थे! और अगर अंग्नि से गुजरना ही है तो राम को आगे और सीता को पीछे गुजरना चाहिए। जैसा कि हमेशा शादी-विवाह में राम आगे रहे और सीता पीछे रही, चक्कर लगाती रही। फिर आग में घुसते वक्त सीता अकेली आग में चली गई, राम बाहर खड़े निरीक्षण करते रहे। बड़े धोखे की बात मालूम पड़ती है!

और तीन-चार हजार वर्ष हो गए रामायण को लिखे, यह मैं आपसे पहली दफे कह रहा हूं। यह बात कभी नहीं उठाई गई कि राम की अग्नि-परीक्षा क्यों नहीं होती? नहीं, पुरुष का तो सवाल ही नहीं है। ये सब सवाल स्त्री के लिए हैं।

स्त्री की कोई आत्मा नहीं, उसकी कोई आवाज नहीं। फिर यह अग्नि-परीक्षा से गुजरी हुई स्त्री भी एक दिन दूध में से मक्खी की तरह फेंक दी गई, तो भी कोई आवाज नहीं है! कोई आवाज नहीं है! और हिंदुस्तान भर की स्त्रियां राम को मर्यादा पुरुषोत्तम कहे चली जाएंगी; मंदिर में जाकर दीया घुमाती रहेंगी और पूजा-प्रार्थना करती रहेंगी। राम की पूजा स्त्रियां करती रहेंगी!

तो फिर स्त्रियों के पास कोई आत्मा नहीं है, कोई सोच-विचार नहीं है। सारे हिंदुस्तान की स्त्रियों को कहना था कि बहिष्कार हो गया राम का! कितने ही ऊंचे आदमी रहे होओगे, लेकिन बात खत्म हो गई। स्त्रियों के साथ भारी अपमान हो गया, भारी असम्मान हो गया।

लेकिन राम को स्त्रियां ही जिंदा रखे हैं। राम बहुत प्यारे आदमी हैं, बहुत अदभुत आदमी हैं, लेकिन राम को भी यह खयाल पैदा नहीं होता कि वे स्त्री के साथ क्या कर रहे हैं! वह हमारी कल्पना में नहीं है, वह हमारे खयाल में नहीं है।

युधिष्ठिर जैसा अदभुत आदमी द्रौपदी को जुए में दांव पर लगा देता है! फिर भी कोई यह नहीं कहता कि हम अब युधिष्ठिर को धर्मराज नहीं कहेंगे। नहीं, कोई यह नहीं कहता! बल्कि कोई कहेगा तो हम कहेंगे--अधार्मिक आदमी है, नास्तिक आदमी है, इसकी बात मत सुनो।

लेकिन स्त्री को जुए पर दांव पर लगाया जा सकता है, क्योंकि भारत में स्त्री संपदा है, संपत्ति है। हम हमेशा से कहते ही रहे हैं, स्त्री संपत्ति। शब्द भी उपयोग करते हैं : स्त्री संपत्ति। और इसीलिए तो पति को स्वामी कहते हैं। स्वामी का मतलब आप समझते हैं क्या होता है?

अगर हिंदुस्तान की स्त्री में थोड़ी भी अक्ल होगी तो एक-एक शब्दकोश से 'स्वामी' को निकाल बाहर कर देना चाहिए। कोई पुरुष किसी स्त्री का स्वामी नहीं हो सकता। स्वामी का क्या मतलब होता है?

स्त्री दस्तखत करती है अपनी चिट्ठी में--आपकी दासी। और पतिदेव बहुत प्रसन्न होकर पढ़ते हैं, बड़े आनंदित होते हैं कि बड़ी प्रेम की बात लिखी है।

लेकिन इसका पता है कि स्वामी और दास में कभी प्रेम नहीं हो सकता। कैसे प्रेम हो सकता है? प्रेम की संभावना समान तल पर हो सकती है। स्वामी और दास में क्या प्रेम हो सकता है?

इसलिए हिंदुस्तान में प्रेम की संभावना ही समाप्त हो गई है। हिंदुस्तान में स्त्री-पुरुष साथ रह रहे हैं और उस साथ रहने को प्रेम समझ रहे हैं। वह प्रेम नहीं है।

हिंदुस्तान में प्रेम का सरासर धोखा है। साथ रहना भर प्रेम नहीं है। किसी तरह कलह करके चौबीस घंटे गुजार देना प्रेम नहीं है। जिंदगी गुजार देनी प्रेम नहीं है।

प्रेम की पुलक और है। प्रेम की प्रार्थना और है। प्रेम की सुगंध और है। प्रेम का संगीत और है।

लेकिन वह कहीं भी नहीं है! असल में, गुलाम में और दास में और मालिक में और स्वामी में कोई प्रेम नहीं हो सकता है। लेकिन हमारे खयाल में नहीं है यह बात कि पूरब की स्त्री ने--विशेषकर भारत की स्त्री ने--अपनी आत्मा का अधिकार ही स्वीकार नहीं किया है। आत्मा की आवाज भी नहीं दी है। उसने हिम्मत भी नहीं जुटाई कि वह कह सके--मैं भी हूं!

'अ' स्त्री को शादी करके ले आते हैं एक सज्जन। अगर उनका नाम कृष्णचंद्र मेहता है तो उनकी पत्नी मिसेज कृष्णचंद्र मेहता हो जाती है। लेकिन कभी उससे उलटा देखा कि इंदुमती मेहता को एक सज्जन प्रेम करके विवाह कर लाए हों और उनका नाम मिस्टर इंदुमती मेहता हो जाए? वह नहीं हो सकता। लेकिन क्यों नहीं हो सकता? नहीं, वह नहीं हो सकता, क्योंकि हमारी यह सिर्फ व्यवहार की बात नहीं है, उसके पीछे पूरा हमारे जीवन को देखने का ढंग छिपा हुआ है।

स्त्री पुरुष के पीछे आकर पुरुष का अंग हो जाती है, तो वह मिसेज हो जाती है। लेकिन पुरुष स्त्री का अंग नहीं होता! स्त्री पुरुष का आधा अंग है, लेकिन पुरुष स्त्री का अंग नहीं है! इसलिए पुरुष मरता है तो स्त्री को सती होना चाहिए, आग में जल जाना चाहिए। वह उसका अंग है, उसको बचने का हक कहां है?

हिंदुस्तान में हजारों वर्षों में कितनी लाखों स्त्रियों को आग में जलाया है, उसका हिसाब लगाना बहुत मुश्किल है। बहुत मुश्किल है। और किस पीड़ा से उन स्त्रियों को गुजरना पड़ा है, इसका हिसाब लगाना मुश्किल है। फिर भी बड़ी कृपा थी--जो आग में जल गईं उन स्त्रियों के लिए।

लेकिन जब से आग में जलना बंद हो गया है तो करोड़ों विधवाओं को हम रोके हुए हैं। उनका जीवन आग में जलने से भी ज्यादा बदतर है। सती की प्रथा विधवा की प्रथा से ज्यादा बेहतर थी। आदमी एक बार में मर जाता है, खत्म हो जाता है। आखिर एक बार में मरना फिर भी बहुत दयापूर्ण है, बजाय चालीस-पचास साल धीरे-धीरे मरने के, अपमानित होने के।

और जिंदगी में जहां प्रेम की कोई संभावना न रह जाए, उस जीवन को जीवित कहने का क्या अर्थ है?

और यह ध्यान रहे कि पुरुष के लिए प्रेम चौबीस घंटे में आधी घड़ी, घड़ी भर की बात है। उसके लिए और बहुत काम हैं। प्रेम भी एक काम है। प्रेम से भी वह निपट कर जल्दी से दूसरे कामों में लग जाता है। स्त्री के लिए प्रेम ही एकमात्र काम है, वह उसकी चौबीस घंटे की जिंदगी है। वह और कामों में एक काम नहीं है। प्रेम ही एकमात्र काम है। और सारे काम उसी प्रेम से निकलते हैं और पैदा होते हैं।

तो अगर पुरुष को विधुर रखा जाए तो उतना टार्चर नहीं है वह, जितना स्त्री को विधवा रखना अत्याचार है। क्योंकि उसकी चौबीस घंटे प्रेम की जिंदगी है। प्रेम गया--कि उसकी जिंदगी में फिर कुछ भी नहीं रह गया। और दूसरे प्रेम की कोई संभावना समाज छोड़ता नहीं। लेकिन हजारों साल तक हम उसको जलाते रहे और कभी किसी नें न सोचा!

और अगर कोई पूछता था कि स्त्रियों को क्यों जलना चाहिए आग में? तो पुरुष कहते कि उसका प्रेम है, वही जी नहीं सकती पुरुष के बिना। लेकिन किसी पुरुष को प्रेम नहीं था इस मुल्क में कि वह किसी स्त्री के लिए सती हो जाता? वह सवाल नहीं है। वह सवाल नहीं है, वह सवाल ही नहीं उठाना चाहिए। क्योंकि सारे धर्मग्रंथ पुरुष लिखते हैं, अपने हिसाब से लिखते हैं, अपने स्वार्थ से लिखते हैं। स्त्रियों का लिखा हुआ न कोई धर्मग्रंथ है, न स्त्रियों का कोई मनु है, न स्त्रियों का कोई याज्ञवल्क्य है! स्त्रियों का कोई स्मृतिकार नहीं, स्त्रियों का कोई धर्मग्रंथ नहीं! स्त्रियों का कोई सूत्र नहीं! उनकी कोई आवाज नहीं! तो पूरब की स्त्री तो एक गुलाम छाया है, जो पति के आगे-पीछे घूमती रहती है।

पश्चिम की स्त्री ने विद्रोह किया है। और मैं कहता हूं कि अगर छाया ही बना रहना है, तो उससे बेहतर है वह विद्रोह। लेकिन वह विद्रोह बिलकुल गलत रास्ते पर चला गया। वह गलत रास्ता यह है कि पश्चिम की स्त्री ने विद्रोह का मतलब यह लिया है कि ठीक पुरुष जैसी वह भी खड़ी हो जाए! पुरुष जैसी हो जाए!

तो पश्चिम की स्त्री पुरुष होने की दौड़ में पड़ गई। वह पुरुष जैसे वस्त्र पहनेगी, पुरुष.जैसे बाल कटाएगी, पुरुष जैसे सिगरेट पीना चाहेगी, पुरुष जैसे सड़कों पर चलना चाहेगी, पुरुष जैसे अभद्र शब्दों का उपयोग करना चाहेगी। वह पुरुष के मुकाबले खड़ी हो जाना चाहती है।

एक लिहाज से फिर भी अच्छी बात है। कम से कम बगावत तो है। कम से कम हजारों साल की गुलामी को तोड़ने का खयाल तो है। लेकिन गुलामी ही नहीं तोड़नी है; क्योंकि गुलामी तोड़ कर भी कोई कुएं से खाई में गिर सकता है।

पश्चिम की स्त्री उसी हालत में खड़ी हो गई है। वह जितना अपने को पुरुष के जैसा बनाती जा रही है, उतना ही उसका व्यक्तित्व फिर खोता चला जा रहा है। भारत में वह छाया बन कर खत्म हो गई। पश्चिम में वह नंबर दो का पुरुष बन कर खत्म होती जा रही है। उसका अपना कोई व्यक्तित्व वहां भी नहीं रह जाएगा।

और यह ध्यान रहे, स्त्री के पास एक अपने तरह का व्यक्तित्व है, जो पुरुष से बहुत भिन्न, बहुत विरोधी, बहुत अलग, बहुत दूसरा है। उसका सारा आकर्षण, उसके जीवन की सारी सुगंध उसके अपने होने में है, उसके निज होने में है। अगर वह अपनी निजता के बिंदु से च्युत होती है और पुरुष जैसे होने की दौड़ में लग जाती है, तो यह बात उतनी ही बेहूदी होगी जैसे कोई पुरुष स्त्रियों के कपड़े पहन कर और दाढ़ी-मूंछ घुटा कर और स्त्रियों जैसा बन कर घूमने लगता है तो बेहूदा हो जाता है। यह बात उतनी ही बेहूदी है।

लेकिन पुरुष इसकी निंदा नहीं करेगा। पुरुष इसकी निंदा नहीं करेगा; क्योंकि स्त्रियां पुरुष जैसी हो रही हैं, पुरुष को क्या चिंता है? आपने हमेशा सुना होगा, अगर कोई पुरुष स्त्रियों जैसे ढंग से रहे तो लोग कहेंगे--नामर्द! उसकी निंदा होगी। लेकिन अगर कोई स्त्री पुरुषों जैसी रहे तो वे कहेंगे--खूब लड़ी मर्दानी वह तो झांसी वाली रानी थी। इज्जत देंगे उसको। स्त्री अगर पुरुषों जैसे ढंग अख्तियार करे तो उसको इज्जत मिलेगी और पुरुष अगर स्त्रियों जैसे ढंग अख्तियार करे तो उसका अपमान होगा। पुरुष को भी इसमें मजा आता है कि स्त्री पुरुष जैसे होने की कोशिश कर रही है। इसका अर्थ है कि उसने हमारी श्रेष्ठता फिर स्वीकार कर ली।

कल तक वह पति के रूप में श्रेष्ठता स्वीकार करती थी, हम तब भी सुपीरियर थे, मालिक थे। अब भी हम सुपीरियर हैं, अब वह हमारे जैसे होने की कोशिश कर रही है। और ध्यान रहे, स्त्री कितना ही पुरुष जैसी हो जाए, कार्बन कापी से ज्यादा नहीं हो सकती। कैसे हो सकती है? कैसे हो सकती है स्त्री पुरुष जैसी? और कार्बन कापी फिर छाया रह जाएगी।

और यह बड़े मजे की बात है--हिंदुस्तान में पुरुष ने जबरदस्ती स्त्री को छाया बना दिया, पश्चिम की स्त्री अपने हाथ से मेहनत करके छाया बनी जा रही है। क्या कोई तीसरा रास्ता नहीं है? ये दोनों बातें स्त्री जाति के लिए खतरनाक हैं। ये दोनों बातें प्रतिक्रियावादी हैं, रिएक्शनरी हैं। स्त्री की जिंदगी में एक क्रांति चाहिए। पश्चिम में क्रांति भटक गई और विद्रोह हो गई है। विद्रोह क्रांति नहीं है। बगावत क्रांति नहीं है।

क्रांति का मतलब है : एक नये व्यक्तित्व का उदघाटन।

बगावत का मतलब है : पुराने व्यक्तित्व को तोड़ देना है, इसकी बिना फिक्र किए कि नया व्यक्तित्व कुछ बनता है कि नहीं बनता है।

बगावत क्रोध है, क्रांति विचार है। बगावत कर देना बहुत आसान है। क्रांति करना बहुत सोच-विचार और चिंतन की बात है।

भारत की स्त्री को भी पश्चिम की स्त्री की दौड़ पकड़ेगी, क्योंकि भारत के पुरुष को पश्चिम के पुरुष की दौड़ पकड़ी। उसी के पीछे स्त्री भी जाएगी। आज नहीं कल वह भी...और उसने होना शुरू कर दिया है, वह पुरुष के साथ पुरुष जैसा होने की दौड़ में वह शामिल हो गई है। आज नहीं कल भारत में भी वही होगा जो पश्चिम में हो रहा है। और पश्चिम में जो हो गया है वह इतना दुखद है कि अब भारत में उसको फिर दोहरा लेना, एक बहुत बढ़िया मौका खो देना है; एक परिवर्तन का, एक ट्रांजिशन का मौका खो देना है। एक बदलाहट का वक्त आया है और फिर बदलाहट में हम वही गलती किए ले रहे हैं--वही गलती जिसमें कुछ फर्क नहीं पड़ेगा, वही भूल फिर हो जाएगी।

सी.ई.एम.जोड ने कहीं लिखा है कि जब मैं पैदा हुआ, छोटा था, तो होम्स थे मेरे देश में, घर थे। अब सिर्फ हाउसेज हैं; अब सिर्फ मकान हैं। स्वभावतः, अगर स्त्री पुरुष जैसी हो जाती है, तो होम जैसी चीज समाप्त हो जाएगी। घर जैसी चीज समाप्त हो जाएगी, मकान रह जाएंगे। मकान रह जाएंगे, क्योंकि मकान घर बनता था एक व्यक्तित्व से स्त्री के। वह खो गया। अब वह ठीक पुरुष जैसी कलह करती है, पुरुष जैसी झगड़ती है, पुरुष जैसी बात करती है, विवाद करती है। वह सब ठीक पुरुष जैसा कर रही है!

लेकिन उसे पता नहीं है कि उसकी आत्मा कभी भी यह करके तृप्त नहीं हो सकती। क्योंकि आत्मा तृप्त होती है वही होकर जो होने को आदमी पैदा हुआ है। एक गुलाब गुलाब बन जाता है तो तृप्ति आती है। एक चमेली चमेली बन जाती है तो तृप्ति आती है। वह तृप्ति फ्लावरिंग की है। जो हमारे भीतर छिपा है वह खिल जाए--पूरा खिल जाए--तो आनंद उपलब्ध होता है।

स्त्री आज तक कभी भी आनंदित नहीं रही, न पूरब के मुल्कों में, न पश्चिम के मुल्कों में। पूरब के मुल्कों में वह गुलाम थी, इसलिए आनंदित नहीं हो सकी; क्योंकि कोई आनंद बिना स्वतंत्रता के कभी उपलब्ध नहीं होता है।

सारे आनंद के फूल स्वतंत्रता के आकाश में खिलते हैं।

और ध्यान रहे, अगर स्त्री आनंदित नहीं है तो पुरुष कभी आनंदित नहीं हो सकता है। वह लाख सिर पटके। क्योंकि समाज का आधा हिस्सा दुखी है। घर का केंद्र दुखी है। तो वह दुखी केंद्र अपने चारों तरफ दुख की किरणें फेंकता रहता है। और उस दुख के केंद्र की किरणों में सारा व्यक्तित्व समाज का दुखी हो जाता है।

और मैं आपसे कहना चाहता हूं, जितना दुख होता है, उतनी हिंसा शुरू हो जाती है। क्यों? क्योंकि दुखी आदमी दूसरे को दुखी करने को आतुर हो जाता है। दुखी आदमी फिर किसी को सुखी नहीं देखना चाहता। दुखी आदमी चाहता है, दूसरे को दुख दो! दुखी आदमी का एक ही सुख होता है, दूसरे को दुख देने का सुख।

स्त्री के दुख ने सारे समाज के जीवन को दुख की छाया से भर दिया है।

स्त्री आनंदित हो सकती है मुक्त होकर, लेकिन पुरुष होकर नहीं। मुक्त हो जाए और पुरुष जैसी होने लगे, फिर दुखी हो जाएगी। आज पश्चिम की स्त्री कोई सुखी नहीं है। वह फिर उसने नये दुख खोज लिए हैं। फिर नये दुखों में उसने अपने व्यक्तित्व को कस लिया है। और फिर समाज वहां एक नये तनाव में भरता चला जाएगा। क्या किया जा सकता है? कौन सी क्रांति?

मैं एक तीसरा सुझाव देना चाहता हूं। और वह यह कि एक वक्त है, इस वक्त मुल्क के सामने बदलाहट होगी। बदलाहट का समय है। अब स्त्री की गुलामी ज्यादा दिन नहीं चलेगी। हालांकि स्त्री की अभी भी कोई इच्छा नहीं है बहुत कि गुलामी टूट जाए। और पुरुष तो चाहेगा क्यों। लेकिन सारी दुनिया की हवाएं धक्के दे रही हैं और गुलामी टूट रही है। भारत की स्त्रियां यह न सोचें कि उनके कुछ करने से गुलामी टूट रही है।

भारत बहुत अजीब देश है। सारी दुनिया की हवाएं बदलीं। उन्नीस सौ सैंतालीस में हम आजाद हो गए। हमने समझा कि हमने आजादी ले ली। वह हमने आजादी ली नहीं। वह दुनिया की हवाएं बदलीं, दुनिया का पूरा मौसम बदला, दुनिया में एक परिवर्तन का वक्त आया--आजादी हमें मिली। हिंदुस्तान के किसी नेता को पता भी नहीं था कि आजादी उन्नीस सौ सैंतालीस में मिल सकती है। कल्पना भी नहीं थी। आंदोलन तो हमारा बयालीस में खत्म हो गया था! और बड़ा भारी आंदोलन था, सात दिन में खत्म हो गया था! ऐसी महान क्रांति दुनिया में कभी नहीं हुई थी! वह सात दिन में खत्म हो गया था, उसके बाद हम ठंडे पड़ चुके थे।

अब बीस साल तक कोई दुबारा जाने को जेल में राजी भी नहीं हो सकता था। अचानक आजादी आ गई, तो हमने कहा कि हमने आजादी ले ली! ठीक वैसे ही

भारत की स्त्री की आजादी भी आ रही है। यह भूल में मत पड़ना कि वह आजादी ले रही है।

और ध्यान रहे, जो आजादी आती है उस आजादी में और जो आजादी ली जाती है उस आजादी में जमीन-आसमान का फर्क होता है। जो आजादी मिलती है वह मुर्दा होती है। वह कभी जिंदा नहीं हो सकती। भीख रहती है। और आजादी भी भीख में मिल सकती है? इसीलिए इस मुल्क को जो आजादी मिली, वह मुर्दा आजादी है, बिलकुल डेड--उसमें कोई जिंदगी नहीं है। सड़ी हुई लाशों वाली आजादी है।

इसलिए बीस साल से हम सड़ रहे हैं। उस आजादी से कोई पुलक नहीं आई जीवन में, न कोई नृत्य आया, न कोई खुशी आई, न कोई उत्साह आया, न कुछ ऐसा हुआ कि हम बदल दें अब जिंदगी को, हजारों साल के सिलसिले को तोड़ दें, नया मुल्क बनाएं, नया आदमी पैदा करें। वह कुछ भी पैदा नहीं हुआ। बस इतना हुआ कि हमने झंडा बदल दिया, दूसरा झंडा फहरा दिया और नेता बदल दिए। हालांकि सिर्फ शरीर बदला नेताओं का। उनकी बुद्धि वही रही, जो पिछले नेताओं की थी, जो पिछले हुकूमत करने वालों की थी। बुद्धि वही की वही रही। कपड़े बदल गए, वे शेरवानी पहन कर खड़े हो गए। हमको लगा कि सब भारतीय हो गए।

ठीक वैसी ही आजादी स्त्रियों के मामले में घटित हो रही है। नहीं, यह ठीक नहीं हो रहा है। हिंदुस्तान की नारी को, हिंदुस्तान की स्त्री को आजादी लेनी है। क्योंकि मूल्य आजादी मिलने का नहीं है। वह जो लेने की प्रक्रिया है, उसी में आत्मा पैदा होती है। इसको ठीक से समझ लेना चाहिए। वह जो लेने की प्रक्रिया है, वह जो जद्दोजहद है, वह जो संघर्ष है, वह जो स्ट्रगल है, उस स्ट्रगल में लेने की ही आत्मा पैदा होती है।

आजादी मिलने से आत्मा पैदा नहीं होती। आजादी लेने की प्रक्रिया में से गुजरना ही आजाद आत्मा का पैदा हो जाना है। आजादी उसका परिणाम है। आजादी के परिणाम में आत्मा कभी पैदा नहीं होती। आत्मा पैदा हो जाए तो आजादी आती है।

लेकिन भारत की स्त्री के साथ भी वही हो रहा है। आजादी उस पर आ रही है, थोपी जा रही है। वह बेमन से उसको स्वीकार करती चली जा रही है। और धीरे-धीरे पश्चिम की हवाएं उसको पश्चिम की तरफ ले जाएंगी और एक मौका चूक जाएगा। इस मौके को मैं बहुत क्रांति का अवसर कहता हूं।

भारत की स्त्री को करना यह है कि पहले तो उसे स्पष्ट रूप से यह समझ लेना है कि पुरुष के व्यक्तित्व की शोध और खोज खत्म हो गई। पुरुष ने जो मार्ग पकड़ा था

संभोग से समाधि की ओर

पांच-छह हजार वर्षों में, वह डेड एंड पर आ गया, अब उसके आगे कोई रास्ता नहीं है।

स्त्री को पहली दफे यह सोचना है कि क्या स्त्री भी एक नई संस्कृति को जन्म देने के आधार रख सकती है? कोई संस्कृति जहां युद्ध और हिंसा न हो। कोई संस्कृति जहां प्रेम, सहानुभूति और दया हो। कोई संस्कृति जो विजय के लिए बहुत आतुर न हो, जीने के लिए आतुर हो। जीने की आतुरता हो। जीवन को जीने की कला और जीवन को शांति से जीने की आस्था और निष्ठा पर खड़ी कोई संस्कृति स्त्री जन्म दे सकती है? स्त्री जरूर जन्म दे सकती है।

आज तक चाहे युद्ध में कोई कितना ही मरा हो, स्त्री का मन निरंतर--प्राण उसके दुख से भरे रहे हैं। उसका भाई मरता है, बेटा मरता है, बाप मरता है, पति मरता है, प्रेमी मरता है। स्त्री का कोई न कोई युद्ध में जाकर मरता है।

अगर सारी दुनिया की स्त्रियां एक बार तय कर लें--भाड़ में जाने दें रूस को और अमेरिका को--सारी दुनिया की स्त्रियां एक बार तय कर लें कि युद्ध नहीं होगा; दुनिया का कोई राजनीतिज्ञ युद्ध में कभी किसी को नहीं घसीट सकता। सिर्फ स्त्रियां तय कर लें कि युद्ध अब नहीं होगा, तो युद्ध नहीं हो सकता। क्योंकि कौन जाएगा युद्ध पर? कोई बेटा जाता है, कोई पति जाता है, कोई बाप जाता है। अगर स्त्रियां एक बार तय कर लें!

लेकिन स्त्रियां पागल हैं। युद्ध होता है तो वे टीका करती हैं कि जाओ युद्ध पर! पाकिस्तानी मां पाकिस्तानी बेटे के माथे पर टीका करती है कि जाओ युद्ध पर! हिंदुस्तानी मां हिंदुस्तानी बेटे के माथे पर टीका करती है कि जाओ बेटे, युद्ध पर जाओ!

पता चलता है कि स्त्री को कुछ पता नहीं कि क्या हो रहा है। वह पुरुष के पूरे जाल में सिर्फ एक खिलौना, हर जगह एक खिलौना बन जाती है। चाहे पाकिस्तानी बेटा मरता हो और चाहे हिंदुस्तानी, किसी मां का बेटा मरता है--यह स्त्री को समझना होगा। और चाहे रूस का पति मरता हो और चाहे अमेरिका का, स्त्री को समझना होगा, उसका पति मरता है।

और अगर सारी दुनिया की स्त्रियों को एक खयाल पैदा हो जाए कि अब हमें अपने पति को, अपने बेटे को, अपने बाप को युद्ध पर नहीं भेजना है, तो फिर पुरुष की लाख कोशिश और राजनीतिज्ञों की हर चेष्टा व्यर्थ हो सकती है। युद्ध नहीं हो सकता है।

और यह स्त्री की इतनी बड़ी शक्ति है, लेकिन उसने उसका कभी कोई उपयोग नहीं किया। उसने कभी कोई आवाज नहीं दी, उसने कभी कोई फिक्र नहीं की। वह आदमी ने, पुरुष ने जो रेखाएं खींची हैं राष्ट्रों की, उनको वह भी मान लेती है।

प्रेम कोई रेखाएं नहीं मान सकता, हिंसा रेखाएं मानती है।

हम कहते हैं भारत माता! भारत माता जैसी कोई चीज दुनिया में नहीं है। अगर है भी कोई तो पृथ्वी माता जैसी कोई चीज हो सकती है। भारत माता पुरुष की ईजाद है! अपने हाथ से उसने कीलें ठोंक कर झंडे गाड़ लिए हैं और कहा है कि यह भारत अलग!

लेकिन मुझे ऐसा लगता है कि स्त्री के मन में आज भी और हमेशा से कभी भी सीमा नहीं रही है, उस अर्थों में जिस अर्थों में पुरुष के मन में सीमा है। क्योंकि जहां भी प्रेम है, वहां सीमा नहीं होती। सारी दुनिया की स्त्रियों को एक तो बुनियादी यह खयाल जाग ज़ाना चाहिए कि हम एक नई संस्कृति को, एक नये समाज को, एक नई सभ्यता को जन्म दे सकते हैं--जो पुरुष के आधार हैं, उनके ठीक विपरीत आधार रख कर।

भारत में यह बहुत सुविधा से हो सकता है। भारत में यह रूपांतरण बहुत आसानी से हो सकता है। तो पहली तो बात यह है कि दुनिया की स्त्रियों की एक शक्ति और एक आवाज और एक आत्मा निर्मित होनी चाहिए। और वह आवाज दो तरह की बगावत करे। पुरुष की सारी संस्कृति को कहे कि गलत। और वह गलत है। अधूरी है और खतरनाक है।

दूसरी बात, स्त्री के मन में जो प्रेम है, उस प्रेम का भी पूरा विकास नहीं हो सका है। पुरुष ने उस पर भी दीवालें बांधी हैं। उस पर भी उसने कारागृह खड़ा किया है कि प्रेम की इतनी सीमा है, इससे आगे मत जाने देना। प्रेम से पुरुष बहुत भयभीत है। वह प्रेम पर पच्चीस रुकावटें डालता है, कारागृह बनाता है। उन कारागृहों ने दुनिया में स्त्रियों के प्रेम को विकसित नहीं होने दिया, फैलने नहीं दिया; उस सुगंध से दुनिया को भरने नहीं दिया। स्त्री को उस तरफ भी बगावत करनी जरूरी है कि वह कहे कि प्रेम पर सीमाएं हम तोड़ेंगे।

प्रेम की कोई सीमा नहीं है और प्रेम की अपनी पवित्रता है।

सारी सीमाएं उस पवित्रता को नष्ट करती हैं और गंदा करती हैं। उस सीमा को फैलाना है। उसकी सीमा बढ़नी चाहिए, फैलनी चाहिए। और अगर वह फैलती है, तो जैसे पजेसिव पुरुष की एक प्रवृत्ति है पजेस करने की...।

कभी आपने खयाल किया ? पुरुष की सारी प्रवृत्ति है--इकट्ठा करो! मालिक बन जाओ! स्त्री की सारी प्रवृत्ति होती है--दे दो! मालकियत छोड़ दो, किसी को दे दो! स्त्री का सारा आनंद दे देने में है और पुरुष का सारा आनंद कब्जा कर लेने में है। यह कब्जा करने वाला पुरुष ही दुनिया में युद्ध का कारण बना है।

अगर दुनिया में कभी भी हमें एक गैर-युद्ध वाली दुनिया बनानी हो, तो ध्यान रखना पड़ेगा, इकट्ठा कर लेना, पजेस कर लेना, मालिक बन जाना, इसकी प्रवृत्ति की जगह दे देने की हिम्मत जुटानी पड़ेगी।

मैंने सुना है, एक छोटा सा गीत रवींद्रनाथ ने लिखा है। और मुझे बहुत प्रीतिकर लगी वह कहानी जो उस गीत में उन्होंने गाई है। गाया है कि एक भिखारी एक दिन सुबह अपने घर के बाहर निकला। त्यौहार का दिन है। आज गांव में बहुत भिक्षा मिलने की संभावना है। वह अपनी झोली में थोड़े से दाने डाल कर चावल के बाहर आया।

चावल के दाने उसने डाल लिए हैं अपनी झोली में। क्योंकि झोली अगर भरी दिखाई पड़े तो देने वाले को आसानी होती है, उसे लगता है कि किसी और ने भी दिया है। सब भिखारी अपने हाथ में पैसे घर से लेकर निकलते हैं, ताकि देने वाले को संकोच मालूम पड़े कि नहीं दिया तो अपमानित हो जाऊंगा, और लोग दे चुके हैं!

आपकी दया...आपकी दया काम नहीं करती भिखारी को देने में। आपका अहंकार काम करता है--और लोग दे चुके हैं, अब मैं कैसे न दूं!

वह डाल कर निकला है थोड़े से दाने। थोड़े से दाने उसने डाल रखे हैं चावल के। बाहर निकला है। सूरज निकलने के करीब है। रास्ता सोया है। अभी लोग जाग रहे हैं। देखा है उसने, राजा का रथ आ रहा है! स्वर्ण-रथ, सूरज की रोशनी में चमकता हुआ!

उसने कहा, धन्य भाग्य मेरे! भगवान को धन्यवाद! आज तक कभी राजा से भिक्षा नहीं मांग पाया, क्योंकि द्वारपाल बाहर से ही लौटा देते हैं। आज तो रास्ता रोक कर खड़ा हो जाऊंगा। आज तो झोली फैला दूंगा। और कहूंगा, महाराज! पहली दफे ही भिक्षा मांगता हूं। फिर सम्राट तो भिक्षा देंगे तो वह कोई ऐसी भिक्षा तो न होगी। जन्म-जन्म के लिए मेरे दुख पूरे हो जाएंगे। वह कल्पनाओं में खोकर खड़ा हो गया।

रथ आ गया। वह भिखारी अपनी झोली खोले, इससे पहले ही राजा नीचे उतर आया। राजा को देख कर भिखारी घबड़ा गया है और राजा ने अपनी झोली, अपना वस्त्र उस भिखारी के सामने कर दिया। तब तो वह बहुत घबड़ा गया। उसने कहा,

आप! और झोली फैलाते हैं?

राजा ने कहा, ज्योतिषियों ने कहा है कि देश पर हमले का डर है। और अगर मैं जाकर आज राह पर भीख मांग लूं तो देश बच सकता है। तो पहला आदमी जो मुझे मिले, उसी से भीख मांगनी है। तुम्हीं पहले आदमी हो। कृपा करो, कुछ दान दे दो! राष्ट्र बच जाए।

उस भिखारी के तो प्राण निकल गए। उसने हमेशा मांगा था। दिया तो कभी भी नहीं था। देने की उसे कोई कल्पना ही नहीं थी। कैसे दिया जाता है, इसका कोई अनुभव न था। सब मांगता था। बस मांगता था। और देने की बात आ गई, तो उसके प्राण तो रुक ही गए! मिलने का तो सपना गिर ही गया। और देने की उलटी बात! उसने झोली में हाथ डाला। मुट्ठी भर दानें हैं वहां। भरता है मुट्ठी, छोड़ देता है। हिम्मत नहीं होती कि दे दे।

राजा ने कहा, कुछ तो दे दो! देश का खयाल करो! ऐसा मत करना कि मना कर दो। अन्यथा बहुत हानि हो जाएगी। बामुश्किल, बहुत कठिनाई से एक दाना भर उसने निकाला और राजा के वस्त्र में डाल दिया। राजा रथ पर बैठा। रथ चला गया। धूल उड़ती रह गई।

और साथ में दुख रह गया कि एक दाना अपने हाथ से आज देना पड़ा है। भिखारी का मन देने का नहीं होता। दिन भर भीख मांगी, बहुत भीख मिली, लेकिन चित्त में दुख वही बना रहा एक दाने का, जो दिया था।

क़ितना ही मिल जाए आदमी को, जो मिल जाता है उसका धन्यवाद नहीं होता, जो नहीं मिल पाया, जो छूट गया, जो नहीं है पास, उसकी पीड़ा होती है।

लौटा सांझ दुखी। इतना कभी नहीं मिला था! झोला लाकर पटका। पत्नी नाचने लगी। कहा, इतनी मिल गई भीख! उसने कहा, नाच मत पागल! तुझे पता नहीं, एक दाना कम है, जो अपने पास हो सकता था।

फिर झोली खोली। सारे दाने गिर पड़े। फिर वह भिखारी छाती पीट कर रोने लगा। अब तक तो सिर्फ उदास था, अब रोने लगा। देखा कि दानों की उस कतार में, उस भीड़ में, उस ढेर में, एक दाना सोने का हो गया है! तब तो वह चिल्ला-चिल्ला कर रोने लगा कि मैं अवसर चूक गया। बड़ी भूल हो गई। मैं सब दाने दे देता तो वे सब सोने के हो जाते। लेकिन कहां खोजूं अब उस राजा को? कहां जाऊं? कहां वह रथ मिलेगा? कहां राजा द्वार पर हाथ फैलाएगा? बड़ी मुश्किल हो गई। अब क्या होगा? अब क्या होगा? वह तड़फने लगा।

उसकी पत्नी ने कहा, तुझे पता नहीं, तुझे आज तक पता नहीं शायद कि जो हम देते हैं, वही स्वर्ण का हो जाता है। जो हम इकट्ठा कर लेते हैं, वह सदा मिट्टी का हो जाता है।

जो जानते हैं, वे गवाही देंगे इस बात की--कि जो दिया है, वही स्वर्ण का हो गया है।

मृत्यु के क्षण में आदमी को पता चलता है, जो रोक लिया था, वह पत्थर की तरह छाती पर बैठ गया है। जो दिया था, जो बांट दिया था, वह हलका कर गया है। वह पंख बन गया है। वह स्वर्ण हो गया है। वह दूर की यात्रा पर मार्ग बन गया है।

लेकिन स्त्री का पूरा व्यक्तित्व देने वाला व्यक्तित्व है।

और अब तक हमने जो दुनिया बनाई है, वह लेने वाले व्यक्तित्व की है। लेने वाले व्यक्तित्व के कारण पूंजीवाद है। लेने वाले व्यक्तित्व के कारण साम्राज्यशाही है। लेने वाले व्यक्तित्व के कारण युद्ध हैं, हिंसा है।

क्या हम देने वाले व्यक्तित्व के आधार पर कोई समाज का निर्माण कर सकते हैं? यह हो सकता है। लेकिन यह पुरुष नहीं कर सकेगा। यह स्त्री कर सकती है। और स्त्री सजग हो, कांशस हो, जागे, तो कोई भी कठिनाई नहीं है।

एक क्रांति--बड़ी से बड़ी क्रांति--दुनिया में स्त्री को लानी है। वह यह कि एक प्रेम पर आधारित, देने वाली संस्कृति--जो मांगती नहीं, इकट्ठा नहीं करती, देती है--ऐसी एक संस्कृति निर्मित करनी है। ऐसी संस्कृति के निर्माण के लिए जो भी किया जा सके, वह सब...उस सबसे बड़ा धर्म स्त्री के सामने आज कोई और नहीं।

यह थोड़ी सी बात मैंने कही। पुरुष के संसार को बदल देना है आमूल। स्त्री के हृदय में जो छिपा है, उसकी छाया को फैलाना है, उस वृक्ष को बड़ा करना है, तो शायद एक अच्छी मनुष्यता का जन्म हो सकता है। स्त्री के जीवन और चेतना की क्रांति सारी मनुष्यता के लिए क्रांति बन सकती है।

कौन करेगा लेकिन यह? स्त्रियां न सोचतीं, न विचारतीं। स्त्रियां न इकट्ठी हैं, न उनकी कोई सामूहिक आवाज है, न उनकी कोई आत्मा है! शायद पुरानी पीढ़ी नहीं कर सकेगी। लेकिन नई पीढ़ी की लड़कियां कुछ अगर हिम्मत जुटाएंगी और सिर्फ पुरुष होने की नकल और बेवकूफी में नहीं पड़ेंगी, तो यह क्रांति निश्चित हो सकती है। उनकी तरफ बहुत आशा से भर कर देखा जा सकता है।

मेरी ये बातें इतने प्रेम और शांति से सुनीं, उससे बहुत अनुगृहीत हूं। और अंत में सबके भीतर बैठे परमात्मा को प्रणाम करता हूं, मेरे प्रणाम स्वीकार करें।

14

नारी--एक और आयाम

मनुष्य-जाति के इतिहास में भेद की, भिन्नता की लंबी कहानी जुड़ी हुई है। बहुत प्रकार के वर्ग हमने निर्मित किए हैं--गरीब का, अमीर का; धन के आधार पर, पद के आधार पर। और सबसे आश्चर्य की बात तो यह है कि हमने स्त्री-पुरुष के बीच भी वर्गों का निर्माण किया है! शायद हमारे और सारे वर्ग जल्दी मिट जाएंगे, स्त्री-पुरुष के बीच खड़ी की गई दीवाल को मिटने में बहुत समय लग सकता है। बहुत कारण हैं।

स्त्री और पुरुष भिन्न हैं, यह तो निश्चित है, लेकिन असमान नहीं।

भिन्नता और असमानता दो अलग बातें हैं। भिन्न होना एक बात है। सच एक आदमी दूसरे आदमी से भिन्न है ही। कोई दो आदमी समान नहीं हैं। कोई दो पुरुष भी समान नहीं हैं। स्त्री और पुरुष भी भिन्न हैं। लेकिन भिन्नता को वर्ग बनाना, ऊंचा-नीचा बनाना मनुष्य का पुराना षडयंत्र और शैतानी रही है।

हजारों वर्षों का पिछले अतीत का इतिहास स्त्री के शोषण का इतिहास भी है। पुरुष ने ही चूंकि सारे कानून निर्मित किए हैं, और पुरुष चूंकि शक्तिशाली था, उसने स्त्री पर जो भी थोपना चाहा, थोप दिया।

और जब तक स्त्री के ऊपर से गुलामी नहीं उठती, तब तक दुनिया से गुलामी का बिलकुल अंत नहीं हो सकता है।

राष्ट्र स्वतंत्र हो जाएंगे। आज नहीं कल, गरीब और अमीर के बीच के फासले भी कम हो जाएंगे। लेकिन स्त्री और पुरुष के बीच शोषण का जाल सबसे ज्यादा गहरा है। और स्त्री और पुरुष के बीच फासले की कहानी इतनी लंबी हो गई है कि करीब-करीब भूल गई है। स्वयं स्त्रियों को भी भूल गई है, पुरुषों को भी भूल गई है।

इस संबंध में थोड़ी बातें विचार करना उपयोगी होगा। इसलिए कि शायद आने वाली जिंदगी को--जिसे आप बनाने में लगेंगे--हो सकता है स्त्री और पुरुष के बीच समानता का, स्वतंत्रता का एक समाज और एक परिवार निर्मित कर सकें। अगर खयाल ही न हो तो हम पुराने ढांचों में ही फिर घूम कर जीने लगते हैं। हमें पता भी नहीं चलता कि हमने कब पुरानी लीकों पर चलना शुरू कर दिया!

आदमी सबसे ज्यादा सुगम इसे ही पाता है कि जो हो रहा था, वैसा ही होता चला जाए, लीस्ट रेसिस्टेंस वहीं है। इसलिए पुराने ढंग का परिवार चलता चला जाता है। पुरानी समाज-व्यवस्था चलती चली जाती है। पुराने ढंग से सोचने के ढंग चलते चले जाते हैं। तोड़ने में कठिनाई मालूम पड़ती है, बदलने में मुश्किल मालूम पड़ती है--दो कारणों से। एक तो पुराने की आदत और दूसरा नये को निर्माण करने की मुश्किल।

सिर्फ वे ही पीढ़ियां पुराने को तोड़ती हैं, जो नये को सृजन देने की क्षमता रखती हैं, विश्वास रखती हैं स्वयं पर। और स्वयं पर विश्वास न हो तो हम पुरानी पीढ़ी के पीछे चलते चले जाते हैं। वह पुरानी पीढ़ी भी अपने से पुरानी पीढ़ी के पीछे चल रही थी! कुछ छोटी सी स्मरणीय बातें पहले हम खयाल कर लें--पुरुष और स्त्री के बीच फासले, असमानता किस-किस रूप में खड़ी हुई है।

भिन्नता सुनिश्चित है और भिन्नता होनी ही चाहिए।

भिन्नता ही स्त्री को व्यक्तित्व देती है और पुरुष को व्यक्तित्व देती है।

लेकिन हमने भिन्नता को ही असमानता में बदल दिया। इसलिए सारी दुनिया में स्त्रियां भिन्नता को तोड़ने की कोशिश कर रही हैं, ताकि वे ठीक पुरुष जैसी मालूम पड़ने लगें। उन्हें शायद खयाल है कि इस भांति असमानता भी टूट जाएगी।

मैंने सुना है, एक सिनेमागृह के सामने अमेरिका के किसी नगर में बड़ी भीड़ है, क्यू लगा हुआ है, लंबी कतार है, लोग टिकट लेने को खड़े हैं। एक बूढ़े आदमी ने अपने सामने खड़े हुए व्यक्ति से पूछा, आप देखते हैं, वह सामने जो लड़का खड़ा हुआ है, उसने किस तरह के लड़कियों जैसे बाल बढ़ा रखे हैं! उस सामने वाले व्यक्ति ने कहा, माफ करिए, वह लड़का नहीं है, वह मेरी लड़की है। उस बूढ़े ने

कहा, क्षमा करिए, मुझे क्या पता था कि आपकी लड़की है। तो आप उसके पिता हैं? उसने कहा कि नहीं, मैं उसकी मां हूं!

कपड़ों का फासला कम किया जा रहा है। धीरे-धीरे कपड़े करीब-करीब एक जैसे होते चले जा रहे हैं। हो सकता है सौ वर्ष बाद कपड़ों के आधार पर फर्क करना मुश्किल हो जाए। लेकिन कपड़ों के फासले कम हो जाने से भिन्नता नहीं मिट जाएगी। भिन्नता गहरी है, बायोलाजिकल, जैविक और शारीरिक है। भिन्नता साइकोलाजिकल भी है बहुत गहरे में। कपड़ों से कुछ फर्क नहीं पड़ जाने वाला है।

पुरुष ने भी भिन्नता मिटाने के बहुत प्रयोग किए हैं। हमें खयाल में नहीं है, क्योंकि हम आदी हो जाते हैं। राम, कृष्ण या बुद्ध और महावीर की मूर्तियां और चित्र आपने देखे होंगे। और अगर सोचते होंगे थोड़ा-बहुत तो यह खयाल आया होगा-- इन लोगों के चेहरे पर दाढ़ी-मूंछ क्यों दिखाई नहीं पड़ती? असंभव है यह बात। एकाध के साथ हो भी सकता है कि किसी एक राम, कृष्ण, बुद्ध, महावीर, किसी एक को दाढ़ी-मूंछ न रही हो। यह संभव है। कभी हजार में एक पुरुष को नहीं भी होती है। लेकिन चौबीस जैनियों के तीर्थंकर, हिंदुओं के सब अवतार, बुद्धों की सारी कल्पना, किसी को दाढ़ी-मूंछ नहीं है! कुछ कारण है। पुरुष को ऐसा लगा है--स्त्री सुंदर है, तो स्त्री जैसे होने से जैसे पुरुष भी सुंदर हो जाएगा। फिर राम और कृष्ण को तो हमने मान लिया कि उनको दाढ़ी-मूंछ होती ही नहीं थी। फिर हम क्या करें? तो सारी जमीन पर पुरुष दाढ़ी-मूंछ को काटने की कोशिश में लगा है; स्त्री जैसा चेहरा बनाने की चेष्टा चल रही है। उससे भी कोई भेद मिट जाने वाले नहीं हैं। उससे भी कोई भेद मिट जाने वाले नहीं हैं।

न कपड़े बदलने से कोई फर्क पड़ने वाला है। न सपनों पर ऊपरी फर्क कर लेने से कुछ फर्क पड़ने वाला है। भेद गहरा है। और अगर भेद मिटाने की कोशिश से हम चाहते हों कि असमानता मिटे, तो असमानता कभी भी नहीं मिटेगी। असमानता हमारी थोपी हुई है। भेद में असमानता नहीं है। दो भिन्न व्यक्ति बिलकुल समान हो सकते हैं। समान प्रतिष्ठा दी जा सकती है।

पहली भूल मनुष्य ने यह की कि भिन्नता को असमानता समझा, डिफरेंस को इनइक्वालिटी समझा। और अब उसी भूल पर दूसरी भूल चल रही है कि हम भिन्नता को कम कर लें। जो काम पुरुष करते हैं, वे ही स्त्रियां करें! जो कपड़े वे पहनते हैं, वे भी पहनें! जिस भाषा का वे उपयोग करते हैं, स्त्रियां भी वैसी ही करें! अमेरिका में, जिन शब्दों का उपयोग स्त्रियों ने कभी भी नहीं किया था मनुष्य के इतिहास में--कुछ

गालियां सिर्फ पुरुष ही देते हैं, वह उनका ही गौरव है-- अमेरिका की नई लड़कियां उन गालियों को देने के लिए भी चेष्टा में संलग्न हैं! उन गालियों का भी उपयोग कर रही हैं! क्योंकि पुरुष के साथ समान खड़े हो जाने की बात है।

और समानता का खयाल ऐसा है कि हम शायद भेद, भिन्नता को किसी तरह से लीप-पोत कर एक सा कर दें, तो शायद समानता उपलब्ध हो जाए। नहीं, समानता उससे उपलब्ध नहीं होगी, क्योंकि असमानता का भी मूल आधार वह नहीं है। असमानता किन्हीं और कारणों से निर्मित हुई है। और, जैसे हम कहानी सुनते हैं कि सत्यवान मर गया है, सावित्री उसे दूर से जाकर लौटा लाई है। लेकिन कभी कोई कहानी ऐसी सुनी है जिसमें पत्नी मर गई हो और पति दूर से जाकर लौटा लाया हो? नहीं सुना है हमने।

स्त्रियां लाखों वर्ष तक इस देश में पुरुषों के ऊपर बर्बाद होती रही हैं, मर कर सती होती रही हैं। कभी ऐसा सुना कि कोई पुरुष भी किसी स्त्री के लिए सती हो गया हो? नहीं! क्योंकि सारा नियम, सारी व्यवस्था, सारा अनुशासन पुरुष ने पैदा किया है। वह स्त्री पर थोपा हुआ है। सारी कहानियां उसने गढ़ी हैं। तो वह कहानियां गढ़ता है, जिसमें पुरुष को स्त्री बचा कर लौट आती है। वह ऐसी कहानी नहीं गढ़ता, जिसमें पुरुष स्त्री को बचा कर लौटता हो।

वह तो स्त्री गई कि पुरुष दूसरी स्त्री की खोज में लग जाता है, उसको बचाने का सवाल नहीं है। पुरुष ने अपनी सुविधा के लिए सारा इंतजाम कर लिया है। असल में, जिनके पास थोड़ी सी भी शक्ति हो, किसी भी भांति की, वे, जो थोड़े भी निर्बल हों किसी भी भांति से, उनके ऊपर सवार हो ही जाते हैं, मालिक बन ही जाते हैं। गुलामी पैदा हो जाती है।

पुरुष थोड़ा शक्तिशाली है शरीर की दृष्टि से। ऐसे यह शक्तिशाली होना किन्हीं और कारणों से पुरुष को पीछे भी डाल देता है। पुरुष के पास स्ट्रेंग्थ और शक्ति तो ज्यादा है, लेकिन रेसिस्टेंस उतना ज्यादा नहीं है जितना स्त्री के पास है। और अगर पुरुष और स्त्री दोनों को किसी पीड़ा में, सफरिंग में से गुजरना पड़े, तो पुरुष जल्दी टूट जाता है, स्त्री ज्यादा देर तक टिकती है। रेसिस्टेंस उसका ज्यादा है, प्रतिरोधक शक्ति ज्यादा है। लेकिन सामान्य शक्ति कम है। शायद प्रकृति के लिए जरूरी है कि दोनों में यह भेद हो। क्योंकि स्त्री कुछ पीड़ाएं झेलती है जो पुरुष अगर एक बार भी झेले, तो फिर सारी पुरुष जाति कभी झेलने को राजी नहीं होगी। नौ महीने तक एक बच्चे को पेट में रखना और फिर उसे जन्म देने की पीड़ा और फिर उसे बड़ा करने की

पीड़ा, वह कोई पुरुष कभी राजी नहीं होगा। अगर एक रात भी एक छोटे बच्चे के साथ पति को छोड़ दिया जाए, तो या तो वह उसकी गर्दन दबाने की सोचेगा या अपनी गर्दन दबाने की सोचेगा।

मैंने सुना है, एक दिन सुबह मास्को की सड़क पर कोई एक आदमी छोटी सी बच्चों की गाड़ी को धक्का देता हुआ चला जा रहा है।
सुबह है, लोग घूमने निकले हैं, फूल खिले हैं, पक्षी बोल रहे हैं। वह आदमी रास्ते में चलते-चलते बार-बार यह कहता है, अब्राहम शांत रह! अब्राहम उसका नाम होगा, बच्चे का नाम होगा। पता नहीं वह किससे कह रहा है। वह बार-बार कहता है, अब्राहम शांत रह! अब्राहम धीरज रख! बच्चा रो रहा है। वह गाड़ी को धक्के दे रहा है। एक बूढ़ी औरत उसके पास आकर कहती है, क्या बच्चे का नाम अब्राहम है?

वह आदमी कहता है, क्षमा करना, अब्राहम मेरा नाम है। मैं अपने को समझा रहा हूं--कि शांत रह! धीरज रख! अभी घर आया चला जाता है! इस बच्चे को तो समझाने का सवाल ही नहीं है। अपने को समझा रहा हूं कि किसी तरह दोनों सही-सलामत घर पहुंच जाएं।

स्त्री के पास एक प्रतिरोधक शक्ति है जो प्रकृति ने उसे दी है। एक रेसिस्टेंस की ताकत है। बहुत बड़ी ताकत है। कितनी ही पीड़ा और कितने ही दुख और कितने ही दमन के बीच भी वह जिंदा रहती है और मुस्कुरा भी सकती है। पुरुषों ने जितना दबाया है स्त्री को, अगर स्त्रियों ने उस दमन को, उस पीड़ा को कष्ट से लिया होता, तो शायद वे कभी की टूट गई होतीं। लेकिन वे नहीं टूटी हैं। उनकी मुस्कुराहट भी नहीं टूटी है। इतनी लंबी परतंत्रता के बाद भी उनके चेहरे पर कम तनाव है पुरुष की बजाय।

रेसिस्टेंस की, झेलने की, सहने की, टालरेंस की, सहिष्णुता की बड़ी शक्ति उनके पास है। लेकिन मस्कुलर, बड़े पत्थर उठाने की और बड़ी कुल्हाड़ी चलाने की शक्ति उनके पास कम है। शायद जरूरी है कि पुरुष के पास वैसी शक्ति ज्यादा हो। उसे कुछ जो काम करने हैं जिंदगी में, वे वैसी शक्ति की मांग करते हैं। स्त्री को जो काम करने हैं, वे वैसी शक्ति की मांग करते हैं। और प्रकृति या अगर हम कहें परमात्मा इतनी व्यवस्था देता है जीवन को कि सब तरफ से जो जरूरी है जिसके लिए, वह उसे मिल जाता है।

कभी हमने खयाल भी नहीं किया। जमीन पर, इतनी बड़ी पृथ्वी पर कोई तीन,

साढ़े तीन अरब लोग हैं स्त्रियां-पुरुष सब मिला कर। किसी घर में लड़के ही लड़के पैदा हो जाते हैं। किसी घर में लड़कियां भी हो जाती हैं। लेकिन अगर पूरी पृथ्वी का हम हिसाब रखें तो लड़के और लड़कियां करीब-करीब बराबर पैदा होते हैं। पैदा होते वक्त बराबर नहीं होते, लेकिन पांच-छह साल में बराबर हो जाते हैं। पैदा होते वक्त एक सौ पच्चीस लड़के पैदा होते हैं सौ लड़कियों पर। क्योंकि लड़कों का रेसिस्टेंस कम है; पच्चीस लड़के तो जवान होते-होते मर जाने वाले हैं। लड़के ज्यादा पैदा होते हैं, लड़कियां कम पैदा होती हैं, लेकिन जवान होते-होते लड़के और लड़कियों की संख्या दुनिया में करीब-करीब बराबर हो जाती है।

कोई बहुत गहरी व्यवस्था भीतर से काम करती है। नहीं तो कभी ऐसा भी हो सकता है, इसमें कोई दुर्घटना तो नहीं कि जमीन पर स्त्रियां ही स्त्रियां हो जाएं एक बार या पुरुष ही पुरुष हो जाएं। यह संभावना है, अगर बिलकुल अंधेरे में व्यवस्था चल रही हो। लेकिन भीतर कोई नियम काम करता है। और नियम के पीछे बायोलाजिकल व्यवस्था है। जितने अणु होते हैं, वीर्याणु होते हैं, उनमें आधे स्त्रियों को पैदा करने में समर्थ हैं, आधे पुरुषों को। इसलिए कितना ही एक घर में भेद पड़े, लंबे विस्तार पर भेद बराबर हो जाता है।

स्त्री को वे शक्तियां मिली हुई हैं, जो उसे अपने काम को--और स्त्री का बड़े से बड़ा काम उसका मां होना है। उससे बड़ा काम संभव नहीं है। और शायद मां होने से बड़ी कोई संभावना पुरुष के लिए तो है ही नहीं, स्त्री के लिए भी नहीं है। मां होने की संभावना हम सामान्य रूप से ग्रहण कर लेते हैं।

कभी आपने नहीं सोचा होगा, इतने पेंटर हुए, इतने मूर्तिकार हुए, इतने चित्रकार, इतने कवि, इतने आर्किटेक्ट, लेकिन स्त्री कोई एक बड़ी चित्रकार नहीं हुई! कोई एक स्त्री बड़ी आर्किटेक्ट, वास्तुकला में कोई अग्रणी नहीं हुई! कोई एक स्त्री ने बहुत बड़े संगीत को जन्म नहीं दिया! और कोई एक स्त्री ने कोई बहुत अदभुत मूर्ति नहीं काटी! सृजन का सारा काम पुरुष ने किया है। तो कई बार पुरुष को ऐसा खयाल आता है कि क्रिएटिव, सृजनात्मक शक्ति हमारे पास है; स्त्री के पास कोई सृजनात्मक शक्ति नहीं है।

लेकिन बात उलटी है। स्त्री पुरुष को पैदा करने में इतना बड़ा श्रम कर लेती है कि और कोई सृजन करने की जरूरत नहीं रह जाती। स्त्री के पास अपना एक क्रिएटिव एक्ट है, एक सृजनात्मक कृत्य है, जो इतना बड़ा है कि पत्थर की मूर्ति बनाना और एक जीवित व्यक्ति को बड़ा करना...लेकिन स्त्री के काम को हमने

सहज स्वीकार कर लिया है। और शायद इसीलिए स्त्री की सारी सृजनात्मक शक्ति उसके मां बनने में लग जाती है। उसके पास और कोई सृजन की न सुविधा बचती, न शक्ति बचती; न कोई आयाम, कोई डायमेंशन बचता; न सोचने का कोई सवाल है।

एक छोटे से घर को सुंदर बनाने में--लेकिन हम कहेंगे, छोटे से घर को सुंदर बनाना, कोई माइकलएंजलो तो पैदा नहीं हो सकता, कोई वानगाग तो पैदा नहीं हो जाएगा, कोई इजरा पाउंड तो पैदा नहीं होगा, कोई कालिदास तो पैदा नहीं होगा-- एक छोटे से घर को... लेकिन मैं कुछ घरों में जाकर ठहरता रहा हूं।

एक घर में ठहरा था, मैं हैरान हो गया! गरीब घर है, बहुत संपन्न नहीं है। लेकिन इतना साफ-सुथरा, इतना स्वच्छ मैंने कोई घर नहीं देखा। लेकिन उस घर की प्रशंसा करने कोई कभी नहीं जाएगा। घर की गृहिणी उस घर को ऐसा पवित्र बना रही है कि कोई मंदिर भी उतना स्वच्छ और पवित्र नहीं मालूम पड़ता। लेकिन उसकी कौन फिक्र करेगा? कौन माइकलएंजलो, कालिदास और वानगाग में उसकी गिनती करेगा? वह खो जाएगी। वह एक बहुत ऐसा काम कर रही है, जिसके लिए कोई प्रतिष्ठा नहीं मिलेगी। क्यों नहीं मिलेगी? नहीं मिलेगी, क्योंकि यह दुनिया पुरुषों की दुनिया है।

स्त्री के विकास, स्त्री की संभावनाओं, स्त्रियों की जो पोटेंशिएलिटीज हैं, उनके जो आयाम, ऊंचाइयां हैं, उनको हमने गिनती में ही नहीं लिया है। अगर एक आदमी गणित में कोई नई खोज कर ले तो नोबल प्राइज मिल सकती है। लेकिन स्त्रियां निरंतर प्रेम के बहुत नये-नये आयाम खोजती हैं, कोई नोबल प्राइज उनके लिए नहीं है। वह स्त्रियों की दुनियां नहीं है। स्त्रियों को सोचने के लिए, स्त्रियों को दिशा देने के लिए, उनके जीवन में जो हो उसे भी मूल्य देने का हमारे पास कोई आधार नहीं है।

हम सिर्फ पुरुषों को आधार देते हैं! इसलिए अगर हम इतिहास उठा कर देखें तो उसमें चोर, डकैत, हत्यारे बड़े-बड़े आदमी मिल जाएंगे। उसमें चंगीज खां, तैमूर लंग और हिटलर और स्टैलिन और माओ, सबका स्थान है। लेकिन उसमें हमें ऐसी स्त्रियां खोजने में बड़ी मुश्किल पड़ जाएगी--उनका कोई उल्लेख ही नहीं है-- जिन्होंने एक सुंदर घर बनाया हो, जिन्होंने एक बेटा पैदा किया हो और जिसके साथ, जिसे बड़ा करने में सारी मां की ताकत, सारी प्रार्थना, सारा प्रेम लगा दिया हो। इसका कोई हिसाब नहीं मिलेगा।

पुरुष की एकतरफा अधूरी दुनिया अब तक चली है। और जो पूरा इतिहास है वह पुरुष का ही इतिहास है, इसलिए युद्धों का, हिंसाओं का इतिहास है।

जिस दिन स्त्री भी स्वीकृत होगी और विराट मनुष्यता में उतना ही समान स्थान पा लेगी जितना पुरुष का है, तो इतिहास भी ठीक दूसरी दिशा लेना शुरू करेगा।

मेरी दृष्टि में, जिस दिन स्त्री बिलकुल समान हो जाती है, शायद युद्ध असंभव हो जाएं। क्योंकि युद्ध में कोई भी मरे, वह किसी का बेटा होता है, किसी का भाई होता है, किसी का पति होता है।

लेकिन पुरुषों को मरने-मारने की ऐसी लंबी बीमारी है, क्योंकि बिना मरे-मारे वे अपने पुरुषत्व को ही सिद्ध नहीं कर पाते हैं, वे यह बता ही नहीं पाते हैं कि मैं भी कुछ हूं। तो मरने-मारने का एक लंबा जाल! और फिर जो मर जाए ऐसे जाल में उसको आदर देना!

और उन्होंने स्त्रियों को भी राजी कर लिया है कि जब तुम्हारे बेटे युद्ध पर जाएं तो तुम टीका करना! रो रही है मां, आंसू टपक रहे हैं, और वह टीका कर रही है! और आशीर्वाद दे रही है! यह पुरुष ने जबरदस्ती तैयार करवाया हुआ है। अगर दुनिया भर की स्त्रियां तय कर लें, तो युद्ध असंभव हो जाएं।

लेकिन सब व्यवस्था, सब सोचना, सारी संस्कृति, सारी सभ्यता पुरुष के गुणों पर खड़ी है। इसलिए पूरा मनुष्य का इतिहास युद्धों का इतिहास है।

अगर हम तीन हजार वर्ष की कहानी उठा कर देखें तो मुश्किल मालूम पड़ती है कि आदमी कभी ऐसा रहा हो जब युद्ध न किया हो। युद्ध चल ही रहा है। आज इस कोने में आग लगी है जमीन के, कल दूसरे कोने में, परसों तीसरे कोने में। आग लगी ही है, आदमी जल ही रहा है, आदमी मारा ही जा रहा है। और अब? अब तो हम उस जगह पहुंच गए हैं जहां हमने बड़ा इंतजाम किया है। अब हम आगे आदमी को बचने नहीं देंगे।

अगर पुरुष सफल हो जाता है अपने अंतिम उपाय में, तीसरे महायुद्ध में, तो शायद मनुष्यता नहीं बचेगी।

इतना इंतजाम तो कर लिया है कि हम पूरी पृथ्वी को नष्ट कर दें। पूरी तरह से नष्ट कर दें--यह पुरुष के इतिहास की आखिरी जो क्लाइमेक्स हो सकती थी चरम, वहां हम पहुंच गए हैं। यह हम क्यों पहुंच गए हैं?

क्योंकि पुरुष गणित में सोचता है, प्रेम उसके सोचने की भाषा नहीं है।

ध्यान रहे, विज्ञान विकसित हुआ है, धर्म विकसित नहीं हो सका।

और धर्म तब तक विकसित नहीं होगा जब तक स्त्री समान जीवन और संस्कृति में दान नहीं करती है और उसे दान का मौका नहीं मिलता है।

गणित से जो चीज विकसित होगी, वह विज्ञान है। गणित परमात्मा तक ले जाने वाला नहीं है। चाहे दो और दो कितने ही बार जोड़ो, तो भी बराबर परमात्मा होने वाला नहीं है। गणित कितना ही बढ़ता चला जाए वह पदार्थ से ऊपर जाने वाला नहीं है।

प्रेम परमात्मा तक पहुंच सकता है। लेकिन हमारी सारी खोज गणित की है, तर्क की है। वह विज्ञान पर लेकर खड़ा हो गया है। उसके आगे नहीं जाता है।

प्रेम की हमारी कोई खोज नहीं है। शायद प्रेम की बात करना भी हम स्त्रियों के लिए छोड़ देते हैं। या कवियों के लिए, जिनको हम करीब-करीब स्त्रियों जैसा गिनती करते हैं। उनकी गिनती हम कोई पुरुषों में नहीं करते।

नीत्शे ने तो एक अदभुत बात लिखी है, खतरनाक, किसी को बहुत बुरी भी लग सकती है। नीत्शे ने तो यह बात लिखी है; मैं मानता हूं, सच है। उसने तो क्रोध में लिखी है और गाली देने के इरादे से लिखी है, लेकिन बात सच है। नीत्शे ने लिखा है कि बुद्ध और क्राइस्ट को मैं वूमेनिश मानता हूं! स्त्रैण मानता हूं! बुद्ध और क्राइस्ट को मैं स्त्रैण मानता हूं; मैं पुरुष नहीं मानता। क्योंकि जो लड़ने की बात ही नहीं करते और जो लड़ने से बचने की बात करते हैं, वे पुरुष कैसे हो सकते हैं? पुरुषत्व तो लड़ने में ही है।

नीत्शे ने कहा है, मैंने सुंदरतम जो दृश्य देखा है जीवन में, वह तब देखा, जब सूरज की उगती रोशनी में सिपाहियों की चमकती हुई तलवारें, और उनके चमकते हुए बूटों की आवाजें, और उनका एक पंक्तिबद्ध रास्ते से गुजरना, सूरज की रोशनी का गिरना, और पंक्तिबद्ध उनके पैरों की आवाज और उनकी चमकती हुई संगीनें-- मैंने उससे सुंदर दृश्य जीवन में दूसरा नहीं देखा है।

अगर यह आदमी, और यह मानता है कि ऐसा दृश्य सुंदर है, तो फूल स्त्रैण हो जाएंगे। निश्चित ही, जब चमकती हुई संगीनें सुंदर हैं तो फूल कहां टिकेंगे? फूलों को बाहर कर देना होगा सौंदर्य के।

और जब नीत्शे कहता है, जो लड़ते हैं, और लड़ सकते हैं, और लड़ते रहते हैं, युद्ध ही जिनका जीवन है, वे ही पुरुष हैं! तो ठीक है, बुद्ध और क्राइस्ट और महावीर को अलग कर देना होगा। उनकी स्त्रियों में ही गिनता करनी पड़ेगी।

लेकिन दुनिया में जो भी प्रेम के रास्ते से गया हो, उसमें किसी न किसी अर्थों में नीत्शे का कहना ठीक ही है कि वह स्त्रैण है। यह अपमानजनक नहीं है। अगर पुरुष ने भी प्रेम किया हो, तो वह जो पुरुष की जो आम धारणाएं हैं--युद्ध की, संघर्ष की,

हिंसा की, वायलेंस की--वे गिर जाती हैं। और नई धारणाएं पैदा होती हैं--सहयोग की, क्षमा की, प्रेम की।

एक बुद्ध का भिक्षु था। उस भिक्षु का नाम था पूर्ण। उसकी शिक्षा पूरी हो गई। और शिक्षा पूरी हो जाने पर बुद्ध ने उससे कहा कि पूर्ण, अब तू जा और मेरे प्रेम की खबर लोगों तक पहुंचा दे। तू उन जगहों में जा जहां कोई भी न गया हो। तू मेरी खबर ले जा प्रेम की। हिंसा की खबरें बहुत पहुंचाई गईं, कोई प्रेम की खबर भी पहुंचाए!

उस पूर्ण ने बुद्ध के पैर छुए और कहा, मुझे आज्ञा दें कि मैं सूखा नाम का छोटा सा बिहार का एक हिस्सा है, वहां जाऊं और आपका संदेश ले जाऊं। बुद्ध ने कहा, वहां तू मत जा तो बड़ी कृपा हो। वहां के लोग अच्छे नहीं हैं। वहां के लोग बहुत बुरे हैं।

पूर्ण ने कहा, तब मेरी वहां जरूर ही जरूरत है। जहां लोग बुरे हैं और अच्छे नहीं हैं, वहीं तो प्रेम का संदेश ले जाना पड़ेगा।

बुद्ध ने कहा, फिर मैं तुझसे दो-तीन प्रश्न पूछता हूं। तू उत्तर दे दे। तब जा। मैं तुझसे पहले पूछता हूं कि अगर वहां के लोगों ने तेरा अपमान किया, गालियां दीं, तो तुझे क्या होगा? पूर्ण ने कहा, क्या होगा! मैं सोचूंगा, लोग कितने अच्छे हैं, सिर्फ गालियां देते हैं, अपमान करते हैं, मारते नहीं हैं। मार भी सकते थे।

बुद्ध ने कहा, यहां तक भी ठीक। लेकिन अगर वे मारने लगे--वे लोग बुरे हैं, मार भी सकते हैं--अगर उन्होंने मारा और तेरे प्रेम के संदेश पर पत्थर फेंके और लकड़ियां तेरे सिर पर बरसीं, तो तुझे क्या होगा?

पूर्ण ने कहा, क्या होगा! मुझे यही होगा कि लोग अच्छे हैं। सिर्फ मारते हैं, मार ही नहीं डालते।

बुद्ध ने कहा, मैं तीसरी बात और पूछता हूं। अगर उन्होंने तुझे मार ही डाला, तो मरते क्षण में तेरे मन को क्या होगा?

पूर्ण ने कहा, मेरे मन को होगा, कितने भले लोग हैं, मुझे उस जीवन से मुक्त कर दिया, जिसमें भूल-चूक हो सकती थी, जिसमें मैं भटक भी सकता था, जिसमें मैं भी मारने को तैयार हो सकता था--उससे मुक्त कर दिया।

बुद्ध ने कहा, अब तू जा। तेरा प्रेम पूरा हो गया। और जिसका प्रेम पूरा हो गया है वही युद्ध के विपरीत, हिंसा के विपरीत खबर और हवा ले जा सकता है। तू जा!

स्त्रियां जिस दिन मनुष्य की संस्कृति में समान पुरुष के साथ खड़ी हो सकेंगी और मनुष्य की संस्कृति में आधा दान उनका होगा, उस दिन गणित अकेली चीज

नहीं होगी, उस दिन प्रेम भी एक चीज होगी।

और प्रेम गणित से बिलकुल उलटा है। धर्म विज्ञान से बिलकुल उलटा है। गणित की और ही दुनिया है।

मिलिट्री में हम आदमियों के नाम हटा देते हैं, नंबर दे देते हैं। अगर आप भर्ती हो गए हैं या मैं भर्ती हो गया हूं, तो ग्यारह, बारह, पंद्रह, ऐसे नंबर हो जाएंगे। और जब एक आदमी मरेगा तो मिलिट्री के आफिस के बाहर नोटिस लग जाएगा : बारहवां नंबर गिर गया। आदमी नहीं मरता मिलिट्री में, सिर्फ नंबर मरते हैं! आदमी के ऊपर भी हम नंबर लगा देते हैं। इसका फर्क बहुत ज्यादा है।

अगर पता चले कि फलां आदमी मर गया--जिसकी पत्नी है, जिसके दो बेटे छोटे हैं, जिसकी बूढ़ी मां है--वे सब असहाय हो गए, फलां आदमी मर गया, तो एक आदमी की तस्वीर उठती है। लेकिन बारह नंबर की न कोई पत्नी होती, न कोई बेटे होते। नंबर की कहीं पत्नियां और बेटे हुए हैं? नंबर बिलकुल नंबर है। जब बारह नंबर गिरने का बोर्ड पर नोटिस लगता है, तो लोग पढ़ कर निकल जाते हैं।

गणित का एक सवाल जैसा होता है कि इतने नंबर गिर गए, इतने नंबर खत्म हो गए। दूसरे नंबर उनकी जगह खड़े हो जाएंगे। बारह नंबर दूसरे आदमी पर लग जाएगा। दूसरा आदमी बारह नंबर की जगह खड़ा हो जाएगा। गणित में रिप्लेसमेंट संभव है। जिंदगी में तो नहीं। एक आदमी मरा, उसको अब दुनिया में कोई दूसरा आदमी उसकी जगह रिप्लेस नहीं हो सकता। लेकिन गणित में कोई कठिनाई नहीं है। गणित में हो सकता है। इसीलिए तो मिलिट्री में तकलीफ नहीं होती। नंबर ही गिरते हैं, नंबर ही मरते हैं। और हमने पूरी जो व्यवस्था की है, गणित से सोचने वाला आदमी जो व्यवस्था करता है, वह इतनी ही कठोर, यांत्रिक, मेकेनिकल और इतनी ही जड़ होती है।

मैंने सुना है कि जिस आदमी ने सबसे पहले एवरेज, औसत का नियम खोजा... जब कोई आदमी कोई नया नियम खोज लेता है तो बड़ी उत्फुल्लता से भर जाता है। हम तो जानते हैं, आर्किमिडीज तो नंगा ही बाहर निकल आया था अपने टब के, और चिल्लाने लगा--यूरेका! यूरेका! मिल गया! मिल गया! और भूल गया कि वह कपड़े नहीं पहने है, इतनी खुशी से भर गया।

जिस आदमी ने एवरेज का सिद्धांत खोजा, वह भी इतनी ही खुशी से भर गया होगा। जिस दिन उसने सिद्धांत खोजा, अपनी पत्नी, अपने बच्चों को लेकर वह खुशी में पिकनिक पर गया।

एवरेज का मतलब ? एवरेज का मतलब यह है कि हिंदुस्तान में एवरेज आदमी की कितनी आमदनी है। और मजा यह है कि एवरेज आदमी होता ही नहीं। एवरेज आदमी बिलकुल झूठी बात है। एवरेज आदमी कहीं नहीं मिलेगा। एवरेज आदमी एक रुपया है, तो आप ऐसा आदमी नहीं खोज सकते कि जो एवरेज आदमी हो। पंद्रह आने वाला मिलेगा, सत्रह आने वाला मिलेगा, लाख वाला मिलेगा, पौने सोलह आने वाला मिलेगा, पैसे वाला मिलेगा, भूखा मिलेगा। ठीक एवरेज आदमी पूरे हिंदुस्तान में खोजने से नहीं मिलेगा। क्योंकि एवरेज गणित से निकली हुई बात है, आदमी की जिंदगी से नहीं। हम यहां इतने लोग बैठे हैं। हम सब की एवरेज उम्र निकाली जा सकती है। सब की उम्र जोड़ दी और सब आदमियों की गणना का भाग दे दिया। आ गया ग्यारह साल, पंद्रह दिन या पचास साल या कुछ भी।

उस आदमी को खोजने निकलो कि एक्ज़ेक्ट--पचास साल, पांच दिन, तीन घंटे, पंद्रह मिनट का कौन आदमी है ? वह नहीं मिलेगा। वह है ही नहीं कहीं। एवरेज आदमी गणित का सिद्धांत है, आदमी की जिंदगी का नहीं।

उस गणितज्ञ ने एवरेज का सिद्धांत निकाल लिया। और अपनी पत्नी-बच्चों को लेकर पिकनिक पर गया। रास्ते में एक छोटा सा नाला पड़ा। उसकी पत्नी ने कहा, नाले को जरा ठीक से देख लो, छोटे बच्चे हैं, पांच-सात बच्चे हैं, कोई डूब-डाब न जाए।

उसने कहा, ठहर, मैं बच्चों की एवरेज ऊंचाई नाप लेता हूं और नाले की एवरेज गहराई। अगर एवरेज गहराई से एवरेज बच्चा ऊंचा है, फिर बेफ्रिक होकर पार हो सकते हैं। उसने जाकर अपना फुट निकाला। फुट साथ रखा हुआ था। नाप कर लिया, बच्चे नाप लिए। एवरेज बच्चा, एवरेज गहराई से ऊंचा था। कोई बच्चा बिलकुल छोटा था, कोई बच्चा बड़ा भी था। और कहीं नाला बिलकुल उथला था और कहीं गहरा भी था। लेकिन वह एवरेज में नहीं आती बातें, गणित में नहीं आतीं। उसने कहा, बेफिक्र रह, मैंने बिलकुल हिसाब ठीक कर लिया है। रेत पर हिसाब लगा लिया।

आगे गणितज्ञ हो गया, बीच में उसके बच्चे हैं, पीछे उसकी पत्नी है। पत्नी थोड़ी डरी हुई है।

स्त्रियों का गणित पर कभी भरोसा नहीं रहा है। थोड़ा भय है उसे कि कुछ गड़बड़ हुई जा रही है। क्योंकि नाले में कई जगह हरापन दिखाई पड़ता है, नाला कई जगह गहरा मालूम पड़ता है। उसने देखा कि उसका पति खुद कहीं बिलकुल डूब

गया है, और साथ एक छोटा बच्चा भी है!

वह सचेत है, लेकिन पति अकड़ कर आगे चला जा रहा है। एक बच्चा डूबने लगा। उसकी पत्नी ने चिल्ला कर कहा कि देखिए, बच्चा डूब रहा है! आप समझते हैं।

उस आदमी ने क्या किया? पुरुष ने क्या किया? उसने कहा, यह हो ही नहीं सकता। क्योंकि गणित गलत कैसे हो सकता है? बच्चे को बचाने की बजाय वह भाग कर नदी के उस तरफ गया जहां उसने रेत पर गणित किया था! पहले उसने गणित देखा, कि गणित गलत तो नहीं है? उसने वहीं से चिल्लाया कि यह हो नहीं सकता, गणित बिलकुल ठीक है!

गणित की एक दिशा है, जहां जड़ नियम होते हैं। चीजें तौली, नापी जा सकती हैं।

अब तक पुरुष ने जो संस्कृति बनाई है, वह गणित की संस्कृति है। वहां नाप, जोख, तौल सब है। स्त्री का कोई हाथ इस संस्कृति में नहीं है; क्योंकि उसे समानता का कोई हक नहीं है। उसे हमने कभी पुकारा नहीं कि तुम आओ और तुम एक बिलकुल दूसरे आयाम से, प्रेम के आयाम से भी दान करो कि समाज कैसा हो।

स्त्री अगर सोचेगी तो और भाषा में सोचती है। असल में, उसका सोचना भी हमसे बहुत भिन्न है। उसे हम सोचना भी नहीं कह सकते। भावना कह सकते हैं। पुरुष सोचता है, स्त्री भावना करती है। सोचना नहीं कह सकते, क्योंकि सोचना गणित की दुनिया का ही हिसाब है। और इसलिए पुरुष हमेशा हिसाब लगाता है। स्त्री हिसाब के आस-पास चलती है। ठीक हिसाब नहीं लगा पाती। ठीक हिसाब नहीं है उसके पास।

लेकिन जिंदगी अकेला गणित नहीं है। जिंदगी बहुत बड़े अर्थों में प्रेम है, जहां कोई हिसाब नहीं होता, जहां कोई गणित नहीं होता। जिंदगी बहुत बेबूझ है। और इस जिंदगी को अगर हमने सिर्फ गणित की सीधी-साफ रेखाओं पर निर्मित किया, तो हम सीधी-साफ रेखाएं बना लेंगे। लेकिन आदमी पुंछता चला जाएगा, मिटता चला जाएगा। और यह हो रहा है। रोज यह हो रहा है कि आदमी की जड़ें नीचे से कट रही हैं। क्योंकि हम जो इंतजाम कर रहे हैं, वह ऐसा इंतजाम है जिसके ढांचे में जिंदगी नहीं पल सकती।

जैसे कि अगर समझ लें कि मुझे एक फूल बहुत प्यारा लगे तो मैं एक तिजोरी में उसे बंद कर लूं। गणित यही कहेगा कि तिजोरी में बंद कर लो, ताला लगा दो जोर

से! मुझे सूरज की रोशनी बहुत अच्छी लगे, एक पेटी में बंद कर लूं, अपने घर रखूं बांध कर। लेकिन जिंदगी पेटियों में बंद नहीं होती--न गणित की पेटियों में, न साइंस की पेटियों में--कहीं बंद नहीं होती। जिंदगी बाहर छूट जाती है, एकदम छूट जाती है। मुट्ठी बांधी--अगर यहां हवा है और मैं मुट्ठी जोर से बांधूं और सोचूं कि हवा को हाथ के भीतर बंद कर लूंगा--मुट्ठी जितने जोर से बंधेगी, हवा उतनी ही हाथ के बाहर हो जाएगी।

जिंदगी बंधना मानती नहीं। जिंदगी एक तरलता और एक बहाव है। लेकिन हमारी पुरुष की चिंतना की सारी जो कैटेगरीज़ हैं, पुरुष के सोचने का जो ढंग है, वह सब चीजों को बांधता है। व्यवस्थित बांध लेता है, हिसाब में बांध लेता है। अगर उससे पूछो कि मां का क्या मतलब है? अगर ठीक पुरुष से पूछो कि मां का क्या मतलब है? तो वह कहेगा, बच्चे पैदा करने की एक मशीन! और क्या हो सकता है?

एक वैज्ञानिक की मैं किताब पढ़ रहा था। उस वैज्ञानिक से किसी ने पूछा, मुर्गी क्या है? तो उस आदमी ने कहा, मुर्गी अंडे की तरकीब है, और अंडे पैदा करने के लिए। अंडे की तरकीब, और अंडे पैदा करने के लिए! मुर्गी क्या है? अंडे की तरकीब है, और अंडे पैदा करने के लिए। और क्या हो सकता है? गणित ऐसा सोचेगा--सोचेगा ही! गणित इससे भिन्न सोच भी नहीं सकता। विज्ञान इससे भिन्न सोच भी नहीं सकता।

विज्ञान आत्मा की गणना नहीं करता! जीवन की गणना नहीं करता! चीजों को काट लेता है। काट कर खोज कर लेता है, विषण कर लेता है। और विषण में जो जीवन था, वह एकदम खो जाता है।

पुरुष ने जो दुनिया बनाई है...वह पुरुष अधूरा है, अधूरी दुनिया बन गई है। पुरुष अधूरा है, यह ध्यान रहे। और स्त्री के साथ बिना उसकी संस्कृति अधूरी होगी।

तो एक-एक घर में तो पुरुष एक-एक स्त्री को ले आया है। एक-एक घर में तो पुरुष अकेला रहने को राजी नहीं है। स्त्री भी अकेले रहने को राजी नहीं है। चाहे कितनी ही कलह हो, स्त्री और पुरुष साथ रह रहे हैं!

लेकिन संस्कृति और सभ्यता की जहां दुनिया है, वहां स्त्री का बिलकुल प्रवेश नहीं हुआ है, वहां पुरुष बिलकुल अकेला है। और पुरुष के अकेले, अधूरेपन ने...और पुरुष बिलकुल अधूरा है, जैसे स्त्री अधूरी है। वे कांप्लीमेंटरी हैं, दोनों मिल कर एक पूर्ण व्यक्तित्व बनता है।

लेकिन मनुष्य की संस्कृति अधूरी सिद्ध हो रही है, क्योंकि वह आधे पुरुष ने ही निर्मित की है, स्त्री से उसने कभी मांग नहीं की। स्त्री सब गड़बड़ कर देती है, अगर वह आए तो। अगर लेबोरेटरी में उसे ले जाओ, तो बजाय इसके कि वह आपकी परखनली और आपकी टेस्ट-टयूब में क्या हो रहा है यह देखे, हो सकता है टेस्ट-टयूब को रंग कर सुंदर बनाने की कोशिश करे। स्त्री को लेबोरेटरी में ले जाओ, गड़बड़ होनी शुरू हो जाएगी। या पुरुष को स्त्री की बगिया में ले जाओ तो भी गड़बड़ होनी शुरू हो जाएगी। इस गड़बड़ के डर से हमने कंपार्टमेंट बांट लिए हैं।

पुरुष की एक दुनिया बना ली है। स्त्री की एक अलग दुनिया बना दी है। और दोनों के बीच एक बड़ी दीवाल खड़ी कर ली है। और दीवाल खड़ी करके पुरुष अकड़ गया है और वह कहता है, मुझसे तुम्हारा मुकाबला क्या? तुम कुछ कर ही नहीं सकतीं। इसलिए घर में बंद रहो। तुमसे कुछ हो नहीं सकता। हम पुरुष ही कुछ कर सकते हैं। हम पुरुष श्रेष्ठ हैं। स्त्रियां, तुम्हारा काम है कि तुम बर्तन मलो, खाना बनाओ, बस इतना! इससे ज्यादा तुम्हारा कोई काम नहीं है। बच्चों को बड़ा करो! यह सब पुरुष ने स्त्री को एक दीवाल बंद करके वहां सौंप दिया है और वह बाहर अकेला मालिक होकर बैठ गया है। सब तरफ पुरुष इकट्ठे हो गए हैं।

कल्चर की जहां दुनिया है, संस्कृति की, वहां पुरुष इकट्ठे हो गए हैं!

स्त्रियां वर्जित हैं! स्त्रियां अस्पृश्य की, अनटचेबल की भांति बाहर कर दी गई हैं!

मेरी दृष्टि में, इसीलिए मनुष्य की सभ्यता अब तक सुख और आनंद की सभ्यता नहीं बन सकी है। अब तक मनुष्य की सभ्यता पूर्ण इंटीग्रेटेड नहीं बन सकी है। उसका आधा अंग बिलकुल ही काट दिया गया है। इस आधे अंग को वापस समान हक न मिले, इसे व्रापस जीवन का पूरा अवसर, स्वतंत्रता न मिले, तो मनुष्य का बहुत भविष्य नहीं माना जा सकता। मनुष्य का भविष्य एकदम अंधकारपूर्ण कहा जा सकता है।

स्त्री को लाना है। भेद हैं, भिन्नताएं हैं। भिन्नताएं आनंदपूर्ण हैं, भिन्नताएं दुख का कारण नहीं हैं। असमानता दुख का कारण है। और असमानता को, हमने भिन्नता के आधार पर असमानता को इतना मजबूत कर लिया है कि कल्पना के बाहर है कि स्त्री और पुरुष मित्र हो सकते हैं। पुरुष को लगता ही नहीं कि स्त्री और मित्र! मित्र नहीं हो सकती, पत्नी हो सकती है। पत्नी यानी दासी।

और जब वह चिट्ठी लिखती है कि आपकी चरणों की दासी! तो पुरुष बड़ा

प्रसन्न होता है पढ़ कर। बहुत प्रसन्न होता है कि ठीक पत्नी मिल गई है। ऐसी ही पत्नी होनी चाहिए।

पुरुषों के ऋषि-मुनि समझाते हैं--पत्नी परमात्मा माने पुरुष को! पुरुष खुद ही समझा रहा है कि मुझे परमात्मा मानो!

और स्त्रियों के दिमाग को वह तीन हजार साल से कंडीशंड कर रहा है। और उनके दिमाग में यह प्रचार कर रहा है कि मुझे यह मानो!

पुरुषों ने किताबें लिखी हैं, जिसमें उन्होंने लिखा है कि स्त्री तो अगर कल्पना भी कर ले दूसरे पुरुष की, तो पापिनी है! और पुरुष अगर वेश्या के घर भी जाए, तो पवित्र स्त्री वही है जो उसे कंधे पर बिठा कर वेश्या के घर पहुंचा दे!

मजेदार लोग हैं! बहुत मजेदार लोग हैं! और हम...लेकिन यह स्वीकृत हो गया! इसमें स्त्रियों को भी एतराज नहीं है, यह स्वीकृत हो गया है!

स्त्रियों को इतने दिन से प्रोपेगंडा किया गया है, उनकी खोपड़ी पर हैमरिंग की गई है कि उन्होंने मान लिया है। बचपन से ही उन्हें नंबर दो की स्थिति स्वीकार करने के लिए मां-बाप तैयार करते हैं। वह नंबर एक नहीं है। वह नंबर एक नहीं है, नंबर दो है, इसकी स्वीकृति बचपन से उनके मन पर थोपती चली जाती है।

पूरी संस्कृति, पूरी सभ्यता, पूरी व्यवस्था। कैसे यह छुटकारा हो? कैसे यह स्त्री पुरुष के समान खड़ी हो सके? बहुत कठिन मामला मालूम पड़ता है।

लेकिन दो-तीन सूत्र सुझाना चाहता हूं। इनके बिना शायद स्त्री पुरुष के समान खड़ी नहीं हो सकती। और ध्यान रहे, जब तक पूरी परिस्थिति नहीं बदलती है-- पुरुष कितना ही कहे कि तुमको भी तो समान हक है वोट करने का, तुम समान हो, सब बातें ठीक हैं, असमानता क्या है--इससे कुछ हल नहीं होगा। स्त्री के नीचे उसके जीवन की गुलामी में, उसकी असमानता में कुछ कारण हैं। जैसे, जब तक स्त्रियों की अपनी कोई आर्थिक स्थिति नहीं है, जब तक उनकी कोई अपनी इकोनामिक, अर्थगत, संपत्तिगत अपनी कोई स्थिति नहीं है, तब तक स्त्रियों की समानता बातचीत की बात होगी। गरीब-अमीर समान हैं, हम कहते हैं। हम कहते हैं, गरीब-अमीर समान हैं, बराबर वोट का हक है, सब ठीक है। लेकिन गरीब-अमीर समान कैसे हो सकते हैं? वह अमीरी और गरीबी इतनी बड़ी असमानता पैदा कर देती है।

और स्त्रियों से ज्यादा गरीब कोई भी नहीं है, क्योंकि हमने उनको बिलकुल अपंग कर दिया है कमाने से। पैदा करने से अपंग कर दिया है। वे कुछ पैदा नहीं करतीं, न

वे कुछ कमातीं, न वे जिंदगी में आकर बाहर कुछ काम करतीं। घर के भीतर बंद कर दिया है। उनकी गुलामी का मूल सूत्र यह है : वे जब तक आर्थिक रूप से बंधी हैं, तब तक वे समान हक में हो भी नहीं सकतीं।

और बुरा है यह। एकदम बुरा है। क्योंकि स्त्रियां सब तरफ फैल जाएं, सब कामों में, तो पुरुष के सब तरफ कामों में जो पुरुषपन आ गया है, वह सब शिथिल हो जाए। फर्क हम जानते हैं। फर्क बहुत स्पष्ट है। स्त्री के प्रवेश से ही एक और हवा हर दफ्तर में प्रविष्ट हो सकती है, हो ही जाती है।

एक क्लास, जहां लड़के ही लड़के पढ़ रहे हैं और पुरुष ही पढ़ा रहा है, एक और तरह की क्लास है। जहां चार लड़कियां भी आकर बैठ गई हैं--क्लास की हवा में फर्क पड़ गया है, बुनियादी फर्क पड़ गया है। ज्यादा कोमल, ज्यादा सुगंध से भरी वह हवा हो गई है। कम पुरुष, कम कठोर, चीजें शिथिल हो गई हैं और चीजें ज्यादा शिष्ट हो गई हैं।

स्त्री को जीवन के सब पहलुओं पर फैला देने की जरूरत है। ऐसा कोई काम नहीं है जो कि स्त्रियां न कर सकती हों।

रूस में स्त्रियों ने सब काम करके बता दिया है। हवाई जहाज के पायलट होने से छोटे-मोटे काम तक। एक स्त्री ने अंतरिक्ष में उड़ कर भी बताया है। वह इस बात की खबर है कि स्त्रियां करीब-करीब सब काम कर सकती हैं।

कुछ काम होंगे, जो एकदम मस्कुलर हैं। कुछ काम होंगे! अब तो नहीं रह गए। क्योंकि मसल का सब काम मशीन करने लगी है। पुराना जमाना गया। कोई शेर-वेर से लड़ने जाना नहीं पड़ता और गामा वगैरह बनना सब अब बेवकूफी हो गई है, कोई समझ की बातें नहीं हैं।

अब तो मसल का काम मशीन ने कर दिया है, इसलिए स्त्री को समान होने का पूरा मौका मिल गया है। मशीन बड़े से बड़ा काम कर देती है, बड़े से बड़ा पत्थर उठा देती है, बड़ी से बड़ी गाड़ी को खींच देती है, बड़े से बड़े वजन को धका देती है। अब पुरुष को भी धकाना नहीं पड़ता। अब कोई जरूरत नहीं है। अब स्त्री प्रत्येक काम में पुरुष के साथ खड़ी हो सकती है।

और जैसे ही स्त्री जीवन के सब पहलुओं में प्रविष्ट कर जाएगी, सभी पहलुओं के वातावरण में बुनियादी फर्क पड़ेगा। और कुछ काम तो ऐसे हैं...अब यह हैरानी की बात है, ऐसा अब शायद ही कोई काम अब बचा है पुरुष के पास जो स्त्री नहीं कर सकती।

संभोग से समाधि की ओर

लेकिन कुछ काम ऐसे हैं जो स्त्रियां ही कर सकती हैं और पुरुष नहीं कर सकते हैं। और उन कामों को भी पुरुष पकड़े हुए हैं। जैसे शिक्षक का काम है। शिक्षक के काम से पुरुष को हट जाना चाहिए। पुरुष शिक्षक हो ही नहीं सकता। उसका डिक्टेटोरियल माइंड इतना ज्यादा है कि वह शिक्षक नहीं हो सकता है।

वह थोपने की कोशिश करता है। और वह जो भी मानता है, उसे थोपने की कोशिश करता है। उसका आग्रह है : जो मैं कहता हूं, वह ठीक है। वह यील्डिंग नहीं है, वह झुक नहीं सकता। वह विनम्र नहीं हो सकता। ह्युमिलिटी नहीं है, हंबलनेस नहीं है। शिक्षक अगर जरा भी थोपने वाला है तो दूसरी तरफ के मस्तिष्क को बुनियादी रूप से नुकसान पहुंचाता है।

और नुकसान पहुंचता है सारी मनुष्य-जाति को। क्योंकि शिक्षक कैसे-कैसे व्यवहार कर रहा है! निश्चित ही, सारी दुनिया में शिक्षा का करीब-करीब सारा काम--करीब-करीब कहता हूं--सारा काम स्त्रियों के हाथ में चला ही जाना चाहिए। यह बिलकुल ही उचित होगा, हितकर होगा, महत्वपूर्ण होगा। क्योंकि शिक्षा तब एक रूखी-सूखी बात नहीं रह जाएगी, उसके साथ एक रस और एक पारिवारिक वातावरण जुड़ जाएगा और संबंधित हो जाएगा।

बहुत काम ऐसे हो सकते हैं, जो कि स्त्रियों को पूरी तरह उपलब्ध हो जाने चाहिए। और बहुत काम जो स्त्रियां कर सकती हैं, उन्हें सब तरफ से निमंत्रण मिलने चाहिए। और बहुत दिशाएं, जो हमेशा से अधूरी पड़ी हैं, जिनको कभी छुआ नहीं गया, वे खोली जानी चाहिए। उन दिशाओं के दरवाजे तोड़े जाने चाहिए, ताकि एक और तरह की चिंतना--स्त्री की चिंतना, स्त्री की भावना, बिलकुल और तरह की है।

उसमें कुछ डायमेट्रिकली अपोजिट, कुछ बुनियादी रूप से उलटे तत्व हैं। वह ज्यादा इनटयूटिव है, इंटलेक्चुअल नहीं है। वह बहुत बुद्धि और तर्क की नहीं है, ज्यादा अंतर-अनुभूति की है। मनुष्य अंतर-अनुभूति से शून्य हो गया है, बिलकुल शून्य है।

स्त्रियां अगर सब दिशाओं में फैल जाएं और जीवन भर घरों में बंद न रह जाएं, क्योंकि घरों का काम इतना उबाने वाला है, इतना बोरिंग है, इतना बोर्डम से भरा हुआ है कि उसे तो मशीन के हाथ में धीरे-धीरे छोड़ देना चाहिए। आदमी को करने की--न स्त्रियों को, न पुरुषों को--कोई जरूरत नहीं है। रोज सुबह वही काम, रोज दोपहर वही काम, रोज सांझ वही काम!

एक स्त्री चालीस-पचास वर्ष तक एक मशीन की तरह सुबह से शाम यंत्र की

तरह घूमती रहती है और वही काम करती रहती है। और इसका परिणाम क्या होता है? इसका परिणाम है कि मनुष्य के पूरे जीवन में विष घुल जाता है।

एक स्त्री जब चौबीस घंटे ऊब वाला काम करती है। रोज बर्तन मलती है--वही बर्तन, वही मलना; वही रोटी, वही खाना, वही उठाना; वही कपड़े धोना, वही बिस्तर लगाना; रोज एक चक्कर में सारा काम चलता है। थोड़े दिन में वह इस सबसे ऊब जाती है। लेकिन करना पड़ता है।

और जिस काम से कोई ऊब गया हो और करना पड़े, तो उसका बदला वह किसी न किसी से लेगी। इसलिए स्त्रियां हर पुरुष से हर तरह का बदला ले रही हैं। हर तरह का बदला! पुरुष घर आया कि स्त्री तैयार है टूटने के लिए। इसीलिए पुरुष घर के बाहर-बाहर घूमते फिरते हैं। क्लब बनाते हैं, सिनेमा जाते हैं, पच्चीस उपाय सोचते हैं। घर से बचने की सारी कोशिश करते हैं। जब नहीं बच सकते, तब घर पहुंचते हैं।

मैं शिक्षक था, तो जिस युनिवर्सिटी में शिक्षक था, मैं हैरान हुआ। युनिवर्सिटी की क्लासेस तो मुश्किल से एक बजे शुरू होती थीं। लेकिन प्रोफेसर्स, मैं देखता कि ग्यारह बजे ही आकर कामन रूम में बैठ गए हैं। युनिवर्सिटी क्लासेस चार बजे खत्म हो जातीं। मैं देखता कि पांच, साढ़े पांच बजे तक वे वहीं जमे हुए हैं! मैंने उनसे पूछा, बात क्या है? इतनी जल्दी क्यों आ जाते हो? इतनी देर से क्यों लौटते हो? उन्होंने कहा, जितनी देर घर के बाहर रह जाएं, उतनी ही शांति समझनी चाहिए। घर पहुंचे कि तैयारी है। और इन सबको, सारे पुरुषों को यह खयाल आता है कि स्त्रियों में कुछ गड़बड़ है, इससे ये कष्ट दे रही हैं!

नहीं, स्त्रियों का सारा काम बोर्डम का है। वे इतनी ऊब जाती हैं कि ऊब का बदला किससे लें? और आपके लिए वे ऊब रही हैं, आपके लिए सारा काम कर रही हैं, तो निश्चित ही आपसे बदला लिया जाने वाला है। अपने बच्चों को पीट रही हैं, उनसे बदला ले सकती हैं। पतियों से लड़ रही हैं, उनसे बदला ले सकती हैं। और फिर एक विसियस सर्किल शुरू होता है, जिसमें सब कलह और सब दुख हो जाता है। नहीं, स्त्रियां तो जो भी काम घरों में कर रही हैं, अब वैज्ञानिक सुविधाएं उपलब्ध हो जाने पर वह सारा काम धीरे-धीरे यंत्रों के हाथ में चला जाना चाहिए।

और स्त्रियां बाहर आएं। और निश्चित ही, जितना वे बाहर आएंगी उतना उनका मन विकसित होने का उपाय पाएगा। जितने बंद घेरे में कोई जीए, उतना छोटा मन, उतनी छोटी बुद्धि, उतनी सीमा हो जाती है। हम स्त्रियों को कहां जिलाते रहे हैं?

बंद घरों में! अब तो थोड़ी-बहुत खिड़कियां हो गई हैं, नहीं तो पुरुष खिड़कियां-विड़कियां नहीं होने देता था।

खिड़की से कोई देख भी सकता है उसकी पत्नी को। पत्नी भी खिड़की के बाहर देख सकती है। और ऊबी हुई पत्नी देख ही सकती है। और पड़ोस के ऊबे हुए लोग भी देख सकते हैं। खिड़कियां भी नहीं थीं! और स्त्रियों के ऊपर हमने काले कपड़े भी लादे हुए थे। चेहरा भी नहीं देखने देते थे।

टर्की में कमाल जब हुकूमत में आया तो उसने पहला नियम बनाया कि आज से बुर्का ओढ़ना सबसे बड़ा अपराध है और कोई स्त्री बुर्का ओढ़े सड़क पर दिखाई नहीं पड़ेगी। तो जबरदस्ती बुर्के छीनने पड़े; क्योंकि स्त्रियां भी डरती थीं बुर्का छोड़ने में। और जब बुर्के छीने गए तो लाखों स्त्रियों के चेहरे देख कर लोग हैरान हो गए। पतियों ने भी अपनी पत्नियों के चेहरे रोशनी में नहीं देखे थे।

रोशनी में स्त्री देखने के बाबत बड़ा विरोध रहा है। समझदार लोग बड़ा इनकार करते रहे हैं। चेहरे पीले पड़ गए थे! क्योंकि घर की बंद कोठरियों में, जहां न हवा जाती है, न सूरज की किरणें जाती हैं, वहां वे बंद थीं। जानवरों की तरह, पशुओं की तरह हमने उन्हें अलग काट रखा था। उनका पता नहीं चलता था--स्त्री का। आज भी कुछ मुल्कों में पता नहीं चलता--कुछ समाजों में--कि स्त्रियां भी हैं।

अगर चांद से कोई आदमी उतरे किसी के घर में और बैठकखाने में जाए, तो पता नहीं चलेगा कि इस घर में स्त्रियां भी हैं। स्त्रियां कहीं छिपी हैं दूर कोनों में। उनके किचन, उनके दिन भर जीने की जगह को आप देखें तो घबड़ा जाएंगे--अंधेरे में, धुएं में! रोशनी नहीं, हवा नहीं! और जब बाहर रोशनी-हवा में निकलें तो बुर्के हैं, पर्देहैं! सब तरह से ढंकी हुई स्त्रियां! सब तरफ से बंद! बाहर भी कोठरी उनके साथ चल रही है, सड़क पर भी! वे कोठरी में ही बंद हैं।

स्वभावतः इसका परिणाम उनकी चेतना पर पड़ा होगा, मन पर पड़ा होगा, बुद्धि पर पड़ा होगा, शरीर पर पड़ा होगा। और ये ही स्त्रियां मनुष्य को जन्म देंगी, मनुष्य के जीवन को आगे बढ़ाएंगी। तो निश्चित ही इसका सारा परिणाम पूरी मनुष्यता पर पड़ने वाला है। नहीं, स्त्रियों को बाहर...लेकिन पुरुष डरता है स्त्रियों को बाहर लाने में। डर उसके बहुत गहरे हैं।

सबसे बड़ा डर तो उसे मालकियत का डर है। क्योंकि पुरुष ने एक मालकियत बना कर रखी है और वह मालकियत टूट सकती है। स्त्रियां बाहर आएं तो मालकियत टूट सकती है। स्त्रियां बाहर आएं तो उन्हें और पुरुष भी परमात्मा जैसे

लग सकते हैं, अपने पुरुष को छोड़ कर। वह डर की बात है, वह घबड़ाने की बात है। इसलिए उन्हें बंद ही रखना जरूरी है। लेकिन इतनी बंद, इतनी जेलेस, इतना ईर्ष्यालु जो व्यवस्था है, वह हिंसक हो ही जाएगी। वह घबड़ाने वाली हो ही जाएगी।

और इसके परिणाम...अगर हम मनुष्य के मन को थोड़ा खोजें, उसके रोगों को खोजें, स्त्री या पुरुषों के, तो हम हैरान हो जाएंगे। सौ में से पचहत्तर मानसिक रोग किसी न किसी तरह से सेक्सुअल जेलेसी से, कामुक ईर्ष्या से जुड़े हुए हैं। और वह हमने जो व्यवस्था बनाई है, उसमें होना बिलकुल अनिवार्य मालूम पड़ता है। यह सारा तोड़ देना आवश्यक है। पहली बात मैंने कही :

स्त्री की आर्थिक व्यवस्था उसके हाथ में होनी चाहिए।

और अगर घर में भी स्त्री काम करे, घर में भी अगर स्त्री काम करती हो, तो उसके काम का मूल्यांकन होना चाहिए। वह बिना मूल्य, निर्मूल्य नहीं हो जाना चाहिए।

एक आदमी जूते बना रहा है, तो वह तो तीन सौ रुपये महीने की हैसियत है उसकी आपके घर में। और एक स्त्री चौबीस घंटे काम कर रही है, उसका कोई आर्थिक मूल्यांकन नहीं है कि वह कितना आर्थिक काम कर रही है। ऐसा लगता है कि वह कुछ भी नहीं कर रही है। पुरुष कहता है, सब हम कर रहे हैं! हम तुम्हें पाल रहे हैं, हम तुम्हें पालने वाले हैं! और उससे ज्यादा काम--कम नहीं--स्त्री किए चली जा रही है। अगर स्त्री घर में भी काम करती है तो उसका आर्थिक मूल्यांकन होना चाहिए। अगर बाहर ला सकें हम स्त्री को तो बड़ा सुखद होगा--काम बढ़े, उसकी बुद्धि बढ़े, उसका विकास बढ़े।

निश्चित ही, बाहर लाते ही हमारा परिवार का ढांचा बदलना पड़ेगा, विवाह की व्यवस्था बदलनी पड़ेगी। पुराने ढंग बहुत से बदल देने पड़ेंगे। स्त्री-पुरुष करीब आएंगे तो ढंग हमें नये करने पड़ेंगे। लेकिन वे ढंग नये किए जाने अशुभ नहीं हैं। वे शुभ होंगे, वे अत्यंत शुभ होंगे।

तीसरी बात : निरंतर जिन देशों ने भी, जिन समाजों ने भी स्त्री को नीचा किया है, उन देशों और समाजों में स्त्री को नीचा करने का एक बुनियादी कारण उस देश के साधु, संत, महात्मा रहे हैं। वे समझाते हैं कि स्त्री नरक का द्वार है।

असल में, साधु-संत स्त्री से बहुत डरे हुए लोग होते हैं। स्त्री से उनको बहुत डर लगता है। क्योंकि वही उनको भगवान से भी ज्यादा ताकतवर मालूम पड़ती है, खींच सकती है अपनी तरफ। वे उसकी वजह से इतने घबड़ाए रहते हैं कि रात-दिन

स्त्री के सपने ही देखते हैं। और उसको गालियां देते हैं, नरक का द्वार बताते हैं। आपको नहीं, वे अपने को समझा रहे हैं कि स्त्री नरक का द्वार है। सावधान! बचना! स्त्री की तरफ देखना भी मत!

ये इन घबड़ाए हुए, भागे हुए, एस्केपिस्ट, पलायनवादी लोगों ने स्त्री को समझने, स्त्री को आदृत होने, सम्मानित होने, साथ खड़े होने का मौका नहीं दिया।

अभी जब मैं बंबई था कुछ दिन पहले, एक मित्र ने मुझे आकर खबर दी कि एक बहुत बड़े संन्यासी वहां प्रवचन कर रहे हैं। आपने भी उनके प्रवचन सुने होंगे, नाम तो सुना ही होगा, वे प्रवचन कर रहे हैं। भागवत की कथा कर रहे हैं या कुछ कर रहे हैं। और स्त्री नहीं छू सकती उन्हें! एक स्त्री अजनबी आई होगी, उसने उनके पैर छू लिए! तो महाराज भारी कष्ट में पड़ गए हैं। अपवित्र हो गए हैं। उन्होंने सात दिन का उपवास किया है शुद्धि के लिए। तो जहां दस-पंद्रह हजार स्त्रियां पहुंचती थीं, वहां सात दिन के उपवास के कारण एक लाख स्त्रियां इकट्ठी होने लगी हैं कि यह आदमी असली साधु है!

स्त्रियां भी यही सोचती हैं कि जो उनके छूने से अपवित्र हो जाए वह असली साधु है। हमने उनको समझाया हुआ है। नहीं तो वहां एक स्त्री नहीं जानी थी फिर; क्योंकि स्त्री के लिए भारी अपमान की बात है।

लेकिन अपमान का खयाल ही मिट गया है। लंबी गुलामी अपमान के खयाल मिटा देती है। लाख स्त्रियां वहां इकट्ठी हो गई हैं! सारी बंबई में यही चर्चा है कि यह आदमी है असली साधु! स्त्री के छूने से अपवित्र हो गया, सात दिन का उपवास कर रहा है! उन महाराज से किसी को पूछना चाहिए, पैदा किससे हुए थे? हड्डी-मांस-मज्जा किससे बना था? वह सब स्त्री से लेकर आ गए हैं। और अब अपवित्र होते हैं स्त्री के छूने से!

हद्द कमजोर साधुता है, जो स्त्री के छूने से अपवित्र हो जाती है! लेकिन इन्हीं सारे लोगों की लंबी परंपरा ने स्त्री को दीन-हीन और नीचा बनाया है। और मजा यह है--मजा यह है कि यह जो दीन-हीनता की लंबी परंपरा है, इस परंपरा को स्त्रियां ही पूरी तरह बल देने में अग्रणी हैं! कभी के मंदिर मिट जाएं और कभी के गिरजे समाप्त हो जाएं--स्त्रियां ही पालन-पोषण कर रही हैं मंदिरों, गिरजों, साधु, संतों-महंतों का। चार स्त्रियां दिखाई पड़ेंगी एक साधु के पास, तब कहीं एक पुरुष दिखाई पड़ेगा। वह पुरुष भी अपनी पत्नी के पीछे बेचारा चला आया हुआ होगा।

तो तीसरी बात मैं आपसे यह कहना चाहता हूं: जब तक हम स्त्री-पुरुष के बीच

के ये अपमानजनक फासले, ये अपमानजनक दूरियां--कि छूने से कोई अपवित्र हो जाए--नहीं तोड़ देते हैं, तब तक शायद हम स्त्री को समान हक भी नहीं दे सकते।

को-एजुकेशन शुरू हुई है। सैकड़ों विश्वविद्यालय, महाविद्यालय को-एजुकेशन दे रहे हैं। लड़कियां और लड़के साथ पढ़ रहे हैं। लेकिन बड़ी अजीब सी हालत दिखाई पड़ती है। लड़के एक तरफ बैठे हुए हैं, लड़कियां दूसरी तरफ बैठी हुई हैं, बीच में पुलिसवाले की तरह प्रोफेसर खड़ा हुआ है! यह कोई मतलब है? यह कितना अशोभन है, अनकल्चर्ड है! को-एजुकेशन का एक ही मतलब हो सकता है कि कालेज या विश्वविद्यालय स्त्री-पुरुष में कोई फर्क नहीं करता। को-एजुकेशन का एक ही मतलब हो सकता है कि कालेज की दृष्टि में सेक्स डिफरेंसेस का कोई सवाल नहीं है। जो लड़की जहां आए...

प्रश्नः (ध्वनि-मुद्रण स्पष्ट नहीं।)

आ जाएं अलग से तो जरा बात हो सके। और यहां से तो नंबर हैं आप, आवाज भी करेंगे तो मैं नहीं समझ पाता कौन आवाज कर रहा है। अकेले आ जाएं तो थोड़ा मजा हो। आप आवाज करें, मैं सुनूं।

आखिरी बात, और अपनी चर्चा मैं पूरी कर दूंगा। एक बात आखिरी।

और वह यह कि अगर एक बेहतर दुनिया बनानी हो तो स्त्री-पुरुष के समस्त फासले गिरा देने हैं। भिन्नता बचेगी, लेकिन समान तल पर दोनों को खड़ा कर देना है। और ऐसा इंतजाम करना है कि स्त्री को स्त्री होने की कांशसनेस और पुरुष को पुरुष होने की कांशसनेस चौबीस घंटे न घेरे रहे। यह पता भी नहीं चलना चाहिए। यह चौबीस घंटे खयाल भी नहीं होना चाहिए।

अभी तो हम इतने लोग यहां बैठे हैं। एक स्त्री आए तो सारे लोगों को खयाल हो जाता है--स्त्री आ गई! स्त्री को भी पूरा खयाल है कि पुरुष यहां बैठे हुए हैं। यह अशिष्टता है, अनकल्चर्डनेस है, असंस्कृति है, असभ्यता है। यह बोध नहीं होना चाहिए। ये बोध गिरने चाहिए। अगर ये गिर सकें तो हम एक अच्छे समाज का निर्माण कर सकते हैं।

मेरी बातों को इतने प्रेम और शांति से सुना, उससे बहुत अनुगृहीत हूं। और अंत में सबके भीतर बैठे परमात्मा को प्रणाम करता हूं, मेरे प्रणाम स्वीकार करें।

15

सिद्धांत, शास्त्र और वाद से मुक्ति

मेरे प्रिय आत्मन्!

अभी-अभी सूरज निकला। सूरज के दर्शन करता था। देखा आकाश में दो पक्षी उड़े जाते हैं। आकाश में न तो कोई रास्ता है, न कोई सीमा है, न कोई दीवाल है, न उड़ने वाले पक्षियों के कोंई चरण-चि बनते हैं। खुले आकाश में, जिसकी कोई सीमाएं नहीं, उन पक्षियों को उड़ता देख कर मेरे मन में एक सवाल उठाः क्या आदमी की आत्मा भी इतने ही खुले आकाश में उड़ने की मांग नहीं करती है? क्या आदमी के प्राण भी नहीं तड़पते हैं सारी सीमाओं के ऊपर उठ जाने को--सारे बंधन तोड़ देने को? सारी दीवालों के पार--वहां, जहां कोई दीवाल नहीं; वहां, जहां कोई फासले नहीं; वहां, जहां कोई रास्ते नहीं; वहां, जहां कोई चरण-चि नहीं बनते--उस खुले आकाश में उठ जाने की मनुष्य की आत्मा की भी प्यास नहीं है?

उस खुले आकाश का नाम ही परमात्मा है। लेकिन आदमी तो पैदा होता है, और बंधनों में बंध जाता है। चाहे पैदा कोई स्वतंत्र होता हो, लेकिन बहुत सौभाग्यशाली लोग ही स्वतंत्र जीते हैं; और बहुत कम सौभाग्यशाली लोग स्वतंत्र होकर मर पाते हैं। आदमी पैदा तो स्वतंत्र होता है, और फिर निरंतर परतंत्र होता चला जाता है। किसी आदमी की आत्मा परतंत्र नहीं होना चाहती है, फिर भी आदमी परतंत्र होता चला जाता है!

तो ऐसा प्रतीत होता है कि शायद हमने परतंत्रता की बेड़ियों को फूलों से सजा रखा है; शायद हमने परतंत्रता को स्वतंत्रता के नाम दे रखे हैं; शायद हमने कारागृहों को मंदिर समझ रखा है। और इसीलिए यह संभव हो सका है कि प्रत्येक आदमी के प्राण स्वतंत्र होना चाहते हैं, और प्रत्येक आदमी परतंत्र ही जीता है और मरता है! बल्कि, ऐसा भी दिखाई पड़ता है कि हम अपनी परतंत्रता की रक्षा भी करते हैं! अगर परतंत्रता पर चोट हो, तो हमें तकलीफ भी होती है, पीड़ा भी होती है! अगर कोई हमारी परतंत्रता तोड़ देना चाहे, तो वह हमें दुश्मन भी मालूम होता है!

परतंत्रता से आदमी का ऐसा प्रेम क्या है?

नहीं, परतंत्रता से किसी का भी प्रेम नहीं है। लेकिन परतंत्रता को हमने स्वतंत्रता के शब्द और वस्त्र ओढ़ा रखे हैं। एक आदमी अपने को हिंदू कहने में जरा भी अनुभव नहीं करता कि मैं अपनी गुलामी की सूचना कर रहा हूं। एक आदमी अपने को मुसलमान कहने में जरा भी नहीं सोचता कि मुसलमान होना मनुष्यता के ऊपर दीवाल बनानी है। एक आदमी किसी वाद में, किसी संप्रदाय में, किसी देश में अपने को बांध कर कभी भी नहीं सोचता कि मैंने अपना कारागृह अपने हाथों से बना लिया है। बड़ी चालाकी, बड़ा धोखा आदमी अपने को देता रहा है। और सबसे बड़ा धोखा यह है कि हमने कारागृहों को सुंदर नाम दे दिए हैं;, हमने बेड़ियों को फूलों से सजा दिया है; और जो हमें बांधे हुए हैं, उन्हें हम मुक्तिदायी समझ रहे हैं!

यह मैं पहली बात आज कहना चाहता हूं: जो लोग भी जीवन में क्रांति चाहते हैं, सबसे पहले उन्हें समझ लेना होगा कि बंधा हुआ आदमी कभी भी जीवन की क्रांति से नहीं गुजर सकता है। और हम सारे ही लोग बंधे हुए लोग हैं। यद्यपि हमारे हाथों पर जंजीरें नहीं हैं, हमारे पैरों में बेड़ियां नहीं हैं; लेकिन हमारी आत्माओं पर बहुत जंजीरें हैं, बहुत बेड़ियां हैं। हाथ-पैर पर बेड़ियां पड़ी हों तो दिखाई पड़ जाएंगी, आत्मा पर जंजीरें पड़ी हों तो दिखाई भी नहीं पड़तीं। अदृश्य बंधन इस बुरी तरह बांध लेते हैं कि उनका पता भी नहीं चलता और जीवन भी हमारा एक कैद बन जाता है। अदृश्य बंधनों में सबसे अदभुत बंधन सिद्धांतों के, शास्त्रों के और शब्दों के हैं।

एक गांव में एक दिन सुबह-सुबह बुद्ध का प्रवेश हुआ। गांव के द्वार पर ही एक व्यक्ति ने बुद्ध को पूछा, आप ईश्वर को मानते हैं? मैं नास्तिक हूं, मैं ईश्वर को नहीं मानता हूं। आपकी क्या दृष्टि है? बुद्ध ने कहा, ईश्वर? ईश्वर है। ईश्वर के अतिरिक्त और कुछ भी सत्य नहीं है।

बुद्ध गांव के भीतर पहुंचे। एक दूसरे व्यक्ति ने बुद्ध को कहा, मैं आस्तिक हूं, मैं

ईश्वर को मानता हूं। आप ईश्वर को मानते हैं? बुद्ध ने कहा, ईश्वर? ईश्वर है ही नहीं, मानने का कोई सवाल नहीं उठता। ईश्वर एक असत्य है!

पहले आदमी ने पहला उत्तर सुना था, दूसरे आदमी ने दूसरा उत्तर सुना था। लेकिन बुद्ध के साथ एक भिक्षु था, आनंद। उसने दोनों उत्तर सुने, वह बहुत हैरान हो गया! सुबह ही बुद्ध ने कहा कि ईश्वर है! दोपहर बुद्ध ने कहा, ईश्वर नहीं है! आनंद बहुत चिंतित हो गया कि बुद्ध का प्रयोजन क्या है? लेकिन सांझ फुरसत होगी, रात सब लोग विदा हो जाएंगे, तब पूछ लेगा। लेकिन सांझ तो मुश्किल और बढ़ गई। एक तीसरे आदमी ने आकर पूछा कि मुझे कुछ भी पता नहीं है कि ईश्वर है या नहीं। मैं आपसे पूछता हूं, आप मानते हैं--ईश्वर है? या नहीं? बुद्ध उसकी बात सुन कर चुप रह गए और उन्होंने कोई भी उत्तर न दिया!

रात जब सारे लोग विदा हो गए, तो आनंद बुद्ध को पूछने लगा कि मैं बहुत मुश्किल में पड़ गया हूं। मुझे बहुत झंझट में डाल दिया आपने। सुबह कहा, ईश्वर है; दोपहर कहा, नहीं है; सांझ चुप रह गए। मैं क्या समझूं?

बुद्ध ने कहा, उन तीनों उत्तर में कोई भी उत्तर तेरे लिए नहीं दिया गया था। तूने वे उत्तर क्यों लिए? जिनको उत्तर दिए गए थे, उनके लिए दिए गए थे। तुझे तो कोई उत्तर नहीं दिया गया था।

आनंद ने कहा, क्या मैं अपने कान बंद रखता? मैंने तीनों बातें सुन ली हैं। यद्यपि उत्तर मुझे नहीं दिए गए थे, लेकिन देने वाले तो आप एक थे। और आपने तीन उत्तर दिए!

बुद्ध ने कहा, तू नहीं समझा। मैं उन तीनों की मान्यताएं तोड़ देना चाहता था। सुबह जो आदमी आया था, वह नास्तिक था। जो नास्तिकता में बंध गया है, उस आदमी की आत्मा भी परतंत्र हो गई है। मैं चाहता था, वह अपनी जंजीर से मुक्त हो जाए। उसकी जंजीर तोड़ देने को मैंने कहा--ईश्वर है। ईश्वर है, मैंने सिर्फ इसलिए कहा कि वह जो नहीं मान कर बैठा है, अपनी जगह से हिल जाए, उसकी जड़ें उखड़ जाएं, उसकी दीवाल गिर जाए, वह फिर से सोचने को मजबूर हो जाए। वह चुप हो गया है। उसने सोचा है कि यात्रा समाप्त हो गई। और जो भी आदमी समझ लेता है कि यात्रा समाप्त हो गई, वह कारागृह में पहुंच जाता है।

जीवन है अनंत यात्रा, वह यात्रा कभी भी समाप्त नहीं होती। लेकिन हिंदू की यात्रा समाप्त हो गई है, बौद्ध की यात्रा समाप्त हो गई है, जैन की यात्रा समाप्त हो गई है, गांधीवादी की यात्रा समाप्त हो गई है, मार्क्सवादी की यात्रा समाप्त हो गई है;

जिसको भी वाद मिल गया है, उसकी यात्रा समाप्त हो गई है। उसने सत्य को पा लिया, वह सत्य को उपलब्ध हो गया है; अब आगे, आगे खोज समाप्त हो गई है।

सभी संप्रदायों की, सभी धर्मों की, सभी पकड़ वालों की खोज समाप्त हो जाती है।

बुद्ध ने कहा, मैं उसे तोड़ देना चाहता था उसकी जंजीरों से, ताकि वह फिर से पूछे, वह फिर से खोजे, वह आगे बढ़ जाए।

दोपहर जो आदमी आया था, वह आदमी आस्तिक था। वह मान कर बैठ गया था कि ईश्वर है। उससे मुझे कहना पड़ा कि ईश्वर नहीं है। ईश्वर है ही नहीं। ताकि मैं उसकी भी जंजीरों को ढीला कर सकूं, उसके मत को भी तोड़ सकूं। क्योंकि सत्य को वे ही लोग उपलब्ध होते हैं, जिनका कोई मत नहीं।

और सांझ जो आदमी आया था, उसका कोई मत नहीं था। उसने कहा, मुझे कुछ भी पता नहीं है कि ईश्वर है या नहीं। इसलिए मैं भी चुप रह गया। मैंने उससे कहा कि तू चुप रह कर खोज, मत की तलाश मत कर, सिद्धांत की तलाश मत कर। चुप हो। इतना चुप हो जा कि सारे शब्द खो जाएं। तो शायद जो है, उसका तुझे पता चल सके। बुद्ध के साथ आप भी रहे होते तो मुश्किल में पड़ गए होते। अगर एक उत्तर सुना होता तो शायद बहुत मुसीबत न होती। लेकिन अगर तीनों उत्तर सुने होते, तो बहुत मुसीबत हो जाती।

बुद्ध का प्रयोजन क्या है? बुद्ध चाहते क्या हैं?

बुद्ध आपको कोई सिद्धांत नहीं देना चाहते; बुद्ध आपके जो सिद्धांत हैं, उनको भी छीन लेना चाहते हैं। बुद्ध आपके लिए कोई कारागृह नहीं बनाना चाहते; आपका जो बना कारागृह है, उसको भी गिरा देना चाहते हैं। ताकि वह खुला आकाश जीवन का, खुली आंखों से देखने की क्षमता उपलब्ध हो सके।

लेकिन इससे क्या होता है! बुद्ध चिल्लाते रहेंगे कि तोड़ दो सिद्धांत, और बुद्ध के पीछे लोग इकट्ठे हो जाएंगे और बुद्ध का सिद्धांत भी निर्मित कर लेंगे।

दुनिया में जिन थोड़े से लोगों ने मनुष्य को मुक्त करने की चेष्टा की है--मनुष्य अजीब पागल है--उन्हीं लोगों को उसने अपना बंधन बना लिया! चाहे फिर वह बुद्ध हों, चाहे महावीर हों, चाहे मार्क्स हो और चाहे गांधी हों--चाहे कोई भी आदमी हो--जो भी मनुष्य को मुक्त करने की चेष्टा करता है, आदमी अजीब पागल है, उसी को अपना बंधन बना लेता है! उसी को अपनी जंजीर बना लेता है! और जिंदा आदमी तो कोशिश भी कर सकता है कि उसकी जंजीर न बने, मुर्दा आदमी क्या कर

सकता है?

मरे हुए नेता, मरे हुए संत बहुत खतरनाक सिद्ध होते हैं--अपने कारण नहीं, आदमी की आदत के कारण। दुनिया के सभी महापुरुष, जो कि मनुष्य को मुक्त कर सकते थे, कोई भी मनुष्य को मुक्त नहीं कर पाया, मनुष्य ने उनको ही अपने बंधन में रूपांतरित कर लिया। इसलिए मनुष्य के इतिहास में एक अजीब घटना घटी है : जो भी संदेश लेकर आता है मुक्ति का, हम उसको ही अपना एक नया कारागृह बना लेते हैं! इस भांति जितने मुक्ति के संदेश दुनिया में आए, उतने रंग- रूप की जंजीरें दुनिया में तय और निर्मित होती चली गईं। आज तक यही हुआ है। क्या आगे भी यही होगा? अगर आगे भी यही होगा तो फिर मनुष्य के लिए कोई भविष्य दिखाई नहीं पड़ता है।

लेकिन ऐसा मुझे नहीं लगता कि जो आज तक हुआ है, वह आगे भी होना जरूरी है। वह आगे होना जरूरी नहीं है। यह संभव हो सकता है कि जो आज तक हुआ है, वह आगे न हो। और न हो सके तो मनुष्यता मुक्त हो सकती है। लेकिन मनुष्यता मुक्त हो या न हो, एक-एक मनुष्य को भी अगर मुक्त होना है, तो उसे अपने चित्त पर, अपने मन पर, अपनी आत्मा पर लगाई सारी जंजीरों को तोड़ देने की हिम्मत जुटानी पड़ती है।

जंजीरें बहुत मधुर हैं, बहुत सुंदर हैं, सोने की हैं, इसलिए और भी कठिनाई हो जाती है। महापुरुषों से मुक्त होना बहुत कठिन मालूम पड़ता है, सिद्धांतों से मुक्त होना बहुत कठिन मालूम पड़ता है, शास्त्रों से मुक्त होना बहुत कठिन मालूम पड़ता है। और अगर कोई कहे, तो वह आदमी दुश्मन मालूम होगा। क्योंकि हम इन सारी चीजों को मान कर निश्चिंत हो गए हैं; अब खोजने की और कोई जरूरत न रही। और अगर कोई आदमी कहता है, इनसे मुक्त हो जाओ! तो फिर खोजने की जरूरत शुरू हो जाती है; फिर मंजिल खो जाती है; फिर रास्ता सामने आ जाता है। रास्ते पर चलने में तकलीफ मालूम पड़ती है; मंजिल पर पहुंच जाने में आराम मालूम पड़ता है। क्योंकि मंजिल पर पहुंचने के बाद फिर कोई यात्रा नहीं, कोई श्रम नहीं।

मनुष्य ने अपने आलस्य के कारण झूठी मंजिलें तय कर ली हैं। और हमने सब मंजिलें पकड़ रखी हैं।

पहली बात, पहला सूत्र जीवन-क्रांति का मैं आपसे कहना चाहता हूं, और वह यह : एक स्वतंत्र चित्त चाहिए। एक मुक्त चित्त चाहिए।

एक बंधा हुआ, कैप्सूल के भीतर बंद, दीवालों के भीतर बंद, पक्षपातों के

संभोग से समाधि की ओर

भीतर बंद, वाद और सिद्धांत और शब्दों के भीतर बंद चित्त कभी भी जीवन की क्रांति से नहीं गुजर सकता है।

और अभागे हैं वे लोग जिनका जीवन एक क्रांति नहीं बन पाता; क्योंकि वे वंचित ही रह जाते हैं इस सत्य को जानने से कि जीवन में क्या छिपा था! क्या था राज, क्या था आनंद, क्या था सत्य, क्या था संगीत, क्या था सौंदर्य--उस सबसे ही वे वंचित रह जाते हैं!

मैंने सुना है, एक सम्राट ने अपनी सुरक्षा के लिए एक महल बनाया था। उसने ऐसा इंतजाम किया था कि महल के भीतर कोई दुश्मन न आए। उसने सारे द्वार-दरवाजे बंद कर दिए थे। सिर्फ एक दरवाजा महल में रखा था। और दरवाजे पर हजार नंगी तलवारों का पहरा था। एक छोटा छेद भी नहीं था मकान में। सारे महल के द्वार-दरवाजे बंद कर दिए थे और फिर वह बहुत निश्चिंत हो गया था। अब किसी खिड़की से, किसी द्वार से, दरवाजे से किसी डाकू की, किसी हत्यारे की, किसी दुश्मन के आने की कोई संभावना न थी।

पड़ोस के राजा ने सुना, वह उसके महल को देखने आया। वह भी उसके महल को देख कर बहुत प्रसन्न हुआ।

आदमी ऐसा पागल है, बंद दरवाजों को देख कर बहुत प्रसन्न होता है। क्योंकि बंद दरवाजों को वह समझता है--सुरक्षा, सिक्योरिटी, सुविधा।

उस राजा ने भी महल देख कर कहा, हम भी एक ऐसा महल बनाएंगे। यह महल तो बहुत सुरक्षित है। इस महल में तो निश्चिंत रहा जा सकता है।

जब पड़ोसी राजा द्वार पर आकर विदा हो रहा था और इस मित्र राजा के महल की प्रशंसा कर रहा था, तब सड़क पर बैठा हुआ एक बूढ़ा भिखारी जोर से हंसने लगा। उस भवन के मालिक ने पूछा, तू हंसता क्यों है? कोई भूल तुझे दिखाई पड़ती है?

उस भिखारी ने कहा, एक भूल रह गई है, महाराज! जब आप यह मकान तैयार करवाते थे, तभी मुझे लगता था कि एक भूल रह गई है।

उस सम्राट ने कहा, कौन सी भूल? उस भिखारी ने कहा, एक दरवाजा आपने रखा है, यही भूल रह गई है। यह दरवाजा और बंद कर लें, और भीतर हो जाएं, तो फिर आप बिलकुल सुरक्षित हो जाएंगे। फिर कोई भी किसी हालत में भीतर नहीं पहुंच सकता है।

उस सम्राट ने कहा, पागल, फिर तो यह मकान कब्र हो जाएगा। अगर मैं एक

दरवाजा और बंद कर लूं, तो मैं मर जाऊंगा भीतर। फिर तो यह मौत हो जाएगी।

उस भिखारी ने कहा, इतना आपको समझ आता है कि एक दरवाजा और बंद कर लेने से आप मर जाएंगे, क्या आपको यह समझ में नहीं आता कि जितने दरवाजे आपने बंद किए हैं, उसी मात्रा में आप मर गए हैं? एक-एक दरवाजा आपने बंद किया है, उसी मात्रा में जीवन से आपके संबंध टूट गए हैं। अब एक दरवाजा बचा है, तो थोड़ा सा संबंध बचा है, आप थोड़े से जीवित हैं। इसको भी बंद कर देंगे, तो बिलकुल मर जाएंगे। लेकिन यह मकान कब्र है जिसमें एक दरवाजा है। यह दरवाजा और बंद हो जाए तो कब्र पूरी हो जाएगी। और अगर आपको यह लगता है कि एक दरवाजा बंद करने से मौत हो जाएगी, तो जो दरवाजे बंद हैं उनको खोल लें। और अगर मेरी बात समझें तो सब दीवालें गिरा दें, ताकि खुले सूरज के नीचे और खुले आकाश के नीचे पूरा जीवन उपलब्ध हो।

लेकिन शरीर के लिए मकान जरूरी है, और शरीर के लिए दीवालें भी जरूरी हैं। पर आत्मा के लिए न तो मकान जरूरी है और न दीवालें जरूरी हैं। लेकिन जिनके पास शरीर को छिपाने के लिए मकान नहीं, उन्होंने भी अपनी आत्मा को छिपाने के लिए दीवालें और मकान बना रखे हैं! जो खुले आकाश के नीचे सोते हैं, उनकी आत्माएं भी खुले आकाश में नहीं उड़ती हैं! जिनके शरीर पर वस्त्र नहीं हैं, उन्होंने भी आत्मा के लिए लोहे के वस्त्र पहना रखे हैं! और फिर आदमी पूछता है, हम दुखी क्यों हैं? फिर आदमी पूछता है, हम पीड़ित क्यों हैं? फिर आदमी पूछता है, आनंद कहां मिलेगा?

कभी परतंत्र चित्त को आनंद मिला है? कभी परतंत्रता ने सुख जाना है? कभी परतंत्र व्यक्ति कभी भी किसी भी स्थिति में सत्य को, सौंदर्य को उपलब्ध हुआ है?

मैं एक घर में मेहमान था। एक बहुत प्यारी चिड़िया उस घर के लोगों ने कैद कर रखी थी। जिस पिंजड़े में वह चिड़िया बंद थी, वह चारों तरफ कांच से घिरा था। चिड़िया को बाहर का जगत दिखाई पड़ता होगा, लेकिन उस कांच की दीवाल के भीतर बंद चिड़िया को पता भी नहीं हो सकता कि बाहर एक खुला आकाश है, और उस बाहर खुले आकाश में उड़ने का भी आनंद है। शायद वह चिड़िया उड़ने का खयाल भी भूल गई होगी। शायद उसके पंख किसलिए हैं, यह भी उसे पता नहीं रहा होगा। और अगर आज उसे बाहर भी कर दिया जाए, तो शायद वह घबड़ाएगी और अपने सुरक्षित पिंजड़े में वापस आ जाएगी। उसके पास पंख किसलिए हैं, यह भी उस चिड़िया को पता नहीं है। शायद पंख उसे निरर्थक लगते होंगे, बोझ लगते होंगे।

और उसे यह भी पता नहीं है कि उस खुले आकाश में सूरज की तरफ बादलों के पार उड़ जाने का भी एक आनंद है, एक जीवन है। वह उसे कुछ भी पता नहीं है।

उस चिड़िया को कुछ भी पता नहीं है; हमें पता है? हमने भी कांच की दीवालें बना रखी हैं। उन्न कांच की दीवालों के पार, बियांड, उनके अतीत भी कोई लोक है--जहां कोई सीमा नहीं छूटती; जहां आगे, और आगे अनंत विस्तार है; जहां सूरज है, जहां बादलों के अतीत आगे खुला आकाश है।

नहीं, हमें भी उसका कोई पता नहीं है। शायद हमें भी आत्मा एक बोझ मालूम पड़ती है। और हममें से बहुत से लोग अपनी आत्मा को खो देने की हर चेष्टा करते हैं। हमें आत्मा भी एक बोझ मालूम पड़ती है, इसलिए शराब पीकर आत्मा को भुला देने की कोशिश करते हैं, संगीत सुन कर भुला देने की कोशिश करते हैं। किसी तरह आत्मा भूल जाए, इसकी चेष्टा करते हैं। वह आत्मा भी एक बोझ है, जैसे उस चिड़िया को पंख बोझ मालूम होते होंगे। क्योंकि हमें पता नहीं कि एक आकाश है, जहां आत्मा भी पंख बन जाती है। और आकाश की एक उड़ान है, जिस उड़ान की उपलब्धि का नाम ही प्रभु है, परमात्मा है।

धर्म मनुष्य को मुक्त करने की कला है।

अगर ठीक से कहूं तो धर्म मनुष्य के जीवन में क्रांति लाने की कला है। इसलिए कायर कभी धार्मिक नहीं हो सकते। डरे हुए लोग, भयभीत लोग कभी धार्मिक नहीं हो सकते। बल्कि भयभीत और डरे लोगों ने जो धर्म पैदा किया है, वह धर्म जरा भी नहीं है। वह धर्म से बिलकुल उलटी चीज है। वह अधर्म से भी बदतर है। क्योंकि अधार्मिक आदमी भी साहसी हो सकता है। और जो आदमी साहसी है, वह बहुत दिन तक अधार्मिक नहीं रह सकता। अधार्मिक आदमी भी विचारशील होता है। और जो आदमी विचारशील है, वह बहुत दिन तक अधार्मिक नहीं रह सकता।

रामकृष्ण के पास केशवचंद्र मिलने गए थे। केशवचंद्र विवाद करने गए थे रामकृष्ण से, रामकृष्ण की बातों का खंडन करने गए थे। सारे कलकत्ते में खबर थी क़ि चलें, केशवचंद्र की बातें सुनें! रामकृष्ण तो गांव के गंवार हैं, क्या उत्तर दे सकेंगे केशवचंद्र का? केशवचंद्र बड़ा पंडित है!

बड़ी भीड़ इकट्ठी हो गई थी। रामकृष्ण के शिष्य बहुत डरे हुए थे, केशव के सामने रामकृष्ण क्या बात कर सकेंगे! कहीं ऐसा न हो कि फजीहत हो जाए! सब तो मित्र डरे थे, लेकिन रामकृष्ण बार-बार द्वार पर आकर पूछते थे, केशव अभी तक आए नहीं? एक भक्त ने कहा भी कि आप पागल होकर प्रतीक्षा कर रहे हैं! और

आपको पता नहीं कि आप दुश्मन की प्रतीक्षा कर रहे हैं! वे आकर आपकी बातों का खंडन करेंगे। वे बहुत बड़े तार्किक हैं।

रामकृष्ण कहने लगे, वही देखने के लिए मैं आतुर हो रहा हूं; क्योंकि इतना तार्किक आदमी अधार्मिक कैसे रह सकता है, यही मुझे देखना है। इतना विचारशील आदमी कैसे धर्म के विरोध में रह सकता है, यही मुझे देखना है। यह असंभव है।

केशव आए, और केशव ने विवाद शुरू किया। केशव ने सोचा था, रामकृष्ण उत्तर देंगे। लेकिन केशव एक-एक तर्क देते थे और रामकृष्ण उठ-उठ कर गले लगा लेते थे; और आकाश की तरफ हाथ जोड़ कर किसी को धन्यवाद देते थे।

थोड़ी देर में केशव बहुत मुश्किल में पड़ गए। उनके साथ आए लोग भी मुश्किल में पड़ गए। आखिर केशव ने पूछा कि आप करते क्या हैं? मेरी बातों का जवाब नहीं देते? और हाथ जोड़ कर आकाश में धन्यवाद किसको देते हैं?

रामकृष्ण ने कहा, मैंने बहुत चमत्कार देखे, यह चमत्कार मैंने नहीं देखा। इतना बुद्धिमान आदमी, इतना विचारशील आदमी धर्म के विरोध में कैसे रह सकता है? जरूर भगवान का चमत्कार है। इसलिए मैं उसको ऊपर धन्यवाद देता हूं। और तुमसे मैं कहता हूं कि तुम्हें मैं जवाब नहीं दूंगा, लेकिन जवाब तुम्हें मिल जाएंगे। क्योंकि जिसका चित्त इतना मुक्त होकर सोचता है, वह किसी तरह के बंधन में नहीं रह सकता। वह अधर्म के बंधन में भी नहीं रह सकता। झूठे धर्म के बंधन तुमने तोड़ डाले हैं, अब जल्दी ही अधर्म के बंधन भी टूट जाएंगे। क्योंकि विवेक अंततः सारे बंधन तोड़ देता है। और जहां सारे बंधन टूट जाते हैं, वहां जिसका अनुभव होता है, वही धर्म है, वही परमात्मा है। मैं कोई दलील न दूंगा। तुम्हारे पास दलील देने वाला बहुत अदभुत मस्तिष्क है। वह खुद ही दलील खोज लेगा।

केशव सोचते हुए वापस लौटे। और उस दिन रात में उन्होंने अपनी डायरी में लिखा: आज मेरा एक धार्मिक आदमी से मिलना हो गया। और शायद उस आदमी ने रूपांतरण शुरू कर दिया है। मैं पहली बार सोचता हुआ लौटा हूं। और उस आदमी ने मुझे कोई उत्तर भी नहीं दिया और मुझे विचार में डाल दिया है!

मनुष्य के पास विवेक है, लेकिन विवेक बंधन में है! और जो विवेक बंधन में है, वह सत्य तक नहीं पहुंच सकता है। हमें सोच लेना है--एक-एक व्यक्ति को--हमारा विवेक बंधन में तो नहीं है? अगर मन में कोई भी संप्रदाय है, तो विवेक बंधन में है।

अगर मन में कोई भी शास्त्र है, तो विवेक बंधन में है। अगर मन में कोई भी महात्मा है, तो विवेक बंधन में है। और जब मैं यह कहता हूं तो लोग सोचते हैं, शायद मैं महात्माओं और महापुरुषों के विरोध में हूं। मैं किसी के विरोध में क्यों होने लगा? मैं किसी के भी विरोध में नहीं हूं। बल्कि सारे महापुरुषों का काम ही यही रहा है कि आप बंध न जाएं। सारे महापुरुषों की आकांक्षा यही रही है कि आप बंध न जाएं। क्योंकि जिस दिन आपके बंधन गिर गए, आप भी वही हो जाएंगे जो महापुरुष हो जाते हैं।

महापुरुष मुक्त हो जाता है। और हम अजीब पागल लोग हैं, हम उसी मुक्त महापुरुष के पीछे बंध जाते हैं!

समस्त वाद बांध लेते हैं। वाद से छूटे बिना जीवन में क्रांति नहीं होती है, नहीं हो सकती है। लेकिन हमें खयाल भी नहीं आता कि हम बंधे हुए लोग हैं।

अगर मैं अभी कहूं कि हिंदू धर्म व्यर्थ है, या मैं कहूं कि इस्लाम व्यर्थ है, या मैं कहूं कि गांधीवाद से छुटकारा जरूरी है, तो आपके मन को चोट लगती है। अगर चोट लगती है तो आप समझ लेना कि आप बंधे हुए आदमी हैं।

चोट किसको लगती है? चोट का कारण क्या है? चोट कहां लगती है हमारे भीतर?

चोट वहीं लगती है जहां हमारे बंधन हैं। जिस चित्त पर बंधन नहीं है, उसे कोई भी चोट नहीं लगती।

इस्लाम खतरे में है--तो वे जो इस्लाम के बंधन से बंधे हैं, खड़े हो जाएंगे युद्ध के लिए, संघर्ष के लिए! उनके छुरे बाहर निकल आएंगे! हिंदू धर्म खतरे में है--तो वे जो हिंदू धर्म के गुलाम हैं, वे खड़े हो जाएंगे लड़ने के लिए! और अगर कोई मार्क्स को कुछ कह दे, तो जो मार्क्स के गुलाम हैं, वे खड़े हो जाएंगे! और अगर कोई गांधी को कुछ कह दे, तो जो गांधी के गुलाम हैं, वे खड़े हो जाएंगे! लेकिन यह गुलामी चाहे किसी के साथ हो...मेरे साथ हो सकती है...।

अभी मुझे बंबई में किसी ने कहा, कि किसी मेरे मित्र ने कुछ अखबार में मेरे संबंध में लेख लिखे होंगे, तो किन्हीं दो व्यक्तियों ने उन मित्र को कहीं रास्ते में पकड़ लिया और कहा कि अब अगर आगे लिखा तो गर्दन दबा देंगे! मुझे बंबई में किसी ने कहा। तो मैंने कहा कि जिन्होंने उनको पकड़ कर कहा कि गर्दन दबा देंगे, वे मेरे गुलाम हो गए, वे मुझसे बंध गए।

मैं अपने से नहीं बांध लेना चाहता हूं किसी को। मैं चाहता हूं कि प्रत्येक व्यक्ति

किसी से बंधा हुआ न रह जाए। एक ऐसी चित्त की दशा हो कि हम किसी से बंधे हुए नहीं हैं। उसी हालत में एक क्रांति तत्काल होनी शुरू हो जाती है। एक एक्सप्लोजन, एक विस्फोट हो जाता है। जो आदमी किसी से भी बंधा हुआ नहीं है, उसकी आत्मा पहली दफे अपने पर खोल लेती है खुले आकाश में और उड़ने के लिए तैयार हो जाती है।

बंधे हुए आदमी का मतलब है: पंख बंधे हैं जमीन से, पैर गड़े हैं जमीन में। उड़ेंगे कैसे? और फिर हम पूछेंगे कि चित्त दुखी है, अशांत है, परेशान है! आनंद कैसे मिले? परमात्मा कैसे मिले? सत्य कैसे मिले? मोक्ष कैसे मिले? निर्वाण कैसे मिले?

कहीं आकाश में नहीं है निर्वाण। कहीं दूर सात आसमानों के पार नहीं है मोक्ष। यहीं है और अभी है। और उस आदमी को उपलब्ध हो जाता है जो कहीं भी बंधा हुआ नहीं है। जिसकी कोई क्लिंगिंग नहीं है। जिसके हाथ किसी दूसरे के हाथ को नहीं पकड़े हुए हैं। जो अकेला है और अकेला खड़ा है। और जिसने इतना साहस और इतनी हिम्मत जुटा ली है कि अब वह किसी का अनुयायी नहीं है, किसी के पीछे चलने वाला नहीं है, किसी का अनुकरण करने वाला नहीं है। अब वह किसी का मानसिक गुलाम नहीं है, मेंटल स्लेवरी उसकी नहीं है।

लेकिन हम कहेंगे कि मैं जैन हूं, और कभी न सोचेंगे कि हम महावीर के मानसिक गुलाम हो गए! कहेंगे मैं कम्युनिस्ट हूं, और कभी न सोचेंगे कि हम मार्क्स और लेनिन के मानसिक गुलाम हो गए! कहेंगे मैं गांधीवादी हूं, और कभी न सोचेंगे कि हम गांधी के गुलाम हो गए!

दुनिया में गुलामों की कतारें लगी हैं। गुलामी के नाम अलग-अलग हैं, लेकिन गुलामी कायम है। मैं गुलामी नहीं बदलना चाहता कि एक आदमी से छुड़ा कर दूसरे की गुलामी आपको पकड़ा दी जाए। उसमें कोई फर्क नहीं पड़ता। वह वैसे ही है, जैसे लोग मरघट लाश को ले जाते हैं कंधे पर रख कर, एक कंधा दुखने लगता है तो दूसरे कंधे पर रख लेते हैं। थोड़ी देर में दूसरा कंधा दुखने लगता है, फिर कंधा बदल लेते हैं।

आदमी गुलामियों में कंधे बदल रहा है। अगर गांधी से छूटता है तो मार्क्स से जकड़ जाता है; अगर महावीर से छूटता है तो मोहम्मद को पकड़ लेता है; अगर एक वाद से छूटता है तो फौरन पहले इंतजाम कर लेता है कि किसको पकड़ूंगा!

लोग मेरे पास पूछने आते हैं--कि आप कहते हैं यह गलत है; वह गलत है।

आप हमें यह बताइए कि सही क्या है? वे असल में यह पूछ रहे हैं कि फिर हम पकड़ें क्या, वह हमें बताइए। जब तक हमें पकड़ने को न हो, तब तक हम छोड़ेंगे नहीं!

और मैं आपसे कह रहा हूं, पकड़ना गलत है। मैं यह नहीं कह रहा हूं कि आप क्या पकड़ें। मैं आपसे कह रहा हूं, पकड़ना गलत है--क्लिंगिंग एज सच! वह गांधी से है, बुद्ध से है या मुझसे है, इससे कोई फर्क नहीं पड़ता। किसी से भी है! पकड़ने वाले चित्त का स्वरूप एक ही है कि पकड़ने वाला चित्त खाली नहीं रहना चाहता। वह चाहता है कहीं न कहीं मेरी मुट्ठी बंधी रहनी चाहिए। मुझे कोई सहारा होना चाहिए। और जब तक कोई आदमी किसी के साथ सहारा खोजता है, तब तक उसकी आत्मा के पंख खुलने की स्थिति में नहीं आते हैं। जब आदमी बेसहारा हो जाता है, सारे सहारे छोड़ देता है, सब सहारे छोड़ देता है, हेल्पलेस खड़ा हो जाता है, और जानता है कि मैं अकेला हूं--और यही सच है कि एक-एक आदमी बिलकुल अकेला है--जिस दिन आदमी इस बात की तैयारी कर लेता है कि मैं अकेला हूं और जिस दिन मान लेता है कि खुले आकाश में कोई चरण-चि नहीं हैं...।

कहां हैं महावीर के चरण-चि जिन पर आप चल रहे हैं? कहां हैं कृष्ण के चरण-चि? जीवन में कहीं कोई चि नहीं बनते। सिर्फ आपकी स्मृति में कल्पना और खयाल है। किसको पकड़े हैं आप? कहां है कृष्ण का हाथ? कहां हैं गांधी के चरण जिनको आप पकड़े हैं?

सिर्फ आंख बंद करके सपना देख रहे हैं! सपने देखने से कोई आदमी मुक्त नहीं होता। न गांधी के चरण आपके हाथ में हैं, न कृष्ण के, न राम के। कोई चरण आपके हाथ में नहीं हैं। आप अकेले खड़े हैं। आंख बंद करके कल्पना कर रहे हैं कि मैं किसी को पकड़े हूं। जितनी देर तक आप यह कल्पना किए हुए हैं, उतनी देर तक आपकी अपनी आत्मा के जागरण का अवसर पैदा नहीं होगा। और तब तक आपके जीवन में वह क्रांति नहीं हो सकती, जो आपको सत्य के निकट ले आए। न जीवन में वह क्रांति हो सकती है कि जीवन के सारे पर्दे खुल जाएं, उसका रहस्य खुल जाए, उसकी मिस्ट्री खुल जाए और आप जीवन को जान सकें और देख सकें।

बंधा हुआ आदमी आंख पर चश्मे लगाए हुए जीता है। खिड़कियों में से, छेदों में से देखता है दुनिया को। जैसे कोई एक छेद कर ले दीवाल में और उसमें से देखे आकाश को! उसे जो भी दिखाई पड़ेगा, वह उस छेद की सीमा से बंधा होगा, वह आकाश नहीं होगा। जिसे आकाश देखना है, उसे दीवालों के बाहर आ जाना चाहिए। और कई बार कितनी छोटी चीजें बांध लेती हैं, हमें पता भी नहीं होता!

रवींद्रनाथ एक रात नाव में यात्रा कर रहे थे। छोटी सी मोमबत्ती जला कर कोई किताब पढ़ते रहे थे। आधी रात को थक गए, तब मोमबत्ती फूंक मार कर बुझा दी, किताब बंद की--एकदम देख कर हैरान हो गए! वह छोटा सा बजरा, नाव, उसमें बैठे थे। जैसे ही मोमबत्ती बुझी--चारों तरफ से पूर्णिमा की रात थी बाहर, उस मोमबत्ती के कारण पता ही नहीं चलता था कि बाहर पूर्णिमा की रात भी है। छोटी सी मोमबत्ती इतने बड़े चांद को रोक सकती है! मोमबत्ती के बुझते ही सारे चांद की किरणें बजरे के रंध्र-रंध्र, छिद्र-छिद्र से, खिड़की से, द्वार से भीतर आकर नाचने लगीं। रवींद्रनाथ भी उन किरणों के साथ खड़े होकर नाचने लगे। उस रात उन्होंने एक गीत गाया और उस गीत में कहा कि मैं कैसा पागल था! एक छोटी सी मोमबत्ती के प्रकाश में, मद्धिम, धीमे, गंदे प्रकाश में बैठा रहा। और चांद का प्रकाश बाहर बरसता था, उसका मुझे कुछ पता ही न था। मैं अपनी मोमबत्ती से ही बंधा रहा। जब मोमबत्ती बुझ गई, तब मुझे पता चला कि बाहर द्वार पर अनंत आलोक भी प्रतीक्षा करता था। मोमबत्ती के बुझते ही वह भीतर आ गया।

जो आदमी भी मत की, सिद्धांत की, शास्त्र की मोमबत्तियों को जलाए बैठे रहते हैं, वे परमात्मा के अनंत प्रकाश से वंचित रह जाते हैं। मत बुझ जाए, तो सत्य प्रवेश करता है। और जो आदमी सब पर पकड़ छोड़ देता है, उस पर परमात्मा की पकड़ शुरू हो जाती है। जो आदमी सब सहारे छोड़ देता है, उसे परमात्मा का सहारा उपलब्ध हो जाता है।

बेसहारा होना परमात्मा का सहारा पा लेने का रास्ता है। सब रास्ते छोड़ देना, उसके रास्ते पर खड़े हो जाने की विधि है। सब शब्द, सब सिद्धांतों से मुक्त हो जाना, उसकी वाणी को सुनने का अवसर निर्मित करना है।

मैंने एक छोटी सी कहानी सुनी है। मैंने सुना है, कृष्ण भोजन करने बैठे हैं, रुक्मणि पंखा झलती थीं। अचानक वे थाली छोड़ कर उठ पड़े, द्वार की तरफ भागे। रुक्मणि ने कहा, क्या हुआ है? कहां भागते हैं? लेकिन शायद इतनी जल्दी थी कि वे उत्तर देने को भी रुके नहीं, द्वार तक गए पागल की तरह भागते हुए, फिर द्वार पर ठिठक कर खड़े हो गए, फिर उदास वापस लौट आए, फिर थाली पर बैठ गए। रुक्मणि ने पूछा, मुझे बहुत हैरानी में डाल दिया! एक तो पागल की भांति भागना बीच भोजन में, मैंने पूछा तो उत्तर भी नहीं दिया! फिर द्वार से वापस भी लौट आना! क्या था प्रयोजन?

कृष्ण ने कहा, बहुत जरूरत आ गई थी। मेरा एक प्यारा एक राजधानी से गुजर

रहा है। राजधानी के लोग उसे पत्थर मार रहे हैं। उसके माथे से खून बह रहा है। उसका सारा शरीर लहूलुहान हो गया है। उसके कपड़े उन्होंने फाड़ डाले हैं।भीड़ उसे घेर कर पत्थरों से मारे डाल रही है। और वह खड़ा हुआ गीत गा रहा है। न वह गालियों के उत्तर दे रहा है, न पत्थरों के उत्तर दे रहा है। जरूरत पड़ गई थी कि मैं जाऊं, क्योंकि वह कुछ भी नहीं कर रहा है, वह बिलकुल बेसहारा खड़ा है। मेरी एकदम जरूरत पड़ गई थी।

रुक्मणि ने पूछा, लेकिन आप लौट कैसे आए? द्वार से वापस आ गए हैं! कृष्ण ने कहा कि द्वार तक गया, तब तक सब गड़बड़ हो गई। वह आदमी बेसहारा न रहा। उसने पत्थर अपने हाथ में उठा लिया। अब वह खुद ही पत्थर का उत्तर दे रहा है। अब मेरी कोई जरूरत न रही। मैं वापस लौट आया। वह आदमी खुद ही सहारा खोज लिया है। अब वह बेसहारा नहीं है।

यह कहानी सच हो कि झूठ। इस कहानी के सच और झूठ होने से मुझे कोई प्रयोजन नहीं है। लेकिन एक बात मैं अपने अनुभव से कहता हूं, जिस दिन आदमी बेसहारा हो जाता है, उसी दिन परमात्मा के सारे सहारे उसे उपलब्ध हो जाते हैं। लेकिन हम इतने कमजोर हैं, हम इतने डरे हुए लोग हैं कि हम कोई न कोई सहारा पकड़े रहते हैं। और जब तक हम सहारा पकड़े रहते हैं तब तक परमात्मा का सहारा उपलब्ध नहीं हो सकता है।

स्वतंत्र हुए बिना सत्य की उपलब्धि नहीं है। और सारी जंजीरों को तोड़े बिना कोई परमात्मा के द्वार पर अंगीकार नहीं होता है। लेकिन हम कहेंगे--महापुरुषों को कैसे छोड़ दें?

गांधी इतने प्यारे हैं, उनको कैसे छोड़ दें?कौन कहता है गांधी प्यारे नहीं हैं? कौन कहता है महावीर प्यारे नहीं हैं? कौन कहता है कृष्ण प्यारे नहीं हैं? प्यारे हैं, यही तो मुश्किल है। इसी से छोड़ना मुश्किल हो जाता है। लेकिन इन प्यारों को भी छोड़ देना पड़ता है, तभी वह जो परम प्यारा है वह उपलब्ध होता है।

महात्मा, परमात्मा और मनुष्य की आत्मा के बीच में खड़े हैं। महात्मा अपनी इच्छा से नहीं खड़े हुए हैं। हमने जिनको महात्मा समझ लिया है, उनको खड़ा कर लिया है। और वे हमारे लिए दीवाल बन गए हैं। व्यक्तियों से मुक्त होने की जरूरत है, ताकि वह जो अव्यक्ति है, वह जो महाव्यक्ति है, उसके और हमारे बीच कोई बाधा न रह जाए। शब्दों और सिद्धांतों से मुक्त होने की जरूरत है, ताकि सत्य जैसा है वैसा हम देख सकें। अभी हम सत्य को वैसा ही देखते हैं जैसा हम देखना चाहते हैं।

हमारी इच्छा काम करती है, हमारी मान्यता काम करती है, हमारे चश्मे काम करते हैं। हम वही देखना चाहते हैं, वही देख लेते हैं। जो है, वह हमें दिखाई नहीं पड़ता। और जो है, वही सत्य है।

कौन देख पाएगा उसे जो है? उसे वही देख पाता है, जिसका अपना देखने का कोई आग्रह नहीं, कोई मत नहीं, कोई पंथ नहीं। जिसकी आंखों पर कोई चश्मा नहीं। जो सीधा नग्न, शून्य, निर्वस्त्र--बिना सिद्धांतों के खड़ा है। उसे वही दिखाई पड़ता है, जो है।

और वह जो है, मुक्तिदायी है। वह जो है, उसी का नाम जीवन है। वह जो है, उसी का नाम परमात्मा है।

यह पहला सूत्र ध्यान में रखना जरूरी हैः अपने को बांधें मत। और जहां-जहां बंधे हों, कृपा करें वहां से छूट जाएं। और यह मत पूछें कि छूटने के लिए क्या करना पड़ेगा। छूटने के लिए कुछ भी नहीं करना पड़ेगा। क्योंकि महापुरुष आपको नहीं बांधे हुए हैं कि आपको कुछ करना पड़े। आप ही उनको पकड़े हुए हैं। छोड़ दिया, और वे गए। और कुछ भी नहीं करना है। अगर कोई दूसरा आपको बांधे हो, तो कुछ करना पड़ेगा। आप ही अगर पकड़े हों, तो जान लेना पर्याप्त है--और छूटना शुरू हो जाता है।

कोई गांधी गांधीवादियों को नहीं बांधे हुए हैं। गांधी तो जिंदगी भर कोशिश करते रहे कि गांधीवाद जैसी कोई चीज खड़ी न हो जाए। लेकिन गांधीवादी बिना गांधीवाद खड़े किए कैसे रह सकते हैं! फिर बंधें किससे? वाद चाहिए, जिससे बंधा जा सके। अब वे उससे बंध गए हैं। अब उनसे पूछो, तो वे कहेंगे--कैसे छूटें? अगर आप पूछते हैं कैसे छूटें, तो फिर आप समझे नहीं। कोई दूसरा आपको बांधे हुए नहीं है।

कृष्ण हिंदुओं को नहीं बांधे हुए हैं, और न मोहम्मद मुसलमानों को, और न महावीर जैनों को। कोई किसी को बांधे हुए नहीं है। ये तो वे सारे लोग हैं जो छुटकारा चाहते हैं कि हर आदमी छूट जाए। लेकिन हम उनकी छायाओं को पकड़े हैं और बंधे हैं। हमें कोई बांधे हुए नहीं है, हम बंधे हुए हैं। और अगर हम बंधे हुए हैं, तो बात साफ हैः हम छूटना चाहें तो एक क्षण भी छोड़ने के लिए--एक क्षण भी गंवाने की जरूरत नहीं है। आप इस भवन के भीतर बंधे हुए आए थे। इस भवन के बाहर मुक्त होकर जा सकते हैं।

मैं अभी ग्वालियर में था कुछ एक-डेढ़ वर्ष पहले। ग्वालियर के एक मित्र ने

संभोग से समाधि की ओर

मुझे फोन किया कि मैं अपनी बूढ़ी मां को भी आपकी सभा में लाना चाहता हूं। लेकिन मैं डरता हूं। क्योंकि उसकी उम्र कोई नब्बे वर्ष है। चालीस वर्षों से वह दिन-रात माला फेरती रहती है। सोती है, तो भी रात उसके हाथ में माला होती है। और आपकी बातें कुछ ऐसी हैं कि कहीं उसको चोट न लगे। इस उम्र में उसको लाना उचित है या नहीं ?

मैंने उन मित्र को खबर की कि आप जरूर ले आएं। क्योंकि इस उम्र में अगर न लाए, तो हो सकता है दुबारा मैं आऊं और आपकी मां से मेरा मिलना भी न हो पाए। इसलिए जरूर ले आएं। आप चाहे आएं या न आएं, मां को जरूर ले आएं!

वे मां को लेकर आए। दूसरे दिन मुझे उन्होंने खबर की कि बड़ी चमत्कार की बात हो गई है! जब मैं आया, और आप माला के खिलाफ ही बोलने लगे, तो मैं समझा कि यह तो आपको खबर करना ठीक नहीं हुआ। मैंने आपसे कहा कि मेरी मां माला फेरती है और आप माला के खिलाफ ही बोलने लगे, तो मुझे लगा कि आप मेरी मां को ही ध्यान में रख कर बोल रहे हैं। उसको नाहक चोट लगेगी, नाहक दुख होगा। मैं डरा, रास्ते में गाड़ी में मैंने पूछा भी नहीं कि तेरे मन पर क्या असर हुआ है।

घर जाकर मैंने पूछा कि कैसा लगा ? तो मेरी मां ने कहा, कैसा लगा ? मैं माला वहीं मीटिंग में ही छोड़ आई हूं! चालीस साल का मेरा भी अनुभव कहता है कि माला से मुझे कुछ भी नहीं मिला। लेकिन मैं इतनी हिम्मत नहीं जुटा पा रही थी कि उसे छोड़ दूं। वह मुझे बात खयाल आ गई, माला तो मुझे पकड़े हुए नहीं थी, मैं ही उसे पकड़े हुए थी। मैंने उसे छोड़ दिया, वह छूट गई!

तो आप यह मत पूछना कि कैसे हम छोड़ दें। कोई आपको पकड़े हुए नहीं है, आप ही मुट्ठी बांधे हुए हैं।

खोल दें, और वह छूट जाएगी। और छूटते ही आप पाएंगे कि चित्त हलका हो गया, निर्भार हो गया, वह तैयार हो गया है एक यात्रा के लिए।

इन चार दिनों में उस यात्रा के और सूत्रों पर हम बात करेंगे, लेकिन पहला सूत्र है : नो क्लिगिंग, कोई पकड़ नहीं। कोई पकड़ नहीं, गैर-पकड़, ना-पकड़! सब पकड़ छोड़ देना है। छोड़ते ही मन तैयार हो जाता है। छोड़ते ही मन पंख फैला देता है। छोड़ते ही मन सत्य की यात्रा के लिए आकांक्षा करने लगता है।

क्योंकि जो मत से बंधे हैं, वे डरते हैं सत्य को जानने से। क्योंकि जरूरी नहीं कि सत्य उनके मत के पक्ष में हो। मतवादी हमेशा सत्य को जानने से डरता है। क्योंकि यह जरूरी नहीं कि सत्य उनके मत के पक्ष में हो, सत्य विपरीत भी पड़ सकता है।

और मतवादी अपने मत को नहीं छोड़ना चाहता, इसलिए सत्य को जानने से ही बचता है।

मैं निरंतर कहता हूं, दो तरह के लोग हैं दुनिया में। एक वे लोग हैं, जो चाहते हैं, सत्य हमारे पीछे चले। मतवादी सत्य को अपने पीछे चलाना चाहता है। वह कहता है कि मेरा मत सही है, सत्य इसको सिद्ध करे! लेकिन मतवादी सत्यवादी नहीं है। सत्यवादी कहता है, मैं सत्य के पीछे खड़ा हो जाऊंगा।

लेकिन जिसको सत्य के पीछे खड़ा होना है, उसे मत छोड़ देना पड़ेगा। नहीं तो मत बाधा देगा, रोकेगा, अड़चन डालेगा।

अगर आप हिंदू हैं, तो आप धार्मिक नहीं हो सकते हैं। अगर आप ईसाई हैं, तो आप धार्मिक नहीं हो सकते हैं। अगर धार्मिक होना है, तो ईसाई, हिंदू और मुसलमान से मुक्ति आवश्यक है।

अगर जीवन के सत्य को जानना है, तो जीवन के संबंध में जो भी मत पकड़ा है, उससे मुक्ति आवश्यक है।

वह बूढ़ी औरत अदभुत थी। छोड़ गई माला। माला की कीमत चार आना तो रही ही होगी। आप जो सिद्धांत पकड़े हैं, उनकी कीमत चार आना भी नहीं है। उनको ऐसे ही छोड़ा जा सकता है हाथ से नीचे! और छोड़ कर आप महंगाई में नहीं पड़ जाएंगे, नुकसान में नहीं पड़ जाएंगे। छोड़ते ही आप पाएंगे कि जो छूट गया है, वह सत्य की तरफ जाने में बाधा था। और पहली बार आंख खुलेगी कि मैं जीवन को वैसा देख सकूं जैसा वह है।

यह पहला सूत्र है। इस संबंध में जो भी प्रश्न हों वे आप लिखित दे देंगे, और भी जो प्रश्न हों वे लिखित दे देंगे, ताकि सुबह की चर्चाओं में आपके प्रश्नों की बात हो सके। और सांझ को मैं और सूत्रों की बात करूंगा।

मेरी बातों को इतने प्रेम और शांति से सुना, उसके लिए बहुत अनुगृहीत हूं। और अंत में सबके भीतर बैठे परमात्मा को प्रणाम करता हूं, मेरे प्रणाम स्वीकार करें।

16

भीड़ से, समाज से--दूसरों से मुक्ति

मेरे प्रिय आत्मन्!

मनुष्य का जीवन जैसा हो सकता है, मनुष्य जीवन में जो पा सकता है, मनुष्य जिसे पाने के लिए पैदा होता है--वही चूक जाता है, वही नहीं मिल पाता है। कभी कोई एक मनुष्य--कभी कोई कृष्ण, कभी कोई राम, कभी कोई बुद्ध, कभी कोई गांधी--कभी कोई एक मनुष्य के जीवन में फूल खिलते हैं और सुगंध फैलती है। लेकिन शेष सारी मनुष्यता बिना खिले मुरझा जाती है और नष्ट हो जाती है।

कौन सा दुर्भाग्य है मनुष्य के ऊपर? कौन सी कठिनाई है? करोड़ों बीज में से अगर एक बीज में अंकुर आए और करोड़ों बीज बीज ही रह कर सड़ें और समाप्त हो जाएं, यह कोई सुखद स्थिति नहीं हो सकती। लेकिन मनुष्य-जाति के पूरे इतिहास को उठा कर देखें तो अंगुलियों पर गिने जा सकें, ऐसे थोड़े से मनुष्य पैदा होते हैं। शेष सारी मनुष्यता की कोई भी कथा नहीं है! शेष सारे मनुष्य बिना किसी सौंदर्य को जाने, बिना किसी सत्य को जाने जीते हैं और नष्ट हो जाते हैं! क्या इस जीवन को हम जीवन कहें?

एक फकीर का मुझे स्मरण आता है। कभी वह सम्राट था, फिर फकीर हो गया। जो जानते हैं वे सम्राट होते हैं और फकीर हो जाते हैं। और जो नहीं जानते वे फकीर भी पैदा हों तो सम्राट होने की कोशिश में ही जीते हैं और मर जाते हैं। वह पैदा तो

सम्राट हुआ था, लेकिन फिर फकीर हो गया। और जिस राजधानी में पैदा हुआ था, उसी राजधानी के बाहर एक झोपड़े में रहने लगा। लेकिन उसके झोपड़े पर अक्सर उपद्रव होने लगा। जो भी आता, उसी से झगड़ा हो जाता! रास्ते पर था झोपड़ा, गांव से कोई चार मील बाहर था, चौराहे पर था। राहगीर उससे पूछते कि बस्ती कहां है? रास्ता कहां है? वह फकीर कहता, बस्ती ही जाना चाहते हो? तो बाईं तरफ भूल कर मत जाना, दाईं तरफ के रास्ते से जाना, तो बस्ती पहुंच जाओगे।

लोग उसकी बात मान कर दाईं तरफ जाते, और दो-चार मील चल कर मरघट में पहुंच जाते! वहां कहां बस्ती थी, वहां तो सिर्फ कब्रें थीं! वे क्रोध में वापस आते और कहते कि पागल हो तुम? हमने पूछा था बस्ती का रास्ता, और तुमने मरघट का बताया!

तब वह फकीर हंसने लगता और कहता, फिर हमारी परिभाषा फर्क-फर्क मालूम पड़ती है। मैं तो उसी को बस्ती कहता हूं। क्योंकि तुम जिसे बस्ती कहते हो, उसमें तो कोई भी बसा हुआ नहीं है। कोई आज उजड़ जाएगा, कोई कल। वहां तो मौत रोज आती है और किसी को उठा ले जाती है। वह, जिसे तुम बस्ती कहते हो, वह तो मरघट है। वहां मरने वाले लोग प्रतीक्षा कर रहे हैं मृत्यु की। मैं इसी को बस्ती कहता हूं, जिसे तुम मरघट कहते हो; क्योंकि वहां जो एक बार बस गया, वह बस गया। फिर उसकी मौत नहीं होती, फिर उजड़ना नहीं पड़ता। तो बस्ती मैं उसे कहता हूं, जहां बस गए लोग फिर उखड़ते नहीं, वहां से हटते नहीं।

लेकिन पागल रहा होगा वह फकीर। लेकिन क्या दुनिया के सारे समझदार लोग पागल रहे हैं? दुनिया के सारे समझदार एक बात कहते हैं कि जिसे हम जीवन समझते हैं, वह जीवन नहीं है। और चूंकि हम गलत जीवन को जीवन समझ लेते हैं, इसलिए जिसे हम मृत्यु समझते हैं, वह भी मृत्यु नहीं है। हमारा सब कुछ ही उलटा है। हमारा सब कुछ ही अज्ञान से भरा हुआ और अंधकार से पूर्ण है। फिर जीवन क्या है? और उस जीवन को जानने और समझने का द्वार और मार्ग क्या है?

बुद्ध के पास एक बूढ़ा भिक्षु था। बुद्ध ने एक दिन उस बूढ़े भिक्षु को पूछा कि मित्र, तेरी उम्र क्या है? उस भिक्षु ने कहा, आप भलीभांति जानते हैं, फिर भी पूछते हैं? मेरी उम्र पांच वर्ष है।

बुद्ध बहुत हैरान हुए और कहने लगे, कैसी मजाक करते हैं? पांच वर्ष! पचहत्तर वर्ष से कम तो आपकी उम्र न होगी।

वह बूढ़ा कहने लगा, हां, सत्तर वर्ष भी जीया हूं, लेकिन वे जीने के वर्ष नहीं

कहे जा सकते। उनकी गिनती उम्र में कैसे करूं? पांच वर्षों से जीवन को जाना है, इसलिए पांच ही वर्ष उम्र की गिनती करता हूं। वे सत्तर वर्ष सोते बीत गए--नींद में, बेहोशी में, मूर्च्छा में। उनकी गिनती कैसे करूं? नहीं जानता था जीवन को, तो फिर उनको भी गिनती कर लेता था। जब से जीवन को जाना, तब से उनकी गिनती करनी बहुत मुश्किल हो गई है।बुद्ध ने अपने भिक्षुओं को कहा, भिक्षुओ, आज से तुम भी अपनी गिनती जीवन की इसी भांति करना।

यही मैं आपसे भी इन दिनों में कहना चाहता हूं कि जिसे हम अब तक जीवन जान रहे हैं, वह जीवन नहीं, एक निद्रा है, एक मूर्च्छा है; एक दुख की लंबी कथा है; एक अर्थहीन खालीपन, एक मीनिंगलेस एंप्टीनेस है। जहां कुछ भी नहीं है हमारे हाथों में। जहां न हमने कुछ जाना है और न कुछ जीया है। लेकिन फिर जीवन कहां है जिसकी हम बात करें? उस जीवन को पाने के सूत्र क्या हैं? एक सूत्र पर सुबह मैंने बात की है, दूसरे सूत्र पर अभी बात करूंगा।

दूसरे सूत्र को समझने के लिए एक बात समझ लेनी जरूरी है। मनुष्य का जीवन भीतर से बाहर की तरफ आता है, बाहर से भीतर की तरफ नहीं। जीवन भीतर से बाहर की तरफ आता है। एक बीज से अंकुर निकलता है, वह भीतर से आता है। फिर वृक्ष बड़ा होता है, फिर पत्ते और फूल और फल आते हैं। उस छोटे से बीज से एक बड़ा वृक्ष निकलता है, जिसके नीचे हजारों लोग विश्राम कर सकें, छाया ले सकें। एक छोटे से बीज से बहुत बड़ा वृक्ष निकलता है, जिसको तौलने बैठें तो कल्पना के बाहर है। इतने छोटे बीज में इतना बड़ा वृक्ष कैसे छिपा हो सकता है? लेकिन वृक्ष बाहर से नहीं आता है--यह अंधा भी कह सकेगा। वृक्ष भीतर से आता है, उस छोटे से बीज से ही आता है।

जीवन भी छोटे ही बीज से भीतर से बाहर की तरफ फैलता है। और हम सारे लोग जीवन को बाहर ही खोजते हैं। जीवन आता है भीतर से, फैलता है बाहर की तरफ। बाहर जीवन का विस्तार है, जीवन का केंद्र नहीं। जीवन की मूल ऊर्जा, जीवन का सोर्स, जीवन का स्रोत भीतर है, जीवन की शाखाएं बाहर हैं। और हम सब जीवन को खोजते हैं बाहर, इसलिए जीवन से वंचित रह जाते हैं, जीवन को नहीं जान पाते हैं! पत्तों को जान लेते हैं, पत्तों को पहचान लेते हैं, लेकिन पत्ते? पत्ते जड़ें नहीं हैं।

मैंने सुना है, माओत्से तुंग ने अपने बचपन की एक छोटी सी घटना लिखी है। लिखा है कि मैं छोटा था तो मेरी मां का एक बगीचा था। उस बगीचे में ऐसे बड़े फूल

संभोग से समाधि की ओर

खिलते थे कि दूर-दूर से लोग उन्हें देखने आते थे। फिर एक बार मेरी बूढ़ी मां बीमार पड़ी। वह बहुत चिंतित थी--बीमारी के लिए नहीं, अपने बगीचे के लिए--कि बगीचा कुम्हला न जाए। वह इतनी बीमार थी कि बिस्तर से उठ कर बाहर आ भी नहीं सकती थी।

तो उसके बेटे ने कहा, घबड़ाओ मत, मैं फिक्र कर लूंगा। और उसके बेटे ने पंद्रह दिन तक बहुत फिक्र की। एक-एक पत्ते की धूल झाड़ी, एक-एक पत्ते को पोंछा और चूमा। एक-एक पत्ते को सम्हाला, एक-एक फूल की फिक्र की। लेकिन न मालूम क्या, इतनी फिक्र, इतनी चिंता, बगीचा सूखता गया!

पंद्रह दिन बाद उसकी बूढ़ी मां बाहर आई तो उसका बेटा रो रहा था, और बूढ़ी मां ने देखा तो उसकी बगिया तो उजड़ गई थी! वृक्ष बेहोश होकर गिर पड़े थे, पत्ते सूख गए थे, फूल कुम्हला गए थे, कलियां कलियां ही रह गई थीं, फूल नहीं बनी थीं।

उसकी मां कहने लगी कि तू क्या करता था पंद्रह दिन से सुबह से रात तक? सोता भी नहीं था! यह क्या हुआ?

उसके बेटे ने कहा, मैंने बहुत फिक्र की। मैंने एक-एक पत्ते की धूल झाड़ी। मैंने एक-एक फूल पर पानी छिड़का। मैंने एक-एक पौधे को गले लगा कर प्रेम किया। लेकिन न मालूम कैसे पागल पौधे हैं, सब कुम्हला गए, सब सूख गए।

उसकी मां की आंखों में बगिया को देख कर आंसू थे, लेकिन बेटे की हालत देख कर वह हंसने लगी और उसने कहा, पागल, फूलों के प्राण फूलों में नहीं होते, उन जड़ों में होते हैं जो दिखाई नहीं पड़तीं और जमीन के नीचे छिपी हैं। पानी फूलों को नहीं देना पड़ता, जड़ों को देना पड़ता है। फिक्र पत्तों की नहीं करनी पड़ती, जड़ों की करनी पड़ती है। पत्तों की लाख फिक्र, तो भी जड़ें कुम्हला जाएंगी और पत्ते भी सूख जाएंगे। और जड़ों की थोड़ी सी फिक्र और पत्तों की कोई भी फिक्र नहीं, तो भी पत्ते फलते रहेंगे, खिलते रहेंगे, फूल फैलते रहेंगे, सुगंध उड़ती रहेगी। जो छिपी है जड़!

लेकिन उसके बेटे ने पूछा, जड़ें कहां हैं? वे दिखाई तो नहीं पड़ती हैं!

और अधिक आदमी भी यही पूछते हैं--जीवन कहां है? वह दिखाई नहीं पड़ता, बहुत छिपा है--अपने ही भीतर, अपनी ही जड़ों में। बाहर जहां दिखाई पड़ता है सब कुछ, वहां पत्ते हैं, शाखाएं हैं। अदृश्य, भीतर, जहां दिखाई नहीं पड़ता और घोर अंधकार है, वहां जड़ें हैं जीवन की।

दूसरा सूत्र समझ लेना जरूरी है और वह यह कि जीवन बाहर नहीं है, भीतर है।

विस्तार बाहर है, प्राण भीतर है। फूल बाहर खिलते हैं, जड़ें भीतर हैं। और जड़ों के संबंध में हम सब भूल गए हैं। उस माओ पर हम हंसेंगे कि नादान था वह लड़का बहुत, लेकिन हम अपने पर नहीं हंसते हैं कि हम जीवन के बगीचे में उतने ही नादान हैं।

और अगर आदमी के चेहरे से मुस्कुराहट चली गई है, और आदमी की आंखों से शांति खो गई है, और आदमी के हृदय में फूल नहीं लगते, और आदमी की जिंदगी में संगीत नहीं बजता, और आदमी की जिंदगी एक बे-रौनक उदासी हो गई है, तो फिर हम पूछते हैं कि हम कितना तो सम्हालते हैं--कितने अच्छे मकान बनाते हैं, कितने अच्छे रास्ते बनाते हैं, कितने अच्छे कपड़े पैदा करते हैं, सब कुछ, कितनी अच्छी शिक्षा देते हैं, कितने विद्यालय निर्मित करते हैं, कितना विज्ञान विस्तार करता है--सब तो हम करते हैं, लेकिन आदमी कुम्हलाता क्यों चला जाता है? वह हम वही पूछते हैं जो उस लड़के ने पूछा था कि मैंने एक-एक पत्ते को सम्हाला, लेकिन फूल क्यों कुम्हला गए? पौधे क्यों कुम्हला गए?

आदमी कुम्हला गया है, क्योंकि हम बाहर सम्हाल रहे हैं। और ध्यान रहे-- और यही बात बहुत महत्वपूर्ण है--कि बाहर जिनको हम भौतिकवादी कहते हैं वे ही केवल बाहर नहीं देखते, जिनको हम अध्यात्मवादी कहते हैं, दुर्भाग्य है, वे भी बाहर ही देखते हैं और बाहर ही सम्हालते हैं! भौतिकवादी तो बाहर सम्हालेगा, क्योंकि भौतिकवादी मानता है भीतर जैसी कोई चीज ही नहीं है। भीतर है ही नहीं। भौतिकवादी कहता है, भीतर कोरा शब्द है। भीतर कुछ भी नहीं है।

हालांकि यह बड़ी अजीब बात मालूम पड़ती है। क्योंकि जिसका भी बाहर होता है, उसका भीतर अनिवार्य रूप से होता है। यह असंभव है कि बाहर ही बाहर हो और भीतर न हो। अगर भीतर न हो, तो बाहर नहीं हो सकता है। अगर एक मकान की बाहर की दीवाल है, तो भीतर भी होगा। अगर एक पत्थर की बाहर की रूप- रेखा है, तो भीतर भी कुछ होगा। बाहर की जो रूप-रेखा है, वह भीतर को ही घेरने वाली रूप-रेखा होती है। बाहर का अर्थ है, भीतर को घेरने वाला। और अगर भीतर न हो, तो बाहर कुछ भी नहीं हो सकता।

लेकिन भौतिकवादी कहता है कि भीतर कुछ नहीं, इसलिए भौतिकवादी को क्षमा किया जा सकता है। लेकिन अध्यात्मवादी भी सारी चेष्टा बाहर करता है। वह भी कहता है, ब्रह्मचर्य साधो! वह भी कहता है, अहिंसा साधो! वह भी कहता है, सत्य साधो! वह भी गुणों को साधने की कोशिश करता है!

अहिंसा, ब्रह्मचर्य, प्रेम, करुणा, दया--सब फूल हैं, जड़ उनमें से कोई भी नहीं है।

जड़ सम्हल जाए, तो अहिंसा अपने आप पैदा हो जाती है। और अगर जड़ न सम्हले, तो अहिंसा को जिंदगी भर सम्हालो, अहिंसा पैदा नहीं होती। बल्कि अहिंसा के पीछे निरंतर हिंसा खड़ी रहती है। और वह हिंसक बेहतर, जो हिंसक है; वह अहिंसक बहुत खतरनाक, जो भीतर हिंसक है।

जिन मुल्कों ने अध्यात्म की बहुत बात की है, उन्होंने बाहर से एक थोथा अध्यात्म पैदा कर लिया है। बाहर का जो थोथा अध्यात्म है, वह गुणों पर जोर देता है, अंतस पर नहीं। वह कहता है--सेक्स छोड़ो, ब्रह्मचर्य साधो! वह कहता है-- झूठ छोड़ो, सत्य को साधो! वह कहता है--कांटे हटा लो, फूल-फूल पैदा करो! लेकिन वह इसकी बिलकुल.फिक्र नहीं करता कि फूल कहां से पैदा होते हैं, वे जड़ें कहां हैं? और अगर वे जड़ें न सम्हाली जाएं, तो फूल पैदा होने वाले नहीं हैं। हां, कोई चाहे तो बाजार से कागज के फूल लाकर अपने ऊपर चिपका सकता है।

और दुनिया में अध्यात्म के नाम से कागज के फूल चिपकाए हुए लोगों की भीड़ खड़ी हो गई है। और इन कागज के अध्यात्मवादी लोगों के कारण भौतिकवाद को दुनिया में नहीं हराया जा पा रहा है। क्योंकि भौतिकवाद कहता है, यही है तुम्हारा अध्यात्म? ये कागज के फूल? और इन कागज के फूलों को देख कर भौतिकवादी को लगता है--नहीं है कुछ भीतर, सब ऊपर की बातें हैं। ये फूल भी सब ऊपर से ले आए गए हैं।

अध्यात्म के नाम से बाहर का आरोपण चल रहा है, कल्टीवेशन और इंपोजीशन चल रहा है। आदमी, भीतर क्या है सोया हुआ, उसे जगाने की चिंता में नहीं, बाहर से अच्छे वस्त्र पहन लेने की चिंता में है! इससे एक अदभुत धोखा पैदा हो गया है। दुनिया में भौतिकवादी हैं और दुनिया में झूठे अध्यात्मवादी हैं। दुनिया में सच्चा आदमी खोजना मुश्किल होता चला जाता है। हां, कभी कोई एकाध सच्चा आदमी पैदा होता है। लेकिन उस आदमी को भी हम नहीं समझ पाते, क्योंकि उसको भी हम बाहर से देखते हैं कि वह क्या करता है? वह कैसे चलता है? क्या पहनता है? क्या खाता है? और इसी आधार पर हम निर्णय लेते हैं कि वह भीतर क्या होगा! नहीं, फूल के आधार पर जड़ों का पता नहीं चलता है। फूल के रंग देख कर जड़ों का कुछ पता नहीं चलता है। पत्तों से जड़ों का कुछ पता नहीं चलता है। जड़ें कुछ बात ही और है। वह आयाम दूसरा है; वह डायमेंशन दूसरा है। लेकिन यह ऊपर से

सम्हालने की, वस्त्रों को सम्हालने की लंबी कथा चल रही है। और हमने एक झूठा आदमी पैदा कर लिया है। इस झूठे आदमी का भी कोई जीवन नहीं होता है। इस झूठे आदमी को हम थोड़ा समझ लें; क्योंकि यह झूठा आदमी कहीं और नहीं है, हम सब झूठे आदमी हैं।

मैंने सुना है, एक किसान ने एक खेत में एक झूठा आदमी बना कर खड़ा कर दिया था। किसान खेतों में आदमी झूठा बना कर खड़ा कर देते हैं। कुर्ता पहना दिया था, हंडी लगा दी थी, मुंह बना दिया था। जंगली जानवर उस आदमी को देख कर डर जाते थे, भाग जाते थे। पक्षी उस खेत में आने से डरते थे।

एक दार्शनिक उस झूठे आदमी के पास से निकलता था। और उस दार्शनिक ने उस झूठे आदमी को पूछा कि दोस्त, सदा यहीं खड़े रहते हो? धूप आती है, वर्षा आती है, सर्दियां आती हैं, रात आती है, अंधेरा हो जाता है--तुम यहीं खड़े रहते हो? ऊबते नहीं? घबराते नहीं? परेशान नहीं होते?

वह झूठा आदमी बहुत हंसने लगा। उसने कहा, परेशान! परेशान कभी भी नहीं होता, दूसरों को डराने में इतना मजा आता है कि सब वर्षा भी गुजार देता हूं, धूप भी गुजार देता हूं, रात भी गुजार देता हूं। दूसरों को डराने में इतना मजा आता है! दूसरों को प्रभावित देख कर, भयभीत देख कर बहुत मजा आता है। दूसरों की आंखों में सच्चा दिखाई पड़ता हूं--बस बात खत्म हो जाती है। पक्षी डरते हैं कि मैं सच्चा आदमी हूं। जंगली जानवर भय खाते हैं कि मैं सच्चा आदमी हूं। उनकी आंखों में देख कर कि मैं सच्चा हूं, बहुत आनंद आता है।

उस दार्शनिक ने कहा कि बड़ी आश्चर्य की बात है! लेकिन तुम जो कहते हो, वही हालत मेरी भी है। मैं भी दूसरों की आंखों में देखता हूं कि मैं क्या हूं और उसी से आनंद लेता चला जाता हूं!

वह झूठा आदमी हंसने लगा और उसने कहा कि तब फिर मैं समझ गया, तुम भी एक झूठे आदमी हो।

पता नहीं यह बात कहीं हुई या नहीं हुई। लेकिन झूठे आदमी की एक पहचान है : वह हमेशा दूसरों की आंखों में देखता है कि कैसा दिखाई पड़ता है। उसे इससे मतलब नहीं कि वह क्या है। उसकी सारी चिंता, उसकी सारी चेष्टा एक है कि वह दूसरों को कैसा दिखाई पड़ता है! वे जो चारों तरफ देखने वाले लोग हैं, वे क्या कहते हैं!

यह जो बाहर का थोथा अध्यात्म है, यह लोगों की चिंता से पैदा हुआ है--लोग

संभोग से समाधि की ओर

क्या कहते हैं! और जो आदमी यह सोचता है कि लोग क्या कहते हैं--वे क्या कहते हैं--वह आदमी कभी भी जीवन के अनुभव को उपलब्ध नहीं हो सकता। जो आदमी यह फिक्र करता है कि भीड़ क्या कहती है, और जो भीड़ के हिसाब से अपने व्यक्तित्व को निर्मित करता है, वह आदमी भीतर जो सोए हुए प्राण हैं, उसको कभी नहीं जगा पाएगा। वह बाहर से ही वस्त्र ओढ़ लेगा, और लोगों की आंखों में भला दिखाई पड़ने लगेगा, और बात समाप्त हो जाएगी।

हम वैसे दिखाई पड़ रहे हैं, जैसे हम नहीं हैं!

हम वैसे दिखाई पड़ रहे हैं, जैसे हम कभी भी नहीं थे!

हम वैसे दिखाई पड़ रहे हैं, जैसा दिखाई पड़ना सुखद मालूम पड़ता है! लेकिन वैसे हम नहीं हैं।

मैंने सुना है कि लंदन के एक फोटोग्राफर ने अपनी दुकान के सामने एक बड़ी तख्ती लगा रखी थी। और उस तख्ती पर लिख रखा था कि तीन तरह के फोटो हम यहां उतारते हैं। पहली तरह के फोटो का दाम सिर्फ पांच रुपया है। वह फोटो ऐसा होगा, जैसे आप हैं। दूसरे फोटो का दाम दस रुपया है। वह ऐसा होगा, जैसे आप दिखाई पड़ते हैं। तीसरे का दाम पंद्रह रुपया है। वह ऐसा होगा, जैसे आप दिखाई पड़ना चाहते हैं।

एक गांव का आदमी आया था फोटो निकलवाने, वह बड़ी मुश्किल में पड़ गया। वह पूछने लगा, तीन-तीन तरह के फोटो एक आदमी के कैसे हो सकते हैं? फोटो तो एक ही तरह का होता है! एक ही आदमी के तीन तरह के फोटो कैसे हो सकते हैं? और वह ग्रामीण पूछने लगा कि जब पांच रुपये में फोटो उतर सकता है, तो पंद्रह रुपये में कौन उतरवाता होगा!

वह फोटोग्राफर बोला कि नासमझ, नादान, तू पहला आदमी आया है, जो पहली तरह का फोटो उतरवाने का विचार कर रहा है। अब तक पहली तरह का फोटो उतरवाने वाला कोई आदमी नहीं आया। कोई दूसरी तरह का उतरवाता है, पैसे की कमी होती है तो। और नहीं तो तीसरी तरह के ही लोग उतरवाते हैं। पहली तरह का तो कोई उतरवाता ही नहीं। कोई आदमी नहीं चाहता कि दिखाई पड़े वैसा, जैसा वह है। दूसरों को भी दिखाई न पड़े, और खुद को भी दिखाई न पड़े, जैसा वह है।

तो फिर भीतर यात्रा नहीं हो सकती है। क्योंकि भीतर तो सत्य की सीढ़ियां चढ़ कर ही यात्रा होती है, असत्य की सीढ़ियां चढ़ कर नहीं। और ध्यान रहे, अगर बाहर यात्रा करनी हो, तो असत्य की सीढ़ियां चढ़े बिना बाहर कोई यात्रा नहीं होती। अगर

दिल्ली पहुंचना हो, तो असत्य की सीढ़ियां चढ़े बिना कोई यात्रा नहीं हो सकती। और भीतर जाना हो, तो सत्य की सीढ़ियां चढ़े बिना कोई यात्रा नहीं हो सकती। अगर बहुत धन के अंबार लगाने हों, तो असत्य की यात्रा के सिवाय कोई रास्ता नहीं है। अगर बहुत यश पाना हो, प्रतिष्ठा पानी हो, नेतृत्व पाना हो, तो असत्य के सिवाय कोई यात्रा नहीं है।

बाहर की सारी यात्रा की सीढ़ियां असत्य की ईंटों से निर्मित हैं। भीतर की यात्रा सत्य की सीढ़ियों से करनी पड़ती है।

और पहला सत्य बहुत कठिन पड़ता है--इस बात को जानना कि मैं सच में क्या हूं? हम तो इसे दबाते हैं, जो मैं हूं। हम तो इसे भुलाते हैं। हम शरीर को तो बहुत देखते हैं आईने के सामने रख-रख कर, लेकिन वह जो भीतर है, उसके सामने कभी आईना नहीं रखते। और अगर कोई आईना ले आए, तो हम बहुत नाराज हो जाते हैं। आईना भी तोड़ देंगे, उस आदमी का सिर भी तोड़ देंगे। आईना दिखलाते हो?

कोई आदमी भीतर के आदमी को देखने के लिए तैयार नहीं है। और इसलिए दुनिया में जिन लोगों ने भी भीतर के असली आदमी को दिखाने की कोशिश की है, उनके साथ हमने वह व्यवहार किया है, जो दुश्मन के साथ करना चाहिए। चाहे हम जीसस को सूली पर लटका दें और चाहे सुकरात को जहर पिला दें, जो भी आदमी हमारी असलियत को दिखाने की कोशिश करेगा, हम बहुत नाराज हो जाते हैं; क्योंकि वह हमारी नग्नता को खोल कर हमारे सामने रखता है। और हम--हम धीरे-धीरे भूल ही गए हैं कि वस्त्रों के भीतर हम नंगे भी हैं! हम धीरे-धीरे समझने लगे हैं कि हम वस्त्र ही हैं। भीतर एक नंगा आदमी भी है, उसे हम धीरे-धीरे भूल गए हैं--बिलकुल भूल गए हैं! बिलकुल भूल गए हैं, उसकी हमें कोई याद नहीं रही है। वही हमारी असलियत है। उस असलियत पर पैर रखे बिना, और भी गहरी असलियतें हैं भीतर, उन तक नहीं पहुंचा जा सकता।

इसलिए दूसरा सूत्र है : मैं जैसा हूं, उसका साक्षात्कार।

लेकिन वह हम नहीं करते हैं। हम तो दबा-दबा कर अपनी एक झूठी तस्वीर, एक फाल्स इमेज खड़ी करने की कोशिश करते हैं!

भीतर हिंसा भरी है, और आदमी पानी छान कर पीएगा और कहेगा कि मैं अहिंसक हूं! भीतर हिंसा की आग जल रही है, भीतर सारी दुनिया को मिटा देने का पागलपन है, भीतर विध्वंस है, भीतर वायलेंस है, और एक आदमी रात खाना नहीं खाएगा और सोचेगा कि मैं अहिंसक हूं!

संभोग से समाधि की ओर

हम सस्ती तरकीब निकालते हैं कुछ हो जाने की। इतना सस्ता मामला नहीं है। आप क्या खाते हैं, क्या पीते हैं, इससे आप अहिंसक नहीं होते। हां, आप अहिंसक हो जाएंगे तो आपका खाना-पीना जरूर बदल जाएगा। लेकिन आपके खाने-पीने के बदलने से आप अहिंसक नहीं हो सकते हैं। यह बात जरूर सच है कि भीतर प्रेम आएगा तो आपका बाहर का व्यक्तित्व बदल जाएगा। लेकिन बाहर के व्यक्तित्व बदल लेने से भीतर प्रेम नहीं आता है।

उलटा सच नहीं है। अगर प्रेम आ जाए तो मैं किसी को गले से लगा सकता हूं; लेकिन गले से लगा लेने से यह मत सोचना कि प्रेम आ गया। गले से हम लगा सकते हैं, और कवायद हो जाएगी, प्रेम-व्रेम नहीं आएगा। लेकिन लोग सोचते हैं, गले से लगाने से प्रेम आ जाता है, बात खतम हो गई। तो गले से लगाने की तरकीब सीख लो, बात खत्म हो जाती है। तो एक आदमी गले से लगाने की तरकीब सीख लेता है और सोचता है कि प्रेम आ गया।

गले लगाने से प्रेम के आने का क्या संबंध हो सकता है? कोई भी संबंध नहीं हो सकता।

श्रद्धा भीतर आ जाए, आदर भीतर आ जाए, तो आदमी झुक जाता है। लेकिन झुकने से श्रद्धा नहीं आ जाती--कि आप झुक गए तो श्रद्धा आ गई। आपका शरीर झुक जाएगा, आप पीछे अकड़े हुए खड़े रहोगे। देख लेना खयाल से--जब मंदिर में जाकर झुको तब देख लेना कि आप खड़े हो, सिर्फ शरीर झुक रहा है। आप खड़े ही हुए हो। आप खड़े होकर चारों तरफ देख रहे हो कि मंदिर में लोग देख रहे हैं कि नहीं कि मैं आया हूं! कोई मुहल्ले-पड़ोस का देखता है कि नहीं देखता! आप खड़े होकर यह देखते रहोगे, शरीर झुकेगा। शरीर के झुकने से क्या अर्थ है?

लेकिन हम जो हैं, उसे छिपाने को हमने सस्ती तरकीबें खोज ली हैं। एक आदमी पाप करता है--और कौन आदमी पाप नहीं करता--और फिर गंगा जाकर स्नान कर आता है! और निश्चिंत हो जाता है। गंगा-स्नान से पाप मिट गए?

रामकृष्ण के पास एक आदमी गया और कहा, परमहंस, गंगा-स्नान को जा रहा हूं, आशीर्वाद दे दें!

रामकृष्ण ने कहा, किसलिए कष्ट कर रहा है? किसलिए गंगा को तकलीफ देने जा रहा है? मामला क्या है? गंगा भी घबड़ा गई होगी। आखिर कितना जमाना हो गया पापियों के पाप धोते-धोते।

वह आदमी कहने लगा कि हां, उसी के लिए जा रहा हूं कि पापों से छुटकारा हो

जाए। आशीर्वाद दे दें। रामकृष्ण ने कहा, तुझे पता है, गंगा के किनारे जो बड़े-बड़े झाड़ होते हैं, वे देखे, वे किसलिए हैं? उस आदमी ने कहा, किसलिए हैं? मुझे पता नहीं। रामकृष्ण ने कहा, पागल, तू गंगा में डूबेगा, पाप बाहर निकल कर झाड़ों पर बैठ जाएंगे। फिर निकलेगा पानी से कि नहीं? वे झाड़ों पर बैठे रास्ता देखेंगे कि बेटे निकलो और हम तुम पर फिर सवार हो जाएं! वे झाड़ इसीलिए हैं गंगा के किनारे। कब तक पानी में डूबे रहोगे? निकलोगे तो!

बेकार मेहनत मत करो, रामकृष्ण ने उससे कहा, तुमको भी तकलीफ होगी, गंगा को भी, पापों को भी, वृक्षों को भी। इस सस्ती तरकीब से कुछ हल नहीं है।

लेकिन हम सब सस्ती तरकीबें खोज रहे हैं। गंगा-स्नान कर लेंगे। और गंगा-स्नान जैसे ही मामले हैं हमारे सारे। एक ऊपर से व्यक्तित्व खड़ा करने की कोशिश करते हैं--उसे झुठलाने के लिए, जो हम भीतर हैं।

टाल्सटाय एक दिन सुबह-सुबह चर्च गया। जल्दी थी, अंधेरा था अभी, रास्ते पर कोहरा पड़ रहा था, पांच ही बजे होंगे। जल्दी गया था कि अकेले में कुछ प्रार्थना कर लूंगा। जाकर देखा कि उसके पहले भी कोई आया हुआ है। अंधेरे में, चर्च के द्वार पर हाथ जोड़े हुए एक आदमी खड़ा है। और वह आदमी कह रहा है कि हे परमात्मा, मुझसे ज्यादा पापी कोई भी नहीं है। मैंने बड़े पाप किए हैं; मैंने बड़ी बुराइयां की हैं; मैंने बड़े अपराध किए हैं; मैं बिलकुल हत्यारा हूं। मुझे क्षमा करना!

टाल्सटाय ने देखा कि कौन आदमी है जो अपने मुंह से कहता है कि मैंने पाप किए, मैं हत्यारा हूं! कोई आदमी नहीं कहता। बल्कि हत्यारे से कहो कि हत्यारे हो, तो तलवार लेकर खड़ा हो जाएगा, कहेगाः किसने कहा? हत्या करने को राजी हो जाएगा, लेकिन यह मानने को राजी नहीं होगा कि मैं हत्यारा हूं। यह कौन आदमी आ गया?

टाल्सटाय धीरे-धीरे सरक कर पास पहुंच गया। आवाज पहचानी हुई मालूम पड़ी। यह तो नगर का सबसे बड़ा धनपति था! उसकी सारी बातें टाल्सटाय खड़े होकर सुनता रहा।

जब वह आदमी लौटा, टाल्सटाय को देख कर उस आदमी ने कहा, क्या तुमने मेरी बातें सुनीं?

टाल्सटाय ने कहा, मैं धन्य हो गया तुम्हारी बातें सुन कर। तुम इतने पवित्र आदमी हो कि अपने सब पाप को तुमने इस तरह खोल कर रख दिया!

उसने कहा, ध्यान रहे, यह बात किसी से कहना मत! यह मेरे और परमात्मा के

बीच थी। मुझे पता भी नहीं था कि तुम यहां खड़े हुए हो। अगर बाजार में यह बात पहुंची, तो मानहानि का मुकदमा चलाऊंगा।

टाल्सटाय ने कहा, अरे, अभी तो तुम कहते थे...

उसने कहा, वह सब दूसरी बात है। वह तुमसे मैंने नहीं कहा और दुनिया से कहने के लिए नहीं है। वह अपने और परमात्मा के बीच की बात है!

चूंकि परमात्मा कहीं भी नहीं है, इसलिए उसके सामने हम नंगे खड़े हो सकते हैं। लेकिन जो आदमी जगत के सामने सच्चा होने को राजी नहीं है, उसके सामने परमात्मा कभी सच्चा नहीं हो सकता है। हम अपने ही सामने सच्चे होने को राजी नहीं हैं!

लेकिन यह डर क्या है इतना? यह चारों तरफ के लोगों का इतना भय क्या है? चारों तरफ की लोगों की आंखें एक-एक आदमी को भयभीत किए हैं। हम सब मिल कर एक-एक आदमी को भयभीत किए हुए हैं। और वह आदमी इतना भयभीत क्यों है? वह किस बात की चिंता में है?

वह बाहर से फूल सजा लेने की चिंता में है। बस लोगों की आंखों में दिखाई पड़ने लगे कि मैं अच्छा आदमी हूं, बात समाप्त हो गई। लेकिन लोगों के दिखाई पड़ने से मेरे जीवन का सत्य और मेरे जीवन का संगीत प्रकट नहीं होगा। और न लोगों के दिखाई पड़ने से मैं जीवन की मूल धारा से संबंधित हो जाऊंगा। और न लोगों के दिखाई पड़ने से मेरे जीवन की जड़ों तक मेरी पहुंच हो जाएगी। बल्कि, जितना मैं लोगों की फिक्र करूंगा, उतना ही मैं शाखाओं और पत्तों की फिक्र में पड़ जाऊंगा; क्योंकि लोगों तक सिर्फ पत्ते पहुंचते हैं।

जड़ें मेरे भीतर हैं। वे जो रूट्स हैं, वे मेरे भीतर हैं। उनसे लोगों का कोई भी संबंध नहीं है। वहां मैं अकेला हूं। टोटली अलोन! वहां कोई कभी नहीं पहुंचता। वहां मैं हूं। वहां मेरे अतिरिक्त कोई भी नहीं है। वहां मुझे फिक्र करनी है।

अगर जीवन को मैं जानना चाहता हूं; और चाहता हूं कि जीवन बदल जाए, रूपांतरित हो जाए; और अगर चाहता हूं कि जीवन की परिपूर्ण शक्ति प्रकट हो जाए; और अगर चाहता हूं कि जीवन के मंदिर में प्रवेश हो जाए; मैं पहुंच सकूं उस लोक तक, जहां सत्य का आवास है--तो फिर मुझे लोगों की फिक्र छोड़ देनी पड़ेगी; वह जो क्राउड, वह जो भीड़ घेरे हुए है। जो आदमी भीड़ की बहुत चिंता करता है, वह आदमी कभी भी जीवन की दिशा में गतिमान नहीं हो पाता। क्योंकि भीड़ की चिंता बाहर की चिंता है।

लेकिन इसका यह मतलब नहीं है कि भीड़ की सारी जीवन-व्यवस्था को तोड़कर कोई चल पड़े। इसका यह मतलब नहीं है। इसका कुल मतलब यह है कि आंखें भीड़ पर न रह जाएं, आंखें अपने पर हों। इसका कुल मतलब यह है कि दूसरे की आंख में मैं न झांकूं कि मेरी तस्वीर क्या है। मैं अपने ही भीतर झांकूं कि मेरी तस्वीर क्या है! अगर मेरी सच्ची तस्वीर का मुझे पता लगाना है, तो मुझे मेरी ही आंखों के भीतर उतरना पड़ेगा।

दूसरों की आंखों में मेरा एपियरेंस है, मेरी असली तस्वीर नहीं है वहां। और उसी तस्वीर को देख कर मैं खुश हो लूंगा, उसी तस्वीर को प्रसन्न हो लूंगा। वह तस्वीर गिर जाएगी, तो दुखी हो जाऊंगा। अगर चार आदमी बुरा कहने लगेंगे, तो दुखी हो जाऊंगा। चार आदमी अच्छा कहने लगेंगे, तो सुखी हो जाऊंगा। बस इतना ही मेरा होना है?

तो मैं हवा के झोंकों पर जी रहा हूं। हवा पूरब उड़ने लगेगी, तो मुझे पूरब उड़ना पड़ेगा; हवा पश्चिम उड़ेगी, तो मुझे पश्चिम उड़ना पड़ेगा। लेकिन मैं खुद कुछ भी नहीं हूं। मेरा कोई आथेंटिक एक्झिस्टेंस नहीं है। मेरी अपनी कोई आत्मा नहीं है। मैं हवा का एक झोंका हूं। मैं एक सूखा पत्ता हूं कि हवाएं जहां ले जाएं, बस चला जाऊं; कि पानी की लहरें जहां मुझे बहाने लगें, बहूं। दुनिया की आंखें मुझ से कहें कि यह! तो वही सत्य हो जाए।

तो फिर मेरा होना क्या है? मेरी आत्मा क्या है? फिर मेरा अस्तित्व क्या है? फिर मेरा जीवन क्या है? फिर मैं एक झूठ हूं। एक बड़े नाटक का हिस्सा हूं।

और बड़े मजे की बात यह है कि जिस भीड़ से मैं डर रहा हूं, वह भी मेरे ही जैसे झूठे लोगों की भीड़ है। अजीब बात है! वे सब भी मुझ से डर रहे हैं जिनसे मैं डर रहा हूं।

हम सब एक-दूसरे से डर रहे हैं। और इस डर में हमने एक तस्वीर बना ली है जो सच्ची नहीं है। और भीतर जाने में डरते हैं कि कहीं यह तस्वीर न गिर जाए, कहीं यह तस्वीर न गिर जाए। एक बात यह है कि एक सप्रेशन, एक दमन चल रहा है। आदमी जो भीतर है, उसे दबा रहा है; और जो नहीं है, उसे थोप रहा है, उसका आरोपण कर रहा है। एक द्वंद्व, एक कांफ्लिक्ट खड़ी हो गई है। एक-एक आदमी अनेक-अनेक आदमियों में बंट गया है, मल्टी साइकिक हो गया है। एक-एक आदमी एक-एक आदमी नहीं है, चौबीस घंटे में हजार बार बदल जाता है! हर नया आदमी सामने आता है और नई तस्वीर बनती है उसकी आंख में, और वह आदमी बदल जाता है!

संभोग से समाधि की ओर

आप जरा खयाल करना, अपनी पत्नी के सामने आप दूसरे आदमी होते हो, अपने बेटे के सामने दूसरे, अपने बाप के सामने तीसरे, अपने नौकर के सामने चौथे, अपने मालिक के सामने छठवें। दिन भर आप अलग-अलग आदमी होते हो। सामने आदमी बदला, और आपको बदलना पड़ता है। क्योंकि आप तो कुछ हो ही नहीं। आप तो वह जो दूसरे की आंखें हैं उनको देख कर कुछ हो। अपने नौकर के सामने देखा है आप कितने शानदार आदमी हो जाते हो। और अपने मालिक के सामने? वह जो हालत आपके नौकर की आपके सामने होती है, वह अपने मालिक के सामने आप की हो जाती है!

आप कुछ हो या नहीं? कि हर दर्पण आपको बनाता है? जो भी सामने आ जाता है, वही आपको बना देता है! बहुत अजीब है! हम हैं?

हम हैं ही नहीं शायद। हम एक अभिनय हैं, एक एक्टिंग। सुबह से सांझ तक अभिनय चल रहा है। सुबह कुछ हैं, दोपहर कुछ हैं, सांझ कुछ हैं। जरा खीसे में पैसे हों, तब आप वही आदमी रह जाते हैं? बिलकुल दूसरे आदमी हो जाते हैं। जब पैसे नहीं होते खीसे में, तब बिलकुल दूसरे आदमी हो जाते हैं। जान ही निकल जाती है भीतर से। आदमी और हो गए।

जरा पद पर देखें किसी को, किसी मिनिस्टर को देखें। और फिर वह मिनिस्टर न रह जाए, तब उसको देखें। जैसे कि कपड़े की क्रीज निकल गई हो। सब खत्म। आदमी गया। आदमी था ही नहीं।

मैंने सुना है, जापान में एक फकीर था एक गांव में, एक सुंदर युवा। था वह फकीर। सारा गांव उसे श्रद्धा करता और आदर देता।

लेकिन एक दिन सारी बात बदल गई। गांव में अफवाह उड़ी कि उस फकीर से किसी स्त्री को बच्चा रह गया। वह बच्चा पैदा हुआ है। उस स्त्री ने अपने बाप को कह दिया है कि उस फकीर का बच्चा है, यह फकीर उसका बाप है।

सारा गांव टूट पड़ा उस फकीर पर। जाकर उसकी झोपड़ी में आग लगा दी। सुबह सर्दी के दिन थे, वह बाहर बैठा था। उसने पूछा कि मित्रो, यह क्या कर रहे हो? क्या बात है?

तो जाकर उन्होंने उस बच्चे को उसके ऊपर पटक दिया और कहा, हमसे पूछते हो क्या बात है? यह बेटा तुम्हारा है!

उस फकीर ने कहा, इज़ इट सो? ऐसी बात है? अब जब तुम कहते हो तो ठीक ही कहते होओगे। क्योंकि भीड़ तो कुछ गलत कहती ही नहीं, भीड़ तो हमेशा सच ही

कहती है। अब जब तुम कहते हो तो ठीक ही कहते होओगे।

वह बेटा रोने लगा, तो वह उसे समझाने लगा। गांव भर के लोग गालियां देकर वापस लौट आए उस बच्चे को उसी के पास छोड़ कर।

फिर दोपहर को जब वह भीख मांगने निकला, तो उस बच्चे को लेकर भीख मांगने निकला गांव में। कौन उसे भीख देगा? आप भीख देते? कोई उसे भीख नहीं देगा। जिस दरवाजे पर गया, दरवाजे बंद हो गए। उस रोते हुए छोटे बच्चे को लेकर उस फकीर का उस गांव से गुजरना--बड़ी अजीब सी हालत रही होगी। बच्चों की, लोगों की भीड़ उसके पीछे गालियां देती हुई।

फिर वह उस दरवाजे के सामने पहुंचा, जिसकी बेटी का यह लड़का है। और उसने उस दरवाजे के सामने आवाज लगाई कि कसूर मेरा होगा इसका बाप होने में, लेकिन इसका मेरे बेटे होने में तो कोई कसूर नहीं हो सकता। बाप होने में मेरी गलती होगी, लेकिन इसकी तो कोई गलती नहीं हो सकती। कम से कम इसे तो दूध मिल जाए।

वह लड़की द्वार पर खड़ी थी। उसके प्राण कंप गए! फकीर को भीड़ में घिरा हुआ, पत्थर खाते हुए देख कर--वह उस बच्चे को बचा रहा है, उसके माथे से खून बह रहा है--सच्ची बात छिपाना मुश्किल हो गई। उसने अपने बाप के पैर पकड़ कर कहा कि क्षमा करें, इस फकीर को तो मैं पहचानती भी नहीं। सिर्फ इसके असली बाप को बचाने के लिए मैंने इस फकीर का झूठा नाम ले लिया! वह बाप आकर फकीर के पैरों पर गिर पड़ा और बच्चे को छीनने लगा और कहा, क्षमा कर दें।

उस फकीर ने पूछा, लेकिन बात क्या है? बेटे को छीनते क्यों हो? उसके बाप ने कहा--लड़की के बाप ने--कि आप कैसे नासमझ हैं! आपने सुबह ही क्यों न बताया कि यह बेटा आपका नहीं है? आप छोड़ दें, यह बेटा आपका नहीं है, हमसे भूल हो गई। वह फकीर कहने लगा, इज़ इट सो? बेटा मेरा नहीं है? पर तुम्हीं तो सुबह कहते थे कि तुम्हारा है। और भीड़ तो कभी झूठ बोलती नहीं। अब तुम जब बोलते हो कि नहीं है मेरा, तो नहीं होगा।

लेकिन लोग कहने लगे कि तुम कैसे पागल हो! तुमने सुबह कहा क्यों नहीं कि बेटा तुम्हारा नहीं है? तुम इतनी निंदा और अपमान झेलने को राजी क्यों हुए?

वह फकीर कहने लगा, मैंने तुम्हारी कभी चिंता नहीं की कि तुम क्या सोचते हो। तुम आदर देते हो कि अनादर। तुम श्रद्धा देते हो कि निंदा। मैंने तुम्हारी आंखों की तरफ देखना बंद कर दिया है। क्योंकि मैं अपनी तरफ देखूं कि तुम्हारी आंखों की

संभोग से समाधि की ओर

तरफ देखूं! और जब तक मैंने तुम्हारी तरफ देखा, तब तक अपने को देखना मुश्किल था। क्योंकि तुम्हारी आंख तो प्रतिपल बदल रही है, और हर आदमी की आंख अलग है, ये हजार-हजार दर्पण हैं, मैं किस-किस में झांकूं? मैंने अपने में ही झांकना शुरू कर दिया है। अब मुझे फिक्र नहीं कि तुम क्या कहते हो। अगर तुम कहते हो बेटा मेरा, तो सही, मेरा ही होगा। किसी का तो होगा! मेरा ही सही। अब तुम कहते हो, नहीं। तुम्हारी मर्जी, नहीं होगा मेरा। लेकिन मैंने तुम्हारी आंखों में देखना बंद कर दिया है।

और वह फकीर कहने लगा, मैं तुमसे भी कहता हूं कि कब वह दिन आएगा कि तुम दूसरों की आंखों में देखना बंद करोगे और अपनी तरफ देखना शुरू करोगे?

यह दूसरा सूत्र आपसे कहना चाहता हूं जीवन-क्रांति का : मत देखें दूसरों की आंखों में कि आप क्या हैं।

वहां जो भी तस्वीर बन रही है, वह आपके वस्त्रों की तस्वीर है, वह आपकी दिखावट है, वह आपका नाटक है, वह आपकी एक्टिंग है--वह आप नहीं हैं! क्योंकि आप तो अभी प्रकट ही नहीं हो सके जो आप हैं, उसकी तस्वीर कैसे बनेगी! आपने जो दिखाना चाहा है, वह दिख रहा है। लेकिन आप क्या हैं, उस द्वार से ही जीवन की यात्रा होगी।

भीड़ से बचना धार्मिक आदमी का पहला कर्तव्य है। लेकिन भीड़ से बचने का मतलब नहीं कि जंगल भाग जाएं। भीड़ से बचने का मतलब क्या है? समाज से मुक्त होना धार्मिक आदमी का पहला लक्षण है, लेकिन समाज से मुक्त होने का क्या मतलब है?

समाज से मुक्त होने का मतलब नहीं है कि एक आदमी भाग जाए जंगल में। वह समाज से मुक्त होना नहीं है। वह समाज की ही धारणा है संन्यासी की कि जो आदमी गांव छोड़ कर भाग जाता है, समाज उसको आदर देता है। वह समाज से भागना नहीं है। वह समाज की ही धारणा का, समाज के ही दर्पण में अपना चेहरा देखना है।

गेरुआ वस्त्र पहन कर खड़े हो जाना संन्यासी हो जाना नहीं है। वह समाज की आंखों में दर्पण बनाना है, उस दर्पण में अपना प्रतिबिंब देखना है। वह गेरुआ वस्त्र उनकी आंखों में दिखाई पड़ने लगता है, जो आदर देते हैं। अगर गेरुआ वस्त्र को आप आदर देना बंद कर दें, फिर मैं गेरुआ वस्त्र नहीं पहनूंगा।

वह मैं आपकी आंखों में देखता हूं कि क्या आदर लाता है? अगर समाज आदर देता है एक आदमी को पत्नी और बच्चों को छोड़ कर भाग जाने के लिए, तो आदमी

भाग जाता है। यहां भी वह समाज की आंखों में देख रहा है।नहीं, यह समाज को छोड़ना नहीं है।

समाज को छोड़ने का अर्थ है : समाज की आंखों में अपने प्रतिबिंब को देखना बंद कर दें।

अगर जिंदगी में कोई भी क्रांति चाहिए, तो लोगों की, भीड़ की आंखों को दर्पण न समझें। वे धोखे के स्थान हैं, जहां वस्त्र दिखाई पड़ते हैं।

लेकिन इस दुनिया में वस्त्रों की कीमत है। और अगर बाहर की यात्रा करनी है, तो फिर मेरी बात कभी मत मानना। नहीं तो बाहर की यात्रा बहुत मुश्किल हो जाएगी। इस दुनिया में वस्त्रों की कीमत है, आत्माओं की कोई कीमत नहीं है।

मैंने सुना है, कवि गालिब को एक दफा बहादुर शाह ने निमंत्रण दिया था। सम्राट ने बुलाया था कि आओ भोजन को। गालिब था गरीब आदमी।

अब तक ऐसी दुनिया नहीं बन सकी कि कवि के पास भी खाने-पीने को पैसा हो सके। यह नहीं हो सका। अच्छे आदमी को रोटी जुटानी अभी भी बहुत मुश्किल है।

गालिब तो गरीब आदमी था। कविताएं लिखी थीं ऊंची, तो ऊंची कविताओं से क्या होता है? रोटियां तो नहीं आतीं। कपड़े फटे-पुराने थे। मित्रों ने कहा, बादशाह के वहां जा रहे हो, इन कपड़ों से नहीं चलेगा। बादशाहों के महल कपड़ों को पहचानते हैं। गरीब के घर में यह भी हो सकता है कि कभी बिना कपड़ों के भी चल जाए, लेकिन बादशाहों के महल में कपड़े पहचाने जाते हैं। मित्रों ने कहा कि हम उधार कपड़े ला देते हैं, तुम पहन कर चले जाओ। जरा आदमी तो मालूम पड़ोगे।

गालिब ने कहा, उधार कपड़े! यह तो बड़ी बुरी बात होगी कि मैं किसी और के कपड़े पहन कर जाऊं। मैं जैसा हूं, हूं। किसी और के कपड़े पहनने से क्या फर्क पड़ जाएगा? मैं तो मैं ही रहूंगा।

मित्रों ने कहा, छोड़ो ये फलसफे की बातें। इन तत्व-दर्शन की बातों से वहां दरवाजे पर नहीं चलेगा। हो सकता है पहरेदार वापस लौटा दें! भिखमंगे मालूम पड़ते हो।

गालिब ने कहा, मैं तो जो हूं, हूं। गालिब को बुलाया है, कपड़ों को तो नहीं बुलाया। गालिब जाएगा।

नासमझ। कहना चाहिए नादान। नहीं माना गालिब और चला गया।

दरवाजे पर जाकर जाने लगा तो द्वारपाल ने बंदूक आड़ी कर दी और कहा, कहां

भीतर जाते हो ?

गालिब ने कहा कि मैं महाकवि गालिब हूं। सुना है नाम कभी ? सम्राट ने बुलाया है। सम्राट का मित्र हूं, भोजन पर बुलाया है।

उस सिपाही ने कहा, हटो रास्ते से ! दिन भर जो भी ऐरा-गैरा आता है, सम्राट का मित्र ही बताता है अपने को ! रास्ते से चलो अपने, नहीं उठा कर बंद करवा दूंगा।

गालिब ने कहा, क्या बातें कहते हो ! मुझे पहचानते नहीं ? उसने कहा, तुम्हारे कपड़े बता रहे हैं कि तुम कौन हो ! फटे जूते बता रहे हैं कि तुम कौन हो ! अपनी शक्ल देखो आईने में जाकर कि कौन हो !

गालिब दुखी वापस लौट गया। मित्रों से कहा कि तुम ठीक कहते थे, वहां कपड़े पहचाने जाते हैं। ले आओ उधार कपड़े कहां हैं। मित्रों ने कपड़े लाकर रखे थे ! उधार कपड़े पहन कर गालिब फिर पहुंच गया। वही द्वारपाल झुक-झुक कर नमस्कार करने लगा कि आइए। गालिब बहुत हैरान कि कैसी दुनिया है !

भीतर गया तो बहादुर शाह ने कहा, मैं बड़ी देर से प्रतीक्षा कर रहा हूं !

गालिब हंसने लगा, कुछ बोला नहीं। फिर भोजन लगा दिया गया। सम्राट खुद भोजन के लिए सामने बैठा--भोजन कराने के लिए। गालिब ने भोजन का कौर बनाया, अपने कोट को खिलाने लगा, कि ले कोट खा ! पगड़ी को खिलाने लगा, कि ले पगड़ी खा !

सम्राट ने कहा, आपके भोजन करने की बड़ी अजीब तरकीबें मालूम पड़ती हैं। यह कौन सी आदत ? यह आप क्या कर रहे हैं ?

गालिब ने कहा कि मैं तो आया था और लौट चुका। अब कपड़े आए हैं उधार। अब जो आए हैं, उन्हीं को भोजन करा रहा हूं !

बाहर की दुनिया में कपड़े चलते हैं। बाहर की दुनिया में कपड़े ही चलते हैं ! वहां आत्माओं का चलना बहुत मुश्किल है। क्योंकि बाहर जो भीड़ इकट्ठी है, वह कपड़े वालों की भीड़ है। वहां आत्मा को चलाने की बात तपश्चर्या हो जाती है।

लेकिन वहां जीवन नहीं मिलता। वहां हाथ में कपड़े और लाश रह जाती है अकेली। वहां जिंदगी नहीं मिलती, राख। वहां आखिर में जिंदगी की कुल संपदा राख होती है--जली हुई। अखबार की कटिंग रख लेना साथ में, तो बात अलग है। मरते वक्त अखबार में क्या-क्या छपा था, उसको रख ले कोई साथ, तो बात अलग है। लेकिन मुट्ठी में अखबार भी राख हो जाएगा।

जीवन ही चूक जाता है। जीवन है भीतर। और भीतर वे ही मुड़ सकते हैं, जो

दूसरों की आंखों में देखने की कमजोरी छोड़ देते हैं और अपनी आंखों के भीतर झांकने का साहस जुटाते हैं।

इसलिए दूसरा सूत्र है : भीड़ से सावधान! बीवेअर ऑफ दि क्राउड!

वह चारों ओर से घेरे हुए है भीड़। और जिंदा लोगों की भीड़ ही नहीं घेरे हुए है, मुर्दों की भीड़ भी घेरे हुए है। करोड़ों-करोड़ों वर्षों से जो भीड़ इकट्ठी होती चली गई है सारी दुनिया में, उसका दबाव है चारों तरफ से। और एक-एक आदमी की छाती पर वह सवार है, और एक-एक आदमी उनकी आंखों में देख कर अपने को बना रहा है, सजा रहा है। वह भीड़ जैसा कहती है, वैसा होता चला जाता है। फिर उसकी अपनी आत्मा कभी पैदा नहीं हो पाती। उसके जीवन के बीज में कभी अंकुर नहीं आ पाता। क्योंकि कभी वह अपने बीज की तरफ ध्यान ही नहीं देता है। बीज की तरफ उसकी आंख ही नहीं जाती। उसके प्राणों की धारा ही कभी प्रवाहित नहीं होती उस तरफ।

दुनिया में जिन्हें भीतर की तरफ जाना है, उन्हें बाहर की चिंता थोड़ी छोड़ देनी पड़ती है--कौन क्या कहता है? कौन क्या सोचता है?

नहीं, सवाल यह नहीं है कि मैं क्या हूं, इस संबंध में कौन क्या सोचता है। सवाल यह है कि मैं क्या हूं और मैं क्या जानता हूं? अगर जीवन में क्रांति लानी है तो सवाल यह है कि मैं क्या हूं? मैं क्या पहचानता हूं अपने को?

और स्मरण रहे, जो आदमी अपने भीतर पहचानना शुरू करता है, उसके भीतर बदलाहट उसी क्षण शुरू हो जाती है। क्योंकि भीतर जो गलत है, उसे पहचान कर बरदाश्त करना मुश्किल है, असंभव है। अगर पैर में कांटा गड़ा है, तो वह तभी तक गड़ा रह सकता है जब तक उसका हमें पता नहीं है। जैसे ही पता चला, पैर से कांटे को निकालना मजबूरी हो जाएगी।

एक बच्चा स्कूल के मैदान पर खेल रहा हो--हाकी खेल रहा हो। पैर में चोट लग गई हो, खून बह रहा हो। उसे पता नहीं चलेगा, वह हाकी में संलग्न है, वह आक्युपाइड है। उसकी सारी अटेंशन, उसका सारा ध्यान हाकी पर लगा हुआ है। वह जो गोल करना है, उस पर अटका हुआ है; वे जो चारों तरफ खिलाड़ी हैं, उनसे अटका हुआ है; वह जो प्रतियोगिता चल रही है, उसमें उलझा हुआ है। उसे पता भी नहीं कि उसके पैर में खून बह रहा है।

वह दौड़ता रहेगा, दौड़ता रहेगा...खेल बंद हो जाएगा, और अचानक खयाल आएगा कि पैर से खून बह रहा है! लेकिन खून बहुत देर से बह रहा है, इतनी देर से पता नहीं चला? अब वह भागेगा और मलहम-पट्टी करेगा। लेकिन इतनी देर पता

संभोग से समाधि की ओर

नहीं चला? तब तक सवाल ही नहीं था।

हम बाहर देख रहे हैं। गोल करना है, वह देख रहे हैं। प्रतियोगिता चल रही है, वह देख रहे हैं। लोगों की आंख में देख रहे हैं। हमें पता ही नहीं चलता कि भीतर कितने कांटे हैं और कितने घाव हैं! भीतर पता नहीं चलता, कितना अंधकार है! भीतर पता नहीं चलता, कितनी बीमारियां हैं! उलझे रहें, उलझे रहें, जिंदगी बीत जाएगी और पता नहीं चलेगा।

एक बार हटाएं आंख बाहर से और भीतर के घावों को देखें! और मैं आपसे कहता हूं, उन्हें देखना उनके बदलने का पहला सूत्र है। वहां दिखाई पड़ा कि फिर आप बरदाश्त नहीं कर सकते। फिर आपको बदलना ही पड़ेगा।

और बदलना कठिन नहीं है। क्योंकि जो दुख दे रहा है, उसे बदलना कभी भी कठिन नहीं होता, सिर्फ भूले रखना आसान है। बदलना कठिन नहीं है, लेकिन भूले रखना बहुत आसान है। और जब तक भूला रहे, तब तक जीवन में कोई क्रांति नहीं होगी।

जीवन की क्रांति का दूसरा सूत्र है ः नहीं, दूसरों की आंखों में नहीं। अपनी आंख में, अपने भीतर, अपनी तरफ, मैं क्या हूं? यही सवाल है, यही असली समस्या है व्यक्ति के सामने कि मैं क्या हूं? जैसा भी हूं, उसको ही देखना है और साक्षात करना है।

लेकिन हम? हमें पता ही नहीं। कोई हमसे पूछे कि आप कौन हैं? तो हम कहेंगे--फलां आदमी का बेटा हूं, फलां मोहल्ले में रहता हूं, फलां गांव में रहता हूं। यही परिचय है हमारा। ये लेबल जो हम ऊपर से चिपकाए हुए हैं, यह हमारी पहचान है, यह हमारी जिंदगी का सबूत है, यह हमारी जिंदगी का प्रमाण है, यह हमारी जानकारी है अपने बाबत। पता ही नहीं है कि कौन जीवन-चेतना भीतर खड़ी है। ऊपर से कागज चिपकाए हुए हैं। और वे भी दूसरों के चिपकाए हुए हैं। किसी ने एक नाम चिपका दिया है। उसी नाम को जिंदगी भर लिए घूम रहे हैं। उस नाम को कोई गाली दे दे तो लड़ने को तैयार हो जाएंगे। बड़े पागल हैं, लेबलों को भी गाली देने से लड़ने की तैयारी करनी पड़ती है!

स्वामी राम अमेरिका गए थे। वहां के लोग बड़ी मुश्किल में पड़ गए। क्योंकि राम को कुछ लोगों ने गालियां दीं, तो राम ने मित्रों को आकर कहा कि आज बड़ा मजा हो गया, बाजार में कुछ लोग मिल गए और राम को खूब गालियां देने लगे। हम भी खड़े सुनते रहे।

लोगों ने कहा, आप पागल हो गए हैं! राम को गालियां देते रहे? कौन राम?

स्वामी राम ने कहा कि यह राम, जिसको लोग राम कहते हैं। कुछ लोगों ने घेर लिया और बेटे को बहुत गालियां देने लगे। हम भी खड़े होकर देखते रहे कि राम को अच्छी गालियां पड़ रही हैं।

अब हम राम हों तो झगड़े में पड़ें। हम तो राम नहीं हैं। हम तो जो हैं, उसका कोई नाम नहीं है। नाम तो किसी का दिया हुआ है। वह तो समाज का दिया हुआ है, हमारा दिया हुआ तो नहीं है। हम तो कुछ और हैं। जब नाम नहीं था, तब भी थे। जब नाम नहीं रह जाएगा, तब भी होंगे।

अभी भी रात सो जाते हैं--नाम मिट जाता है, समाज भी मिट जाता है--फिर भी हम होते हैं।

आप मिट जाते हैं रात? न पत्नी रह जाती, न बेटा रह जाता आपका, न घर रह जाता, न धन-दौलत रह जाती, न पद-प्रतिष्ठा रह जाती, फिर भी आप रह जाते हैं। सब मिट जाता है। वह जो सोसायटी देती है, वह बाहर ही छूट जाता है। वह भीतर जाता ही नहीं। मरने के वक्त भी भीतर नहीं जाएगा। और ध्यान के वक्त भी भीतर नहीं जाएगा। वह जो समाज देता है, वह बाहर है, और बाहर ही रह जाता है। लेकिन हम इस बाहर को अपना व्यक्तित्व समझे हुए हैं! वह भूल से मुक्त होना जरूरी है। अन्यथा कोई व्यक्ति जीवन की यात्रा पर एक कदम आगे नहीं बढ़ सकता है।

सुबह मैंने एक सूत्र कहा है: सिद्धांतों से मुक्त हो जाएं। जो सिद्धांतों से बंधा है, वह जीवन के रास्ते पर नहीं जाएगा।

दूसरा सूत्र कहता हूं: भीड़ से मुक्त हो जाएं। जो भीड़ का गुलाम है, वह कभी भी जीवन के रास्ते पर नहीं जाता है।

आने वाले दिनों में और कुछ सूत्र कहूंगा। इन सूत्रों को सुनें, लेकिन सुनने भर से कुछ होने वाला नहीं है। थोड़ा सा भी प्रयोग करेंगे, तो एक द्वार खुलेगा, कुछ दिखाई पड़ना शुरू होगा।

धर्म एक नगद प्रक्रिया है। धर्म एक जीवित विज्ञान है।

जो प्रयोग करता है, वह रूपांतरित हो जाता है; और उपलब्ध होता है उस सबको, जिसे पाए बिना हम व्यर्थ जीते हैं और व्यर्थ मर जाते हैं; और जिसे पा लेने पर जीवन एक धन्यता हो जाती है; और जिसे पा लेने पर जीवन कृतार्थ हो जाता है; और जिसे पा लेने पर सारा जगत परमात्मा में रूपांतरित हो जाता है।

क्योंकि जिस दिन भीतर दिखाई पड़ता है कि परमात्मा है, उसी दिन यह भ्रम

मिट जाता है कि बाहर कोई और है। फिर वही रह जाता है। जो भीतर दिखाई पड़ता है, वही बाहर भी प्रमाणित हो जाता है।

और जगत के मूल सत्य को जान लेना, जीवन को अनुभव कर लेना है। और जीवन को अनुभव कर लेना मृत्यु के ऊपर उठ जाना है। फिर कोई मृत्यु नहीं है। जीवन की कोई मृत्यु नहीं है।

जो मरता है, वह समाज के द्वारा दिया गया झूठा व्यक्तित्व। जो मरता है, वह प्रकृति के द्वारा दिया गया झूठा शरीर।

जो नहीं मरता है, वह जीवन है। लेकिन उसका हमें कोई पता नहीं है !

पहले समाज से हटें--समाज के झूठे व्यक्तित्व से हटें।

फिर प्रकृति के दिए गए व्यक्तित्व से हटेंगे। उसकी कल मैं बात करूंगा कि प्रकृति के दिए गए शरीर से कैसे हटें। और फिर हम वहां पहुंच सकते हैं, जहां जीवन है।

मेरी बातों को इतने प्रेम और शांति से सुना, उससे बहुत अनुगृहीत हूं। और अंत में सबके भीतर बैठे परमात्मा को प्रणाम करता हूं, मेरे प्रणाम स्वीकार करें।

17

दमन से मुक्ति

मेरे प्रिय आत्मन्!

जीवन-क्रांति के सूत्र, इस चर्चा के तीसरे सूत्र पर आज आपसे बात करनी है।

पहला सूत्र: सिद्धांत, शास्त्र और वाद से मुक्ति।

दूसरा सूत्र: भीड़ से, समाज से--दूसरों से मुक्ति।

और तीसरा सूत्र आज। इस तीसरे सूत्र को समझने के लिए मन का एक बहुत अदभुत राज समझ लेना आवश्यक है। मन की बड़ी अदभुत प्रक्रिया है, साधारणतः पहचान में न पड़े ऐसी।

और वह प्रक्रिया यह है कि मन को जिस ओर से बचाने की कोशिश की जाए, मन उसी ओर जाना शुरू हो जाता है; जहां से मन को हटाया जाए, मन वहीं पहुंच जाता है; जिस तरफ पीठ की जाए, मन के सामने वही सदा के लिए उपस्थित हो जाता है।

निषेध मन के लिए निमंत्रण है, विरोध मन के लिए बुलावा है।

और मनुष्य-जाति इस नियम को बिना समझे आज तक जीने की कोशिश की है!

फ्रायड ने अपनी जीवन-कथा में एक छोटा सा उल्लेख किया है। लिखा है उसने कि एक संध्या विएना के बगीचे में वह अपनी पत्नी और अपने छोटे बेटे के

साथ घूमने गया। देर तक फ्रायड अपनी पत्नी से बातचीत करता रहा, टहलता रहा। फिर सांझ हो गई, द्वार बंद होने लगे बगीचे के, तो वे दोनों बगीचे के द्वार पर आए, तब पत्नी को खयाल आया कि उनका बेटा तो न मालूम कितनी देर से उन्हें छोड़ कर चला गया है! इतने बड़े बगीचे में वह पता नहीं कहां होगा! द्वार बंद होने के करीब हैं, उसे कहां खोजूं? फ्रायड की पत्नी चिंतित हो गई और घबड़ा गई।

फ्रायड ने कहा, घबड़ाओ मत! एक प्रश्न मैं पूछता हूं, तुमने उसे कहीं जाने को मना तो नहीं किया? अगर मना किया हो तो सौ में निन्यानबे मौके तुम्हारे बेटे के उसी जगह होने के हैं, जहां तुमने मना किया हो।

उसकी पत्नी ने कहा, मैंने मना किया था कि फव्वारे पर मत पहुंच जाना।

फ्रायड ने कहा, अगर तुम्हारे बेटे में थोड़ी भी बुद्धि है, तो वह फव्वारे पर होगा।

कई बेटे ऐसे भी होते हैं, जिनमें बुद्धि नहीं होती। उनका हिसाब रखना फिजूल है।

पत्नी बहुत हैरान हुई। वे गए दोनों भागे हुए, वह बेटा फव्वारे पर पैर लटकाए हुए पानी से खिलवाड़ करता था।

फ्रायड की पत्नी उससे कहने लगी, बड़ा आश्चर्य! तुमने कैसे पता लगा लिया कि बेटा वहां होगा?

फ्रायड ने कहा, आश्चर्य इसमें कुछ भी नहीं। जहां रोका जाए जाने से मन को, मन वहां जाने के लिए आकर्षित हो जाता है। जहां कहा जाए, मत जाओ! वहां एक छिपा हुआ रस, एक रहस्य शुरू हो जाता है।

फ्रायड ने कहा, यह तो आश्चर्य नहीं है कि मैंने तुम्हारे बेटे का पता लगा लिया, आश्चर्य यह है कि मनुष्य-जाति इस छोटे से सूत्र का पता अब तक नहीं लगा पाई है! और सच ही मनुष्य-जाति अब तक इस छोटे से सूत्र का पता नहीं लगा पाई। और इस छोटे से सूत्र को बिना जाने जीवन का कोई रहस्य कभी उदघाटित नहीं हो सकता। इस छोटे से सूत्र का पता न होने के कारण मनुष्य-जाति ने अपना सारा धर्म, सारी नीति, सारी समाज की व्यवस्था सप्रेशन पर, दमन पर खड़ी की है।

मनुष्य का जो व्यक्तित्व हमने खड़ा किया है, वह दमन पर खड़ा है, दमन उसकी नींव है।

और दमन पर खड़ा हुआ आदमी लाख उपाय करे, जीवन की ऊर्जा का साक्षात्कार उसे कभी नहीं हो सकता। क्योंकि जिस-जिस का उसने दमन किया है, मन उसी से उलझा-उलझा नष्ट हो जाता है।

थोड़ा सा प्रयोग करें, और पता चल जाएगा। किसी बात से मन को बचाने की कोशिश करें, और पाएंगे मन उसी बात के आस-पास घूमने लगा। किसी विचार को भूलने की कोशिश करें, और वही भूलने की कोशिश उस बात को स्मरण करने का आधार बन जाएगी। किसी तत्व को, किसी विचार को, किसी स्मृति को, किसी इमेज को, किसी प्रतिमा को मन से निकालने की कोशिश करें, और मन के मंदिर में वही प्रतिमा विराजमान हो जाएगी।

लड़ें और देखें, और पाएंगे कि जिससे लड़ेंगे, उसी से हार जाएंगे; जिससे भागेंगे, वही पीछा करेगा। जैसे छाया पीछा करती है। भागते चले जाएं, और छाया उतनी ही तेजी से पीछा करती है।

मन को हम भगा रहे हैं। और मन को हमने इतनी जगह से भगाया है कि हम यह भूल ही गए हैं अब कि मन को कहां होना चाहिए। मन वहीं-वहीं हो गया है, जहां-जहां हमने उसे इनकार किया है; जहां-जहां हमने द्वार बंद किए हैं, मन वहीं दस्तक दे रहा है।

क्रोध से लड़ें--और मन क्रोध के पास ही खड़ा हो जाएगा। हिंसा से लड़ें--और मन हिंसक हो जाएगा। मोह से लड़ें--और मन मोह से बंध जाएगा। लोभ से लड़ें-- और मन लोभ में गिर जाएगा। धन से लड़ें--और मन धन के प्रति ही पागल हो उठेगा। काम से लड़ें, सेक्स से लड़ें--और मन सेक्सुअल हो जाएगा, कामुक हो जाएगा। जिससे लड़ेंगे, मन वही हो जाएगा। यह बड़ी अजीब बात है! जिसको दुश्मन बनाएंगे, मन पर उस दुश्मन की ही प्रतिछवि अंकित हो जाएगी।

मित्रों को मन भूल जाता है, शत्रुओं को मन कभी भी नहीं भूलता है।

लेकिन यह हो सकता है कि जिससे हम लड़ें, मन उसके साथ ढल जाए, लेकिन उसकी शक्ल बदल ले, नाम बदल ले।

मैंने सुना है, एक गांव में एक बहुत क्रोधी आदमी था। इतना क्रोधी कि उसने अपनी पत्नी को धक्का देकर कुएं में गिरा दिया। जब पत्नी मर गई और उसकी लाश निकाली गई, तो वह क्रोधी आदमी जैसे एक नींद से जाग गया! उसे याद आया कि उसने जिंदगी में सिवाय क्रोध के और कुछ भी नहीं किया! इस दुर्घटना में वह एकदम सचेत हो गया। उसे बड़ा पश्चात्ताप हुआ।

गांव में एक मुनि आए थे। वह मुनि के दर्शन को गया और उनके चरणों में सिर रख कर रोया, और उसने कहा कि मैं इस क्रोध से कैसे छुटकारा पाऊं? क्या रास्ता है? मैं कैसे इस क्रोध से बचूं?

मुनि ने कहा कि संन्यासी हो जाओ। छोड़ दो वह सब, जो तुम कल तक पकड़े थे।

लेकिन मजा यह है कि जिसे छोड़ो, छोड़ने के कारण ही वह और पकड़ जाता है। लेकिन वह थोड़ी गहरी बात है, वह एकदम से दिखाई नहीं पड़ती!

कहा, छोड़ दो सब! क्रोध को भी छोड़ दो! संन्यासी हो जाओ, शांत हो जाओ! अब कोई क्रोध को छोड़ सकता है?

वह आदमी संन्यासी हो गया। उसने तत्क्षण वस्त्र फेंक दिए और नग्न हो गया! और उसने कहा कि मुझे दीक्षा दें इसी क्षण!

मुनि बहुत हैरान हुए। बहुत लोग उन्होंने देखे थे, ऐसा संकल्पवान आदमी नहीं देखा था जो इतनी शीघ्रता से संन्यासी हो जाए। उन्होंने कहा कि तू अदभुत है! तेरा संकल्प महान है! तेरा संयम महान है! तू इतनी शीघ्रता से संन्यासी होने को तैयार हो गया है सब छोड़ कर!

लेकिन मुनि को भी पता नहीं कि यह क्रोध ही है। यह क्रोध का ही दूसरा रूप है। वह आदमी, जो अपनी पत्नी को एक क्षण में धक्का दे सकता है, वह एक क्षण में नंगा खड़ा होकर संन्यासी भी हो सकता है। इन दोनों बातों में विरोध नहीं है। ये एक ही क्रोध के दो रूप हैं।

मुनि बहुत प्रभावित हुए थे। उन्होंने उसे दीक्षा दे दी और उसका नाम रख दिया--शांतिनाथ।

वह मुनि शांतिनाथ हो गया। और भी शिष्य थे मुनि के, लेकिन उस मुनि शांतिनाथ का मुकाबला करना बहुत मुश्किल था, क्योंकि उतना क्रोधी उनमें कोई भी नहीं था। दूसरे दिन में एक बार भोजन करते, तो शांतिनाथ दो-दो दिन तक भोजन नहीं करते।

क्रोधी आदमी कुछ भी कर सकता है!

दूसरे सीधे रास्ते से चलते थे, तो मुनि शांतिनाथ उलटे, कांटों भरे रास्ते पर चलते! दूसरे छाया में बैठते थे, तो मुनि शांतिनाथ धूप में खड़े रहते! सूख गया शरीर, कृश हो गया, काला पड़ गया, पैर में घाव पड़ गए; लेकिन मुनि की कीर्ति फैलनी शुरू हो गई, कि मुनि महान तपस्वी हैं।

वह सब क्रोध ही था, जो स्वयं पर लौट आया था। वह क्रोध था, जो दूसरों पर प्रकट होता रहा था, अब वह अपने पर ही प्रकट हो रहा था।

सौ में से निन्यानबे तपस्वी स्वयं पर लौटे हुए क्रोध का परिणाम होते हैं। दूसरों

को सताने की चेष्टा रूपांतरित होकर खुद को सताने की चेष्टा भी बन सकती है। असल में, सताने की इच्छा असली सवाल है। किसको सताने का, यह बड़ा सवाल नहीं है। दूसरों को भी सताया जा सकता है, खुद को भी सताया जा सकता है। सताने में मजा है, क्रोधी आदमी का रस है।

अब उसने दूसरों को सताना बंद कर दिया था, क्योंकि दूसरे तो थे ही नहीं; अब तो वही था, अपने को ही सता रहा था। और पहली बार एक नई घटना घटी थी: दूसरों को सताने में लोग अपमान करते थे, खुद को सताने में लोग सम्मान करने लगे थे! लोग कहते थे महातपस्वी!

मुनि की कीर्ति फैलती गई। जितनी कीर्ति फैलती गई, मुनि अपने को उतना ही टार्चर, उतना ही अपने साथ दुष्टता करते चले गए। जितनी उन्होंने दुष्टता की, उतना यश, उतना सम्मान। दो-चार वर्षों में ही गुरु से भी ज्यादा उनकी प्रतिष्ठा हो गई।

फिर वे देश की राजधानी में आए। मुनियों को देश की राजधानी में जाना बहुत जरूरी रहता है। अगर आप संन्यासियों को खोजना चाहते हों तो हिमालय जाने की कोई जरूरत नहीं है, देश की राजधानियों में चले जाइए और वहां सब मुनि और सब संन्यासी अड्डा जमाए हुए मिल जाएंगे।

वे मुनि भी राजधानी की तरफ चले। राजधानी में पुराना एक मित्र रहता था। उसे खबर मिली, वह बहुत हैरान हुआ कि जो आदमी इतना क्रोधी था, वह शांतिनाथ हो गया! चमत्कार है! जाऊं, दर्शन करूं।

वह मित्र दर्शन करने आया। मुनि अपने तखत पर सवार थे। देख लिया, मित्र को पहचान भी गए। लेकिन जो लोग भी तखत पर सवार हो जाते हैं, वे कभी किसी को आसानी से नहीं पहचानते। फिर पुराने दिनों के साथी को पहचानना ठीक भी न था। उससे हम भी कभी इसी जैसे रहे हैं, इसका पता चलता है।

देख लिया, पहचाने नहीं। मित्र भी समझ गया कि पहचान तो लिया है, लेकिन फिर भी पहचान नहीं रहे हैं। आदमी ऊपर चढ़ता ही इसलिए है कि जो पीछे छूट जाएं, उनको पहचाने न। और जब बहुत लोग उसको पहचानने लगते हैं, तो वह सबको पहचानना बंद कर देता है। पद के शिखर पर चढ़ने का रस ही यह है: तुम्हें सब पहचानें, लेकिन तुम्हें किसी को न पहचानना पड़े।

मित्र पास सरक आया और उसने पूछा कि मुनि जी, क्या मैं पूछ सकता हूं आपका नाम क्या है?

मुनि जी को क्रोध आ गया। कहा, अखबार नहीं पढ़ते हो! रेडियो नहीं सुनते

संभोग से समाधि की ओर

हो ! मेरा नाम पूछते हो ? मेरा नाम जगत-जाहिर है, मेरा नाम है मुनि शांतिनाथ !

उनके बताने का ढंग, मित्र समझ गया कि कोई बदलाहट तो नहीं हुई है, आदमी तो यह वही है, सिर्फ नग्न खड़ा हो गया है।

दो मिनट दूसरी बात चलती रही। मित्र ने फिर पूछा कि महाराज, मैं भूल गया, आपका नाम क्या है ?

मुनि की तो आंखों में आग जल उठी। उन्होंने कहा, मूढ़ ! नासमझ ! इतनी भी बुद्धि नहीं है ! अभी मैंने तुझे कहा था कि मेरा नाम मुनि शांतिनाथ है। मेरा नाम है मुनि शांतिनाथ।

मित्र, दो मिनट और दूसरी बातें चलती रहीं, सुनता रहा। फिर उसने पूछा कि महाराज, मैं भूल गया, आपका नाम क्या है ? मुनि ने डंडा उठा लिया और कहा कि सिर तोड़ दूंगा ! नाम समझ में नहीं आता ? मेरा नाम है मुनि शांतिनाथ !

तो उस मित्र ने कहा, सब समझ में आ गया। वही समझ में आने के लिए तीन-तीन बार पूछ रहा हूं। नमस्कार है ! आप वही के वही हैं, कोई फर्क नहीं पड़ा ! आप वही के वही हैं, कोई फर्क नहीं पड़ा !

दमन से कभी कोई फर्क नहीं आता है। लेकिन दमन से चीजों की शक्ल बदल जाती है। और शक्ल बदल जाना बहुत खतरनाक है, क्योंकि तब बदली हुई शक्ल में उनको पहचानना भी मुश्किल हो जाता है।

आदमी के भीतर काम हो, सेक्स हो, वासना हो, उसे पहचानना सरल है। लेकिन आदमी ब्रह्मचर्य की जबरदस्ती कोशिश में लग जाए, तो उस ब्रह्मचर्य के पीछे भी सेक्सुअलिटी होगी, कामुकता होगी; लेकिन उसको पहचानना बहुत मुश्किल हो जाएगा, क्योंकि वस्त्र बदल कर आ गई है वह।

ब्रह्मचर्य एक तो वह है, जो चित्त के परिवर्तन से उपलब्ध होता है, जो जीवन के अनुभव से उपलब्ध होता है।

एक शांति वह है, जो जीवन की अनुभूति की छाया की तरह आती है। और एक शांति वह है, जो क्रोध को दबा कर, थोप कर ऊपर बैठ जाती है।

एक ब्रह्मचर्य वह है, जो भीतर वासना को दबा कर, उसकी गर्दन को पकड़ कर खड़ा हो जाता है। ऐसा ब्रह्मचर्य कामुकता से भी बदतर है; क्योंकि कामुकता पहचान में आती है।

और दुश्मन पहचान में आता हो तो उसके साथ कुछ किया जा सकता है; और दुश्मन पहचान में भी न आता हो, तब बहुत कठिनाई हो जाती है। खुद को ही

पहचान मुश्किल हो जाती है।

मैं एक साध्वी के साथ समुद्र के किनारे बैठा हुआ था। वे साध्वी परमात्मा की और आत्मा की बातें कर रही थीं।

हम सभी बातें आत्मा-परमात्मा की करते हैं, जिनसे हमारा कोई भी संबंध नहीं है। और जिन बातों से हमारा संबंध है, उनकी हम बात नहीं करते। क्योंकि वे छोटी-छोटी क्षुद्र बातें हैं। हम तो ऊंची बातें, आकाश की बातें करते हैं, पृथ्वी की बातें नहीं करते--जिस पृथ्वी पर चलना पड़ता है, और जिस पृथ्वी पर जीना पड़ता है, और जिस पृथ्वी पर जन्म होता है, और जिस पृथ्वी पर लाश गिरती है अंत में--उस पृथ्वी की हम बात नहीं करते! हम बात आकाश की करते हैं, जहां न हम जीते हैं, न हम चलते हैं!

वे भी आत्मा-परमात्मा की बात कर रही थीं।

आत्मा-परमात्मा की बात आकाश की बात है।

हवा का झोंका आया, मेरी चादर उड़ी और साध्वी को छू गई--जैसे बिच्छू छू गया हो, वे इतनी घबड़ा गईं! मैंने पूछा, क्या हुआ?

उन्होंने कहा, पुरुष की चादर! पुरुष की चादर छूने का निषेध है।

मैं तो बहुत हैरान हुआ। मैंने कहा, चादर भी पुरुष और स्त्री हो सकती है, यह मैंने पहली दफे जाना। चमत्कार है! चादर भी स्त्री और पुरुष हो सकती है!

लेकिन ब्रह्मचर्य चादर को भी स्त्री-पुरुष में परिवर्तित कर देता है। यह सेक्सुअलिटी की अति हो गई, कामुकता की अति हो गई।

मैंने कहा, देवी, अभी तुम आत्मा की बातें करती थीं और कहती थीं--मैं शरीर ही नहीं हूं। और अब तुम चादर भी हो? अभी क्षण भर पहले तुम शरीर भी नहीं थीं। यह शरीर तो मिट्टी है।

अब यह चादर भी सेक्स-सिंबल बन गई, अब वह भी प्रतीक बन गई। सागर की हवाओं को क्या पता कि चादर भी पुरुष की होती है, अन्यथा सागर की हवाएं भी नियम, कोई नीति का ध्यान रखतीं। गलती हो गई सागर की हवाओं से।

वे कहने लगीं कि पश्चात्ताप, प्रायश्चित्त करना पड़ेगा, उपवास करना पड़ेगा।

मैंने उनसे कहा, करो उपवास जितना करना हो! लेकिन चादर के संपर्क से भी जिसे पुरुष का भाव पैदा होता हो, उसका चित्त ब्रह्मचर्य को कभी उपलब्ध नहीं हो सकता।

लेकिन नहीं, हम इसी तरह के ब्रह्मचर्य को पकड़े रहते हैं, इसी तरह का

संभोग से समाधि की ओर

अलोभ, इसी तरह का त्याग, इसी तरह की नैतिकता, इसी तरह का धर्म! सब झूठा है। दमन जहां है, वहां सब झूठा है। भीतर कुछ और हो रहा है, बाहर कुछ और हो रहा है।

अब इस साध्वी को दिखाई ही नहीं पड़ सकता कि यह अति कामुकता है। यह रुग्ण कामुकता हो गई; यह बीमार स्थिति हो गई कि चादर भी स्त्री और पुरुष होती है! चादर से भी डर पैदा हो जाएगा। ठीक ब्रह्मचर्य हो तो स्त्री और पुरुष ही मिट गए। जिस ब्रह्मचर्य में पुरुष और स्त्री न मिट गए हों, वह ब्रह्मचर्य नहीं है।

बुद्ध एक जंगल में कुछ दिनों साधना करते थे। एक रात, पूर्णिमा की रात, पूरा चांद आकाश में खिला था, कुछ युवा एक वेश्या को लेकर वहां आए--रात्रि भ्रमण को, नौका विहार को। पास में झील थी। लाए होंगे शराब, पीकर शराब नाचने लगे होंगे। उस वेश्या के वस्त्र छीन कर उसे नंगा कर दिया होगा। उन्हें शराब में झूमता देख कर वह वेश्या भाग गई। रात आधी उन्हें होश आया, तो खोजने निकले। वेश्या तो नहीं मिली, एक झाड़ के नीचे बुद्ध बैठे हुए मिल गए। वे उनसे पूछने लगे कि महाशय, यहां से एक नंगी स्त्री को, एक वेश्या को भागते तो नहीं देखा? रास्ता यही है। यहीं से वह गई होगी। रास्ते पर धूल पर उसके पदचि बने हैं। आप यहां कब से बैठे हुए हैं? यहां से कोई नंगी स्त्री भागती तो नहीं गई? एक वेश्या यहां से भाग गई है।

बुद्ध ने कहा, कोई गया जरूर है, लेकिन वह स्त्री थी या पुरुष, यह बताना मुश्किल है। जब मेरे भीतर का पुरुष जागा हुआ था, तब मुझे स्त्री दिखाई पड़ती थी। न भी देखो, तो दिखाई पड़ती थी। बचना भी चाहो, तो भी दिखाई पड़ती थी। आंखें कितनी ही और कहीं मोड़ो, वे आंखें स्त्री को ही देखती थीं। जब से मेरा पुरुष विदा हो गया, तब से बहुत खयाल करूं तो पता चलता है कौन स्त्री है, कौन पुरुष है। कोई निकला जरूर, लेकिन कौन था, यह कहना मुश्किल है। तुम पहले क्यों न आए? कह गए होते कि यहां से कोई निकले थोड़ा ध्यान रखना, तो मैं ध्यान रख सकता था।

और यह बताना तो और भी मुश्किल है कि जो निकला है वह नंगा था या वस्त्र पहने हुए था। क्योंकि जब तक अपने नंगेपन को छिपाने की इच्छा थी, तब तक दूसरे के नंगेपन को देखने की भी बड़ी इच्छा थी। लेकिन अब कुछ देखने की इच्छा नहीं रह गई है। इसलिए खयाल में नहीं आता कि कौन क्या पहने हुए है।

दूसरे में हमें वही दिखाई पड़ता है, जो हममें होता है। दूसरे में हमें वह नहीं

दिखाई पड़ता, जो हममें न हो। बहुत मुश्किल है! हर दूसरा आदमी दर्पण की तरह काम करता है, उसमें हम दिखाई पड़ते हैं।

बुद्ध कहने लगे, अब तो मुझे याद नहीं आता, क्योंकि किसी को नंगा देखने की कोई कामना नहीं है। इसलिए पता नहीं कि वह कपड़े पहने थी या नहीं पहने थी। लेकिन तुम उसकी चिंता में क्यों पड़े हो?

उन्होंने कहा कि हम चिंता न करें? हम उसे लाए थे आमोद-प्रमोद के लिए, आनंद के लिए। और वह भाग गई है। हम उसे खोज रहे हैं।

बुद्ध ने कहा, तुम जाओ और उसे खोजो। भगवान करे लेकिन किसी दिन तुम्हें यह खयाल आ जाए कि इतनी खूबसूरत और शांत रात में अगर तुम किसी और को न खोज कर अपने को खोजते, तो शायद आनंद के ज्यादा निकट हो सकते थे। लेकिन तुम जाओ, तुम खोजो जिसे तुम्हें खोजना है। मैंने भी बहुत दिन तक दूसरों को खोजा, लेकिन दूसरों को खोज कर मैंने कुछ भी न पाया। और जब से अपने को खोजा है, तब से वह सब पा लिया है जिसे पाने की कोई भी कामना हो सकती है। यह आदमी, यह बुद्ध ब्रह्मचर्य में रहा होगा। लेकिन चादर पुरुष हो जाए तो ब्रह्मचर्य नहीं है।

और इस देश का दुर्भाग्य कि दमन के कारण इस देश का सारा व्यक्तित्व कुरूप, विकृत, परवर्टेड हो गया है। एक-एक आदमी भीतर उलटा है, बाहर उलटा है। भीतर आत्मा शीर्षासन कर रही है। भीतर हम सब सिर के बल खड़े हुए हैं। जो नहीं है भीतर, वह हम बाहर दिखला रहे हैं। और दूसरे धोखे खा जाएं, इससे कोई बहुत हर्जा नहीं है। हम खुद ही धोखा खा जाते हैं। लंबे अर्सेमें हम खुद ही भूल जाते हैं कि हम यह क्या कर रहे हैं।

दमन मनुष्य की आत्मा की असलियत को छिपा देता है और झूठा आवरण पैदा कर देता है। और फिर इस दमन में हम, जिंदगी भर जिसे दमन किया है, उससे ही लड़ कर गुजारते हैं।

ब्रह्मचर्य की साधना करने वाला आदमी चौबीस घंटे सेक्स की ही चिंतना में व्यतीत करता है। उपवास करने वाला चौबीस घंटे भोजन करता है। यह तो आपने उपवास क्रिया होगा तो पता होगा।

उपवास करें, और चौबीस घंटे भोजन करना पड़ेगा। हां, भोजन मानसिक होगा, शारीरिक नहीं होगा। लेकिन शारीरिक भोजन का कुछ फायदा भी हो सकता है, मानसिक भोजन का सिवाय नुकसान के और कोई भी फायदा नहीं है। वह

जिसने दिन भर खाना नहीं खाया है, वह दिन भर खाने की सोचेगा ही। स्वाभाविक है।

नहीं, उपवास का यह अर्थ नहीं है कि आदमी खाना न खाए। उपवास का अर्थ अनाहार नहीं है। अनाहार करने वाला दिन भर आहार करता है। उपवास का अर्थ दूसरा है। दमन नहीं है उपवास का अर्थ। लेकिन दमन ही उसका अर्थ बन गया है। उपवास का अर्थ भोजन न करना नहीं है।

उपवास का अर्थ है : आत्मा के निकट आवास।

और आत्मा के निकट कोई इतना पहुंच जाए कि उसे भोजन का खयाल न आए, वह बात दूसरी है; कोई इतने भीतर उतर जाए कि बाहर का पता भी न चले कि शरीर भूखा है, वह बात दूसरी है; कोई इतने गहरे में चला जाए कि शरीर को प्यास लगी है कि भूख लगी है, इसकी खबर न पहुंचती हो, यह बात दूसरी है। लेकिन कोई, भोजन नहीं खाऊंगा--ऐसा संकल्प करके बैठ जाए, तो दिन भर उसे भोजन करना पड़ता है; वह उपवास नहीं है।

दमन धोखा पैदा करता है।

दमन, वह जो असलियत है उपलब्धि की, वह जो अनुभूति की, वह जो सत्य है, उसकी तरफ बिना ले जाए, बाहर परिधि पर ही संघर्ष करके जबरदस्ती कुछ पैदा करने की कोशिश करता है। और यह कोशिश बहुत महंगी पड़ जाती है।

हिंदुस्तान में ब्रह्मचर्य की बात चल रही है तीन हजार वर्ष से। और इस बात को कहने में मुझे जरा भी अतिशयोक्ति नहीं मालूम पड़ती कि आज इस पृथ्वी पर हमसे ज्यादा कामुक चित्त किसी समाज का नहीं है। नहीं होगा। नहीं हो सकता है। क्योंकि जिससे हम लड़े हैं वही हमारे भीतर घाव की तरह पैदा हो गया है। चौबीस घंटे उसी से लड़ रहे हैं। छोटे से बच्चे से लेकर मरते हुए बूढ़े तक सेक्स की लड़ाई चल रही है।

कोरिया में दो फकीर थे, मैंने उनके जीवन में पढ़ा। दो भिक्षु एक दिन सांझ अपने आश्रम वापस लौटते हैं। एक बूढ़ा भिक्षु है, एक युवा भिक्षु है। आश्रम के पहले ही एक छोटी सी पहाड़ी नदी है। सांझ हो गई है, सूरज ढलता है। एक युवती खड़ी है उस पहाड़ी नदी के किनारे। उसे भी नदी पार होना है। लेकिन डरती है, अनजान है शायद नदी, परिचित नहीं है, पता नहीं कितनी गहरी हो ! भयभीत है।

तो वह बूढ़ा साधु आगे आया है। उसको भी समझ में पड़ गया कि वह स्त्री पार होने के लिए चिंतित है, शायद कोई सहारा मांगती है। उसका भी मन हुआ कि हाथ

से सहारा दे दूं, नदी पार करवा दूं। लेकिन हाथ का सहारा देने का खयाल भर--वर्षों की दबी हुई वासना एकदम खड़ी हो गई। वह हाथ को छूने की कल्पना ही--भीतर जैसे नस-नस में, रग-रग में कोई बिजली दौड़ गई हो। तीस वर्ष से स्त्री को नहीं छुआ था। अभी छुआ नहीं था, अभी भी छुआ नहीं था। अभी सिर्फ सोचा था कि हाथ का सहारा दे दूं। लेकिन सारे प्राण कंप गए हैं। एक बुखार सारे व्यक्तित्व को घेर लिया। अपने मन को डराया, कहा कि मैंने कैसी गंदी बात सोची! कैसे पाप की बात सोची! मुझे क्या मतलब है? कोई नदी पार हो या न हो, मुझे क्या प्रयोजन है? मैं अपना जीवन क्यों बिगाडूं? अपनी साधना क्यों बिगाडूं? बड़ी कीमती साधना होगी, जो एक लड़की का हाथ छूने से बिगड़ जाती!

बड़ी बहुमूल्य साधना रही होगी! और ऐसी ही बहुमूल्य साधना के सहारे लोग मोक्ष तक पहुंचना चाहते हैं!

ऐसी ही कीमती, मजबूत साधना के पुल पर चढ़ कर परमात्मा की यात्रा करना चाहते हैं!

आंख बंद कर ली उसने, क्योंकि वह स्त्री दिखाई पड़ती थी। और वह बहुत जोर से दिखाई पड़ती थी, क्योंकि मन जाग गया था, सोई हुई वासना जाग गई थी। आंख बंद करके वह नदी उतरने लगा।

अब यह आपको पता होगा, जिस चीज से आंख बंद कर ली जाए, वह उतनी सुंदर कभी नहीं होती आंख खुले में, जितनी आंख बंद करने पर हो जाती है।

आंख बंद हुई, और वह स्त्री अप्सरा हो गई!

अप्सराएं इसी तरह पैदा होती हैं--बंद आंख से पैदा हो जाती हैं।

दुनिया में स्त्रियां हैं, आंख बंद करो कि अप्सराएं पैदा हुईं।

अप्सराएं कहीं भी नहीं हैं; लेकिन आंख बंद से स्त्री अप्सरा हो जाती है! एकदम कविता पैदा हो जाती है; फूल खिल जाते हैं; चांदनी फैल जाती है। एक ऐसा सौंदर्य आ जाता है जो स्त्री में कहीं भी नहीं है, जो सिर्फ आदमी की कामवासना के सपने में होता है। आंख बंद करते ही सपना शुरू हो जाता है।

अब वह असली स्त्री को नहीं देख रहा है। अब एक ड्रीम, अब एक सपना, और वह स्त्री उसे बुला रही है। उसका मन कभी कहता है कि चलूं, यह तो बड़ी बुरी बात है कि किसी असहाय स्त्री को सहारा न दूं। फिर तत्काल उसका दूसरा मन कहता है कि यह सब बेईमानी है, अपने को धोखा देने की तरकीब कर रहे हो। यह सेवा वगैरह नहीं है, तुम स्त्री को छूना चाहते हो!

बड़ी मुश्किल है उसकी। साधुओं की बड़ी मुश्किल होती है। खींच-तान है भीतर, तनाव है भीतर। सारा प्राण पीछे लौट जाना चाहता है, और वह दमन करने वाला मन आगे चला जाना चाहता है।

उस नदी के छोटे से घाट पर वह आदमी दो हिस्सों में बंट गया है; एक हि़स्सा आगे जा रहा है, एक हिस्सा पीछे जा रहा है। उसकी अशांति, उसका टेंशन, उसकी तकलीफ हम समझ सकते हैं। यही अशांति आदमी को पागल कर देगी। आधा हिस्सा इस तरफ जा रहा है, आधा हिस्सा उस तरफ जा रहा है। किसी तरह खींच-तान कर उसने अपने को उस पार कर लिया है। आंखें खुल कर देखना चाहती हैं, लेकिन वह बहुत डरा हुआ है। वह भगवान का नाम लेता है, जोर-जोर से भगवान का--नमो बुद्धाय ! नमो बुद्धाय !

भगवान का नाम आदमी जब भी जोर-जोर से ले, तब समझ लेना कि भीतर कुछ गड़बड़ है। उसको दबाने के लिए आदमी जोर-जोर से नाम लेता है।

आदमी को ठंड लग रही हो नदी में नहाते वक्त, वह कहता है, सीता-राम, सीता-राम ! वह ठंड जो लग रही है। बेचारे सीता-राम को क्यों तकलीफ दे रहे हो ? उस ठंड को भुलाने की कोशिश कर रहे हो ! अंधेरी गली में आदमी जाता है और कहता है, अल्लाह ईश्वर तेरे नाम ! वह अंधेरे की घबड़ाहट को भुलाना चाह रहे हो।

जो आदमी परमात्मा के निकट जाता है, वह चिल्ल-पों नहीं करता भगवान के नाम की; वह चुप हो जाता है। ये जितने चिल्ल-पों और शोरगुल मचाने वाले लोग हैं, समझ लेना कि भीतर कुछ और चल रहा है। भीतर काम चल रहा है, और ऊपर राम का नाम चल रहा है।

वह भीतर औरत खींच रही है और वह किसी तरह भगवान का सहारा लेकर आगे बढ़ा जा रहा है--कि कहीं ऐसा न हो कि औरत मजबूत हो जाए और खींच ही ले।

उस स्त्री को बेचारी को पता भी नहीं है कि साधु किस मुसीबत में पड़ गया है। वह अपने रास्ते पर खड़ी है।

तभी उस साधु को खयाल आया कि पीछे उसका जवान साधु भी आ रहा है। लौट कर उसने देखा कि उसको सचेत कर दे कि वह भी कहीं इसी दया करने की भूल में न पड़ जाए जिसमें मैं पड़ गया हूं। लेकिन लौट कर देखा तो भूल तो हो चुकी है। वह जवान आदमी उस औरत को कंधे पर लिए नदी पार कर रहा है। आग लग गई उस बूढ़े साधु को !

न मालूम कैसा-कैसा मन होने लगा। कई बार होने लगा कि मैं उसकी जगह कंधा लगाए होता! फिर झिड़का उसने कि यह क्या पागलपन की बात, मैं और उस औरत को कंधे पर ले सकता हूं? तीस साल की साधना नष्ट करूंगा? गंदगी का ढेर है औरत का शरीर, तो उसको कंधे पर लूंगा?

नरक का द्वार है यह औरत, इसको कंधे पर लूंगा?

लेकिन वह दूसरा युवक लिए चला आ रहा है। आग जल गई कि आज जाकर गुरु को कहूंगा कि यह युवक भ्रष्ट हो गया, पतित हो गया; इसे निकालो आश्रम के बाहर!

फिर उस युवक ने आकर उस युवती को किनारे पर छोड़ दिया और फिर वह चल पड़ा। फिर वे दोनों चलते रहे, मील भर तक बूढ़े ने कोई बात न की। जब वे आश्रम के द्वार पर प्रविष्ट हो रहे थे तो उस बूढ़े ने सीढ़ी पर खड़े होकर कहा कि याद रखो, मैं जाकर गुरु को कहूंगा! तुम पतित हो चुके हो! तुमने उस स्त्री को कंधे पर क्यों उठाया?

वह आदमी एकदम से चौंका। उस युवक ने कहा, स्त्री? उसको मैंने उठाया था और छोड़ भी आया। लेकिन ऐसा मालूम पड़ता है कि आप उसे अभी भी कंधे पर लिए हुए हैं। उस युवक ने कहा, सर, यू आर स्टिल कैरीइंग हर ऑन योर शोल्डर! आप अभी भी ढो रहे हैं उसे कंधे पर! मैं तो उसे उतार भी आया। और आपने तो उसे कभी कंधे पर लिया भी नहीं था; आप अभी तक उसे क्यों ढो रहे हैं? मैं तो दो घंटे से सोचता था आप किसी ध्यान में लीन हैं। मुझे यह खबर भी न थी कि आप वही ध्यान कर रहे हैं--वही नदी का किनारा, वही स्त्री को नदी का पार करना।

यह तो मैंने कहानी सुनी थी। अभी ऐसी कहानी ठीक मेरे साथ हो गई दिल्ली में, वह आपने अखबार में जरूर पढ़ ली होगी।

एक महिला आई और मेरे साथ ठहर गई। उसने मुझसे पूछा कि मैं यहां ठहर जाऊं आपके पास? मैंने कहा, बिलकुल ठहर जाओ।

मुझे पता नहीं था कि मनुभाई पटेल को बड़ी तकलीफ हो जाएगी इस बात से। अगर मुझे पता होता तो संसद-सदस्य को मैं तकलीफ नहीं देता। मैं किसी को तकलीफ नहीं देना चाहता। कहता कि देवी, तुम्हारे ठहरने से मुझे तकलीफ नहीं, लेकिन मनु भाई पटेल को, बड़ौदा वालों को, उनको तकलीफ हो जाएगी। और किसी को तकलीफ देना अच्छा नहीं है। तो तुम्हें ठहरना ही हो तो जाओ, मनुभाई के कमरे में ठहर जाओ। यहां मेरे पास काहे के लिए ठहरती हो!

लेकिन मुझे पता ही नहीं था। पता होता तो यह भूल न होती। लेकिन यह भूल हो गई, अज्ञान में हो गई। वह आकर सो भी गई। लेकिन दूसरे दिन तकलीफ हुई। पता चला कि मनुभाई को, उनके मित्रों को बहुत कष्ट हो गया इस बात से कि वह मेरे कमरे में सो गई। मैं तो हैरान हुआ! वह कमरे में मेरे सोई, तकलीफ उनको हो गई!

लेकिन आदमी कंधे पर उन चीजों को ढोने लगता है, जिनसे भीतर कोई लड़ाई जारी रही हो। पता नहीं चलता, खयाल में नहीं आता, पता ही नहीं चलता कि यह सब भीतर क्या हो रहा है। फिर इस बात को हुए दो महीने हो गए। वह मनुभाई मुझे मिलें तो उनसे कहूं--सर, यू आर स्टिल कैरीइंग हर ऑन योर शोल्डर? अभी भी ढो रहे हैं उस औरत को? लेकिन दो महीने हो गए, अब उनको अखबारों में, प्रेस कांफ्रेंस बुला कर खबर देने का मौका आया! मैंने उनसे वहीं दिल्ली में कहा था कि मनुभाई, तकलीफ होगी। पीछे यह बात चलेगी, यह मिटने वाली नहीं है। तो मैं ही इसकी बात कर लूं सबके सामने। तो वहां कहा कि नहीं, क्या बात करनी है! कुछ हर्जा नहीं है; जो हो गया, हो गया।

लेकिन मैं जानता था कि बात तो उठेगी ही, करनी ही पड़ेगी। फिर वे संसद-सदस्य हैं। संसद-सदस्यों को मुझ जैसे फकीरों के आचरण का ध्यान रखना चाहिए, नहीं तो मुल्क का आचरण बिगाड़ देंगे हम जैसे लोग।

और ऐसे अच्छे संसद-सदस्य हैं, इसीलिए तो मुल्क का आचरण इतना अच्छा है, नहीं तो कभी का बिगड़ जाता। धन्यभाग हैं हमारे, मुल्क का आचरण कितना अच्छा है, अच्छे संसद-सदस्यों के कारण! जो पता लगाते हैं कि किसके कमरे में कौन सो रहा है! इसका हिसाब रखते हैं! ये लोक-सेवक हैं! लोक-सेवक होना चाहिए। मैं तो, जैसे ही मुझे खबर मिली, मैंने कहा कि इस बार इलेक्शन के वक्त अगर मुझे वक्त मिला तो जाऊंगा बड़ौदा में, लोगों से कहूंगा कि मनुभाई को ही वोट देना! इस तरह के लोगों की वजह से ही देश का चरित्र ऊंचा है, नहीं तो सब खराब हो जाएगा।

लेकिन यह दिमाग, यह दिमाग कहां से पैदा होता है? यह दिमाग कहां से आता है? यह भीतर क्या छिपा हुआ है?

वह भीतर है दमन की लंबी परंपरा। यह एक आदमी का सवाल नहीं है। यह हमारी पूरी जाति संस्कार का सवाल है। यह कोई मनुभाई का सवाल नहीं है। वे तो प्रतिनिधि हैं हमारे और आपके। हमारी सब बीमारियों के प्रतिनिधि हैं हमारे सब प्रतिनिधि--वह जो हमारे भीतर छिपा है। हमारे भीतर क्या छिपा है?

हमने एक अजीब सप्रेशन की धारा में अपने को जोड़ रखा है! दबा रहे हैं सब! वह दबाया हुआ घाव हो जाता है। वह घाव पीड़ा देता है। उस घाव की वजह से हमें बाहर वही-वही दिखाई पड़ने लगता है जो भीतर है। सारा जगत फिर एक दर्पण बन जाता है।

नहीं! यह सप्रेशन की लंबी धारा, यह दमन की लंबी यात्रा व्यक्तित्व को नष्ट करती है। इसने जीवन के सारे स्रोतों को पायज़न से भर दिया, जहर से भर दिया। जीवन के सारे स्रोत विकृत और कुरूप हो गए हैं। इसलिए तीसरा सूत्र आज आपसे कहना चाहता हूं : दमन से बचना।

अगर जीवन को और सत्य को जानना हो! और कभी प्रभु के, परमात्मा के द्वार पर दस्तक देनी हो, तो दमन वाला चित्त वहां तक कभी नहीं पहुंचता।

वह वहीं रुक जाता है, जहां दमन करता है। जिसका दमन करता है, वहीं ठहर जाता है। और उसको वहीं ठहरना पड़ता है, क्योंकि जरा ही हटा कि दमन उखड़ जाएगा और जिसको दबाया है वह प्रकट होना शुरू हो जाएगा।

अगर एक आदमी की छाती पर आप सवार हो गए, तो फिर आप उसको छोड़ कर नहीं जा सकते, क्योंकि छोड़ कर आप गए तो वह फिर निकल कर आपके ऊपर हमला करेगा। तो अगर किसी आदमी की छाती पर आप सवार हो गए, तो आप समझना कि जितना वह आपसे बंध गया, उससे भी ज्यादा आप उससे बंध गए हैं! क्योंकि आप छोड़ कर नहीं हट सकते।

तो मनुष्य जिन चीजों को दबा लेता है, उन्हीं के साथ बंध जाता है। उनको छोड़ कर हट नहीं सकता, और कहीं नहीं जा सकता। इसलिए दमन से अत्यंत साधक को सावधान रहना है।

दमन पैदा करेगा--पागलपन, विक्षिप्तता, इनसेनिटी।

जितने मनोचिकित्सक हैं, उनसे पूछें, वे क्या कहते हैं। वे यह कहते हैं कि सारी दुनिया पागल हुई जा रही है दमन के कारण। पागलखाने में सौ आदमी बंद हैं, उनमें अट्ठानबे आदमी दमन के कारण बंद हैं! जिन्होंने भी जोर से दबा लिया है, उन्होंने एक विस्फोटं की आग को भीतर रख लिया है। वह विस्फोट फूटना चाहता है, वह सारे व्यक्तित्व को किसी दिन तोड़ देता है, किसी दिन खंड-खंड बिखेर देता है सारे मकान को। आदमी बिखर कर टूट कर खड़ा हो जाता है।

इसलिए जितना आदमी सभ्य होता चला जा रहा है, उतना ही पागल होता जा रहा है, क्योंकि सभ्यता का सूत्र दमन है।

नहीं, स्वभाव को अगर जानना है, तो दमन से नहीं जाना जा सकता है।

लेकिन आप कहेंगे, अगर हम दमन नहीं करेंगे तब तो आदमी पशु हो जाएगा। तब तो क्रोध आए तो क्रोध करना चाहिए--आप यह कहते हैं? वासना आए तो वासना भोगनी चाहिए--आप यह कहते हैं? आप लोगों को वासना में डूब जाने के लिए कहते हैं?

बिलकुल नहीं, जरा भी नहीं कहता हूं। दमन से बचने को कह रहा हूं, अभी भोग करने को नहीं कह रहा हूं।

अभी एक सूत्र समझ लें, कल हम दूसरे सूत्र की बात करेंगे।

दमन से बचने का अर्थ भोग में कूद जाना नहीं है। अनिवार्यरूपेण वही एक दूसरा आल्टरनेटिव नहीं है, और विकल्प भी हैं। उन विकल्प की हम बात करेंगे। इसलिए जल्दी से यह नतीजा लेकर घर मत लौट जाना। मेरी बातों में जल्दी नतीजा नहीं लेना चाहिए, नहीं तो बड़ी मुश्किल हो जाती है।

दमन नहीं! खुद के व्यक्तित्व से संघर्ष नहीं! खुद के व्यक्तित्व से द्वंद्व नहीं! क्योंकि खुद के व्यक्तित्व से द्वंद्व का अर्थ है, जैसे मैं अपने दोनों हाथों को लड़ाने लगूं। कौन जीतेगा, कौन हारेगा? दोनों हाथ मेरे हैं! दोनों हाथों के पीछे लड़ने वाली शक्ति मेरी है! दोनों हाथों के पीछे मैं हूं। कौन जीतेगा?

कोई नहीं जीत सकता। लेकिन दोनों हाथों की लड़ाई में जीतेगा कोई भी नहीं, क्योंकि जीतने वाले दो हैं ही नहीं। लेकिन एक अदभुत घटना घट जाएगी। जीतेगा तो कोई नहीं--न बायां, न दायां--लेकिन मैं हार जाऊंगा दोनों को लड़ाने में; क्योंकि मेरी शक्ति दोनों के साथ नष्ट होगी।

और मैं हार जाऊंगा शक्ति के क्षीण होने से। जो भी दमन कर रहा है, वह किसका दमन कर रहा है? अपना ही! अपने ही चित्त के खंडों को दबा रहा है। किससे दबा रहा है? खुद के ही चित्त के दूसरे खंडों से दबा रहा है। चित्त के एक खंड को चित्त के दूसरे खंड से दबा रहा है। खुद को ही खुद से लड़ा रहा है!

ऐसा आदमी अगर पागल हो जाए अंततः तो आश्चर्य क्या है! वह तो आदमी पागल नहीं हो पाता, क्योंकि दमन करने वालों की बात पूरी तरह से कोई भी नहीं मानता है। नहीं तो सारी मनुष्यता पागल हो जाए। वह दमन करने वालों की बात पूरी तरह कोई नहीं मानता। और न मानने की वजह से थोड़ा सा रास्ता बचा रहता है कि आदमी बच जाता है।

हां, न मानने की वजह से, ऊपर से दिखलाता है कि मानता हूं, भीतर से पूरा

मानता नहीं, इसलिए पाखंड और हिपोक्रेसी पैदा होती है। हिपोक्रेसी दमन की सगी बहन है। वह जो पाखंड है, वह दमन का चचेरा भाई है। दमन चलेगा, तो पाखंड पैदा होगा।

अगर पाखंड पैदा न होगा तो पागलपन पैदा होगा। पागलपन से बचना है तो पाखंडी हो जाना पड़ेगा। दुनिया को दिखाना पड़ेगा कि ब्रह्मचर्य, और पीछे से वासना के रास्ते खोजने पड़ेंगे। दुनिया को दिखाना पड़ेगा कि मुझे तो मिट्टी है धन, और भीतर गुप्त मार्गों से तिजोरियां बंद करनी पड़ेंगी। वह भीतर से चलेगा।

फिर पाखंड होगा, फिर एक झूठ। लेकिन यह पाखंड बचा रहा है आदमी को, नहीं तो आदमी पागल हो जाए। अगर सीधा-सादा आदमी दमन के चक्कर में पड़ जाए तो पागल हो जाता है।

ये साधु-संन्यासी बहुत बड़े अंश में पागल होते देखे जाते हैं, उसका कारण आप समझते हैं?

लोग समझते हैं कि भगवान का उन्माद छा गया! भगवान के लिए दीवाने हो गए! भगवान का कोई उन्माद नहीं होता है। सब उन्माद भीतर की रुग्णता से पैदा होता है। लेकिन वह भीतर अगर बहुत दमन हो तो रोग पैदा हो जाता है, उन्माद पैदा हो जाता है, पागलपन पैदा हो जाता है।

लेकिन उसको हम कहते हैं--हर्षोन्माद, एक्सटैसी! एक्सटैसी वगैरह नहीं है, मैडनेस है, इनसेनिटी है।

या तो आदमी पूरा दमन करे तो पागल होगा। और या फिर पाखंड का रास्ता निकाल ले तो बच जाएगा, लेकिन पाखंडी हो जाएगा।

और पाखंडी होना पागल होने से अच्छा नहीं है। पागल की फिर भी एक सिंसिआरिटी है, पागल की फिर भी एक निष्ठा है; पाखंडी की तो कोई निष्ठा नहीं, कोई नैतिकता नहीं, कोई ईमानदारी नहीं।

मगर दमन यही दो विकल्प पैदा करता है। आप अपने से लड़े, और आप गलत रास्ते पर गए।

अपने से नहीं लड़ना है। अपने से लड़ना अधार्मिक है। दमन मात्र अधार्मिक है। दमन मात्र मनुष्य को जितना नुकसान पहुंचाया है, उतना दुनिया में किसी और शत्रु ने कभी नहीं पहुंचाया। उस दिन ही मनुष्य पूरी तरह स्वस्थ होता है, जिस दिन सारे दमन से मुक्त होता है; जिस दिन उसके भीतर कोई कांफ्लिक्ट नहीं, कोई द्वंद्व नहीं। जिस दिन भीतर द्वंद्व नहीं होता है, उसी दिन उस एक का दर्शन होता है, जो

भीतर है।

अगर ठीक से समझें, तो दमन मनुष्य को विभक्त करता है, डिवाइड करता है। और दमन जिस व्यक्ति के भीतर होगा, वह फिर इंडिविजुअल नहीं रह जाएगा, वह व्यक्ति नहीं रह जाएगा; वह विभक्त हो जाएगा, उसके कई टुकड़े हो जाएंगे; वह स्कीजोफ्रेनिक हो जाएगा। दमन न होगा व्यक्ति में तो योग की स्थिति उपलब्ध होगी।

योग का अर्थ है--जोड़; योग का अर्थ है--इंटीग्रेशन; योग का अर्थ है--एक। लेकिन एक कौन हो सकता है? एक व्यक्तित्व किसका हो सकता है?

उसका जो लड़ नहीं रहा है; उसका जो अपने को खंड-खंड में नहीं तोड़ रहा है; जो अपने भीतर नहीं कह रहा है--यह बुरा है, यह अच्छा है; इसको बचाऊंगा, इसको छोडूंगा। जिसने भी अपने भीतर बुरे और अच्छे का भेद किया, वह दमन में पड़ जाएगा।

दमन से बचने का सूत्र है: अपने भीतर जो भी है, उसकी पूर्ण स्वीकृति, टोटल एक्सेप्टबिलिटी।

जो भी है--सेक्स है, लोभ है, क्रोध है, मान है, अहंकार है--जो भी है भीतर, उसकी सर्वांगीण स्वीकृति प्राथमिक बात है। तो व्यक्ति आत्मज्ञान की तरफ विकसित होगा। नहीं तो नहीं विकसित होगा।

अगर उसने अस्वीकार किया कि इस हिस्से को मैं अस्वीकार करता हूं--उसने कहा कि मैं लोभ को फेंक दूंगा; उसने कहा कि मैं क्रोध को फेंक दूंगा--बस फिर वह नहीं कभी भी शांत हो पाएगा; इस फेंकने में ही अशांत हो जाएगा।

और इसीलिए तो संन्यासी जितने क्रोधी देखे जाते हैं, उतने साधारण लोग क्रोधी नहीं होते! संन्यासी का क्रोध बहुत अदभुत है। दुर्वासा की कथाएं तो हम जानते हैं। वे परम संन्यासी, परम ऋषि थे। इतना क्रोध क्रोध छोड़ने वाले लोगों में इकट्ठा हो जाता है! इतना अहंकार कि दो संन्यासी एक-दूसरे को मिल नहीं सकते; क्योंकि कौन किसको पहले नमस्कार करेगा! दो संन्यासी एक साथ बैठ नहीं सकते; क्योंकि किसका तखत ऊंचा होगा और किसका नीचा होगा! ये संन्यासी हैं कि पागल हैं? अभी तखत की ऊंचाई-नीचाई नापने में लगे हैं, परमात्मा की ऊंचाई-नीचाई का इन्हें पता भी क्या होगा!

मैं कलकत्ते में एक सर्व-धर्म-सम्मेलन में बोलने गया। वहां कई तरह के संन्यासी कई धर्मों के उन्होंने आमंत्रित किए थे। उनको क्या पता बेचारों को कि सब संन्यासियों को एक मंच पर नहीं बिठाला जा सकता। कोई उसमें शंकराचार्य है, वे

कहते हैं, हम अपने सिंहासन पर बैठेंगे। और शंकराचार्य सिंहासन पर बैठें तो दूसरा आदमी कैसे नीचे बैठ सकता है! किसका तखत ऊंचा होगा? संयोजकों ने मुझे आकर कहा कि सबकी खबरें आ रही हैं कि हमारे बैठने का इंतजाम क्या है?

बच्चों जैसी बात मालूम पड़ती है। छोटे-छोटे बच्चे कुर्सी पर खड़े हो जाते हैं और अपने बाप से कहते हैं, तुमसे ऊंचे हैं हम! इससे ज्यादा बुद्धि नहीं मालूम पड़ती तखत ऊंचा-नीचा रखने वालों में। इससे ज्यादा ऊंची बुद्धि है? तखत से ऊंचे हो जाएंगे आप? तो हद हो गई, आदमी का ऊंचा होना बहुत आसान हो गया!

लेकिन दबा रहे हैं अहंकार को, तो अहंकार दूसरे रास्तों से खोज कर रहा है निकलने के लिए। इधर अहंकार को दबा रहे हैं, इधर कह रहे हैं कि मैं कुछ भी नहीं हूं! हे परमात्मा, मैं तो तेरी शरण में हूं! इधर यह कह रहे हैं, उधर वह अहंकार कह रहा है कि अच्छा, ठीक है बेटे! इधर तुम शरण में जाओ, हम दूसरा रास्ता खोजते हैं। हम कहते हैं कि सोने का सिंहासन चाहिए! क्योंकि हमसे ज्यादा भगवान की शरण में और कोई भी नहीं गया है।

तो हमको सोने का सिंहासन चाहिए! इधर कि मैं कुछ भी नहीं हूं; आदमी तो कुछ भी नहीं है, सब संसार माया है! और उधर? उधर अगर जगतगुरु न लिखो आगे, तो नाराज हो जाती है तबीयत कि मुझे जगतगुरु नहीं लिखा!

और मजा यह है कि जगत से पूछे बिना ही गुरु हो गए हैं? जगत से भी तो पूछ लिया होता, यह जगत बहुत बड़ा है!

एक गांव में मैं गया था। वहां भी एक जगतगुरु थे।

जगतगुरुओं की कोई कमी है! जिसको भी खयाल पैदा हो जाए, वह जगतगुरु हो सकता है। इस वक्त सबसे सस्ता काम यह है।

गांव में जगतगुरु थे। मैंने कहा, इतना छोटा सा गांव, जगतगुरु कहां से ले आए? उन्होंने कहा, वे यहीं रहते हैं सदा। मैंने कहा, जगत से पूछ लिया है उन्होंने? उन्होंने कहा, जगत से तो नहीं पूछा। लेकिन वे बहुत होशियार आदमी हैं। उनका एक शिष्य है। मैंने कहा, और कितने हैं? उन्होंने कहा, बस एक ही है। लेकिन उसका नाम उन्होंने जगत रख लिया है। तो वे जगतगुरु हो गए हैं।

बिलकुल ठीक बात है। अब और कोई कमी न रही--लीगली, कांस्टीटयूशनली। अदालत में मुकदमा नहीं चला सकते हैं इस आदमी पर। यह जगतगुरु है। सारे जगतगुरु इसी तरह के हैं। किसी का एक शिष्य होगा, किसी के दस होंगे, इससे क्या फर्क पड़ता है। लेकिन उधर कहते हैं कि नहीं कुछ, आदमी तो

माया है; असली तो ब्रह्म है, एक ही ब्रह्म है। और इधर जगतगुरु होने का भी रोग सवार रहता है! वह अहंकार, उधर से बचाओ, इधर से रास्ता खोजता है।

आदमी जिस-जिस को दबाएगा, वही-वही नये-नये मार्गों से प्रकट होगा।

दमन करके कभी कोई किसी चीज से मुक्त नहीं होता। इसलिए दमन से बचना, दमन से सावधान रहना। दमन ही मनुष्य को तोड़ देने का सूत्र है। और अगर जुड़ना है और एक हो जाना है, तो दमन से बच जाना पहली शर्त है।

चौथे सूत्र में आपसे मैं बात करूंगा कि अगर दमन से बच जाएं तो फिर भोग एकदम निमंत्रण देगा कि आओ! अब तो क्रोध से बचना नहीं है, इसलिए आओ, क्रोध करो! अब तो सेक्स से बचना नहीं है, इसलिए आओ और कूद जाओ! अब तो लोभ से बचना नहीं है, इसलिए दौड़ो और रुपये इकट्ठे करो! जैसे ही दमन से बचेंगे, वैसे ही भोग निमंत्रण देगा कि आ जाओ।

उस भोग के लिए क्या करना है, वह चौथे सूत्र में आपसे बात करूंगा।

मेरी बातों को इतनी शांति और प्रेम से सुना, उससे बहुत-बहुत अनुगृहीत हूं। और अंत में सबके भीतर बैठे परमात्मा को प्रणाम करता हूं, मेरे प्रणाम स्वीकार करें।

18

न भोग, न दमन--वरन जागरण

मेरे प्रिय आत्मन्!

तीन सूत्रों पर हमने बात की है जीवन-क्रांति की दिशा में।

पहला सूत्र था : सिद्धांतों से, शास्त्रों से मुक्ति।

क्योंकि जो किसी भी तरह के मानसिक कारागृह में बंद है, वह जीवन की, सत्य की खोज की यात्रा नहीं कर सकता है। और वे लोग, जिनके हाथों में जंजीरें हैं, उतने बड़े गुलाम नहीं हैं, जितने वे लोग, जिनकी आत्मा पर विचारों की जंजीरें हैं; वादों, सिद्धांतों, संप्रदायों की जंजीरें हैं। आदमी की असली गुलामी मानसिक है।

दूसरे दिन दूसरे सूत्र पर बात की है : भीड़ की आंखों में अपने प्रतिबिंब से बचने की--पब्लिक ओपीनियन--वह दूसरी जंजीर है।

आदमी जीवन भर यही देखता रहता है कि दूसरे मेरे संबंध में क्या सोचते हैं! और दूसरे मेरे संबंध में ठीक सोचें, इस भांति का अभिनय करता रहता है। ऐसा व्यक्ति अभिनेता ही रह जाता है। ऐसे व्यक्ति के जीवन में चरित्र जैसी कोई बात नहीं होती। ऐसा व्यक्ति बाहर के अभिनय में ही खो जाता है, भीतर की आत्मा से उसका कभी संबंध नहीं होता। दूसरा सूत्र था : भीड़ से मुक्ति।

तीसरा सूत्र था : दमन से मुक्ति।

वे जो अपने चित्त को दबाने में ही जीवन नष्ट कर देते हैं, जिस बात को दबाते

हैं, उसी बात से बंधे रह जाते हैं।

अगर उन्होंने धन से छूटने की कोशिश की, लोभ को दबाया, तो वे परम लोभी हो जाएंगे। अगर उन्होंने काम को, सेक्स को दबाया, तो कामुक हो जाएंगे। जिसको आदमी दबाता है, वही हो जाता है, यह कल तीसरे सूत्र की बात हुई।

आज चौथे सूत्र की बात करेंगे।

इसके पहले कि हम चौथे सूत्र को समझें, दमन के संबंध में प्रास्ताविक रूप से कुछ समझ लेना जरूरी है।

मनुष्य को पता ही नहीं चलता जन्म के बाद कब दमन शुरू हो गया है!

हमारी सारी शिक्षा, सारी संस्कृति, सारी सभ्यता दमनवादी है। जगह-जगह मनुष्य पर रोक है। क्रोध! तो क्रोध मत करो! लेकिन कोई नहीं समझाता कि अगर क्रोध नहीं किया, तो क्रोध भीतर सरक जाएगा, उसका क्या होगा? अगर क्रोध को पी गए, तो वह खून में मिल जाएगा, हड्डी तक उतर जाएगा, उस क्रोध का क्या होगा?

क्रोध को दबा लेने से क्रोध का अंत नहीं होता। दबा हुआ क्रोध भीतर प्राणों में प्रविष्ट हो जाता है। निकला हुआ क्रोध शायद थोड़ी देर का होता, दबा हुआ क्रोध जीवन भर के लिए साथी हो जाता है। क्रोध को दबाया कि पूरा व्यक्तित्व क्रोध से भर जाता है। लेकिन बचपन से ही सिखाया जाता है ः क्रोध--क्रोध मत करना! ऐसी ही सारी बातें सिखाई जाती हैं। लेकिन कोई भी क्रोध से मुक्त नहीं हो पाता।

एक पूर्णिमा की रात एक छोटे से गांव में एक बड़ी अदभुत घटना घट गई। कुछ जवान लड़कों ने शराबखाने में जाकर शराब पी ली। और जब वे शराब के नशे में मदमस्त हो गए और शराबघर से बाहर निकले, तो चांद की बरसती चांदनी में उन्हें खयाल आया कि नदी पर जाएं और नौका-विहार करें।

रात बड़ी सुंदर और नशे से भरी हुई थी। वे गीत गाते हुए नदी के किनारे पहुंच गए। नावें वहां बंधी थीं। मछुए नाव बांध कर घर जा चुके थे। रात आधी हो गई थी।

वे एक नाव में सवार हो गए। उन्होंने पतवार उठा ली और नाव खेना शुरू किया। फिर सुबह होने तक वे नाव को खेते रहे। सुबह की ठंडी हवाएं आईं, तब होश आया थोड़ा, किसी ने पूछा, कहां आ गए होंगे अब तक हम? आधी रात तक हमने यात्रा की है, न-मालूम कितनी दूर निकल आए होंगे। उतर कर कोई देख ले-- किस दिशा में चल पड़े हैं, कहां पहुंच गए हैं?

जो उतरा था, वह उतर कर हंसने लगा। और उसने कहा कि दोस्तो, तुम भी उतर

आओ! हम कहीं भी नहीं पहुंचे हैं। हम वहीं खड़े हैं, जहां रात नाव खड़ी थी।

वे बहुत हैरान हुए। रात भर उन्होंने पतवार चलाई थी और वहीं खड़े थे! उतर कर देखा तो पता चला, नाव की जंजीरें किनारे से बंधी रह गई थीं, उन्हें वे खोलना भूल गए थे!

जीवन भी, पूरे जीवन नाव खेने पर, पूरे जीवन पतवार खेने पर, कहीं पहुंचता हुआ मालूम नहीं पड़ता है। मरते समय आदमी वहीं पाता है, जहां वह जन्मा था! ठीक उसी किनारे पर, जहां आंख खोली थीं, वहीं आंख बंद करते समय आदमी पाता है कि वहीं खड़ा हूं। और तब बड़ी हैरानी होती है कि जीवन भर जो दौड़-धूप की थी उसका क्या हुआ? वह जो श्रम किया था कहीं पहुंचने को, वह जो यात्रा की थी, वह सब निष्फल गई? मृत्यु के क्षण में आदमी वहीं पाता है, जहां जन्म के क्षण में था! तब सारा जीवन एक सपना मालूम पड़ने लगता है। नाव कहीं बंधी रह गई किसी किनारे से!

हां, कुछ लोग--कुछ सौभाग्यशाली--मरते क्षण वहां पहुंच जाते हैं, जहां जन्म ने उन्हें नहीं बांधा। वहां जहां जीवन का आकाश है, वहां जहां जीवन का प्रकाश है, वहां जहां सत्य है, वहां जहां परमात्मा का मंदिर है--वहां पहुंच जाते हैं। लेकिन वे वे ही लोग हैं, जो किनारे से, खूंटे से जंजीर खोलने की याद रखते हैं।

इन चार दिनों में कुछ जंजीरों की मैंने बात की है। पहले दिन मैंने कहा कि शास्त्रों-सिद्धांतों की जंजीर है बड़ी गहरी। और जो शास्त्रों-सिद्धांतों से बंधा रह जाता है, वह कभी जीवन के सागर में यात्रा नहीं कर पाता है।

जीवन का सागर है--अज्ञात; और सिद्धांत और शास्त्र सब हैं--ज्ञात।

ज्ञात से अज्ञात की तरफ जाने का कोई भी मार्ग नहीं है, सिवाय ज्ञात को छोड़ने के। जो भी हम जानते हैं वह जानते हैं और जो जीवन है वह अनजान है, अननोन है; वह परिचित नहीं है। तो जो हम जानते हैं, उसके द्वारा उसे नहीं पहचाना जा सकता जिसे हम नहीं जानते हैं। जो ज्ञात है, जो नोन है, उससे अननोन को, अज्ञात को जानने का कोई द्वार नहीं है, सिवाय इसके कि ज्ञात को छोड़ दिया जाए। ज्ञात को छोड़ते ही अज्ञात के द्वार खुल जाते हैं।

पहले दिन पहले सूत्र में मैंने यही कहा : छोड़ें हम शास्त्र को, छोड़ें शब्द को! क्योंकि सब शब्द उधार हैं--बारोड; बासे; मरे हुए। और सब शास्त्र पराए हैं--कोई कृष्ण का, कोई राम का, कोई बुद्ध का, कोई जीसस का, कोई मोहम्मद का। जो उन्होंने कहा है, वह उनके लिए सत्य रहा होगा। निश्चित ही, जो उन्होंने कहा है, उसे

उन्होंने जाना होगा। लेकिन दूसरे का ज्ञान किसी और दूसरे का ज्ञान नहीं बनता है, नहीं बन सकता है। कृष्ण जो जानते हैं, जानते होंगे। हमारे पास कृष्ण का शब्द ही आता है, कृष्ण का सत्य नहीं।

मैंने सुना है, एक कवि समुद्र की यात्रा पर गया है। जब वह सुबह समुद्र के तट पर जागा, इतनी सुंदर सुबह थी! इतना सुंदर प्रभात था! पक्षी गीत गाते थे वृक्षों पर। सूरज की किरणें नाचती थीं लहरों पर। लहरें उछलती थीं। हवाएं ठंडी थीं। फूलों की सुवास थी। वह नाचने लगा उस सुंदर प्रभात में। और फिर उसे याद आया कि उसकी प्रेयसी तो एक अस्पताल में बीमार पड़ी है। काश, वह भी आज यहां होती! लेकिन वह तो नहीं आ सकती। वह तो बिस्तर से बंधी है। उसके तो उठने की कोई संभावना नहीं।

तो उस कवि को सूझा कि फिर मैं यह करूं, समुद्र की इन ताजी हवाओं को, इन सूरज की नाचती किरणों को, इस संगीत को, इस सुवास को एक पेटी में बंद करके ले जाऊं। और अपनी प्रेयसी को कहूं--देख, कितनी सुंदर सुबह से एक टुकड़ा तेरे लिए ले आया हूं!

वह गांव गया और एक पेटी खरीद कर लाया। बहुत सुंदर पेटी थी। और उस पेटी में उसने समुद्र के किनारे खोल कर हवाएं भर लीं, सूरज की नाचती किरणें भर लीं, सुगंध भर ली। उस सुबह का एक टुकड़ा उस पेटी में बंद करके, ताला लगा कर सब रंध्र-रंध्र बंद कर दी, कि कहीं से वह सुबह बाहर न निकल जाए। और उस पेटी को अपने पत्र के साथ अपनी प्रेयसी के पास भेजा कि सुबह का सुंदर एक टुकड़ा, एक जिंदा टुकड़ा सागर के किनारे का तेरे पास भेजता हूं। नाच उठेगी तू! आनंद से भर जाएगी! ऐसी सुबह मैंने कभी देखी नहीं।

उस प्रेयसी के पास पत्र भी पहुंच गया, पेटी भी पहुंच गई। पेटी उसने खोल ली, लेकिन उसके भीतर तो कुछ भी न था--न सूरज की किरणें थीं, न हवाएं थीं, न कोई सुवास थी। वह पेटी तो बिलकुल खाली थी, निहायत खाली थी, उसके भीतर तो कुछ भी न था। पेटी पहुंचाई जा सकती है, जिस सौंदर्य को सागर के किनारे जाना, उसे नहीं पहुंचाया जा सकता।

जो लोग सत्य के, जीवन के सागर के तट पर पहुंच जाते हैं, वे वहां क्या जानते हैं--कहना मुश्किल है। क्योंकि हमारा सूरज, जिस प्रकाश को वे जानते हैं, उसके सामने अंधकार है। पता नहीं वे जिस सुवास को जानते हैं, हमारे किसी फूल में वह सुवास नहीं है, उसकी दूर की गंध भी नहीं है। वे जिस आनंद को जानते हैं, हमारे

सुखों में उस आनंद की एक किरण भी नहीं है। वे जिस जीवन को जानते हैं, हमारे शरीर में उस जीवन का हमें पता भी नहीं है। उनके मन को भी होता है : भेज दें उनके लिए जो रास्ते पर पीछे भटक रहे हैं। थोड़ा सा टुकड़ा शब्दों की पेटियों में भर कर वे भेजते हैं--गीता में, कुरान में, बाइबिल में। हमारे पास पेटियां आ जाती हैं, शब्द आ जाते हैं; लेकिन जो भेजा था, वह पीछे छूट जाता है, वह हमारे पास नहीं आता है। फिर हम इन्हीं पेटियों को सिर पर ढोए हुए घूमते रहते हैं। कोई गीता को लेकर घूम रहा है, कोई कुरान को, कोई बाइबिल को। और चिल्ला रहा है कि सत्य मेरे पास है! मेरी किताब में है!

सत्य किसी भी किताब में न है, न हो सकता है। सत्य किसी शब्द में न है, न हो सकता है। सत्य तो वहां है, जहां सब शब्द क्षीण हो जाते हैं और गिर जाते हैं। जहां चित्त मौन हो जाता है, निर्विचार, वहां है सत्य।

न वहां कोई शास्त्र जाता है, न कोई सिद्धांत जाते हैं। इसलिए जो सिद्धांतों और शास्त्रों की खूंटियों से बंधे हैं, वे कभी जीवन के सागर के तट पर नहीं जा सकेंगे। यह मैंने पहले सूत्र में कहा।

दूसरे सूत्र में मैंने कहा : जो लोग भीड़ से बंधे हैं और भीड़ की आंखों में देखते रहते हैं कि लोग क्या कहते हैं, वे लोग असत्य हो जाते हैं। क्योंकि भीड़ असत्य है। भीड़ से ज्यादा असत्य इस पृथ्वी पर और कुछ भी नहीं।

सत्य जब भी अवतरित होता है, तब व्यक्ति के प्राणों पर अवतरित होता है। सत्य भीड़ के ऊपर अवतरित नहीं होता।

सत्य को पकड़ने के लिए व्यक्ति का प्राण ही वीणा बनता है। वहीं से झंकृत होता है सत्य। भीड़ के पास कोई सत्य नहीं है। भीड़ के पास उधार बातें हैं, जो कि असत्य हो गई हैं। भीड़ के पास किताबें हैं, जो कि मर चुकी हैं। भीड़ के पास महात्माओं, तीर्थंकरों, अवतारों के नाम हैं, जो सिर्फ नाम हैं; जिनके पीछे अब कुछ भी नहीं बचा, सब राख हो गया है। भीड़ के पास परंपराएं हैं; भीड़ के पास याददाश्तें हैं; भीड़ के पास हजारों-लाखों साल की आदतें हैं; लेकिन भीड़ के पास वह चित्त नहीं, जो मुक्त होकर सत्य को जान लेता है। जब भी कोई उस चित्त को उपलब्ध करता है, तो अकेले में, व्यक्ति की तरह उस चित्त को उपलब्ध करना पड़ता है।

इसलिए जहां-जहां भीड़ है, जहां-जहां भीड़ का आग्रह है--हिंदुओं की भीड़, मुसलमानों की भीड़, ईसाइयों की भीड़, जैनियों की भीड़, बौद्धों की भीड़--सब भीड़ असत्य हैं। हिंदू भी, मुसलमान भी, ईसाई भी, जैन भी--और बीमारियों के

कोई भी नाम हों, सब। भीड़ का कोई संबंध सत्य से नहीं है।

लेकिन हम भीड़ को देख कर जीते हैं। हम देखते हैं कि भीड़ क्या कह रही है? भीड़ क्या मान रही है?

जो आदमी भीड़ को देख कर जीता है, वह अपने बाहर ही भटकता रह जाता है; क्योंकि भीड़ बाहर है। जिस आदमी को भीतर जाना है, उसे भीड़ से आंखें हटा लेनी पड़ती हैं। और अपनी तरफ, जहां वह अकेला है, उस तरफ आंखें ले जानी पड़ती हैं। लेकिन हम सब भीड़ से बंधे हैं; भीड़ की खूंटी से बंधे हैं।

मैंने सुना है कि एक सम्राट था। और उस सम्राट के दरबार में एक दिन एक आदमी आया और उस आदमी ने कहा कि महाराज, आपने सारी पृथ्वी जीत ली, लेकिन एक चीज की कमी है आपके पास।

उस सम्राट ने कहा, कमी? कौन सी है कमी, जल्दी बताओ! क्योंकि मैं तो बेचैन हुआ जाता हूं। मैं तो सोचता था, सब मैंने जीत लिया।

उस आदमी ने कहा, आपके पास देवताओं के वस्त्र नहीं हैं। मैं देवताओं के वस्त्र आपके लिए ला सकता हूं।

सम्राट ने कहा, देवताओं के वस्त्र तो कभी न देखे, न सुने! कैसे लाओगे?

उस आदमी ने कहा, लाना ऐसे तो बहुत मुश्किल है, क्योंकि पहले तो देवता बहुत सरल थे। और आजकल हिंदुस्तान के सब राजनीतिज्ञ मर कर स्वर्गीय हो गए हैं, वहां बड़ी बेईमानी, बहुत करप्शन सब तरह के शुरू हो गए हैं। हिंदुस्तान के राजनीतिज्ञ मर कर सब स्वर्गीय हो जाते हैं, नरक में तो कोई जाता नहीं।

हालांकि कोई राजनीतिज्ञ स्वर्ग में नहीं जा सकता। और अगर राजनीतिज्ञ जिस दिन स्वर्ग में जाने लगेंगे, उस दिन स्वर्ग भले आदमियों के रहने योग्य जगह न रह जाएगी। लेकिन होते तो सभी स्वर्गीय हैं।

तो उसने कहा कि जब से ये सब पहुंचने लगे हैं वहां, बड़ी मुश्किल हो गई है, बहुत रिश्वत चल पड़ी है वहां। लाने भी पड़ेंगे अगर देवताओं के वस्त्र तो करोड़ों रुपये खर्च हो जाएंगे।

उस सम्राट ने कहा, करोड़ों रुपये!

उस आदमी ने कहा कि दिल्ली में जाइए तो लाखों खर्च हो जाते हैं। तो वह तो स्वर्ग है, वहां करोड़ों रुपये खर्च हो जाएंगे। चपरासी भी वहां करोड़ों से नीचे की बात नहीं करता है।

उस राजा ने कहा, धोखा देने की कोशिश तो नहीं कर रहे हो?

उस आदमी ने कहा कि सम्राटों को धोखा देना मुश्किल है, क्योंकि उनसे बड़े धोखेबाज जमीन पर दूसरे नहीं हो सकते। उनको क्या धोखा दिया जा सकता है? डाकुओं को क्या लूटा जा सकता है? हत्यारों की क्या हत्या की जा सकती है? मैं निरीह आदमी, आपको क्या धोखा दूंगा? और फिर चाहें तो आप पहरा लगा दें, मुझे एक महल के भीतर बंद कर दें। मैं महल के भीतर ही रहूंगा। क्योंकि देवताओं के वहां जाने का रास्ता आंतरिक है, इसलिए बाहर की कोई यात्रा नहीं करनी है। लेकिन करोड़ों रुपये खर्च होंगे और छह महीने लग जाएंगे।

राजा ने कहा, छह महीने! मैं तो सोचता था, तू दिन, दो दिन में ले आएगा। उसने कहा कि दिन, दो दिन में तो दिल्ली में फाइल नहीं सरकती, तो स्वर्ग में क्या इतना आसान है आप समझते हैं? कोशिश मैं अपनी करूंगा।

राजा ने कहा, ठीक है।

दरबारियों ने कहा, यह आदमी धोखेबाज मालूम पड़ता है। देवताओं के वस्त्र कभी सुने हैं आपने?

राजा ने कहा, लेकिन धोखा देकर यह जाएगा कहां?

नंगी तलवारों का पहरा लगा दिया और उस आदमी को महल में बंद कर दिया। वह रोज कभी करोड़, कभी दो करोड़ रुपये मांगने लगा। छह महीने में उसने अरबों रुपये मांग लिए। लेकिन राजा ने कहा, कोई फिक्र नहीं। जाएगा कहां?

ठीक छह महीने पूरे हुए। वह आदमी पेटी लेकर बाहर आ गया। उसने सैनिकों से कहा, मैं कपड़े ले आया हूं, चलें महल की तरफ।

तब तो शक की कोई बात न रही। सारी राजधानी महल के द्वार पर इकट्ठी हो गई। दूर-दूर से लोग देखने आ गए थे। दूर-दूर से राजे बुलाए गए थे, सेनापति बुलाए गए थे, बड़े लोग बुलाए गए थे, धनपति बुलाए गए थे। दरबार ऐसा सजा था, जैसा कभी न सजा होगा। वह आदमी पेटी लेकर जब उपस्थित हुआ, तो राजा की हिम्मत में हिम्मत आई। अभी तक डरा हुआ था कि अगर बेईमान न हुआ और पागल हुआ, तो भी हम क्या करेंगे? अगर उसने कह दिया कि नहीं मिलते! लेकिन वह पेटी लेकर आ गया तो विश्वास आ गया।

उस आदमी ने आकर पेटी रखी और कहा, महाराज, वस्त्र ले आया हूं। आ जाएं आप, अपने वस्त्र छोड़ दें, मैं आपको देवताओं के वस्त्र देता हूं। पगड़ी लेकर राजा की उसने पेटी के भीतर डाल दी, पेटी के भीतर से हाथ अंदर निकाल कर बाहर लाया, हाथ बिलकुल खाली था। और उसने कहा, यह सम्हालिए देवताओं की

संभोग से समाधि की ओर

पगड़ी। दिखाई पड़ती है न आपको? क्योंकि देवताओं ने चलते वक्त कहा था : ये कपड़े उन्हीं को दिखाई पड़ेंगे, जो अपने बाप से पैदा हुए हों।

पगड़ी थी नहीं, दिखाई बिलकुल नहीं पड़ती थी, लेकिन एकदम दिखाई पड़ने लगी!

उस सम्राट ने कहा, क्यों नहीं दिखाई पड़ती! सम्राट लेकिन मन में सोचा कि मेरा बाप धोखा दे गया है, पगड़ी दिखाई तो नहीं पड़ती है! लेकिन वह भीतर की बात अब भीतर ही रखनी उचित थी।

दरबारियों ने भी देखा, गर्दनें बहुत ऊपर उठाईं, आंखें साफ कीं, लेकिन पगड़ी नहीं थी। लेकिन सबको दिखाई पड़ने लगी! सब दरबारी आगे बढ़ कर कहने लगे, महाराज, ऐसी पगड़ी कभी देखी न थी। कोई पीछे रह जाए तो कोई यह न समझ ले कि इसको दिखाई नहीं पड़ती, तो सब एक-दूसरे के आगे होने लगे, जोर-जोर से कहने लगे, कि कहीं धीरे कहो तो किसी को और यह शक न हो जाए कि यह आदमी धीरे बोल रहा है, कहीं ऐसा तो नहीं है कि इसको दिखाई न पड़ती हो।

जब सम्राट ने देखा कि सब दरबारियों को दिखाई पड़ती है, तो उसने सोचा, दिखाई ही पड़ती होगी, जब इतने लोगों को दिखाई पड़ रही है।

फिर हर एक ने यही सोचा कि मैं ही कुछ गड़बड़ में हूं, भीड़ को दिखाई पड़ रही है।

पगड़ी पहन ली। कोट पहन लिया, जो नहीं था। कमीज पहन ली, जो नहीं थी। फिर धोती भी निकल गई। फिर आखिरी वस्त्र के निकलने की नौबत आ गई। तब राजा घबड़ाया कि कहीं कुछ धोखा तो नहीं है, अन्यथा मैं नंगा खड़ा हो जाऊंगा! डरने लगा।

तो उस आदमी ने कहा, झिझकिए मत महाराज, नहीं तो लोगों को शक हो जाएगा। जल्दी से निकाल दीजिए!

झूठ की यात्रा बड़ी खतरनाक है। पहले कदम पर कोई रुक जाए तो रुक जाए, फिर बाद में रुकना बहुत मुश्किल होता है।

अब उसने भी सोचा कि इतनी दूर चल ही आए, और अब इनकार करना, तो आधे नंगे भी हो गए और पिता भी गए, बहुत गड़बड़ है। अब जो कुछ होगा, होगा। उसने हिम्मत करके आखिरी कपड़ा भी निकाल दिया। लेकिन सारा दरबार कह रहा था कि महाराज धन्य! अदभुत वस्त्र हैं, दिव्य वस्त्र हैं! तो उसे हिम्मत थी कि कोई फिक्र नहीं, नंगा मुझे खुद ही पता चल रहा है। तो अपना नंगापन तो अपने को पता

रहता ही है। इसलिए इसमें कोई हर्जा भी नहीं है ज्यादा। चलेगा। लेकिन उस बेईमान आदमी ने, जो ये वस्त्र लाया था देवताओं के...।

और देवताओं से वस्त्र लाने वाले और देवताओं की खबर लाने वाले और देवताओं तक पहुंचाने वाले लोग, सब बेईमान होते हैं। सबसे सावधान रहना। इधर आदमी तक पहुंचना मुश्किल है, देवताओं तक पहुंचना आसान है! आदमी को समझना मुश्किल है, और स्वर्ग के नक्शे बनाए हुए बैठे हैं! बड़ौदा की ज्योग्राफी का जिनको पता नहीं, वे स्वर्ग और नरक के नक्शे बनाए बैठे हुए हैं!

उस आदमी ने कहा कि महाराज, देवताओं ने चलते वक्त कहा था, पहली दफे पृथ्वी पर जा रहे हैं ये वस्त्र, इनकी शोभायात्रा नगर में निकलनी बहुत जरूरी है। रथ तैयार है। अब आप चल कर रथ पर सवार हो जाइए। लाखों-लाखों जन भीड़ लगाए खड़े हैं, उनकी आंखें तरस रही हैं, वस्त्रों को देखना है।

राजा ने कहा, क्या कहा? अब तक महल के भीतर थे, अपने ही लोग थे। महल के बाहर, सड़कों पर?

लेकिन उस आदमी ने धीरे से कहा, घबड़ाइए मत, जिस तरकीब से यहां सबको वस्त्र दिखाई पड़ रहे हैं, उसी तरकीब से वहां भी सबको दिखाई पड़ेंगे। आपके रथ के पहले यह डुंडी पीट दी जाएगी सारे नगर में कि ये वस्त्र उसी को दिखाई पड़ते हैं जो अपने बाप से पैदा हुआ है। आप घबड़ाइए मत। अब जो हो गया, हो गया। अब चलिए।

राजा समझ तो गया कि वह बिलकुल नंगा है और किसी को वस्त्र दिखाई नहीं पड़ रहे हैं, लेकिन अब कोई भी अर्थ न था। जाकर बैठ गया रथ पर। स्वर्ण-सिंहासन रथ पर लगा था। नंगा राजा, स्वर्ण-सिंहासन पर!

स्वर्ण-सिंहासनों पर नंगे लोग ही बैठे हैं।

जिनकी शोभायात्राएं निकल रही हैं, नंगे लोगों की ही हैं।

लेकिन नगर के लाखों लोगों को बस एकदम वस्त्र दिखाई पड़ने लगे! वही लोग जो महल के भीतर थे, वही महल के बाहर भी हैं। वही आदमी, वही भीड़ वाला आदमी। सब वस्त्रों की प्रशंसा करने लगे। कौन झंझट में पड़े! जब सारी भीड़ को दिखाई पड़ता है तो व्यक्ति की हैसियत से अपने को कौन इनकार करे! कौन कहे कि मुझे दिखाई नहीं पड़ता! इतना बल जुटाने के लिए बड़ी आत्मा चाहिए। इतना बल जुटाने के लिए बड़ा धार्मिक व्यक्ति चाहिए, इतना बल जुटाने के लिए परमात्मा की आवाज चाहिए। कौन इतनी हिम्मत जुटाए? इतनी बड़ी भीड़! फिर मन में यह

भी शक होता है कि जब इतने लोग कहते हैं, तो ठीक ही कहते होंगे। इतने लोग गलत क्यों कहेंगे? लेकिन कोई भी यह नहीं सोचता कि ये इतने लोग अलग-अलग उतनी ही हैसियत के हैं, जितनी हैसियत का मैं हूं। ये इतने लोग इकट्ठे नहीं हैं, ये एक-एक आदमी ही हैं आखिर में, मेरे ही जैसा। जैसा मैं कमजोर हूं, वैसा ही यह कमजोर है। यह भी भीड़ से डर रहा है, मैं भी भीड़ से डर रहा हूं।

जिससे हम डर रहे हैं, वह कहीं है ही नहीं। एक-एक आदमी का समूह खड़ा हुआ है, और सब भीड़ से डर रहे हैं।

लोग अपने बच्चों को घर ही छोड़ आए थे, लाए नहीं थे भीड़ में। क्योंकि बच्चों का कोई विश्वास नहीं। कोई बच्चा कहने लगे कि राजा नंगा है!

तो बच्चों का क्या विश्वास है? बच्चों को बिगाड़ने में वक्त लग जाता है। स्कूल, कालेज, युनिवर्सिटी, सब इंतजाम करो, फिर भी बड़ी मुश्किल से बिगाड़ पाते हो। एकदम आसान नहीं है बिगाड़ देना।

छोटे-छोटे बच्चों को कोई नहीं लाया था। लेकिन कुछ बच्चे जोरदार थे। और कुछ बच्चे ऐसे थे जिनकी माताओं की वजह से पिताओं को उनसे डरना पड़ता था, उनको लाना पड़ा था। वे कंधों पर सवार होकर आ गए थे। उन बच्चों ने देखते ही से कहा, अरे! राजा नंगा है!

उनके बाप ने कहा, चुप नादान! अभी तुझे अनुभव नहीं है, इसलिए नंगा दिखाई पड़ता है। ये बातें बड़े गहरे अनुभव की हैं, अनुभवियों को दिखाई पड़ती हैं। जब उम्र तेरी बढ़ेगी, तुझको भी दिखाई पड़ने लगेंगी। यह उम्र से आता है ज्ञान।

उम्र से दुनिया में कोई ज्ञान कभी नहीं आता। उम्र के भरोसे मत बैठे रहना। उम्र से बेईमानी आती है, चालाकी आती है, कनिंगनेस आती है; उम्र से ज्ञान कभी नहीं आता। लेकिन सब चालाक लोग यह कहते हैं कि उम्र से ज्ञान आता है।

फिर बेटे कहने लगे कि आप कहते हैं कि...आपको दिखाई पड़ रहे हैं वस्त्र?

हां, हमें दिखाई पड़ रहे हैं, उनके पिताओं ने कहा, बिलकुल दिखाई पड़ रहे हैं। हम अपने ही बाप से पैदा हुए हैं, ऐसा कैसे हो सकता है कि हमको दिखाई न पड़ें! और तुम अभी बच्चे हो, नासमझ हो, भोले हो; अभी तुम्हें समझ नहीं आ रहा है।

जिन बच्चों को सत्य दिखाई पड़ा था, उन्हें भीड़ के भय का कोई पता नहीं था, इसीलिए दिखाई पड़ा था। बड़े होंगे, भीड़ से भयभीत हो जाएंगे। फिर उनको भी वस्त्र दिखाई पड़ने लगते हैं। यह भीड़ डराए हुए है चारों तरफ से एक-एक आदमी को।

इसलिए जीसस ने कहा है...

एक बाजार में वे खड़े थे। कुछ लोग उनसे पूछने लगे कि तुम्हारे स्वर्ग के राज्य में, तुम्हारे परमात्मा के दर्शन को कौन उपलब्ध हो सकता है? तो जीसस ने चारों तरफ नजर दौड़ाई, और एक छोटे से बच्चे को उठा कर ऊपर कर लिया और कहा कि जो इस बच्चे की तरह है।

क्या मतलब रहा होगा? क्या साइज छोटी होगी तो ईश्वर के राज्य में चले जाइएगा? कि उम्र कम होगी तो ईश्वर के राज्य में चले जाइएगा? नहीं! क्या बच्चे मर जाएंगे तो सब ईश्वर के राज्य में चले जाएंगे?

नहीं! लेकिन बच्चों की तरह होंगे, इसका मतलब है, जो भीड़ से भयभीत नहीं। जो सीधे और साफ हैं। जिन्हें जो दिखता है, वही कहते हैं कि दिखता है। जिन्हें जो नहीं दिखता, कहते हैं कि नहीं दिखता है। जो झूठ को मान लेने को राजी नहीं। जो बच्चों की तरह होंगे, वे।

बच्चे नहीं, बच्चों की तरह!

बच्चों की तरह का मतलब?

बच्चे अकेले हैं, बच्चे इंडिविजुअल हैं। बच्चों को भीड़ से कोई मतलब नहीं है। अभी भीड़ की उन्हें फिक्र नहीं है। अभी भीड़ का उन्हें पता भी नहीं है कि भीड़ं भी है।

और भीड़ बड़ी अदभुत चीज है। उसकी बड़ी अनजानी ताकत चारों तरफ से जकड़े हुए है आदमी को।

इसलिए दूसरा सूत्र मैंने कहा कि जिन्हें जीवन की सत्य के तरफ जाना है, भीड़ की खूंटी से मुक्त हो जाएं।

यह मतलब नहीं है कि आप भीड़ से भाग जाएं। भागेंगे कहां? भीड़ सब जगह है। कहां भागेंगे? जहां जाएंगे वहीं भीड़ है। और अभी तो थोड़ी-बहुत पहाड़ियां बच गई हैं जहां भाग भी सकते हैं, लेकिन कुछ ही दिनों में पहाड़ियां भी नहीं बचेंगी।

वैज्ञानिक कहते हैं कि सौ वर्षों में अगर भारत, चीन जैसे देश बच्चों को पैदा करने के अपने महान कार्य में संलग्न रहे, तो दुनिया में कुहनी हिलाने की जगह नहीं रह जाने वाली। सभा-वभा करने की जरूरत नहीं रहेगी, कहीं भी खड़े हो जाइए और सभा हो जाएगी।

कहां भागिएगा भीड़ से? जंगलों में, पहाड़ों में? कोई मतलब नहीं है! भीड़ वहां भी बहुत सूक्ष्म रूप में पीछा करती है।

एक आदमी साधु हो जाता है, भाग जाता है जंगल में। जंगल में बैठा है, उससे पूछिए, आप कौन हैं? वह कहता है, मैं हिंदू हूं!

भीड़ पीछा कर रही है उसका। अब तुम हिंदू कैसे हो? तुम जब छोड़ कर भाग आए तो तुम हिंदू कैसे रह गए? अभी तक आदमी नहीं हुए? आदमी होना बहुत मुश्किल है, हिंदू होना बहुत आसान है।

एक आदमी साधु हो गया, वह कहता है, मैं जैन हूं!

अब तुम समाज को छोड़ दिए तो तुम जैन कैसे हो? यह जैन-वैन होना तो समाज ने सिखाया था।

साधु भी हिंदू, जैन और मुसलमान हैं, तो फिर असाधुओं का क्या हिसाब रखना। तो ठीक है! गांधी जैसे अच्छे आदमी भी इस भ्रम से मुक्त नहीं होते कि मैं हिंदू हूं। चिल्लाए चले जाते हैं कि मैं हिंदू हूं। तो साधारण लोगों की क्या हैसियत है! गांधी जैसा अच्छा आदमी भी हिम्मत नहीं जुटा पाता कि कहे कि मैं आदमी हूं बस; और कोई विशेषण नहीं लगाऊंगा। अगर अकेले गांधी ने भी हिम्मत जुटा ली होती और यह कहा होता कि मैं सिर्फ आदमी हूं, जिन्ना की जान निकल गई होती। लेकिन गांधी के हिंदू ने जिन्ना की जान न निकलने दी।

हिंदुस्तान बंटा, गांधी के हिंदू होने की वजह से बंटा; हिंदुस्तान कभी नहीं बंटता। लेकिन खयाल में नहीं आता हमें यह कि इतनी छोटी सी बातें कितने बड़े परिणाम ला सकती हैं। गांधी का हिंदू होना संदिग्ध करता रहा मन को मुसलमान के। गांधी का आश्रम, गांधी के हिंदू ढंग, गांधी की प्रार्थना, पूजा-पत्री--सब यह वहम पैदा करती रही कि हिंदू महात्मा हैं। और हिंदू महात्मा से सावधान होना जरूरी है मुसलमान को। एक भीड़ से दूसरी भीड़ सदा सावधान होती है; क्योंकि एक भीड़ से दूसरी भीड़ को डर है; एक दुकान से दूसरी दुकान को डर है।

जिन्ना का मुसलमान खत्म हो जाता, गांधी का हिंदू खत्म नहीं हो सका। और जिन्ना से हम आशा नहीं करते हैं कि उसका खत्म हो, वह आदमी साधारण है; गांधी से हम आशा कर सकते हैं। लेकिन गांधी से ही खत्म नहीं हो सका, तो जिन्ना से क्या खत्म हो सकता है!

भीड़ पीछा करती है; भीड़ बहुत सटल, बहुत सूक्ष्म रास्ते से पीछा करती है।

बर्ट्रेंड रसेल ने कहीं कहा है कि मैंने पढ़-लिख कर, बहुत कुछ सोचा और समझा और पाया कि बुद्ध से अदभुत आदमी दूसरा नहीं हुआ है। लेकिन जब भी मैं यह सोचता हूं कि बुद्ध सबसे महान हैं, तभी मेरे भीतर कोई बेचैनी होने लगती है

और कोई कहता है कि नहीं, क्राइस्ट से महान नहीं हो सकता!

भीड़ बैठी है। बचपन से सिखाया है जो, वह भीतर बैठी है। वह कहती है, नहीं! सवाल नहीं है कि कौन महान है, किसी के महान का हिसाब लगाना भी नासमझी है। लेकिन बचपन से जो भीड़ सिखा देती है, जो कंडीशनिंग, जो चित्त को संस्कारित करती है, वह जीवन भर पीछा करता है; मरते दम तक पीछा करता है।

एक सज्जन हैं। बहुत बड़े विचारशील आदमी हैं। उनका नाम नहीं लूंगा; क्योंकि किसी का नाम लेना इस मुल्क में ऐसा खतरनाक है जिसका कोई हिसाब नहीं। किसी का नाम ही नहीं लिया जा सकता। अंधेरे में ही बात करनी पड़ती है। एक बड़े विचारक हैं। वे मुझसे कहते थे कि मेरा सब छूट गया। जप, तप, पूजा-पाठ, सब छोड़ दिया। मैं सबसे मुक्त हो गया हूं।

मैंने कहा, इतना आसान नहीं है मामला। यह मुक्त होना इतना आसान नहीं है। क्योंकि जब आप कहते हैं कि मैं मुक्त हो गया हूं, तब भी मैं आपकी आंख में झांकता हूं और मुझे लगता है कि आप मुक्त नहीं हुए हैं। अगर मुक्त हो गए होते, तो 'मुक्त हो गया हूं', यह खयाल भी छूट गया होता। मुक्त आप नहीं हुए हैं।

उन्होंने कहा कि नहीं, मैं मुक्त हो गया हूं! मैंने कहा, जितने जोर से आप कहेंगे, मुझे शक उतना ही बढ़ता चला जाएगा। वक्त आएगा, कहूंगा।
उन पर हार्ट-अटैक हुआ। हार्ट-अटैक हुआ तो मैं उनको देखने गया। आंख बंद थी, कुछ बेहोश से पड़े थे और राम-राम, राम-राम, राम-राम का जाप चल रहा था। मैंने उनको हिलाया। मैंने कहा, क्या कर रहे हैं?

उन्होंने कहा कि मैं बड़ी हैरानी में पड़ गया हूं। जिस क्षण से हार्ट-अटैक हुआ और ऐसा लगा कि मर जाऊंगा, जिस पूजा-पाठ को सदा के लिए छोड़ दिया था, वह एकदम चलना शुरू हो गया है! अब मैं रोकना भी चाहता हूं तो नहीं रुकता; मेरे भीतर चल रहा है जोर से--राम-राम, राम-राम, राम-राम। मैं सोचता था छोड़ दिया, आप कहते थे--शायद ठीक ही कहते थे--छोड़ना बहुत मुश्किल है।

इतने गहरे में उसकी जड़ें बैठी हैं भीड़ की। वह जो सिखा देती है, वह भीतर बैठा हुआ है। वह भीतर गहरे से गहरे में बैठ गया है।

अब गांधी जी कितना कहते थे--अल्लाह ईश्वर तेरे नाम। लेकिन जब गोली लगी, तो अल्लाह का नाम याद नहीं आया। नाम याद आया--हे राम! अल्लाह का नाम याद नहीं आया। गोली लगी तो याद आया--हे राम!

वह हिंदू भीतर बैठा है। वह वहां भीतर आत्मा के भीतर से भीतर घुस गया है।

वह वहां से जब गोली लगी, तो सब भूल गया अल्लाह ईश्वर तेरे नाम। निकला--हे राम! हे अल्लाह निकल जाता शायद गांधी से...बड़ा मुश्किल था लेकिन, नहीं निकल सकता था। यह असंभव था। वह हिंदू भीतर बैठा है।

गहरे में भीड़ घुस जाती है आदमी के। भीड़ से भागने का मतलब यह नहीं है कि जंगल चले जाना। भीड़ से भागने का मतलब--अपने भीतर खोजना। और जहां-जहां भीड़ के चि पाएं, उनको उखाड़ कर फेंक देना। और धीरे-धीरे कोशिश जारी रखना कि व्यक्ति का आविर्भाव हो जाए। भीड़ से मुक्त चित्त ऊपर उठ आए; भीड़ छूट जाए। भीतर, अंतस में, चित्त में...।

जो आदमी अपने चित्त की वृत्तियों को दबाता है, वह जिन वृत्तियों को दबाता है, उन्हीं से बंध जाता है। जिससे बंधना हो, उसी से लड़ना शुरू कर देना। दोस्त से उतना गहरा बंधन नहीं होता, जितना दुश्मन से होता है। दोस्त की तो कभी-कभी याद आती है; सच तो यह है कि कभी नहीं आती। जब मिलता है, तभी कहते हैं कि बड़ी याद आती है। लेकिन दुश्मन की चौबीस घंटे याद बनी रहती है। रात सो जाओ, तब भी वह साथ सोता है। सुबह उठो, दुश्मन साथ उठता है। जितनी गहरी दुश्मनी हो, उतना गहरा साथ हो जाता है।

इसलिए दोस्त कोई भी चुन लेना, दुश्मन थोड़ा सोच-विचार कर चुनना चाहिए। क्योंकि उसके चौबीस घंटे साथ रहना पड़ता है। दोस्त कोई भी चल जाता है--ऐरा-गैरा, क, ख, ग--कोई भी चल जाता है। लेकिन दुश्मन? दुश्मन के साथ हमेशा रहना पड़ता है।

यह मैंने तीसरे सूत्र में कहा कि दमन भूल कर मत करना। क्योंकि दमन अच्छी चीजों का तो कोई करता नहीं है, दमन करता है बुरी चीजों का। और जिनका दमन करता है, जिनसे लड़ता है, उन्हीं से गठबंधन हो जाता है, उन्हीं के साथ फेरा पड़ जाता है। जिस चीज को हम दबाते हैं, उसी से जकड़ जाते हैं।

मैंने सुना है, एक होटल में एक रात एक आदमी मेहमान हुआ। लेकिन होटल के मैनेजर ने कहा, जगह नहीं है, आप कहीं और चले जाएं। एक ही कमरा खाली है और वह हम देना नहीं चाहते। उसके नीचे एक सज्जन ठहरे हुए हैं। अगर ऊपर जरा ही खड़बड़ हो जाए, आवाज हो जाए, कोई जोर से चल दे, तो उनसे झगड़ा हो जाता है। तो जब से उसको पिछले मेहमान ने खाली किया है, हमने तय किया है कि अब खाली ही रखेंगे, जब तक नीचे के सज्जन विदा नहीं ले लेते।

कुछ सज्जन ऐसे होते हैं जिनके आने की राह देखनी पड़ती है, कुछ सज्जन ऐसे

होते हैं जिनके जाने की भी राह देखनी पड़ती है। और दूसरी तरह के ही सज्जन ज्यादा होते हैं; पहली तरह के सज्जन तो बहुत मुश्किल हैं, जिनके आने की राह देखनी पड़ती है।

उस मैनेजर ने कहा कि क्षमा करिए, हम उनके जाने की प्रतीक्षा कर रहे हैं। जब वे चले जाएं, तब आप आइए।

उस आदमी ने कहा, आप घबड़ाएं न, मैं सिर्फ दो-चार घंटे ही रात सोऊंगा। दिन भर बाजार में काम करना है, रात दो बजे लौटूंगा, सो जाऊंगा। सुबह छह बजे उठ कर मुझे गाड़ी पकड़ लेनी है। अब नींद में उनसे कोई झगड़ा होगा, इसकी आशा नहीं है। नींद में चलने की मेरी आदत भी नहीं है। और कोई गड़बड़ नहीं है, मैं सो जाऊंगा, आप फिक्र न करें।

मैनेजर मान गया। वह आदमी दो बजे रात लौटा, थका-मांदा दिन भर के काम के बाद। बिस्तर पर बैठ कर उसने जूता खोल कर नीचे पटका। तब उसे खयाल आया कि कहीं नीचे के मेहमान की जूते की आवाज से नींद न खुल जाए! तो उसने दूसरा जूता धीरे से निकाल कर रख कर वह सो गया।

घंटे भर बाद नीचे के मेहमान ने दस्तक दी--कि सज्जन, दरवाजा खोलिए! वह बहुत हैरान हुआ कि घंटा भर मेरी नींद भी हो चुकी, अब क्या गलती हो गई होगी? दरवाजा खोला डरा हुआ।

उस आदमी ने पूछा कि दूसरा जूता कहां है? मुझे बहुत मुश्किल में डाल दिया। जब पहला जूता गिरा, मैंने समझा कि अच्छा, महाशय आ गए। फिर दूसरा जूता गिरा ही नहीं! अब मैं प्रतीक्षा कर रहा हूं कि दूसरा जूता अब गिरे, अब गिरे। फिर मैंने अपने मन को समझाया--मुझे किसी के जूते से क्या लेना-देना? हटाओ, कुछ भी हो! लेकिन जितना मैंने हटाने की कोशिश की, दूसरा जूता मेरी आंखों में झूलने लगा। आंख बंद करता हूं, जूता लटका दिखता है। आंख खोलता हूं...! बड़ी बेचैनी हो गई, नींद आनी मुश्किल हो गई। धक्का देने लगा। बहुत समझाया कि कैसा पागल है तू! किसी के जूते से अपने को क्या मतलब! चाहे एक जूता पहन कर सो रहा हो, सोने दो। जो चाहे, करने दो उसे। लेकिन जितना मैंने मन को समझाया, दबाया, लड़ा, उतना ही वह जूता बड़ा होता गया और सिर पर घूमने लगा।

आदमी ने पूछा कि दूसरा जूता कहां है? मुझे बहुत मुश्किल में डाल दिया। जब पहला जूता गिरा, मैंने समझा कि अच्छा, महाशय आ गए। फिर दूसरा जूता गिरा ही नहीं! अब मैं प्रतीक्षा कर रहा हूं कि दूसरा जूता अब गिरे, अब गिरे। फिर मैंने अपने

मन को समझाया--मुझे किसी के जूते से क्या लेना-देना?

हटाओ, कुछ भी हो! लेकिन जितना मैंने हटाने की कोशिश की, दूसरा जूता मेरी आंखों में झूलने लगा। आंख बंद करता हूं, जूता लटका दिखता है। आंख खोलता हूं...! बड़ी बेचैनी हो गई, नींद आनी मुश्किल हो गई। धक्का देने लगा। बहुत समझाया कि कैसा पागल है तू! किसी के जूते से अपने को क्या मतलब! चाहे एक जूता पहन कर सो रहा हो, सोने दो। जो चाहे, करने दो उसे। लेकिन जितना मैंने मन को समझाया, दबाया, लड़ा, उतना ही वह जूता बड़ा होता गया और सिर पर घूमने लगा।

अपनी-अपनी खोपड़ी की तलाश अगर आदमी करे, तो पाएगा कि दूसरों के जूते वहां घूम रहे हैं, जिनसे कुछ लेना-देना नहीं है। लड़े, कि खतरा हुआ। उस आदमी ने कहा, क्षमा करिए! इसलिए मैं पूछने आया, पता चल ज़ाए तो मैं सो जाऊं शांति से, यह झगड़ा बंद हो।

जो उस आदमी के साथ हुआ, वह सबके साथ होगा।

सप्रेसिव माइंड, दमन करने वाला चित्त हमेशा व्यर्थ की बातों में उलझ जाता है।

सेक्स को दबाओ, और चौबीस घंटे सेक्स का जूता सिर पर घूमने लगेगा। क्रोध को दबाओ, और चौबीस घंटे क्रोध प्राणों में घुस कर चक्कर काटने लगेगा। और एक तरफ से दबाओ, और दूसरी तरफ से निकलने की चेष्टा होगी। क्योंकि प्रत्येक व्यक्ति एक ऊर्जा है, एनर्जी है। आप दबाओगे एनर्जी को तो वह कहीं से निकलेगी। एक झरने को आप इधर से दबा दो, वह दूसरी तरफ से फूट कर बहेगा। उधर से दबाओ, तीसरी तरफ से बहेगा। झरना है, तो दबाने से काम नहीं हो सकता।

एक आदमी दफ्तर में है। उसका मालिक कुछ बेहूदी बातें कह दे।

और मालिक बेहूदी बातें कहते हैं; नहीं तो मालिक होने का मजा ही खत्म। मजा क्या है मालिक होने में? किसी से बेहूदी बातें कह सकते हो, और वह आदमी यह भी नहीं कह सकता कि आप बेहूदी बातें कह रहे हैं। और फिर मालिक बेहूदी बातें कहे या न कहे, नौकर को मालिक की सब बातें बेहूदी मालूम पड़ती हैं। नौकर होना ही इतनी बेहूदगी है कि अब और जो भी कुछ कहा जाए वह बेहूदगी मालूम पड़ती है। अगर मालिक या बॉस जोर से बोलता है, क्रोध की बातें कहता है, तो भी नौकर को खड़े होकर मुस्कुराना पड़ता है। भीतर आग लग रही है कि गर्दन दबा दें!

ऐसा कौन नौकर होगा जिसको मालिक की गर्दन दबाने का खयाल न आता हो? आता है, जरूर आता है। आना भी चाहिए, नहीं तो दुनिया बदलेगी भी नहीं!

मगर ऊपर से मुस्कुराहट, ओंठ फैला देगा छह इंच और कहेगा कि बड़ी अच्छी बातें कह रहे हैं। बड़े वेद-वचन बोल रहे हैं। बड़ी वाणी आपकी मधुर है। उपनिषद के ऋषि भी क्या बोलते होंगे ऐसी बातें! धन्यभाग कि आपके अमृत-वचन मेरे ऊपर गिरे!

भीतर आग जल रही है। दबा लेगा अपने क्रोध को। लेकिन क्रोध को दबा कर कितनी देर चल सकते हो? साइकिल चलाएगा तो पैडल जोर से चलेगा। कार ड्राइव करेगा तो कार एकदम साठ से सौ पर भागने लगेगी। वह जो क्रोध दबाया है, वह सब तरफ से निकलने की कोशिश करेगा।

अमेरिका के मनोवैज्ञानिक कहते हैं कि अगर आदमी के क्रोध की कोई समझ पैदा हो सके, तो अमेरिका के एक्सीडेंट पचास प्रतिशत कम हो जाएंगे। वे जो एक्सीडेंट हो रहे हैं, वे सड़क की वजह से कम हो रहे हैं, दिमाग की वजह से ज्यादा हो रहे हैं।

आपको पता है, जब क्रोध में साइकिल चलाते हैं तो किस तरह चलती है साइकिल? एकदम हवा लग जाती है उसे! फिर कोई नहीं दिखता। ऐसा मालूम पड़ता है--रास्ता खाली है एकदम। और सामने कोई आ जाए तो और ऐसा मन होता है कि टकरा दूं जोर से; क्योंकि वह भीतर जो टकराहट चल रही है।

वह आदमी तेजी से साइकिल चलाता हुआ घर पहुंचेगा। रास्ते में दो-चार बार बचेगा टकराने से। क्रोध और भारी हो जाएगा। अब जाकर वह घर प्रतीक्षा करेगा कि कोई मौका मिल जाए और पत्नी की गर्दन दबा ले।

पत्नी बड़ी सरल चीज है। वह है ही इसलिए कि आप घर आइए और उसकी गर्दन दबाइए। उसका मतलब क्या है? उसका उपयोग क्या है और? उसका असली उपयोग यह है कि जिंदगी भर का जो कुछ आपके ऊपर गुजरे, वह जाकर पत्नी पर रिलीज करिए। उसको निकालिए वहां पर।

घर पहुंचते से ही सब गड़बड़ी दिखाई पड़ने लगेगी। पत्नी जिसको कल रात ही आपने कहा था कि तू बड़ी सुंदर है, एकदम मालूम पड़ेगी कि यह शूर्पणखा कहां से आ गई? सब खत्म हो जाएगा। फिल्म की अभिनेत्रियां याद आएंगी कि सौंदर्य उसको कहते हैं। यह औरत?

रोटी जली हुई मालूम पड़ेगी। सब्जी में नमक नहीं मालूम पड़ेगा। सब गड़बड़ मालूम पड़ेगा। घर अस्तव्यस्त घूमता हुआ मालूम पड़ेगा। टूट पड़ेंगे उस पर। कल भी रोटी ऐसी ही थी; क्योंकि कल भी पत्नी यही थी। कल भी पत्नी यही थी जो आज

है; लेकिन आज सब बदला हुआ मालूम पड़ेगा। वह जो भीतर दबाया है, वह निकलने के लिए मार्ग खोज रहा है।

और ध्यान रहे, जैसे पानी ऊपर की तरफ नहीं चढ़ता, ऐसे क्रोध भी ऊपर की तरफ नहीं चढ़ता। पानी भी नीचे की तरफ उतरता है, क्रोध भी नीचे की तरफ उतरता है। कमजोर की तरफ उतरता है, ताकतवर की तरफ नहीं उतरता। मालिक की तरफ नहीं चढ़ सकता है क्रोध। चढ़ाना हो तो बड़े पंप लगाना जरूरी है। कम्युनिज्म वगैरह के पंप लगाओ, तब चढ़ सकता है मालिक की तरफ; नहीं तो नहीं चढ़ता।

पत्नी की तरफ एकदम उतर जाता है। और पत्नी कुछ भी नहीं कर सकती, क्योंकि पति परमात्मा है। ये पति लोग ही समझा रहे हैं पत्नियों को कि हम परमात्मा हैं।

बड़े मजे की बातें दुनिया में चल रही हैं! और कोई स्त्री नहीं कहती कि महाशय, आप और परमात्मा? आप ही परमात्मा हैं? तो परमात्मा पर भी शक पैदा हो जाएगा अगर आप ही परमात्मा हैं! आपकी इज्जत नहीं बढ़ती परमात्मा होने से, परमात्मा की इज्जत घटती है आपके होने से। कृपा करके परमात्मा को बाइज्जत जीने दो, आप परमात्मा मत बनो। लेकिन कोई स्त्री नहीं कहेगी!

स्त्री के पास फिजूल की बकवास करने के लिए बहुत ताकत है, लेकिन बुद्धिमत्ता की एक बात स्त्री से नहीं निकल सकती। परमात्मा की तरफ तो क्रोध नहीं किया जा सकता। उसको भी राह देखनी पड़ेगी। आग लग जाएगी उसके भीतर भी, बच्चे का रास्ता देखना पड़ेगा कि आओ बेटा, आज तुम्हारा सुधार किया जाए। उस बेचारे को पता नहीं, वह अपना नाचता हुआ, अपना बस्ता लिए हुए स्कूल से चला आ रहा है। उसको पता ही नहीं कि वह कहां जा रहा है। उधर मां तैयार है, प्रतीक्षा कर रही है सुधार करने की।

जितने लोग सुधार की प्रतीक्षा करते हैं--ध्यान रखना--भीतर कोई क्रोध है, जिसकी वजह से सुधार की आयोजना चलती है। जिनके अपने बेटे नहीं होते, वे अनाथालय खोल लेते हैं; जिनका अपना घर नहीं होता, वे आश्रम बना लेते हैं; लेकिन सुधार करते हैं! जिनको कोई नहीं मिलता, वे समाज की कोई भी तरकीब निकाल कर सुधार करने में लग जाते हैं।

भीतर क्रोध है, भीतर आग है; किसी को तोड़ने, मरोड़ने, बदलने की इच्छा है।

वह बच्चा आते ही से फंस जाएगा। कल भी वह ऐसे ही आया था नाचता हुआ, लेकिन आज नाचना उसका उपद्रव मालूम पड़ेगा।

हमें वही दिखाई पड़ता है, जो हमारे भीतर है। हमारा सब देखना प्रोजेक्शन है।

आज उसके कपड़े गंदे मालूम पड़ेंगे। वह रोज ऐसे ही आता है। बच्चे कपड़े गंदे नहीं करेंगे तो बूढ़े कपड़े गंदे करेंगे? बच्चे तो कपड़े गंदे करेंगे। क्योंकि बच्चों को कपड़ों का पता ही नहीं है। कपड़ों का पता रखने के लिए भी आदमी को बहुत चालाक होने की जरूरत है। बच्चों को कहां होश?

कपड़े फट गए हैं, किताब फट गई है, स्लेट फूट गई है--और आज बच्चे का सुधार किया जाएगा। लेकिन मां को पता भी नहीं चलेगा कि वह बच्चे की शक्ल में पति को चांटे मार रही है; चांटे पति को पड़ रहे हैं।

और बच्चे भलीभांति जानते हैं कि उनकी पिटाई कब होती है! जब मां-बाप में वार चलता है तब। मां-बाप लड़ते हैं, बच्चे पिटते हैं।

इसलिए जिनके बच्चे नहीं होते, उनके घर में बड़ी मुश्किल हो जाती है; क्योंकि पिटने के लिए कोई कॉमन एनिमी नहीं है; किसको पीटो! फिर अगर ऐसा न हो तो प्लेटें टूट जाती हैं, रेडियो गिर जाता है; फिर दूसरे उपाय खोजने पड़ते हैं। आपको मालूम होगा भलीभांति कि प्लेट कब टूटती है। और पत्नियों को भी मालूम है कि कब एकदम हाथ से प्लेटें छूटने लगती हैं।

लेकिन बच्चा पिटेगा। बच्चा क्या कर सकता है? मां के लिए क्या कर सकता है? मां के प्रति क्रोध कैसे करे? अगर मां के प्रति क्रोध करना है तो जरा प्रतीक्षा करनी पड़ेगी। पंद्रह-बीस साल बहुत लंबी प्रतीक्षा है, जब एक औरत और आ जाए पीछे ताकत देने को। क्योंकि किसी भी औरत से लड़ना हो तो एक औरत का साथ जरूरी है, नहीं तो हार निश्चित है।

औरत से औरत ही लड़ सकती है, आदमी नहीं लड़ सकता।

राह देखनी पड़ेगी। लेकिन वह बहुत लंबा वक्त है। और वक्त देखना पड़ेगा कि जब मां बूढ़ी हो जाए; क्योंकि तब पांसा बदल जाएगा। अभी मां ताकतवर है, बच्चा कमजोर है। तब बच्चा ताकतवर होगा, मां कमजोर हो जाएगी।

वह जो बूढ़े मां-बाप को बच्चे सताते हैं, वह डिलेड रिवेंज है, वह लंबी प्रतीक्षा करता हुआ क्रोध है। और जब तक मां-बाप बच्चों को सताते रहेंगे, तब तक बूढ़े मां-बापों को सावधान रहना चाहिए, बच्चे उनको सताएंगे।

लेकिन वह बहुत लंबी बात है। उतनी देर तक प्रतीक्षा नहीं की जा सकती है। क्रोध इतनी देर के लिए मानने को राजी नहीं हो सकता। फिर बच्चा क्या करे? जाएगा, अपनी गुड़िया की टांग तोड़ देगा! किताब फाड़ देगा! कुछ करेगा। जो भी

वह कर सकता है, वह करेगा!

दबाया हुआ क्रोध इतने रास्ते लेगा, इतनी तकलीफों में डालेगा, इतनी मुश्किलों में उलझा देगा। दबाया हुआ अहंकार नये-नये रास्ते खोजेगा। दबाया हुआ लोभ नये-नये रास्ते खोजेगा।

मैं एक संन्यासी के पास था। वे संन्यासी मुझसे बार-बार कहने लगे...।

और संन्यासियों के पास बेचारों के पास और कुछ कहने को होता ही नहीं। धनपति के पास जाइए, तो वह अपने धन का हिसाब बताता है कि इतने करोड़ थे, अब इतने करोड़ हो गए; मकान तिमंजिला था, सात मंजिला हो गया। पंडितों के पास जाइए तो वे अपना बताते हैं कि अभी एम.ए. थे, अब पीएच.डी. भी हो गए, अब डी.लिट. भी हो गए; अब यह हो गए, वह हो गए! पांच किताबें छपी थीं, अब पंद्रह छप गईं! वे अपना बताएंगे। त्यागी संन्यासी क्या बताए? वह भी अपना हिसाब रखता है त्याग का!

वे मुझसे रोज-रोज कहने लगे, मैंने लाखों रुपयों पर लात मार दी! वे सत्य ही कहते होंगे।

चलते वक्त मैंने पूछा कि महाराज, यह लात मारी कब? कहने लगे, कोई पैंतीस साल हो गए। मैंने कहा, लात ठीक से लग नहीं पाई, नहीं तो पैंतीस साल तक याद रखने की क्या जरूरत है? पैंतीस साल बहुत लंबा वक्त है। और बेचारी लात मार दी, मार दी, खत्म करो! अब इसे पैंतीस साल याद रखने की क्या जरूरत है?

लेकिन वे अखबार की कटिंग रखे हुए थे अपनी फाइल में, जिसमें छपी थी पैंतीस साल पहले यह खबर। कागज पुराने पड़ गए थे, पीले पड़ गए थे, लेकिन मन को बड़ी राहत देते होंगे। दिखाते-दिखाते गंदे हो गए थे, अक्षर समझ में नहीं आते थे। लेकिन उनको तृप्ति हो जाती होगी--पैंतीस साल पहले उन्होंने लाखों रुपयों पर लात मारी।

मैंने उनसे कहा, लात ठीक से लग जाती तो रुपये भूल जाते। लात ठीक से लगी नहीं। लात लौट कर वापस आ गई।

पहले अकड़ रही होगी कि मेरे पास लाखों रुपये हैं। अहंकार रहा होगा। सड़क पर चलते होंगे तो भोजन की कोई जरूरत न रही होगी, बिना भोजन के भी चल जाते होंगे। ताकत, गर्मी रही होगी भीतर--लाखों रुपये मेरे पास हैं! फिर लाखों को छोड़ दिया, तब से अकड़ दूसरी आ गई होगी कि मैंने लाखों पर लात मार दी! मैं कोई साधारण आदमी हूं? और पहली अकड़ से दूसरी अकड़ ज्यादा खतरनाक है।

पहले अहंकार से दूसरा अहंकार ज्यादा सूक्ष्म है। दबाया हुआ अहंकार वापस लौट आया है। अब वह और बारीक होकर आया है कि तुम पहचान न जाना।

जो भी आदमी चित्त के साथ दमन करता है, वह सूक्ष्म से सूक्ष्म उलझनों में उलझता चला जाता है। यह मैंने तीसरा सूत्र कहा : दमन से सावधान रहना!

दमन करने वाला आदमी रुग्ण हो जाता है, अस्वस्थ हो जाता है, बीमार हो जाता है। और दमन का अंतिम परिणाम विक्षिप्तता है, मैडनेस है।

ये तीन बातें मैंने इन तीन दिनों में कहीं। आज चौथी बात और अंतिम बात आपसे कहना चाहता हूं। और वह यह कि फिर क्या करें? न शास्त्र को मानें, न समाज को, न नीतिशास्त्र को--जो कहता है कि दबाओ, दमन करो, लड़ो--फिर क्या करें?

एक ही बात, एक छोटा सा सूत्र। छोटा है, सूत्र है, लेकिन बड़ी विस्फोट की, बड़ी एक्सप्लोजन की शक्ति है उसमें। जैसे एक छोटे से अणु में इतनी ताकत है कि सारी पृथ्वी को नष्ट कर दे, ऐसे ही इस छोटे से सूत्र में शक्ति है।

इन तीनों जंजीरों से मुक्त होने के लिए एक ही सूत्र है। और वह सूत्र है-- जागरण, जागना, अवेयरनेस, ध्यान, अमूर्च्छा, होश, माइंडफुलनेस--कोई भी नाम दें। जागो! एक ही सूत्र है छोटा सा।

उन सिद्धांतों के प्रति जागो जो पकड़े हुए हैं। और जागते ही उन सिद्धांतों से छुटकारा शुरू हो जाएगा। क्योंकि सिद्धांत आपको नहीं पकड़े हैं, आप उन्हें पकड़े हुए हैं। और जैसे ही आप जागे और आपको लगा कि अजीब बात है, गुलाम मैं बना हूं और गुलामी की जंजीर मेरी ही अपने हाथ में है! फिर छूटने में देर नहीं लगती।

पहला जागरण चित्त के सिद्धांतों, वादों, संप्रदायों, धर्मों, गुरुओं, महात्माओं के प्रति, जिनको हम जोर से पकड़े हुए हैं। कुछ भी नहीं है हाथ में, कोरी राख है शब्दों की, लेकिन जोर से पकड़े हुए हैं। कभी हाथ खोल कर भी नहीं देखते हैं। डर लगता है कि कहीं देखा और कुछ न पाया, तो बहुत मुश्किल हो जाएगी। उसे गौर से देखना जरूरी है कि मैं किस-किस चीजों से जकड़ा हुआ हूं? मेरी जंजीरें कहां हैं? मेरी स्लेवरी, मेरी गुलामी कहां है? मेरी आध्यात्मिक दासता कहां छिपी है?

उसके प्रति एक-एक चीज के प्रति जागना जरूरी है। और जो आदमी अपने भीतर की गुलामी के प्रति जागेगा, जागने के अतिरिक्त गुलामी को तोड़ने के लिए और कुछ भी नहीं करना पड़ता है। जागते ही गुलामी टूटनी शुरू हो जाती है। क्योंकि यह गुलामी कोई लोहे की जंजीरों की नहीं है, जिनको तोड़ने के लिए हथौड़े और

संभोग से समाधि की ओर

आग जलानी पड़ेगी। ये जंजीरें कुछ बाहर नहीं हैं। ये जंजीरें सोए हुए होने की जंजीरें हैं। हमने कभी होश से देखा ही नहीं कि हमारी भीतर की मनोदशा क्या है, इसलिए हम चलते रहे हैं अंधेरे में। जाग जाएंगे तो पता चलेगा कि यह तो हमने अपने हाथ से पागलपन कर रखा है।

कोई दूसरा इसमें सहभागी नहीं है, हम खुद ही जिम्मेवार हैं। हम तोड़ दे सकते हैं जैसे ही होश आ जाए। तो जागरण--सिद्धांतों, शास्त्रों, संप्रदायों के प्रति।

यह हिंदू होने के प्रति, मुसलमान होने के प्रति; यह भारतीय होने के प्रति, चीनी होने के प्रति; ये सारी सीमाओं के प्रतिबंधन--इसके प्रति बोध, इसके प्रति जागरण।

यह कंडीशनिंग जो भीतर है माइंड के--इसके प्रति देखना कि यह क्या है? यह मैं क्यों बंधा हूं इससे? कौन मुझे हिंदू बना गया? किसने मुझे सिद्धांत से अटका दिया?

याद ही नहीं है। मन में घुस गई हैं चीजें बाहर से आकर और हमने उन्हें पकड़ लिया है। उन्हें छोड़ देना है। छोड़ते ही एक फ्रीडम, एक मुक्ति, एक चित्त की मोक्ष की अवस्था उपलब्ध होती है।

भीड़ के प्रति जागना है कि मैं जो भी कर रहा हूं वह भीड़ को देख कर तो नहीं कर रहा हूं?

आप मंदिर चले जा रहे हैं सुबह ही उठ कर, भागते हुए, राम-राम जपते हुए। सुबह की सर्दी है, स्नान कर लिया है, भागते चले जा रहे हैं। सोचते हैं कि मंदिर जा रहा हूं। जरा जाग कर देखना कि कहीं सड़क के लोग देख लें कि मैं आदमी धार्मिक हूं, इसलिए तो मंदिर नहीं जा रहे हैं!

कौन मंदिर जाता है? भीड़ देख ले कि यह आदमी मंदिर जाता है, इसलिए आदमी मंदिर जाता है। किसको प्रयोजन है दान देने से?

अगर एक आदमी भीख मांगता है सड़क पर, तो आपको पता है, भिखारी अकेले में किसी से भीख मांगने में झिझकता है, चार-छह आदमियों के सामने जल्दी हाथ फैला कर खड़ा हो जाता है। क्योंकि उसको पता है कि इन पांच आदमियों को देखते हुए यह आदमी इनकार नहीं कर सकेगा। क्योंकि खयाल रखेगा कि पांच आदमी क्या सोचेंगे? कि बड़ा कठोर है, दस पैसे नहीं छूटे!

तो भिखमंगा भीड़ में जल्दी से पीछा पकड़ लेता है। और दस आदमियों को देख कर आपको दस पैसे देने पड़ते हैं। वे दस पैसे आप भिखारी को नहीं दे रहे हैं, वे दस पैसे आप इंश्योरेंस कर रहे हैं अपनी इज्जत का दस आदमियों में। उन दस पैसों का

आप क्रेडिट बना रहे हैं, इज्जत बना रहे हैं बाजार में।

लेकिन आपको खयाल भी नहीं होगा। आप घर लौट कर कहेंगे कि बड़ा दान किया, आज एक आदमी को दस पैसे दिए! लेकिन थोड़ा भीतर जाग कर देखना, तो पता चलेगा : जिसको दिए उसको तो दिए ही नहीं, उसको तो भीतर से गाली निकल रही थी कि यह दुष्ट कहां से आ गया! दिए उनको, जो साथ खड़े थे।

भीड़ सब तरफ से पकड़े हुए है।

एक मंदिर बनाता था एक आदमी। एक गांव में मैंने देखा, एक मंदिर बन रहा है; भगवान का मंदिर बन रहा है।

कितने भगवान के मंदिर बनते चले जाते हैं!

नया मंदिर बन रहा था। उस गांव में वैसे ही बहुत मंदिर थे! आदमियों को रहने की जगह नहीं है, भगवान के लिए मंदिर बनते चले जाते हैं! और भगवान का कोई पता नहीं है कि वे रहने को कब आएंगे कि नहीं आएंगे; आएंगे भी कि नहीं आएंगे, उनका कुछ पता नहीं है।

नया मंदिर बनने लगा तो मैंने उस मंदिर को बनाने वाले कारीगरों से पूछा कि बात क्या है? बहुत मंदिर हैं गांव में, भगवान का कहीं पता नहीं चलता। और एक किसलिए बना रहे हो?

बूढ़ा था कारीगर, अस्सी साल उसकी उम्र रही होगी, बामुश्किल मूर्ति खोद रहा था। उसने कहा कि आपको शायद पता नहीं कि मंदिर भगवान के लिए नहीं बनाए जाते।

मैंने कहा, बड़े नास्तिक मालूम होते हो। मंदिर भगवान के लिए नहीं बनाए जाते तो और किसके लिए बनाए जाते हैं?

उस बूढ़े ने कहा, पहले मैं भी यही सोचता था। लेकिन जिंदगी भर मंदिर बनाने के बाद इस नतीजे पर पहुंचा हूं कि भगवान के लिए इस जमीन पर एक भी मंदिर कभी नहीं बनाया गया।

मैंने कहा, मतलब क्या है तुम्हारा? उस बूढ़े ने मेरा हाथ पकड़ा और कहा कि भीतर आओ।

और बहुत कारीगर काम करते थे। लाखों रुपये का काम था। क्योंकि कोई साधारण आदमी मंदिर नहीं बना रहा था। सबसे पीछे, जहां पत्थरों को खोदते कारीगर थे, उस बूढ़े ने ले जाकर मुझे खड़ा कर दिया एक पत्थर के सामने और कहा कि इसलिए मंदिर बन रहा है!

संभोग से समाधि की ओर

उस पत्थर पर मंदिर को बनाने वाले का नाम स्वर्ण-अक्षरों में खोदा जा रहा है।

उस बूढ़े ने कहा, सब मंदिर इस पत्थर के लिए बनते हैं। असली चीज यह पत्थर है, जिस पर नाम लिखा रहता है कि किसने बनवाया।

मंदिर तो बहाना है इस पत्थर को लगाने का। यह पत्थर असली चीज है, इसकी वजह से मंदिर भी बनाना पड़ता है। मंदिर तो बहुत महंगा पड़ता है; लेकिन इस पत्थर को लगाना है तो क्या करें, मंदिर बनाना पड़ता है। मंदिर पत्थर लगाने के लिए बनते हैं, जिन पर खुदा है कि किसने बनाया!

लेकिन मंदिर बनाने वाले को शायद होश नहीं होगा कि यह मंदिर भीड़ के चरणों में बनाया जा रहा है, भगवान के चरणों में नहीं। इसीलिए तो मंदिर हिंदू का होता है, मुसलमान का होता है, जैन का होता है। मंदिर भगवान का कहां होता है?

भीड़ से सावधान होने का मतलब यह है कि भीतर जाग कर देखना चित्त की वृत्तियों को : कि कहीं भीड़ तो मेरा निर्माण नहीं करती है? चौबीस घंटे भीड़ तो मुझे मोल्ड नहीं करती है? कहीं भीड़ के सांचे में तो मुझे नहीं ढाला जा रहा है?

क्योंकि ध्यान रहे, भीड़ के सांचे में कभी किसी आत्मा का निर्माण नहीं होता। भीड़ के सांचे में मुर्दा आदमी ढाले जाते हैं और पत्थर हो जाते हैं।

जिनको आत्मा को पाना है जीवंत, वे भीड़ के सांचे को तोड़ कर ऊपर उठने की कोशिश करते हैं। लेकिन कुछ और करने की जरूरत नहीं है, सिर्फ जागने की जरूरत है, कि चित्त की वृत्तियों को मैं जाग कर देखता रहूं कि भीड़ मुझे पकड़ तो नहीं रही है?

और बड़े मजे की बात है, अगर कोई जाग कर देखता रहे तो भीड़ की पकड़ बंद हो जाती है। और इतना हलकापन, इतनी वेटलेसनेस मालूम होती है, क्योंकि वजन भीड़ का है हमारे सिरों पर।

हम दिखाई पड़ रहे हैं कि हम अकेले खड़े हैं, हमारे सिर पर कोई भी नहीं है। जरा गौर से देखना! किसी के सिर पर गांधी बैठे हैं, किसी के सिर पर मोहम्मद बैठे हैं, किसी के सिर पर महावीर बैठे हैं। और अकेले नहीं बैठे हैं, अपने चेले-चांटियों के साथ बैठे हुए हैं! और एक-दो दिन से नहीं बैठे हुए हैं, हजारों-लाखों साल से बैठे हुए हैं! सिर भारी हो गया है, कतार लग गई है एवरेस्ट की, आकाश को छू रही है, इतने लोग ऊपर बैठे हुए हैं।

इन सबको उतार देने की जरूरत है। अगर अपने को पाना है, तो अपने सिर से सबको उतार देने की जरूरत है। कोई हक नहीं है किसी को कि किसी की आत्मा पर

पत्थर होकर बैठ जाए।

लेकिन वे बेचारे नहीं बैठे हैं, आप बिठाए हुए हैं। उनका कोई कसूर नहीं है। वे तो घबड़ा गए होंगे कि यह आदमी कब तक ढोता रहेगा! हमारे प्राण निकले जा रहे हैं, कितने दिन से बिठाए हुए है, हमको छोड़ता ही नहीं!

आप ही बिठाए हुए हैं। जागते ही छूट जाएगा यह मोह। सिर हलका हो जाएगा; मन हलका हो जाएगा। उड़ने की तैयारी शुरू हो जाएगी। पंख खुल सकेंगे।

और तीसरी बात ः जागना है दमन के प्रति।

लोग सोचते हैं कि दमन छोड़ देंगे तो भोग शुरू हो जाएगा। लोग सोचते हैं, अगर क्रोध नहीं दबाया तो क्रोध हो जाएगा, और झंझट हो जाएगी।

अगर मालिक की गर्दन पकड़ लेंगे, वह और दिक्कत की बात है। उससे पत्नी की गर्दन पकड़ना ज्यादा कनवीनिएंट, ज्यादा सुविधापूर्ण है। यह झंझट की बात हो जाएगी, इसके आर्थिक दुष्परिणाम हो जाएंगे--अगर मालिक की गर्दन पकड़ेंगे। और मालिक की गर्दन पकड़ने के लिए पत्नी भी कहेगी कि मत पकड़ना; उससे तो मेरी ही पकड़ लेना। क्योंकि मालिक की गर्दन पकड़ी तो बच्चे का क्या होगा? पत्नी का क्या होगा? सब दिक्कत में पड़ जाएंगे। तुम तो मेरी ही पकड़ लेना। पत्नी भी यही कहेगी कि यही ज्यादा सुविधापूर्ण, समझदारी का है कि मालिक को छोड़ कर, आकर मुझ पर टूट पड़ना।

नहीं, मैं आपसे कहना चाहता हूं ः क्रोध को दबाने की जरूरत नहीं है; क्रोध को भी देखने, जानने और जागने की जरूरत है। जब किसी के प्रति मन में क्रोध पकड़े, तो जाग कर देखना कि क्रोध पकड़ रहा है। होश से भर जाना कि क्रोध आ रहा है। देखना अपने भीतर कि क्रोध का धुआं उठ रहा है। क्रोध क्या-क्या कर रहा है, भीतर देखना। और एक अदभुत अनुभव होगा जीवन में पहली बार--देखते ही क्रोध विलीन हो जाता है; न दबाना पड़ता है, न करना पड़ता है।

आज तक दुनिया में कोई आदमी जाग कर क्रोध नहीं कर पाया है।

बुद्ध एक गांव से गुजरते थे। कुछ लोगों ने भीड़ लगा ली और बहुत गालियां दीं बुद्ध को।

अच्छे लोगों को हमने सिवाय गालियां देने के आज तक कुछ भी नहीं किया। हां, जब वे मर जाते हैं तो पूजा वगैरह भी करते हैं। लेकिन वह मरने के बाद की बात है। जिंदा बुद्ध को तो गाली देनी ही पड़ेगी। क्योंकि ऐसे लोग थोड़े डिस्टघबग होते हैं; थोड़ी गड़बड़ कर देते हैं; नींद तोड़ देते हैं। तो गुस्सा आता है तो आदमी गाली

संभोग से समाधि की ओर

देता है, कसूर भी क्या है!

उस गांव के लोगों ने घेर कर बुद्ध को बहुत गालियां दीं। बुद्ध ने उनसे कहा कि मित्रो, तुम्हारी बात अगर पूरी हो गई हो तो अब मैं जाऊं, मुझे दूसरे गांव जल्दी पहुंचना है।

वे लोग कहने लगे, बात? हम गालियां दे रहे हैं सीधी-सीधी, समझ नहीं आतीं आपको! क्या बुद्धि बिलकुल खो दी है? सीधी-सीधी गालियां दे रहे हैं, बात नहीं कर रहे हैं।

बुद्ध ने कहा, तुम गालियां दे रहे हो, वह मैं समझ गया। लेकिन मैंने गालियां लेना बंद कर दिया है। तुम्हारे देने से क्या होगा जब तक मैं लूं न? और मैं ले नहीं सकता। क्योंकि जब से जाग गया हूं, तब से गाली लेना असंभव हो गया है। जागते में कोई गलत चीज कैसे ले सकता है?

आप बेहोशी में चलते हों तो पैर में कांटा गड़ जाता है; सड़क को देख कर चलते हों तो कैसे कांटा गड़ सकता है! गलती से आदमी दीवाल से टकरा सकता है; लेकिन आंखें खुली हों तो दरवाजे से निकलता है।

बुद्ध ने कहा कि मैं आंखें खोल कर जब से जीने लगा हूं, जाग कर, तब से गालियां लेने का मन ही नहीं करता है। अब मैं बड़ी मुश्किल में पड़ गया। तुम्हें दस साल पहले आना चाहिए था। तुम जरा देर करके आए। दस साल पहले आते तो मजा आ जाता। तुमको मजा आ जाता, हमको तो बहुत तकलीफ होती। हमको तो अभी मजा आ रहा है। लेकिन तुम्हें बहुत मजा आ जाता; क्योंकि मैं भी दुगने वज़न की गाली तुम्हें देता। लेकिन अब बड़ी मुश्किल है; होश से भरा हुआ आदमी गाली नहीं ले सकता। तो मैं जाऊं?

वे लोग बड़े हैरान हो गए। बुद्ध ने कहा, जाते वक्त एक बात और तुमसे कह दूं। पिछले गांव में कुछ लोग मिठाइयां लेकर आए थे। मैंने कहा कि मेरा पेट भरा है। वह भी जागा हुआ था, इसलिए कह सका; क्योंकि सोया हुआ आदमी मिठाइयां देख कर भूल जाता है कि पेट भरा है।

पता है आपको? बेहोश आदमी भूख देख कर नहीं खाता; बेहोश आदमी चीजें देख कर खाता है। होश भरा आदमी पेट की भूख देख कर खाता है। बात खतम हो गई।

बुद्ध ने कहा, मेरा पेट भरा था। वह भी होश की वजह से। दस साल पहले वे भी आए होते, तो उनकी थालियां उन्हें वापस न ले जानी पड़तीं। मैं उनको जरूर खा

लेता। लेकिन जब से होश आ गया है, जाग कर देखता रहता है। तो गलती करनी बहुत मुश्किल हो गई है। वे बेचारे थालियां वापस ले गए। तो मैं तुमसे पूछता हूं, दोस्तो, उन्होंने उन मिठाइयों का क्या किया होगा?

उस गाली देने वाली भीड़ में से एक आदमी ने कहा, क्या किया होगा? घर में जाकर मिठाइयां बांट दी होंगी।

बुद्ध ने कहा, यही मुझे चिंता हो रही है कि तुम क्या करोगे? तुम गालियों की थालियां लेकर आए हो, और मैं लेता नहीं। अब तुम इन गालियों का क्या करोगे? किसको बांटोगे?

बुद्ध कहने लगे, मुझे बड़ी दया आती है तुम पर। अब तुम करोगे क्या? इन गालियों का क्या करोगे? मैं लेता नहीं; मैं ले सकता नहीं। चाहूं भी तो नहीं ले सकता, मुश्किल में पड़ गया हूं, जाग जो गया हूं।

कोई आदमी जाग कर क्रोध नहीं कर सकता।

दमन निद्रा में चलता है, जाग्रत आदमी को दमन की कोई जरूरत नहीं है। देखे एक प्रयोग

एक आदमी मेरे पास आया कुछ ही समय हुआ। उसने कहा, मुझे बहुत क्रोध आता है। आप कहते हैं, जागो! जागो! मुझसे नहीं होता यह जागना-वागना। जब आता है, तब आ ही जाता है। फिर पीछे जागते हैं, जब सब मामला ही खतम हो जाता है। फिर कोई फायदा नहीं होता।

तो मैंने एक कागज पर उसको लिख कर दे दिया कि इस कागज पर लिखा हुआ है-- 'अब मुझे क्रोध आ रहा है'--बड़े-बड़े अक्षरों में। इसको खीसे में रख लो, और जब आए तो इसको निकाल कर एक दफे पढ़ कर खीसे में रख लेना, और जो तुम्हें समझ में आए सो करना।

वह आदमी 15 दिन बाद आया और कहने लगा, बड़ी हैरानी की बात है। यह कागज में कैसा मंत्र है! क्योंकि जब क्रोध आता है, हाथ ले गए खीसे की तरफ कि क्रोध की जान निकल जाती है! वह जैसे ही यह ख्याल आया कि आ रहा है--कि भीतर कोई चीज जग जाती है और वह नहीं आता।

मैने कहा, बस इतना ही थोड़ी सी समझ की जरूरत है जीवन के प्रति जीवन छोटे से राजों पर निर्भर होता है। और बड़े से बड़ा राज यह है कि सोया हुआ आदमी भटकता चला जाता है चक्कर में, जागा हुआ आदमी चक्कर के बाहर हो जाता है।

जागने की कोशिश ही धर्म की प्रक्रिया है।

जागने का मार्ग ही योग है।

जागने की विधि का नाम ही ध्यान है।

जागना ही एकमात्र प्रार्थना है।

जागना ही एकमात्र उपासना है।

जो जागते हैं, वे प्रभु के मंदिर को उपलब्ध हो जाते हैं।

क्योंकि पहले वे जागते हैं, तो वृत्तियां, व्यर्थताएं, कचरा, कूड़ा-करकट चित्त से गिरना शुरू हो जाता है। धीरे-धीरे चित्त निर्मल हो जाता है जागे हुए आदमी का। और जब चित्त निर्मल हो जाता है, तो चित्त दर्पण बन जाता है।

जैसे झील निर्मल हो, तो चांद-तारों की प्रतिछवि बनती है। और आकाश में भी चांद-तारे उतने सुंदर नहीं मालूम पड़ते हैं, जितने झील की छाती पर चमक कर मालूम पड़ते हैं। जब चित्त निर्मल हो जाता है, जागे हुए आदमी का, तो उस चित्त की निर्मलता में परमात्मा की छवि दिखाई पड़नी शुरू हो जाती है। फिर वह निर्मल आदमी कहीं भी जाए-- फूल में भी उसे परमात्मा दिखता है, पत्थर में भी, मनुष्यों में भी, पक्षियों में भी, पदार्थ में भी-- उसके लिए जीवन परमात्मा हो जाता है।

जीवन की क्रांति का अर्थ है: जागरण की क्रांति।

इन तीन दिनों में इस जागरण के बिंदु को समझाने के लिए मैंने ये सारी बातें की है। लेकिन मैं कहूं, इससे जागरण समझ में नहीं आ सकता है। वह तो आप जागेंगे तो समझ में आ सकता है।

और कोई दूसरा आपको नहीं जगा सकता, आप ही--बस आप ही--अपने को जगा सकते हैं

तो देखें अपने भीतर और एक-एक चीज के प्रति जागना शुरू करें। जैसे-जैसे जागरण बढ़ेगा, वैसे-वैसे जीवन बढ़ेगा, मृत्यु कम होगी। जिस दिन जागरण पूर्ण होगा, उस दिन मृत्यु विलीन हो जाती है; जैसे थी ही नहीं। जैसे कोई अंधेरे कमरे में एक आदमी दीया लेकर चला जाए। दीया लेकर पहुंचता है कि अंधेरा खो जाता है; जैसे था ही नहीं। ऐसे ही जो आदमी जागरण का दीया लेकर भीतर जाता है, मृत्यु खो जाती है, दुख खो जाता है।, अशांति खो जाती है। अमृत--वह जिसका कोई अंत नहीं; वह जिसका कोई प्रारंभ नहीं; वह जो असीम है; वह जो प्रभु है--उसके मंदिर में प्रवेश हो जाता है।

अंत में यही प्रार्थना करता हूँ कि उस मंदिर में सबका प्रवेश हो सके। लेकिन किसी की कृपा से नहीं होगा यह; किसी के प्रसाद से, आशीर्वाद से नहीं होगा।

अपने ही श्रम, अपने ही संकल्प, अपनी ही साधना से होता है।

जो जागते हैं, वे पाते हैं। जो सोए रह जाते हैं, वे खो देते हैं।

मेरी बातों को इन चार दिनों में इतने प्रेम और शांति से सुना, उस सबके लिए बहुत अनुगृहीत हूं। और अंत में सबके भीतर बैठे परमात्मा को प्रणाम करता हूं, मेरे प्रणाम को स्वीकार करें। ❑❑❑